dtv

Welche Vorstellung von der Welt haben Kinder in den verschiedenen Stadien ihrer Entwicklung? Wie eignen sie sich »Realität« an? Wie erklärt sich ein Kind das Wesen des Denkens, die Benennung der Dinge, die Beschaffenheit der Träume und des Bewußtseins? Jean Piaget, der sein monumentales Lebenswerk der Erforschung der kindlichen Entwicklung gewidmet hat und damit Weltruhm erlangte, befaßt sich in ›Das Weltbild des Kindes‹, 1926 zum erstenmal erschienen, mit drei umfassenden Themenkreisen. Der erste untersucht den kindlichen Realismus: wie das Kind die Grenzen zwischen seinem Ich und der äußeren Realität erfährt und bestimmt. Im zweiten geht Piaget dem kindlichen Animismus nach: wie Kinder Gegenstände und Körper, die für Erwachsene leblos sind, mit Leben und Bewußtsein ausstatten. Der dritte Teil gilt dem kindlichen Artifizialismus, womit Piaget die kindlichen Erklärungsmodelle zum Ursprung der Gestirne, des Himmels, der Wasserläufe etc. meint. Piaget arbeitet die allen drei Bereichen gemeinsame Ausgangslage heraus: Für ihn gibt es einen grundsätzliche Egozentrizität des kindlichen Denkens; diese macht es dem Kind unmöglich, sich in solche Gegebenheiten hineinzuversetzen und sie zu verstehen, die von seiner eigenen Sicht abweichen. Piaget gelingt es, die kindlichen Reaktionen erklärbarer zu machen; er leistet damit einen bedeutsamen Beitrag zum Verständnis zwischen Eltern und Kindern. »Das Vergnügen, mit dem man Piagets Beschreibungen der kindlichen Weltansicht liest, und die ›face validity‹ seiner Deutungen sprechen in einem tieferen Sinn für ihre Wahrheit.« (Hans Aebli im Vorwort)

Jean Piaget, geboren 1896 in Neuchâtel/Schweiz, war zwischen 1926 und 1954 Professor für Psychologie in Neuchâtel, Genf und Lausanne. Bis 1967 war er Direktor des Internationalen Erziehungsbüros, ab 1932 leitete er auch das Institut Jean-Jaques Rousseau. Er starb 1980 in Genf. Piaget war einer der Hauptvertreter der Entwicklungspsychologie (Genfer Schule); er befaßte sich vor allem mit der Entwicklung der kognitiven Strukturen beim Kind sowie mit erkenntnistheoretischen Fragen.

Jean Piaget

Das Weltbild des Kindes

Einführung von Hans Aebli
Aus dem Französischen von
Luc Bernard

Klett-Cotta
im
Deutschen Taschenbuch Verlag

Unter Mitarbeit von A. Bodourian (2., 9. und 10. Kapitel), G. Guex (1., 3., 7., 8. und 9. Kapitel), R. Hepner (8. Kapitel), H. Krafft (1., 3., 5., 7. und 9. Kapitel), E. Margairaz (9. und 10. Kapitel), S. Perret (1., 3., 5. und 7. Kapitel), V.-J. Piaget (1., 3., 7. und 9. Kapitel), M. Rodrigo (3. und 9. Kapitel), M. Rond (9. Kapitel), N. Swetlova (2., 9. und 10. Kapitel) und Dr. Versteeg (3. Kapitel).

Von Jean Piaget
sind im Deutschen Taschenbuch Verlag erschienen:

Das Erwachen der Intelligenz beim Kinde (15098)
Die Psychologie des Kindes (mit Bärbel Inhelder; 35030)

Ungekürzte Ausgabe
1. Auflage Juli 1988 (dtv 15044)
5. Auflage März 1997
Deutscher Taschenbuch Verlag GmbH & Co. KG, München
© 1926 Presses Universitaires de France
Titel der französischen Originalausgabe:
La représentation du monde chez l'enfant
© der deutschsprachigen Ausgabe:
1978 J. G. Cotta'sche Buchhandlung Nachfolger GmbH, gegr. 1659,
Stuttgart
ISBN 3-12-926321-7
Umschlagkonzept: Balk & Brumshagen
Umschlagbild: ›Kind mit Taube‹ (1901) von Pablo Picasso
(© Succession Picasso/VG Bild-Kunst, Bonn 1997)
Gesamtherstellung: C. H. Beck'sche Buchdruckerei, Nördlingen
Gedruckt auf säurefreiem, chlorfrei gebleichtem Papier
Printed in Germany · ISBN 3-423-35004-0

Inhalt

Zur Einführung. Von Hans Aebli 9

Einleitung: Die Probleme und die Methoden 15
  1. Die Testmethode, die reine Beobachtung und die klinische Methode 16
  2. Die bei der klinischen Untersuchung beobachtbaren fünf Reaktionstypen 23
  3. Regeln und Kriterien für eine Diagnose der erwähnten Reaktionstypen 30
  4. Regeln für die Interpretation der Ergebnisse 34

Erster Teil: Der kindliche Realismus 43
Kapitel I: Der Begriff Denken 47
  1. Das erste Stadium: Man denkt mit dem Mund 48
  2. Das Sehen und der Blick 55
  3. Das zweite und das dritte Stadium: Man denkt mit dem Kopf 57
  4. Die Wörter und die Dinge 62
Kapitel II: Der Realismus der Namen 67
  1. Der Ursprung der Namen 68
  2. Der Ort der Namen 76
  3. Der innere Wert der Namen 83
  4. Schlußfolgerungen 88
Kapitel III: Die Träume 90
  1. Das erste Stadium: Der Traum kommt von außen und bleibt äußerlich 92
  2. Das zweite Stadium: Der Traum kommt aus uns, ist aber außerhalb von uns 104
  3. Das dritte Stadium: Der Traum ist innerlich und kommt von innen 112
  4. Schlußfolgerungen 114
Kapitel IV: Der Realismus und die Ursprünge der Partizipation . 118
  1. Der Realismus und das Selbstbewußtsein 119
  2. Die Partizipationsgefühle und die magischen Praktiken beim Kind 125
  3. Die Ursprünge der kindlichen Partizipation und Magie 141
  4. Gegenbeweis: Die spontanen magischen Haltungen beim Erwachsenen 151
  5. Schlußfolgerung: Logische Egozentrizität und ontologische Egozentrizität 155

Zweiter Teil: Der kindliche Animismus 157
Kapitel V: Das den Dingen zugesprochene Bewußtsein 159
  1. Das erste Stadium: Alles ist mit Bewußtsein ausgestattet ... 161
  2. Das zweite Stadium: Alle beweglichen Gegenstände sind bewußt 166
  3. Das dritte Stadium: Bewußt sind die mit Eigenbewegung ausgestatteten Körper 168
  4. Das Bewußtsein wird den Tieren vorbehalten 171
  5. Schlußfolgerungen 172
Kapitel VI: Der Begriff »Leben« 178
  1. Das erste Stadium: Das Leben ist mit der Aktivität im allgemeinen verbunden 179
  2. Das zweite Stadium: Das Leben wird mit der Bewegung verbunden 182
  3. Das dritte und das vierte Stadium: Das Leben wird mit der Eigenbewegung verbunden und dann den Tieren und Pflanzen vorbehalten 184
  4. Schlußfolgerung: Der Begriff »Leben« beim Kind 186
Kapitel VII: Die Ursprünge des kindlichen Animismus: Moralische Notwendigkeit und physikalischer Determinismus 188
  1. Der spontane Animismus beim Kind 188
  2. Die Sonne und der Mond folgen uns 193
  3. Physikalischer Determinismus und moralische Notwendigkeit 200
  4. Schlußfolgerungen: Der Aussagewert der Befragung über den kindlichen Animismus und die Natur des »diffusen Animismus« 205
  5. Schlußfolgerungen (Fortsetzung): Die Ursprünge des kindlichen Animismus 210

Dritter Teil: Der kindliche Artifizialismus und die späteren Stadien der Kausalität 227
Kapitel VIII: Der Ursprung der Gestirne 229
  1. Ein ursprünglicher Fall des ersten Stadiums 231
  2. Das erste Stadium: Die Gestirne sind fabriziert worden 235
  3. Das zweite und das dritte Stadium: Die Gestirne haben einen zuerst teilweise, dann ganz natürlichen Ursprung 242
  4. Die Mondsicheln 249
Kapitel IX: Die Meteorologie und der Ursprung der Gewässer .. 253
  1. Das Himmelsgewölbe 254
  2. Die Ursache und die Natur der Nacht 258
  3. Der Ursprung der Wolken 264
  4. Der Donner und die Blitze 271
  5. Die Bildung des Regens 274

6. Die Erklärung für den Schnee, das Eis und die Kälte	282
7. Die Flüsse, die Seen und das Meer. Der primäre Ursprung der Gewässer	286
Kapitel X: Der Ursprung der Bäume, der Berge und der Erde	292
1. Die Herkunft des Holzes und der Pflanzen	292
2. Die Herkunft des Eisens, des Glases, des Stoffes und des Papiers	295
3. Die Herkunft der Steine und des Erdbodens	297
4. Der Ursprung der Berge	304
Kapitel XI: Die Bedeutung und die Ursprünge des kindlichen Artifizialismus	306
1. Die Bedeutung des kindlichen Artifizialismus	306
2. Die Beziehungen zwischen dem Artifizialismus und dem Problem der Geburt der Kinder	314
3. Die Stadien des spontanen Artifizialismus und ihre Beziehungen zur Entwicklung des Animismus	322
4. Die Ursprünge des Artifizialismus	328
5. Die Ursprünge der Identifikation und die Ursachen für das Verschwinden des Artifizialismus und des Animismus	335
Anhang: Anmerkung zu den Beziehungen zwischen dem Glauben an das Wirksame und der Magie im Zusammenhang mit den Abschnitten 2 und 3 des IV. Kapitels	339
Personenregister	345

Zur Einführung

›Das Weltbild des Kindes‹ markiert einen Angelpunkt in Piagets monumentalem entwicklungspsychologischen Werk. 1926 erschienen, ist es die dritte größere Monographie Piagets zur geistigen Entwicklung des Kindes. Hatten die ersten beiden Werke, ›Sprechen und Denken des Kindes‹ und ›Urteil und Denkprozeß des Kindes‹ versucht, die formalen Merkmale der Sprache und des Denkens des Kindes zu kennzeichnen, so wendet sich Piaget im vorliegenden Buch den inhaltlichen Fragen zu: Er untersucht zusammen mit seinen Mitarbeitern, wie sich das Kind das Wesen des Denkens, der sprachlichen Benennung, der Träume und des Bewußtseins erklärt, wie es die Entstehung des Lebens deutet und welchen Gegenständen es Leben zuschreibt, wie es sich die Entstehung der Gestirne, der meteorologischen Erscheinungen (Wolken, Regen, Donner, Blitz), den Ursprung der Berge, der Mineralien usw. erklärt. Das Ergebnis ist ein reizvolles Bild der kindlichen Weltansicht, dessen Stadium man den Erziehern, den Kindergärtnerinnen und den Lehrern der Elementarstufe nicht genug empfehlen kann.

Indessen geht Piaget auch in diesem Werk über die bloße Beschreibung der kindlichen Vorstellungen hinaus. Er untersucht die Mechanismen ihrer Entstehung. Der grundlegende Tatbestand, der ihm die Reaktionen der Kinder erklärt, ist die *Egozentrizität* ihres Denkens. Dabei steht das vorliegende Werk an einem Wendepunkt in Piagets Entwicklungspsychologie. In ›Sprechen und Denken des Kindes‹ hatte Piaget den Begriff der Egozentrizität primär als sozialpsychologisches Phänomen verstanden: Dem Kind geht es nicht um die Kommunikation mit dem anderen; es spricht für sich und zu sich. Diese Auffassung ist, wie man weiß, in Amerika und in der Sowjetunion stark angegriffen worden. Im vorliegenden Buch bezieht Piaget jene Position, die er in seinem gesamten folgenden Werk beibehalten wird: Egozentrizität bedeutet nicht ein Fehlen des Willens zur Kommunikation. Sie stellt primär eine Einschränkung in der Funktion des kindlichen Denkens dar, die erst sekundär Auswirkungen im Bereich der Kommunikation hat. Egozentrizität ist die Unfähigkeit des Kindes, sich in den Standpunkt eines anderen zu versetzen und zu verstehen, daß dessen Sicht eines Gegenstandes möglicherweise von der eigenen abweicht.

Dieser Egozentrismus ist für Piaget ein Produkt der unvollkommenen Differenzierung des eigenen Ich von den Dingen der Umwelt. Das Kind vermag bei vielen Erscheinungen den subjektiven und den objektiven Anteil nicht auseinanderzuhalten. Zwar treffen die drei- bis neunjährigen Kinder, die hier vor allem untersucht werden, diese Unterscheidung im Bereiche des sensomotorischen Handelns in der Regel durchaus. Sie wissen natürlich, daß ihre Hand zum eigenen Körper, der in der Hand gehaltene Ball aber zur Umwelt gehört. Aber im Bereiche der psychologischen Prozesse, der Lebensvorgänge und der Interaktionen mit Erscheinungen, die man nicht manipulieren kann, also zum Beispiel mit dem Wind, dem Regen, der Sonne und dem Mond, zerfließen die Grenzen zwischen Subjekt und Objekt.

Daraus entstehen drei Äußerungsformen des Egozentrismus: Der Realismus, der Animismus und der Artifizialismus. Alle gehen sie auf eine adualistische Auffassung von Ich und sachlicher Gegebenheit zurück. Zwischen dieser und jenem besteht eine Beziehung der *Partizipation;* auch zwischen den Erscheinungen unter sich. Der Begriff stammt bekanntlich von Lévy-Bruhl, der mit ihm die Mentalität des primitiven Menschen gekennzeichnet hat. Für das Kind besteht er in der Annahme einer teilweisen Identität und eines Wirkungszusammenhangs zwischen Dingen, die sich weder berühren noch in einer kausalen Beziehung zueinander stehen. Aber eben: nicht nur zwischen Dingen. Das Kind meint, selbst an den objektiven Prozessen zu partizipieren. Sie sind wie es mit Bewußtsein, Absichten und Erlebnissen ausgestattet *(Animismus)*, und es kann daher auch durch magische Praktiken auf sie einwirken. Der Egozentrismus erklärt auch den kindlichen *Realismus:* Da sich das Kind der Tatsache noch nicht bewußt ist, daß die Benennung eines Gegenstandes einen subjektiven Akt des Menschen darstellt und daß die Träume in ihm selbst entstehen, verlegt es die Namen in die Dinge hinein und gibt es den Träumen den Status von Dingen, die außerhalb seiner selbst lokalisiert sind. So ist der Egozentrismus eine Haltung des Subjektes, das seiner selbst noch nicht bewußt ist; die Folge ist eine synkretische Vermengung von subjektiven und objektiven Phänomenen. In diesem Zusammenhang stellt sich Piaget auch die Frage nach dem Verhältnis seiner Deutung der Mentalität des Kindes zu den Deutungen Freuds. Das zentrale Problem lautet: Stellen die geschilderten Erscheinungen »Projektionen« dar? Piaget sieht eine gewisse Verwandtschaft, grenzt seine Position jedoch von derjenigen Freuds ab. Er spricht von Introjektion und meint damit die Attribution subjektiver Prozesse, die zu den eigenen Intentionen und Erlebnissen in einer reziproken Beziehung stehen: »Die Tür ist böse, weil sie mit mir zusammengestoßen ist.«

Auch der kindliche *Artifizialismus* ist nach Piaget eine Auswirkung des Egozentrismus: Die Dinge sind von den Menschen oder von menschenähnlichen Wesen artifiziell, also künstlich, gemacht

worden, um gewisse Funktionen für die Menschen zu erfüllen, und sie müssen diese Funktionen erfüllen, weil sie dazu moralisch verpflichtet sind. Damit setzt der Artifizialismus den Animismus fort. Zugleich wird hier die Nicht-Unterscheidung von physikalischen und moralischen Regeln durch das Kind sichtbar.
Man erkennt: Piaget beschreibt nicht nur ein Weltbild des Kindes, er zeigt auch, aus welchen Grundhaltungen heraus es entsteht. Das Buch ist jedoch noch in einer anderen Hinsicht bedeutungsvoll. Piaget stellt sich darin einem Problem, das er in seinen folgenden Werken nicht weiterverfolgen, negativer formuliert: das er verdrängen wird. Es ist die Frage nach der Entstehung der Auffassungen, die das Kind in den klinischen Befragungen äußert. Zwei Deutungen sind hier möglich: entweder die kindlichen Ideen liegen schon vor, bevor die Befragung einsetzt, und sie werden im Interview nur aufgedeckt, oder aber: das Kind elaboriert sie im Verlaufe des Interviews. (So wenigstens haben wir das Problem in unserem Buch ›Über die geistige Entwicklung des Kindes‹[1] pointiert formuliert.) Bekanntlich neigt Piaget in seinen seit 1940 erschienenen Werken der ersten der beiden Auffassungen zu. Im vorliegenden Buch stellt sich Piaget dieser Frage, und er gibt auf sie eine sehr viel vorsichtigere und, wie wir meinen, richtigere Antwort: Von vielen im Interview geäußerten Ansichten über die Welt kann nicht angenommen werden, daß das Kind sie in die Befragung mitbringt. Vielmehr entwickelt es sie im Verlaufe der Befragung zum ersten Mal, *ad hoc*, als Reaktion auf die Fragen des Versuchsleiters. Deshalb sind sie nicht wertlos: Sie zeigen nach Piaget die Ausrichtung des kindlichen Denkens und die Prinzipien, gemäß denen es seine Deutungen und Erklärungen der Welt konstruiert. Man fragt sich unwillkürlich, wie sich wohl Piagets Werk entwickelt hätte, wenn er mit dieser Auffassung auch in seinen folgenden Arbeiten Ernst gemacht hätte.
Auch bezüglich der Erklärungen der kindlichen Reaktionen aus individuellen und sozialen Faktoren ist dieses Buch offener als die folgenden Werke Piagets. Bei der Deutung der Entstehung der realistischen, animistischen und artifizialistischen Erklärungen wägt er in nuancierter Weise ab, welches die individuellen Kräfte und welches die sozialen und erzieherischen Einflüsse sind, die die kindlichen Reaktionen bestimmen. So kommt er etwa zum überraschenden, aber einleuchtenden Schluß, daß in den artifizialistischen Deutungen der Entstehung der Naturerscheinungen die Einflüsse der Umwelt dominieren, mindestens was die Inhalte betrifft. Auch hier fragt man sich, was aus Pia-

---

[1] Hans Aebli: Über die geistige Entwicklung des Kindes. Stuttgart 1963; ⁴1975.

gets Werk geworden wäre, wenn er diese Frage in der gleichen Offenheit weiterverfolgt hätte.

Ebenso interessant sind die Entwicklungsmodelle, die dem Werk zugrunde liegen. Einmal erkennt man eine Vorform des späteren *Äquilibrationsmodells:* Das kindliche Denken entwickelt sich vor dem Widerstand der Erscheinungen, deren Assimilation an die bestehenden Erklärungsschemata nicht gelingen will. Sodann aber skizziert Piaget ein hochinteressantes Spiralmodell der geistigen Entwicklung, das deutlich *dialektische Züge* trägt: Die Entwicklung des Verständnisses einer Erscheinung zerfällt in eine Phase der Unbewußtheit, in der die kindliche Überzeugung noch rein implizit, unausgesprochen und unaussprechbar ist. Wenn es in der Folge fähig wird, seine realistischen, animistischen oder artifizialistischen Überzeugungen zu verbalisieren, so sind diese schon von einer der ersten entgegenstehenden, neuen Deutungstendenz »unterminiert« (»minés«). Diese neue Tendenz verschafft sich dann ihre Geltung im kindlichen Denken, trägt aber wiederum schon den Keim ihrer In-Frage-Stellung und Überwindung in sich. Man müßte einmal untersuchen, mit welchen hegelianischen und marxistischen Ideen Piaget in dieser Zeit in Berührung gestanden hat. Er verrät es uns in diesem Falle nicht.

Indessen zeigt er in diesem Werk die Quellen der Inspiration seiner Begriffe und Theorien viel deutlicher auf, als dies später der Fall ist. Wir haben die Lévy-Bruhlsche Inspiration des Partizipationsgedankens schon genannt, auch die Diskussion des Freudschen Projektionsbegriffs. Sehr deutlich ist auch der Einfluß Léon Brunschvicgs, aus dessen Interpretation des aristotelischen Kausalitätsbegriffs Piaget den Gedanken des Artifizialismus übernommen hat. Auch der Geist des Genfer Linguisten de Saussure und der amerikanischen Entwicklungspsychologen Baldwin und Stanley Hall und seines älteren Kollegen am Institut Jean-Jacques Rousseau, des Pädagogen und Theologen Pierre Bovet, ist mit Händen zu greifen: Piaget zitiert diese Autoren ausführlich und geht im einzelnen auf ihre Auffassungen ein.

Man sieht, ›Das Weltbild des Kindes‹ ist trotz seiner frühen Entstehung ein aktuelles Buch. Es beschreibt und deutet das Denken des drei- bis neunjährigen Kindes in konkreter und anschaulicher Weise, ohne das Problem der allgemeinen Entwicklungsmechanismen zu vernachlässigen. In der Folge wird Piaget noch zwei Bücher dieser Art schreiben: das Werk über den Kausalbegriff des Kindes und dasjenige über sein moralisches Urteil. Es folgen die zwei Monographien über die sensomotorische Entwicklung der ersten zwei Lebensjahre, und dann greift Piaget das Denken des drei- bis zwölfjährigen Kindes in den Arbeiten über den Zahlbegriff, die physikalischen Mengenbegriffe und die Geometrie ein drittes Mal auf. Die Grundüberzeugungen bleiben dabei erstaunlich konstant: Die Assimilationstheorie wird nur unbedeutend ausgebaut, hinzu kommen der Akkommodations- und der Äquilibrationsbegriff. Piaget entwickelt eine Theorie der schrittweisen Verinnerlichung der Handlung und der zunehmenden Mobilität. Der Gedanke der Systemhaftigkeit des kindlichen Denkens wird formuliert und in Begriffen der formalen Logik gefaßt. Das sind eindrucksvolle Leistungen der Theoriebildung. Ob sie jedoch die Zeiten überdauern werden, ist fraglich. Im vorliegenden Buch sind die Systeme des kindlichen Denkens noch inhaltlich und deskriptiv gefaßt. An Stelle der logischen Systeme lernen wir die kindlichen Deutungen der Welt und ihrer Erscheinungen kennen. Sind vielleicht diese Beschreibungen und die offenen Deutungsmodelle dem heutigen Stand unserer Kenntnis am ehesten angemessen? Wir wollen die Frage offen lassen. Das Vergnügen, mit dem man Piagets Beschreibungen der kindlichen Weltansicht liest, und die »face validity« seiner Deutungen sprechen jedenfalls in einem tiefen Sinn für ihre Wahrheit.

Bern, im April 1978   Hans Aebli

Einleitung

Die Probleme und die Methoden

Das Problem, das wir hier untersuchen wollen, ist eines der wichtigsten, aber auch eines der schwierigsten der Kinderpsychologie: Welche Vorstellungen haben die Kinder in den verschiedenen Stadien ihrer intellektuellen Entwicklung spontan von der Welt? Das Problem hat zwei wesentliche Aspekte. Zuerst muß die Frage nach der Modalität des kindlichen Denkens gestellt werden: auf welchen Wirklichkeitsebenen bewegt sich dieses Denken? Mit anderen Worten, glaubt das Kind, wie wir Erwachsenen, an eine wirkliche Welt, und macht es einen Unterschied zwischen diesem Glauben und den verschiedenen Fiktionen seines Spiels und seiner Einbildungskraft? In welchem Maß unterscheidet das Kind zwischen der äußeren und einer inneren oder subjektiven Welt, wie zieht es eine Grenze zwischen dem Ich und der objektiven Wirklichkeit? Alle diese Fragen bilden einen ersten Problemkreis, den der *Wirklichkeit* beim Kind.

Eine zweite grundlegende Frage hängt unmittelbar mit dieser ersten zusammen, die der Erklärung beim Kind. Wie gebraucht das Kind die Begriffe Ursache und Gesetzmäßigkeit? Welche Struktur hat die kindliche Kausalität? Man hat die Erklärung bei Naturvölkern und in den Naturwissenschaften untersucht, man hat sich mit den verschiedenen philosophischen Erklärungstypen befaßt. Wartet das Kind mit einem eigenen Erklärungstyp auf? Alle diese Fragen stellen einen zweiten Problemkreis dar, den der kindlichen *Kausalität*. Mit der Realität und der Kausalität beim Kind setzen wir uns in diesem Buch (und in einer weiteren Publikation über die physikalische Kausalität beim Kind) auseinander. Es geht somit um eine ganz andere Problemstellung als diejenige, die wir in einer bereits publizierten Untersuchung[1] erforscht haben. Während wir dort die Form und das Funktionieren des kindlichen Denkens analysiert haben, befassen wir uns hier mit seinem Inhalt. Die beiden Fragenkomplexe hängen eng miteinander zusammen, sie lassen sich aber ohne allzu große Willkür voneinander trennen. Die Form und das Funktionieren des Denkens kann man immer dann aufklären, wenn das Kind mit anderen Kindern oder

---

[1] Jean Piaget: Etudes sur la logique de l'enfant. Band I: Le langage et la pensée chez l'enfant; Band II: Le jugement et le raisonnement chez l'enfant. Neuchâtel und Paris 1923 und 1924. Deutsch: Sprechen und Denken des Kindes (Abkürzung SD); Urteil und Denkprozeß des Kindes (UD). Beide: Düsseldorf 1972.

mit Erwachsenen in Berührung kommt: es sind soziale Verhaltensweisen, die von außen beobachtet werden können. Der Inhalt hingegen kann sichtbar werden oder unsichtbar bleiben, je nach Kind und je nach dem Objekt seiner Vorstellung. Er ist ein System von inneren Überzeugungen, die nur mit einer speziellen Technik aufgedeckt werden können. Er ist vor allem ein System von Tendenzen, von geistigen Haltungen, deren sich das Kind selbst nie bewußt geworden ist und von denen es nie gesprochen hat.

Wir kommen deshalb nicht darum herum, uns zuerst und vor allem anderen über die Methoden zu verständigen, die wir bei der Untersuchung solcher kindlicher Überzeugungen anwenden wollen. Damit man die Logik der Kinder beurteilen kann, muß man oft nur mit ihnen sprechen; oder man muß sie nur beim Umgang mit anderen Kindern beobachten. Ihre Überzeugungen lassen sich jedoch nur mit einer speziellen Methode beurteilen, die, das sei von Anfang an festgehalten, schwierig und mühsam ist und einen durch mindestens ein oder zwei Jahre Erfahrung geschulten Blick voraussetzt. Psychiater mit klinischer Erfahrung sehen sofort ein, weshalb. Um den wahren Wert irgendeiner kindlichen Aussage beurteilen zu können, muß man peinlich genaue Vorsichtsmaßnahmen treffen. Zu diesen Vorsichtsmaßnahmen möchten wir zuerst einige Worte sagen, denn der Leser, der sie nicht kennt, könnte den Sinn der folgenden Seiten völlig mißverstehen und die Versuche, die wir durchgeführt haben, verfälschen, falls er sich, was wir erhoffen, dazu entschließt, sie selbst noch einmal auszuführen und zu überprüfen.

1. Die Testmethode, die reine Beobachtung und die klinische Methode

Eine erste Methode, die man anzuwenden versucht sein könnte, um das zur Diskussion stehende Problem zu lösen, sind die *Tests*. Die Kinder werden organisierten Prüfungen unterzogen, die zwei Bedingungen genügen müssen: Es wird allen Kindern die gleiche Frage unter gleichen Voraussetzungen gestellt; die Antworten der Kinder werden auf ein Stufenmodell oder eine Skala bezogen, die einen qualitativen Vergleich ermöglicht. Die Methode hat für eine individuelle Diagnose unzweifelhaft Vorteile. Die Statistiken, die man auf diese Weise erhält, geben für die allgemeine Psychologie oft nützliche Aufschlüsse. In bezug auf die Probleme, mit denen wir uns hier befassen, kann man jedoch den Tests zwei erhebliche Mängel vorwerfen. Eine zureichende Analyse der Ergebnisse ist zunächst nicht möglich. Wenn man dauernd unter identischen Bedingungen arbeitet, erhält man ein Rohergebnis, das für die Praxis interessant sein mag, das aber oft für die Theorie unbrauchbar ist, weil der Kontext nicht ausreicht. Das ist noch nicht sehr schwerwiegend, denn man könnte sich vorstellen, daß sich die Tests durch eine entsprechende geistige Anstrengung so lange abwandeln lassen, bis sie alle Komponenten einer bestimmten psychologischen Haltung aufdecken. Der Hauptmangel des Tests bei den Untersuchungen, mit denen wir uns befassen, besteht jedoch darin, daß die geistige Orientierung des befragten Kindes verfälscht wird oder mindestens verfälscht werden könnte. Wir wollen beispielsweise herausfinden, wie sich das Kind die Bewegung der Gestirne vorstellt. Wir stellen die Frage: „Weshalb bewegt sich die Sonne?« Das Kind wird etwa antworten: »Der liebe Gott stößt sie« oder »Der Wind stößt sie« usw. Das sind zwar Vorstellungen, deren Kenntnis nicht unwesentlich ist, auch wenn sie auf kindliche Fabulierlust zurückzuführen sind, denn Kinder neigen dazu, Mythen zu erfinden, wenn sie durch eine bestimmte Frage in Verlegenheit gebracht werden. Wenn man aber Kinder jeden Alters auf diese Weise getestet hat, ist man immer noch gleich weit wie vorher, denn es ist durchaus möglich, daß sich das Kind diese Frage noch nie in dieser Weise gestellt hat oder daß es sie sich überhaupt noch nie gestellt hat. Es kann durchaus sein, daß sich das Kind die Sonne als ein Lebewesen vorstellt, das sich von selbst bewegt. Mit der Frage: »Weshalb bewegt sich die Sonne?«, suggeriert man die Vorstellung eines äußeren Wirkens und provoziert man eine Mythenbildung. Mit der Frage: »Wie bewegt sich die Sonne?«, suggeriert man möglicherweise im Gegenteil eine Beschäftigung mit dem »Wie«, um das sich das Kind bisher gar nicht gekümmert hatte, und provoziert man neue Mythen: »Die Sonne bewegt sich durch Blasen«, »Mit der Wärme«, »Sie rollt« usw. Es gibt nur ein Mittel, um mit solchen Schwierigkeiten fertig zu werden, nämlich die Fragen abwandeln, Gegenvorschläge vorbringen, mit einem Wort: auf jeden fixen Fragebogen verzichten.

Bei Geisteskrankheiten stellt sich das Problem genau gleich. Ein Patient mit Dementia praecox kann sich in bestimmten Augenblicken durchaus daran erinnern, wer sein Vater ist, obwohl er üblicherweise seine Abstammung auf berühmtere Vorfahren zurückführt. Das eigentliche Problem ist aber, wie sich ihm die Frage in seinem Geist gestellt hat und ob sie sich gestellt hat. Die Kunst des Klinikers besteht nicht darin, daß er seinen Patienten dazu bringt, zu antworten, sondern daß er ihn dazu bringt, frei zu sprechen, daß er die spontanen Tendenzen entdeckt und sie nicht in eine bestimmte Richtung leitet und kanalisiert. Er stellt jedes Symptom in einen geistigen Kontext hinein und abstrahiert nicht von diesem Kontext.

Kurz, Tests sind in verschiedener Hinsicht nützlich. Bei unserem Vorhaben besteht aber die Gefahr, daß sie die Perspektive verzerren, indem sie den kindlichen Geist in eine falsche Richtung lenken. Sie gehen möglicherweise an wesentlichen Fragen, an spontanen Interessen und ganz ursprünglichen Vorstellungen vorbei.

Wir wollen deshalb auf die reine Beobachtung zurückgreifen. Jede Untersuchung des kindlichen Denkens muß von der Beobachtung ausgehen und zur Beobachtung zurückkehren, um die Experimente, die sich vielleicht an ihr inspiriert haben, kritisch zu überprüfen. Bei den Problemen, mit denen sich diese Untersuchung befaßt, bietet die Beobachtung eine erstrangige Informationsquelle an, nämlich das Studium der spontanen Fragen der Kinder. Die detaillierte Prüfung des Inhalts dieser Fragen gibt Aufschluß über die Interessen der Kinder auf den verschiedenen Altersstufen, und sie deckt viele Probleme auf, die sich dem Kind stellen, an die wir nie gedacht hätten oder die wir uns nie in dieser Form gestellt hätten. Die Untersuchung der Form solcher Fragen zeigt vor allem auch, auf welche Lösungen die Kinder implizit kommen, denn fast jede Frage enthält in der Art, wie sie gestellt wird, bereits die Antwort. Wenn etwa ein Kind sich fragt: »Wer macht die Sonne?«, so kommt darin offenbar die Meinung zum Ausdruck, die Sonne sei auf irgendeine herstellende Aktivität zurückzuführen. Oder wenn ein Kind fragt, weshalb es den Salève[2] zweimal, nämlich den großen und den kleinen, das Matterhorn aber nur einmal gebe, so scheint das darauf hinzuweisen, daß es glaubt, die Berge seien einem Plan gemäß angeordnet, der jeden Zufall ausschließe.

Damit können wir für unsere Methode eine erste Regel aufstellen. Will man bestimmte kindliche Erklärungen untersuchen, so muß man, damit die Arbeit etwas einbringt, von spontanen Fragen ausgehen, die gleich alte oder jüngere Kinder gestellt haben, und für die Fragen, die man den als Prüflingen ausgewählten Kindern stellen will, dieselbe kindertümliche Form wählen. Falls man aus den Ergebnissen einer solchen Untersuchung Schlußfolgerungen ziehen will, muß man insbesondere nach einem Gegenbeweis suchen, indem man diese spontanen Fragen der Kinder studiert. Dabei zeigt sich, ob die Vorstellungen, die man den Kindern zuschreibt, ihren Fragen und der Art, wie sie diese stellen, entsprechen oder nicht.

Nehmen wir ein Beispiel. Wir untersuchen in diesem Buch den kindlichen Animismus. Wir werden sehen, daß Kinder einer bestimmten Altersstufe mit ja antworten, wenn man sie fragt, ob die

---

[2] Die beiden Salève sind Berge in der Umgebung von Genf (Anmerkung des Übersetzers).

Sonne usw. lebendig, mit Wissen, Gefühlen usw. ausgestattet sei. Ist das eine spontane Vorstellung, oder ist das eine Antwort, die durch die Art der Befragung direkt oder indirekt suggeriert wird? Man sucht dann bei den Fragen der Kinder, die man gesammelt hat, ob unter ihnen ein ähnliches Phänomen anzutreffen sei, und stößt beispielsweise auf ein 6½ Jahre altes Kind, Del (siehe SD, 1. Kapitel, Abschnitt 8), das spontan gefragt hat, als es eine Kugel in Richtung der Beobachterin rollen sah: »*Weiß sie, daß Sie dort sind?*« Man bemerkt auch, daß Del oft danach gefragt hat, wann ein Gegenstand, beispielsweise ein Blatt, tot oder lebendig sei. Auf die Antwort, verwelkte Blätter seien wirklich tot, hat Del entgegnet: »*Aber sie bewegen sich im Wind!*« (ebenda, Abschnitt 8). Es gibt somit Kinder, die durch die Art, wie sie ihre Fragen stellen, das Leben und die Bewegung innerlich zu verarbeiten scheinen. Diese Tatsachen zeigen, daß eine auf eine bestimmte Weise durchgeführte Befragung über den Animismus (beispielsweise Fragen, wie Del sie stellt, ob ein bewegter Körper »wisse«, daß er sich bewegt) nichts Unnatürliches ist und daß die innerliche Verarbeitung des Lebens und der Bewegung ein spontanes Anliegen des Kindes ist.

Man ersieht daraus, daß eine direkte Beobachtung notwendig ist, man sieht aber auch, welche Hindernisse und Grenzen einer solchen Methode gesetzt sind. Die Methode der reinen Beobachtung ist aufwendig, die Qualität der Ergebnisse scheint auf Kosten der Quantität zu gehen (man kann nicht viele Kinder unter gleichen Bedingungen beobachten), sie scheint auch etliche systematische Mängel aufzuweisen, von denen die beiden wichtigsten erwähnt seien. Ein ernsthaftes Hindernis für denjenigen, der das Kind durch reine Beobachtung kennenlernen will, ohne ihm irgendwelche Fragen zu stellen, ist zunächst einmal die intellektuelle Egozentrik des Kindes. Wir haben an anderer Stelle (SD, 1. bis 3. Kapitel) zu zeigen versucht, daß das Kind nicht spontan versucht oder daß es ihm nicht spontan gelingt, sein ganzes Denken mitzuteilen. Es befindet sich in Gesellschaft anderer Kinder; das ganze Gespräch dreht sich um die unmittelbaren Aktionen und das Spiel, es geht nicht auf diesen wesentlichen Teil des Denkens ein, der von der Aktion abgelöst ist und sich im Kontakt mit der Aktivität der Erwachsenen oder mit der Natur entwickelt. Die Vorstellung der Welt und die physikalische Kausalität scheinen von da her für das Kind völlig bedeutungslos zu sein. Oder das Kind befindet sich in Gesellschaft der Erwachsenen: Dann stellt es pausenlos Fragen, ohne eigene Erklärungen dafür zu geben. Es schweigt sich über seine eigenen Vorstellungen aus, am Anfang weil es glaubt, sie seien jedermann bekannt, später aus Scham, weil es fürchtet, sich zu täuschen, aus Angst vor Desillusionierungen. Es schweigt sich insbesondere auch deshalb aus, weil ihm seine Erklärungen, da sie die seinen sind, als die natürlichsten und auch als die einzig möglichen vorkommen. Was in Worten formuliert werden könnte, bleibt somit üblicherweise implizit, weil das Denken des Kindes noch nicht so umfassend sozialisiert ist wie unser Denken. Von solchen formulierbaren, zumindest dank der inneren Sprache formulierbaren, Gedanken abgesehen, wieviel unformulierbares Denken entzieht sich unserem Zugriff, wenn wir uns darauf beschränken, das Kind zu beobachten, ohne mit ihm zu sprechen? Mit unformulierbarem Denken meinen wir die geistigen Haltungen, die synkretistischen, visuellen oder motorischen Schemata, alle diese Vorverbindungen, von denen man spürt, daß es sie gibt, sobald man mit dem Kind spricht. Man muß vor allem diese Vorverbindungen kennenlernen, und zu ihrer Aufspürung sind spezielle Methoden notwendig.

Der zweite systematische Mangel der reinen Beobachtung ist darauf zurückzuführen, daß man beim Kind kaum zwischen Spiel und Überzeugung unterscheiden kann. Ein Kind, das allein zu sein glaubt, sagt etwa zu einer Dampfwalze: »Hast du die großen Steine richtig zerdrückt?« Spielt es, oder personifiziert es wirklich die Maschine? Man kann das in einem solchen Fall unmöglich entscheiden, weil es ein besonderer Fall ist. Die reine Beobachtung kann nicht zwischen Überzeugung und Fabulieren unterscheiden. Es gibt, wie wir noch sehen werden, ein einziges Kriterium, nämlich möglichst viele Informationen und einen Vergleich zwischen den individuellen Reaktionen.

Man muß deshalb unbedingt über die Methode der reinen Beobachtung hinausgehen und, ohne die Mängel der Tests in Kauf zu nehmen, die wichtigsten Vorteile des Experimentierens ausnützen. Wir wenden dazu eine dritte Methode an, die die positiven Elemente des Tests und der direkten Beobachtung vereinigt und ihre jeweiligen Mängel vermeidet: die Methode der klinischen Untersuchung, die der Psychiater bei der Diagnosestellung verwendet. Man kann zum Beispiel bestimmte Formen von Paranoia während Monaten beobachten, ohne je dem Größenwahn auf die Spur zu kommen, den man dennoch bei jeder seltsamen Reaktion spürt. Andererseits hat man keine differentialdiagnostischen Tests für die verschiedenen Krankheitssyndrome. Doch der Kliniker kann gleichzeitig: 1. mit dem Kranken sprechen, ihm bei seinen Antworten folgen, um sich nichts von dem entgehen zu lassen, was an Wahnvorstellungen sichtbar werden könnte; 2. den Kranken mit aller Vorsicht und Zurückhaltung auf die kritischen Bereiche hinlenken (seine Herkunft, seine Nationalität, seine militärischen und politischen Aspirationen, seine Fähigkeiten, sein mystisches Leben usw.), ohne daß er selbstverständlich weiß, wo er der Wahnvorstellung tatsächlich auf die Spur kommen wird, aber indem er das Gespräch immer in einem Aufschlüsse verheißenden Bereich führt. Die klinische Untersuchung ist somit experimentell, insofern der Kliniker Probleme aufwirft, Hypothesen aufstellt, die Bedingungen variiert und schließlich seine Hypothesen an den durch das Gespräch ausgelösten Reaktionen überprüft. Die klinische Untersuchung besteht aber auch aus direkter Beobachtung, insofern der gute Kliniker sich selbst lenken läßt, indem er lenkt, und den ganzen geistigen Kontext berücksichtigt, anstatt »systematischen Fehlern« zum Opfer zu fallen, was beim reinen Experimentator so oft der Fall ist.

Da die klinische Methode in einem Bereich, wo ohne sie alles nur Unordnung und Verwirrung wäre, große Dienste geleistet hat, würde sich die Psychologie des Kindes einen schlechten Dienst erweisen, wenn sie auf dieses Werkzeug verzichten wollte. Es gibt *a priori* keinerlei Grund, weshalb man nicht einem Kind dort Fragen stellen sollte, wo die reine Beobachtung der Forschung nicht weiterhelfen kann. Was man auch über die Mythomanie und die Beeinflußbarkeit des Kindes sagen mag, und welche systematischen Irrtümer sich auch daraus ergeben können, das alles kann den Psychologen nicht davon abbringen, Fragen zu stellen. Aber er muß selbstverständlich durch die klinische Methode den Anteil der Beeinflußbarkeit und des Fabulierens an den vom Kind gegebenen Antworten feststellen.

Wir brauchen hier keine Beispiele zu zitieren, weil dieses Buch von seiner Absicht her eine Sammlung klinischer Beobachtungen darstellt. Umständehalber müssen wir zwar unsere Fälle schematisieren, nicht indem wir sie zusammenfassen (was eine Verfälschung wäre), sondern indem wir aus den Gesprächsprotokollen nur die für uns direkt interessanten Stellen herausgreifen. Von den Notizen, die für einzelne Fälle mehrere Seiten lang sind, werden nur wenige Zeilen wiedergegeben. Wir halten es jedoch für unnötig, ein vollständiges Beispiel einer solchen Befragung zu publizieren, denn die klinische Methode kann nur durch lange Praxis gelernt werden. In der Kinderpsychologie wie in der pathologischen Psychologie sind mindestens ein Jahr lang tägliche Übungen notwendig, damit man über die unvermeidlichen Anfangsschwierigkeiten hinauskommt. Schwierig ist es vor allem, selbst nicht zuviel zu reden, wenn man einem Kind Fragen stellt, insbesondere für einen Pädagogen! Und schwierig ist es, das Kind nicht zu beeinflussen! Schwierig ist es vor allem auch, den Mittelweg zwischen einer Systematisierung, die auf vorgefaßte Ideen zurückzuführen wäre, und einer Inkohärenz, die auf das Fehlen jeder Leithypothese zurückginge, zu finden! Ein guter Experimentator muß zwei oft unverträgliche Eigenschaften in sich vereinigen: Er muß beobachten, das Kind sprechen lassen können, er darf den Redefluß nicht bremsen, nicht in eine falsche Richtung bringen, und er muß gleichzeitig ein Sensorium dafür haben, etwas Genaues herauszuholen, er muß jederzeit eine Arbeitshypothese, eine Theorie, ob richtig oder falsch, zur Hand haben, die er überprüfen kann. Man muß die klinischen Methoden anderer gelehrt haben, damit man ihre wirklichen Schwierigkeiten begreift. Anfänger suggerieren dem Kind, was sie finden möchten, oder aber sie suggerieren überhaupt nicht, weil sie nichts suchen, und dann finden sie auch nichts.

Die Dinge sind, kurz gesagt, nicht so einfach, und man muß das gesammelte Material kritisch begutachten. Die Unsicherheiten der Befragungsmethode müssen in der Psychologie durch eine mit wachem Geist vorgenommene, scharfsinnige Interpretation ausgeglichen werden. Doch auch hier steht der Anfänger wieder zwei entgegengesetzten Gefahren gegenüber: daß er all dem, was das Kind sagt, entweder einen *höchsten* oder dann einen sehr *geringen* Wert beimißt. Die großen Feinde der klinischen Methode sind jene, die jede Antwort des Kindes für bare Münze nehmen, aber auch jene, die jedem Ergebnis einer Befragung von vornherein mit größter Skepsis begegnen. Die ersteren sind die gefährlicheren, aber beide erliegen dem gleichen Irrtum: Sie nehmen an, daß all das, was ein Kind während des viertel-, halb- oder dreiviertelstündigen Gesprächs, das man mit ihm führt, sagt, auf ein und derselben Bewußtseinsebene einzustufen sei, der Ebene einer reflektierten Überzeugung oder der Ebene der reinen Fabulierlust usw. Das Wesen der klinischen Methode besteht jedoch eben gerade darin, daß sie das gute Korn von der Spreu sondert und jede Antwort in ihrem geistigen Kontext sieht. Nun gibt es aber einen Kontext der Überlegung, des blinden Glaubens, des Spiels oder des Nachplapperns, einen Kontext des Sichbemühens und des Interesses oder der Ermüdung. Und vor allem gibt es bei den Prüfungen Kinder, denen man sofort Vertrauen entgegenbringt, bei denen man sieht, wie sie nachdenken und suchen, aber auch solche, bei denen man spürt, daß sie sich über den Fragesteller nur lustig machen und daß sie ihm nicht einmal zuhören.

Wir können uns hier unmöglich über die Regeln auslassen, die einer solchen Diagnose der individuellen Reaktionen zugrunde liegen. Das ist eine Sache der Erfahrung, der Praxis. Um jedoch zu zeigen, nach welchen Grundsätzen wir die folgenden Beobachtungen aus allen vorliegenden Protokollen (wir haben für dieses Buch persönlich mehr als 600 Beobachtungen aufgezeichnet, und unsere Mitarbeiter haben ihrerseits zahlreiche Kinder in vielen Einzelpunkten untersucht) ausgewählt haben, müssen wir versuchen, die verschiedenen Antworten, die man erhalten kann, nach einigen typischen Kategorien zu klassifizieren. Diese Typen sind von sehr ungleichem Wert, man muß ein klares Schema dieser Klassifikation vor Augen haben, damit man die Interpretationen mit der nötigen Sorgfalt gegeneinander abstufen kann.

2. Die bei der klinischen Untersuchung beobachtbaren fünf Reaktionstypen

Wenn die gestellte Frage das Kind langweilt oder ganz allgemein bei ihm kein Bemühen um ein Verständnis auslöst, so antwortet es irgend etwas und irgendwie, ohne daß es auch nur versucht, sich über den Fragesteller lustig zu machen oder ihm eine rasch erfundene Geschichte aufzutischen. Wir bezeichnen diese Reaktion mit einem bequemen, wenn auch etwas barbarischen Ausdruck, der von Binet und Simon geprägt wurde: als *Mir-ist-es-Wurstismus*[3]. Wenn das Kind, ohne sich etwas dabei zu überlegen, mit einer selbst erfundenen Geschichte, an die es nicht oder nur rein verbal glaubt, auf die Frage antwortet, so nennen wir das *Fabulieren*. Wenn sich das Kind Mühe gibt, auf die Frage zu antworten, wenn aber die Frage suggestiv ist oder das Kind ganz einfach versucht, den Fragesteller zufriedenzustellen, ohne sein eigenes Denken zu bemühen, so sprechen wir von einer *suggerierten Überzeugung*[4]. Wir zählen dazu auch das trotzige Beharren, falls dieses darauf zurückzuführen ist, daß die Fragen als suggestive Folgen gestellt werden. In anderen Fällen ist diese Perseveration eine Form des »Mir-ist-es-Wurstismus«. Wenn das Kind mit Überlegung antwortet und seine Antwort aus sich selbst herausholt, ohne daß sie ihm suggeriert wurde, wenn aber die Frage neu für es ist, so sprechen wir von *ausgelöster Überzeugung*. Diese ausgelöste Überzeugung wird durch die Befragung unweigerlich beeinflußt, denn die Art, wie die Frage gestellt und dem Kind vorgelegt wird, zwingt es, in einer bestimmten Richtung zu denken und sein Wissen auf eine bestimmte Weise zu systematisieren; sie ist aber umgekehrt auch eine Eigenleistung des kindlichen Denkens, denn weder der Gedankengang, den das Kind anstellt, um auf die Frage zu antworten, noch die Gesamtheit der vorhandenen Kenntnisse, die das Kind während seines Überlegens benützt, sind direkt vom Experimentator beeinflußt. Die ausgelöste Überzeugung ist somit weder im eigentlichen Sinne spontan noch im eigentlichen Sinne suggeriert: Sie ist das Ergebnis eines Denkens auf Befehl, aber vom eigenen »Rohmaterial« (Kenntnisse des Kindes, Vorstellungsbil-

---

[3] Diese etwas freie Übersetzung steht für das französische Wort »n'importequisme« (Anmerkung des Übersetzers).

[4] Die »Überzeugungen« stehen für die französischen Ausdrücke »croyance suggérée«, »croyance déclenchée« und »croyance spontanée« (Anmerkung des Übersetzers).

der, motorische Schemata, synkretistische Vorverbindungen usw.) her und mit eigenen logischen Werkzeugen (Denkstruktur, geistige Haltung, intellektuelle Gewohnheiten usw.). Wenn das Kind schließlich nicht nachdenken muß, bevor es auf die Frage antwortet, sondern eine fix und fertige, weil bereits formulierte oder formulierbare Antwort geben kann, so ist das eine *spontane Überzeugung*. Eine spontane Überzeugung ist somit dann gegeben, wenn die Frage für das Kind nicht neu ist und wenn die Antwort sich aus einer eigenen früheren Überlegung ergibt. Wir zählen selbstverständlich Antworten, die durch vor der Befragung erhaltenen Unterricht beeinflußt sind, nicht zu diesem Reaktionstyp, wie übrigens auch zu keinem der anderen. Es ist ein ganz anderes und natürlich sehr komplexes Problem, wie man bei den Antworten auseinanderhalten soll, was vom Kind stammt und was von Erwachsenen aus seiner Umwelt herrührt. Wir kommen später auf diese Frage zurück. Zuerst wollen wir die beschriebenen fünf Reaktionstypen, angefangen beim letzten, etwas klarer gegeneinander abgrenzen.

Daß man bei der klinischen Untersuchung *spontane Überzeugungen* des Kindes aufdecken kann, daß man sie vom Kind selbst entwickeln lassen kann, ist unbestreitbar. Solche Überzeugungen sind selten, das heißt, es ist sehr schwierig, ihnen auf die Spur zu kommen, aber es gibt sie. Wir werden zum Beispiel sehen, daß (durchschnittlich) 8 Jahre alte Knaben imstande sind, den Mechanismus eines Fahrrades verbal richtig zu erklären und vollständig zu zeichnen. Ein solches Resultat und die Tatsache, daß die individuellen Antworten etwa gleichzeitig richtig werden, lassen offensichtlich darauf schließen, daß Fahrräder vor der Befragung beobachtet und durchdacht worden sind, auch wenn wir nie eine Frage von Kindern zu irgendeiner Einzelheit des Fahrradmechanismus notiert haben. Wir werden auch sehen, daß man 6 bis 8 Jahre alte Kinder nur fragen muß: »Was tut die Sonne, wenn du spazieren gehst?«, damit sie sogleich antworten, die Sonne und der Mond würden ihnen folgen, mit ihnen zusammen spazieren und gleichzeitig mit ihnen stillstehen. Die Konstanz in den Antworten und die Spontaneität beim Erzählen, wo doch die Frage eher vage gestellt wird, lassen mit Sicherheit auf eine spontane Überzeugung schließen, die vor der Frage selbst schon vorhanden gewesen ist.

Der Leser wird kaum in Frage stellen, daß es spontane Überzeugungen gibt, er wird aber vor allem die Abgrenzung zwischen spontanen und ausgelösten Überzeugungen fragwürdig finden. Man hat tatsächlich ständig den Eindruck, man stelle den Kindern Fragen, an die sie überhaupt nie gedacht hätten, und dennoch sind die Antworten so unerwartet und so originell, daß alles auf eine frühere Überlegung hindeutet. Wo ist die Grenze zu ziehen? Wir fragen beispielsweise Kinder: »Woher kommt die Nacht?« Wenn man die Frage in dieser Form stellt, wird nichts suggeriert. Das Kind zögert, weicht der Frage aus und antwortet schließlich, es seien große schwarze Wolken, die die Nacht bewirken. Eine spontane Überzeugung? Oder greift das Kind, weil es sich die Frage noch nie gestellt hat, für seine Antwort auf die einfachste, für seine Vorstellungskraft ökonomischste Hypothese zurück? Über beide Interpretationen läßt sich diskutieren. Mehr noch, beide sind wahrscheinlich richtig. Man stößt nämlich auf Kinder, die auf die Frage, weshalb die Wolken sich bewegen, antworten: »Damit es Nacht wird.« In einem solchen Fall ist die Erklärung der Nacht durch die Wolken eindeutig spontan. In anderen Fällen erhält man den Eindruck, das Kind habe seine Erklärung im gleichen Augenblick erfunden. Bei diesem Beispiel fallen spontane und ausgelöste Überzeugungen interessanterweise zusammen, aber sie haben im allgemeinen, und das gilt auch in diesem speziellen Fall, für den Psychologen nicht denselben Wert.

Daß man die Kinder fragt, ob sie über die Frage, die man ihnen stellt, schon einmal nachgedacht hätten, ist selbstverständlich völlig unnütz. Sie wissen es nicht, weil die Erinnerung und die Introspektion noch fehlen.

Daß man aber in jedem einzelnen Fall spontane und ausgelöste Überzeugungen auseinanderhalten kann, ist alles in allem von nicht so entscheidender Bedeutung. Auch das Studium der *ausgelösten Überzeugungen* an sich ist höchst aufschlußreich. Wir wollen diesen Punkt ausdrücklich betonen, denn er ist für unser Vorhaben bedeutungsvoll. Es ist ein Faktum, das jedes theoretische Argument verblassen läßt: daß nämlich die ausgelösten Überzeugungen ebenso einheitlich wie die spontanen Überzeugungen sein können. Wir haben uns zum Beispiel dieses kleine Experiment ausgedacht: Man wirft vor den Augen des Kindes einen Kieselstein in ein zur Hälfte mit Wasser gefülltes Glas und fragt das Kind, weshalb das Wasser höher steige. Die Antworten, die man erhält, gehören natürlich, mindestens in den meisten Fällen, zu den ausgelösten Überzeugungen, insofern das Kind in der Regel nicht im voraus wußte, daß der Wasserstand nach dem Eintauchen des Kiesels steigen würde. Aber alle jüngeren Kinder (unter 9 Jahren) erklären, das Wasser steige, weil der Stein »schwer« sei, und der weitere Verlauf des Experiments zeigt deutlich, daß sie nicht an das Volumen, sondern nur an das Gewicht des untergetauchten Körpers denken. Das ist somit eine Lösung, die im gleichen Augenblick gefunden wurde, die aber dennoch bei allen Kindern bemerkenswert einheitlich ausfällt. Dieses Buch wird noch viele andere Beispiele für diese Einheitlichkeit der ausgelösten Überzeugungen liefern. Auch wenn eine Lösung während des Experiments selbst gefunden wird, so wird sie dennoch nicht aus nichts gefunden. Sie setzt bereits ausgebildete Schemata, eine bestimmte geistige Ausrichtung, intellektuelle Gewohnheiten usw. voraus. Eine einzige Regel ist wirklich entscheidend, nämlich nichts zu suggerieren, also nicht durch die Fragestellung eine spezielle Antwort unter allen möglichen Antworten aufzudrängen. Falls es freilich gelingt, zwischen ausgelöster und suggerierter Überzeugung zu unterscheiden, so lohnen die ausgelösten Überzeugungen eine vertiefte Untersuchung, denn in ihnen äußert sich zumindest die geistige Haltung des Kindes. Nehmen wir ein anderes Beispiel. Ein Kind hat uns gefragt: »Wer macht die Sonne?« Wir haben die Frage übernommen und vielen anderen Kindern in einer nicht suggestiven Form gestellt: »Wie hat die Sonne begonnen?« Alle jüngeren Kinder antworten, die Menschen hätten sie gemacht. Nehmen wir an, das sei eine einfache Eingebung des Augenblicks und diese Kinder hätten noch nie an diese Frage gedacht. Doch es ist eine Lösung, die das Kind einerseits gefunden und anderen Lösungen vorgezogen hat und die es andererseits auch unter dem Druck unserer Gegenvorschläge nicht aufgibt. Mit einer gewissen Wahrscheinlichkeit ist somit diese Antwort des Kindes, die in der Sonne ein Artefakt sieht, auch wenn sie ausgelöst ist, auf einen latenten Artifizialismus, auf eine artifizialistische geistige Ausrichtung zurückzuführen. Dafür ist natürlich noch der Beweis zu liefern, aber die Problemstellung selbst bietet keine Schwierigkeiten. Andererseits verzichtet das Kind im weiteren Verlauf der Befragung trotz unserer Bemühungen nicht auf seine Hypothese. Das ist ein zweites Anzeichen, nämlich dafür, daß es kaum gegen diese artifizialistische Haltung gerichtete Bestrebungen gibt. Sonst wäre das Kind leicht von seiner Überzeugung abzubringen oder auf andere Vorstellungen zu bringen usw. Eine Untersuchung der ausgelösten Überzeugungen ist folglich durchaus berechtigt. Die Methode besteht darin, daß man das Kind über alles befragt, was es umgibt. Nach unserer Hypothese sagt die Art, wie das Kind die Lösung findet, etwas über seine spontane geistige Haltung aus. Damit diese Methode zu einem Ergebnis führt, muß sie selbstverständlich streng geregelt werden, und zwar sowohl in bezug auf die Fragestellung als auch in bezug auf die Interpretation der Antworten, die man auf die Fragen erhält. Mit diesen Regeln werden wir uns sogleich noch befassen.

Die Abgrenzung zwischen ausgelösten und spontanen Überzeugungen ist also nicht so bedeutungsvoll, aber zwischen den ausgelösten und den *suggerierten Überzeugungen* muß umgekehrt deutlich unterschieden werden. Man darf nicht meinen, das Suggerieren lasse sich leicht vermeiden. Eine lange Lehrzeit ist nötig, bis man die vielen möglichen Formen des Suggerierens erkennen und vermeiden kann. Zwei Spielarten sind besonders gefährlich, die *Suggestion durch das Wort* und die *Suggestion durch hartnäckiges Beharren*.

Die Suggestion durch das Wort ist insgesamt leicht zu umschreiben, im einzelnen aber sehr schwierig zu erkennen. Es gibt nur ein Mittel, sie zu vermeiden, nämlich die kindliche Sprache erlernen und die Fragen in dieser Sprache formulieren. Am Anfang jeder neuen Untersuchung muß man deshalb allein die Kinder sprechen lassen, damit man sich ein Vokabular zusammenstellen kann, das ohne jede Suggestion auskommt. Man kann sonst unmöglich die Folgen voraussehen, die ein anscheinend harmloser Ausdruck haben kann. Die Wörter »vorwärtsgehen« (avancer), »marschieren« (marcher) und »sich bewegen« (bouger) zum Beispiel sind für das Kind keineswegs Synonyme. Die Sonne »geht vorwärts«, von ihr wird nie gesagt, »sie bewegt sich« usw. Wenn man ein solches Wort, das das Kind nicht erwartet, unvorsichtigerweise gebraucht, so besteht die Gefahr, daß man durch reine Suggestion animistische oder anthromorphistische Reaktionen auslöst, die man dann für spontan hält.

Die Suggestion durch hartnäckiges Beharren ist noch schwieriger zu vermeiden, denn schon nur eine Fortsetzung des Gesprächs nach der ersten Antwort ermuntert das Kind dazu, am einmal gewählten Weg hartnäckig festzuhalten. Jede Befragung, die aus einer Reihe von aufeinanderfolgenden Fragen besteht, löst ein solches Beharren aus. Wenn man zum Beispiel das Kind fragt, ob ein Fisch, ein Vogel, die Sonne, der Mond, die Wolken, der Wind usw. lebendig seien, so bringt man es allein dadurch dazu, ja oder nein zu sagen, durch bloße Gewöhnung. In einem solchen Fall sind die Antworten natürlich »suggeriert« und nicht »ausgelöst«, so wie wir diesen Begriff verwendet haben.

Die suggerierte Überzeugung ist für den Psychologen völlig wertlos. Während die ausgelöste Überzeugung geistige Gewohnheiten sichtbar macht, die vor der Befragung ausgebildet worden sind, auch wenn sie erst unter dem Einfluß der Befragung systematisiert werden, enthüllt die suggerierte Überzeugung nichts anderes als die Beeinflußbarkeit des Kindes, die nichts mit seiner Vorstellung von der Welt zu schaffen hat.

Man möchte das *Fabulieren* mit derselben Eindeutigkeit ausschließen können, doch das ist eine der schwierigsten Fragen, die sich im Zusammenhang mit der klinischen Untersuchung des Kindes stellt. Wenn man Kinder, vor allem solche unter 7 bis 8 Jahren, befragt, kommt es oft vor, daß sie zwar ein recht aufrichtiges und ernsthaftes Gesicht zeigen, sich in Wirklichkeit aber über die Frage lustig machen und eine Lösung erfinden, die ihnen ganz einfach gefällt. Diese Lösung ist offensichtlich nicht suggeriert, da sie völlig frei gefunden wird und unvorhersehbar ist, aber sie gehört auch nicht zu den ausgelösten Überzeugungen, weil sie einfach gar keine Überzeugung ist. Das Kind spielt nur, und falls es sogar einmal an das glaubt, was es sagt, so geschieht das nur durch Gewöhnung, oder es glaubt daran, so wie es an seine Spiele glaubt, weil es einfach glauben will. Die genaue Bedeutung dieses Fabulierens ist nicht einfach zu umschreiben. Drei Lösungen sind möglich. Man kann das Fabulieren zu dem zählen, was man beim normalen Erwachsenen »Bluffen« nennen könnte. Das Kind fabuliert, um sich über den Psychologen zu mokieren und um vor allem nicht über eine Frage nachdenken zu müssen, die es langweilt und ermüdet. Diese Interpretation dürfte in der Regel für alle jene Kinder, es sind übrigens nicht viele Fälle, gelten, die älter als 8 Jahre sind und dieses Verhalten zeigen. Bei den jüngeren Kindern erklärt sie aber nicht alles, und deshalb sind noch zwei andere Lösungen möglich.

Nach der zweiten Lösung wäre das Fabulieren mit der Mythomanie der Hysteriker vergleichbar. Das Kind würde dann nicht so sehr fabulieren, um sich über seine Befrager lustig zu machen, sondern weil dies eines seiner Denkverfahren wäre, und zwar im Falle von als störend empfundenen Fragen das bequemste Verfahren. Nach dieser zweiten Lösung würde somit das Kind zum Teil sich selbst düpieren, es würde jedenfalls gewissermaßen sich selbst etwas vormachen, auch wenn es über Fragen nachdenkt, die es sich ganz allein stellt. Das gilt zweifellos für viele jüngere Kinder um 4 bis 5 Jahre. Bekannt sind die vielen rhetorischen Fragen, die solche Kinder laut sich selbst stellen und auf die sie sofort selbst eine Antwort geben. Nagy[5] zitiert diese Frage: »Warum haben die Bären vier Pfoten?«, auf die das Kind sogleich von selbst antwortet: »Weil sie böse gewesen sind und der liebe Gott sie bestraft hat.« Also ein reiner Monolog und dennoch ein Fabulieren.

So gesehen hat das Fabulieren eine gewisse Bedeutung. Es zeigt, auf welche Lösungen das Kind von selbst kommt, wenn es keine besseren finden kann. Das ist zwar ein negatives Anzeichen, das man jedoch kennen muß. In diesem Sinne werden wir im vorliegenden Buch bisweilen fabulierende Antworten von jüngeren Kindern zwischen 4 und 6 Jahren zitieren. Man muß sich selbstverständlich davor hüten, aus solchen Fakten etwas anderes als negative Anzeichen abzuleiten. Das Studium des Fabulierens ist deshalb lange nicht so »ergiebig« wie die Untersuchung der ausgelösten Überzeugungen.

Eine dritte Lösung würde besagen, daß das Fabulieren Überbleibsel früherer Überzeugungen oder, ganz selten freilich, Ansät-

---

[5] I. Nagy: Die Entwicklung des Interesses. In: Zeitschrift für experimentelle Pädagogik. Band 5 (1907).

ze zu künftigen Überzeugungen enthalten kann. Wenn wir eine frühere Überzeugung aufgeben, aber nicht durch einen plötzlichen Stimmungswechsel, so kommt es vor, daß wir mit ihr noch spielen, daß wir noch eine gewisse Sympathie für sie empfinden, ohne aber an sie zu glauben. Das kindliche Fabulieren spielt, alle Proportionen gewahrt, bisweilen eine analoge Rolle. Im Zusammenhang mit dem Artifizialismus (Kapitel I, Abschnitt 4) werden wir den halbwegs fabulierten Mythos eines geistig Debilen kennenlernen, der seine Eltern an den Ursprung der Welt stellt. In diesem Mythos lebt noch etwas vom Glauben des Kleinkindes an die Allmacht der Erwachsenen fort.

Man ersieht daraus, wie komplex die Frage ist. Wir stehen noch am Anfang dieser Untersuchungen und wollen uns vor irgendwelchen Vorurteilen über die Natur des Fabulierens in acht nehmen. Es kann recht interessant sein, insofern es beim Kind nicht im gleichen Verhältnis zur Überzeugung im eigentlichen Sinne des Wortes steht wie bei uns. Es ist somit ein Untersuchungsobjekt. Man muß es jedoch, gleichgültig welchen Zweck diese Untersuchung verfolgt, sorgfältig von den ausgelösten Überzeugungen unterscheiden. Im folgenden Paragraphen wollen wir deshalb versuchen, gewisse Kriterien dafür zu entwickeln. Noch ein Wort zum *Mir-ist-es-Wurstismus*. Wenn man einen Debilen oder ein zu kleines Kind fragt: »Was gibt 3 und 3?«, so erhält man eine völlig zufällige Antwort: 4 oder 10 oder 100. Ein Kind bringt es selten fertig zu schweigen und erfindet deshalb lieber eine Antwort, als nichts zu sagen. Es ist kein Fabulieren, denn das Erfinden geschieht völlig unsystematisch, und von irgendeinem Interesse an der Frage ist nichts zu merken. Das Kind fabuliert, wenn es sich lustig macht; der »Mir-ist-es-Wurstismus« erwächst aus der Langeweile.

Von diesem Inventar der verschiedenen möglichen Antworttypen wollen wir folgendes festhalten. Die spontanen Überzeugungen, als schon vor der Befragung vorhandene Überzeugungen, sind die interessantesten. Die ausgelösten Überzeugungen sind insofern aufschlußreich, als sich in ihnen die geistige Ausrichtung des Kindes erkennen läßt. Das Fabulieren kann gewisse Hinweise, vor allem negative, geben, falls man diese mit der angemessenen Vorsicht interpretiert. Die suggerierten Überzeugungen und der Mir-ist-es-Wurstismus sind grundsätzlich auszuschließen. Die ersteren enthüllen nur das, was der Experimentator vom Kind hatte hören wollen, der letztere zeigt nur, daß das untersuchte Kind die Frage nicht begriffen hat.

3. Regeln und Kriterien für eine Diagnose der erwähnten Reaktionstypen

Wir wissen jetzt, was wir suchen wollen. Wir müssen jetzt noch versuchen, einige Regeln aufzustellen, mit denen sich die interessanten Antworten ausscheiden lassen. Wir wollen uns mit anderen Worten über die praktischen Mittel verständigen, durch die sich die im letzten Paragraphen *in abstracto* beschriebenen fünf Reaktionstypen auseinanderhalten lassen.

Woran soll man als erstes die suggerierte Überzeugung und den Mir-ist-es-Wurstismus erkennen? Die suggerierte Überzeugung ist grundsätzlich momentan. Ein Gegenvorschlag, der nicht sogleich, sondern mit einem gewissen Verzug vorgebracht wird, reicht bereits aus, um sie ins Wanken zu bringen. Manchmal muß man das Kind nur weiterreden lassen und ihm nach einiger Zeit dieselben Fragen indirekt noch einmal stellen: Die suggerierte Überzeugung ist ein Parasit im Denken des Kindes; dieses versucht deshalb von selbst, diesen Fremdkörper wieder loszuwerden.

Doch dieses erste Kriterium reicht nicht aus. Es gibt besonders leicht beeinflußbare Kinder, die rasch ihre Meinung zu allem und jedem ändern, ohne daß man jedoch diese schwankende Grundhaltung als eindeutiges Kriterium verwenden könnte. Es gibt nur eine Methode, nämlich die Befragung zu vertiefen. Die suggerierten Überzeugungen haben die Eigenart, daß sie keinen Zusammenhang mit den anderen Überzeugungen des Kindes haben und daß es keine Analogien zu den Überzeugungen von Kindern der gleichen Altersstufe und aus demselben Milieu gibt. Daraus ergeben sich zwei weitere Verhaltensregeln. Zuerst sondiert man ringsum die Antwort, bei der man nicht sicher ist, noch stärker in die Tiefe, um sich zu vergewissern, ob sie solide Wurzeln hat. Man stellt ähnliche, im Wortlaut abgewandelte Fragen. Mit Geduld und analytischem Scharfsinn läßt sich so die Suggestion vermeiden.

Diese drei Kriterien gelten *a fortiori* für den Mir-ist-es-Wurstismus, der ein noch unstabilerer Reaktionstyp als die suggerierte Überzeugung ist. Eine Unterscheidung zwischen dem Mir-ist-es-Wurstismus und dem Fabulieren bietet auch unabhängig vom Kontext keinerlei Schwierigkeiten: Das Fabulieren ist viel reicher und systematischer, der Mir-ist-es-Wurstismus ist nichts als ein toter Punkt ohne jede Verästelung.

Nachdem wir gezeigt haben, woran man die suggerierten Antworten und den Mir-ist-es-Wurstismus erkennt, wollen wir jetzt die Kriterien des Fabulierens zu definieren versuchen. Von den drei genannten Regeln lassen sich zwei nicht auf das Fabulieren anwenden. Gegenvorschläge richten bei fabulierten Antworten nichts aus, denn das fabulierende Kind bleibt gegen Widersprüche fest und fabuliert nur noch mehr, je kräftigere Einwände man gegen seine Meinungen vorbringt. Andererseits ist es außerordentlich mühsam, den Wurzeln der Antwort nachzugehen, weil die fabulierte Antwort sich verästelt und wuchert, so daß man in die Irre geführt wird, und weil sie fest in einer Gesamtheit systematischer Überzeugungen verankert zu sein scheint. Das Fabulieren läßt sich deshalb im Gegensatz zur suggerierten Überzeugung bei einem einzelnen Kind nur schwer erkennen. Es gibt nur eine Methode, um ihm auf die Spur zu kommen, nämlich fragen und noch einmal fragen. Falls zahlreiche Kinder analysiert werden können, läßt sich das Fabulieren durch die folgenden drei Kriterien gegen die ausgelösten und die spontanen Überzeugungen abgrenzen.

Befragt man zahlreiche gleichaltrige Kinder, so stellt man fest, ob die zur Diskussion stehende Antwort ganz allgemein oder nur von einem oder zwei Kindern gegeben wird. Im ersteren Fall liegt mit großer Wahrscheinlichkeit kein Fabulieren vor. Das Fabulieren ist, wir haben es bereits gesagt, eine freie und individuelle Erfindung, es ist deshalb kaum anzunehmen, daß alle Kinder ein und dieselbe Antwort erfinden, wenn sie auf die gleiche Frage antworten. Doch dieses erste Kriterium genügt nicht, denn es kann sein, daß die Frage von Kindern eines bestimmten Alters überhaupt nicht begriffen wird und deshalb ein Fabulieren veranlaßt. Es läßt sich auch denken, daß das Fabulieren in einem solchen Fall in Richtung der einfachsten Lösung geht, so daß es recht einheitlich herauskommen kann. Diese Interpretation ist beim kindlichen Artifizialismus besonders plausibel. Man fragt beispielsweise 4- bis 6jährige Kinder, wie der Mond angefangen habe. Nehmen wir an, die Frage sei für diese Kinder völlig unverständlich: Sie erfinden folglich einen Mythos, und da der Mensch die naheliegendste und einfachste Lösung ist, werden alle sagen: »Ein Mann hat den Mond gemacht.« Man braucht deshalb einen subtileren Maßstab.

Diese Forderung scheint uns durch ein zweites Kriterium erfüllt zu werden. Wenn man zahlreiche verschiedenaltrige Kinder befragt, so kommt es vor, daß die fragliche Antwort (die somit aufgrund unserer Hypothese bei jüngeren Kindern allgemein verbreitet wäre) plötzlich verschwindet und von einer Antwort eines ganz anderen Typs abgelöst wird. Es kann somit sein, daß man die Kinder in zwei Stadien, ohne jedes Zwischenstadium, einteilen muß. Es kann jedoch auch sein, daß die fragliche Antwort schrittweise verschwindet und erst nach einem langsamen Reifen durch einen späteren Antworttyp verdrängt wird. In diesem Fall wären die Kinder in drei Stadien einzuteilen: ein Anfangs- und ein Endstadium mit einem Übergangsstadium dazwischen. Im zweiten Fall ist ein Fabulieren offensichtlich weniger wahrscheinlich als im ersten. Nehmen wir an, die Kinder hätten zu einem bestimmten Thema eine systematische Meinung und eine feste innere Haltung. Wenn die Erfahrung oder der Unterricht solche Meinungen widerlegt, so kommt es nicht zu einer plötzlichen, sondern einer schrittweisen Offenbarung. Fehlende Zwischenstadien scheinen hingegen darauf hinzuweisen, daß der erste Antworttyp für das Kind keinen besonderen Wert hatte; sie sprechen deshalb für die Hypothese eines verbreiteten Fabulierens im ersten Stadium.

Ein drittes Kriterium kann ebenfalls nützlich sein: das Hingelangen zur richtigen Antwort. Wenn nämlich die Antworten der jüngeren Kinder nicht fabuliert sind, so muß man nicht nur ein schrittweises, nicht plötzliches Verschwinden dieser Antworten in der nach dem Durchschnittsalter geordneten Reihe dieser Kinder feststellen können, diese ursprünglichen Vorstellungen müssen auch noch mit den ersten richtigen Antworten verwoben sein. Mit anderen Worten, wenn sich bei einem bestimmten Entwicklungsprozeß drei Stadien, wovon eines ein Zwischenstadium ist, unterscheiden lassen, so muß der Antworttyp des ersten Stadiums nicht nur im Zwischenstadium, sondern auch noch in den Ansätzen zum letzten Stadium nachweisbar sein. In einem solchen Fall kann man praktisch sicher sein, daß die Antworten des ersten Stadiums nicht fabuliert sind.

Ein Beispiel. Die Kinder eines ersten Stadiums sagen, der Genfer See sei von Arbeitern ausgehoben worden, dann habe man Wasser hineingefüllt. Die Kinder des zweiten Stadiums sagen noch immer, der See sei ausgehoben worden; aber das Wasser stammt aus den Bergen, es kommt also vom Regen. In einem dritten Stadium sind die Kinder schließlich der Meinung, der See sei durch einen ganz natürlichen Vorgang entstanden: Flüsse haben die Erde weggetragen und füllen die Senke mit Wasser. Sind nun die artifizialistischen Antworten des ersten Stadiums fabuliert? Nein, denn diese Meinung ist nicht nur allgemein verbreitet, der Artifizialismus verschwindet im Zwischenstadium nicht nur auf Anhieb, sondern es gibt auch am Anfang des dritten Stadiums Kinder, die noch immer glauben, Genf sei vor dem See dagewesen, und der See liege neben der Stadt, »weil es vor (zeitlich) dem See eine Stadt braucht«. Im Ansatz zum dritten Stadium dauert die artifizialistische innere Haltung somit an.

Die Überzeugungen im eigentlichen Sinne des Wortes lassen sich also verhältnismäßig leicht vom Fabulieren unterscheiden. Die erstaunliche Ähnlichkeit der Kinder, mindestens der Kinder aus zivilisierten Gegenden, untereinander, unabhängig vom sozialen Milieu, der Nationalität oder der Muttersprache, hat zur Folge, daß man sehr rasch sieht, ob eine bestimmte Überzeugung allgemein verbreitet, dauerhaft ist und sogar die ersten Belehrungen durch Erwachsene überlebt.

Es ist jedoch schwierig – und das ist merkwürdigerweise die einzige wirkliche Schwierigkeit, mit der wir uns bei der Anwendung unserer Methode auseinanderzusetzen hatten –, die spontanen und die ausgelösten Überzeugungen innerhalb der erhaltenden Antworten auseinanderzuhalten. Wir haben bis jetzt gesehen: 1. Beide widerstehen der Suggestion; 2. beide sind tief im Denken des untersuchten Kindes verwurzelt; 3. beide sind bei Kindern der gleichen Altersgruppe ziemlich allgemein verbreitet; 4. beide erstrecken sich über mehrere Jahre und verschwinden schrittweise, nicht plötzlich; 5. beide sind schließlich mit den ersten richtigen Antworten, also jenen Antworten, die auf den Druck der erwachsenen Umgebung zurückzuführen sind, verwoben.

Sollen wir also alle Antworten, die diesen fünf Bedingungen genügen, zu den spontanen Überzeugungen des Kindes rechnen? Soll man mit anderen Worten annehmen, alles, was das Kind gesagt habe, sei schon vor der Befragung gedanklich formuliert worden? Selbstverständlich nicht! Eine Trennung zwischen dem Spontanen und dem Ausgelösten ist nur durch die reine Beobachtung möglich. Jede Untersuchung wird deshalb durch reine Beobachtung abgeschlossen, und vor jeder neuen Untersuchung muß man sich an der reinen Beobachtung inspirieren. Das Studium der kindlichen Fragen ist in dieser Hinsicht das wichtigste Hilfsmittel.

Dieses Verfahren kann aber, wie wir gesehen haben, nur sehr beschränkt angewandt werden. Zu vielen Punkten, die bei einer klinischen Untersuchung anscheinend sehr systematische Antworten auslösen, stellt das Kind keine oder kaum Fragen. Dies ist oft darauf zurückzuführen, daß die bei der klinischen Untersuchung aufgedeckten Überzeugungen vom Kind nie angezweifelt worden sind und deshalb keine Fragen veranlaßt haben. In solchen Fällen sollte man aber nicht von Überzeugungen sprechen, sondern von Tendenzen, die in der inneren Haltung des Kindes impliziert sind und nicht entwickelt oder diskutiert werden: mehr unbewußte als formulierte, mehr aktive als vorstellungsmäßige »Haltungen«. Wie soll man also zwischen der spontanen Überzeugung oder Tendenz und der ausgelösten Überzeugung unterscheiden? Diese Frage gehört nicht mehr zu den Regeln unserer klinischen Untersuchung, sondern zu den allgemeinen Interpretationsgrundsätzen. Und diesen Grundsätzen wollen wir uns jetzt zuwenden.

4. Regeln für die Interpretation der Ergebnisse

In der Psychologie gibt es wie in der Physik keine reinen »Tatsachen«, falls man unter »Tatsache« ein Phänomen versteht, das dem Denken durch die Natur selbst aufgewiesen wird, unabhängig von den Hypothesen, von denen aus man diese Natur »befragt« hat, von den Prinzipien, die der Interpretation der Erfahrung zugrunde liegen, und vom systematischen Kontext der früheren Aussagen, in den der Beobachter jede neue Feststellung durch eine Art Vorverbindung einfügt. Deshalb müssen wir zumindest die allgemeinen Grundsätze näher umschreiben, von denen wir uns bei der Interpretation der Antworten unserer Kinder leiten lassen. Sonst müßte uns der Leser eine Reihe von Vorfragen stellen: Worin besteht diese innere Haltung, die dem Kind eine bestimmte Antwort näher legt als eine andere, falls seine Reaktion vom Typ »ausgelöst« ist? Welchen Anteil haben die Erwachsenen an den Überzeugungen des Kindes? usw.

Wir müssen uns aber auch vor der entgegengesetzten Gefahr in acht nehmen, daß wir nämlich die Natur unserer Ergebnisse vorwegnehmen, bevor wir die Ergebnisse an sich analysiert haben. Wir müssen deshalb ein System von Interpretationsregeln suchen, die höchste Geschmeidigkeit mit höchster wissenschaftlicher Strenge verbinden, soweit diese beiden Forderungen überhaupt miteinander verträglich sind. Einfacher, wir müssen untersuchen, *welche Regeln wir befolgen müssen, um möglichst viele Vorurteile zu verhindern.*

Zwei Punkte sind in dieser Hinsicht besonders wichtig. Als erstes stellt sich die Frage nach den Beziehungen zwischen der verbalen Formel oder der bewußten Systematisierung, in die das Kind seine Überzeugung im Zeitpunkt der Befragung kleidet, und der vorbewußten inneren Haltung, die das Kind ganz oder teilweise dazu bewogen hat, eine bestimmte Lösung zu erfinden und einer anderen Lösung vorzuziehen. Das ist das Problem. Ein Kind gibt uns eine eindeutig ausgelöste Antwort, das heißt, wir erleben gewissermaßen mit eigenen Augen, wie diese Überzeugung sich ausformt. Muß man nun diese Antwort derart interpretieren, als wäre sie vom Typ »spontan«? Oder muß man sie hinterfragen, muß man nicht so sehr die Antwort selbst, im Wortlaut, sondern die Tendenzen ansehen, die das Suchen des Kindes bestimmt haben? Wie aber, falls sich das aufdrängt, wollen wir eine Entscheidung fällen? In was wollen wir diese Tendenzen des Kindes umsetzen, ohne sie zu verfälschen? Eine äußerst schwerwiegende Frage. Von ihrer Lösung hängt der ganze Wert der klinischen Methode ab.

Es gibt für dieses Problem zwei extreme Lösungen. Zur ersten bekennen sich gewisse Kinderpsychologen, die alle Ergebnisse einer Befragung im eigentlichen Sinne des Wortes als bedeutungslos abtun, selbstverständlich insofern diese Befragung die Vorstellungen oder die Überzeugungen der Kinder aufzeigen will und nicht einfach Schulkenntnisse oder die Intelligenz prüft. Für solche Autoren verzerrt jede Befragung die Perspektiven; nur die reine Beobachtung ermöglicht ein objektives Sehen der Dinge. Solchen Vorbehalten gegenüber ist freilich die Tatsache festzuhalten, daß die Befragungen konstante Ergebnisse, mindestens als Durchschnittswert, erbringen. Wenn man Kinder danach befragt, was das Denken und was die Namen seien, so antworten alle jüngeren Kinder (zumindest eine so große Anzahl, daß man mit Recht »alle« sagen darf), man denke mit dem Mund, die Wörter oder die Namen seien in den Dingen drin usw. Eine solche Einheitlichkeit müßte allen jenen, die eine solche Befragung gering einschätzen, zu denken geben und ist ein Grund, die Untersuchungen fortzusetzen.

Die andere Lösung ist die derjenigen Psychologen, die jede Antwort, zumindest jede »ausgelöste« Antwort (also nicht die suggerierten, fabulierten oder ohne jede Überlegung gegebenen Antworten), als Ausdruck des spontanen kindlichen Denkens betrachten. Zu ihnen scheinen beispielsweise mehrere Mitarbeiter des Pedagogical Seminary zu gehören. Man muß den Kindern, will man diesen Autoren glauben, nur eine Anzahl Fragen stellen und die Antworten darauf sammeln, um die »Ideen der Kinder« oder die »Theorien der Kinder« usw. zu kennen. Wir wollen den Wert und die Bedeutung vieler Untersuchungen, an die wir hier denken, in keiner Weise herabsetzen, wir glauben nur, daß dieser Wert oft ein ganz anderer ist als der, den die Autoren meinen. Mit anderen Worten, wir halten das Prinzip für höchst suspekt, wonach jede beliebige Antwort, sofern sie weder suggeriert noch fabuliert ist, denselben Spontaneitätsgrad aufweisen soll wie eine Antwort von normalen Erwachsenen, die in einer beliebigen Untersuchung gegeben wird, oder eine originale Überzeugung des Kindes, die ohne Intervention oder Befragung beobachtet wurde. Ein solches Prinzip kann zwar selbstverständlich zu richtigen Schlußfolgerungen führen, aber zufällig, in der Art, wie das Wahre aus dem Falschen hervorgehen kann. In verallgemeinerter Form ist dieses Prinzip völlig falsch, und wir erschauern beim Gedanken an die Übertreibungen, die möglich wären, wenn man Kinder zu allem und jedem befragt und die so erhaltenen Ergebnisse alle als gleichwertig und für die kindliche Mentalität gleichermaßen offenbarend ansehen würde.

Damit ist unser Weg abgesteckt. Die Regel, die wir befolgen wollen, ist der Mittelweg: jeder ausgelösten Überzeugung einen Wert als Anzeichen zusprechen und mit Hilfe dieses Anzeichens die darin sich enthüllende geistige Haltung suchen. Dieses Suchen selbst kann sich vom folgenden Prinzip leiten lassen. Die Beobachtung zeigt, daß das Kind wenig systematisch, wenig deduktiv ist, daß es kein Bedürfnis hat, Widersprüche zu vermeiden, daß es Aussagen einfach nebeneinanderstellt und nicht synthetisiert, daß es sich mit synkretistischen Schemata begnügt, anstatt die Elemente sorgfältig zu analysieren. Mit anderen Worten, das kindliche Denken steht insgesamt näher bei einer Haltung, die durch die Handlung und das Träumen geprägt ist (wobei das Spiel diese beiden Verfahren kombiniert, die am einfachsten zu einer organischen Befriedigung führen), als dem seiner selbst bewußten und systematischen Denken des Erwachsenen. Wenn man die innere Haltung herausarbeiten will, die in einer ausgelösten Überzeugung zum Ausdruck kommt, so geht man am besten vom Grundsatz aus, diese Überzeugung von jedem systematischen Element zu befreien.

Zu diesem Zweck muß man zuerst den Einfluß der gestellten Frage eliminieren, das heißt, man muß der vom Kind gegebenen Antwort ihren besonderen Charakter als Antwort nehmen. Wenn man zum Beispiel das Kind fragt: »Wie hat die Sonne begonnen?«, und das Kind antwortet: »Männer haben sie gemacht«, dann darf man dieser Antwort nur diesen Hinweis entnehmen: Es gibt für das Kind irgendeine vage Verbindung zwischen der Sonne und den Menschen, oder die Menschen haben irgend etwas mit der Natur der Sonne zu tun. Wenn man fragt: »Wie haben die Namen der Dinge begonnen?«, und: »Wo sind sie?«, und das Kind antwortet, die Namen kämen aus den Dingen selbst und seien in den Dingen, so darf man daraus nur schließen, daß für das Kind die Namen mehr zu den Dingen als zum denkenden Subjekt gehören und daß das Kind aufgrund seiner inneren Haltung Realist sei. Man muß sich deshalb bei den genannten zwei Beispielen davor hüten, dem Kind zu unterstellen, es bemühe sich spontan, etwas Genaueres über den Ursprung der Gestirne (es sei denn, die reine Beobachtung zeige, daß ein solches Bemühen vorhanden ist) zu sagen oder die Namen zu lokalisieren. Aus der Antwort darf man nur ihre Richtung herauslesen, also: eine artifizialistische Richtung beim ersten Beispiel und eine realistische beim zweiten.

Man darf weiter die erhaltenen Antworten nicht unter dem logischen Aspekt betrachten, man muß sich davor hüten, eine künstliche Kohärenz in eine eher organische als logische Kohärenz hineinzuinterpretieren. Die Kinder antworten etwa, die Himmelskörper, der Himmel, die Nacht usw. bestünden aus Wolken und die Wolken aus Rauch. Die Blitze und die blinkenden Sterne sind Feuer, das aus diesem Rauch herauskommt usw. Ein wunderbares System, für das der Rauch aus den Kaminen das Prinzip der Meteorologie und Astronomie ist. Nur: es ist kein System! Es handelt sich dabei nur um teilweise empfundene, teilweise formulierte, viel mehr angedeutete als herausgearbeitete Verbindungen. Mehr noch, diese Verbindungen schließen andere Verbindungen nicht aus, auch nicht solche, die für unser Gefühl widersprüchlich wären: dieselben Körper werden etwa vom Kind auch als lebendig und bewußt usw. aufgefaßt.

Man muß schließlich sogar versuchen, vom verbalen Element der Antworten abzusehen. Es gibt sicher beim Kind ein völlig unformulierbares Denken, ein Denken in Bildern mit kombinierten motorischen Schemata. Die Vorstellungen Kraft, Leben, Gewicht sind zumindest teilweise aus diesem Denken hervorgegangen, und die Beziehungen der Gegenstände untereinander sind ganz von solchen unausdrückbaren Verbindungen durchdrungen. Wenn man dem Kind Fragen stellt, so übersetzt es sein Denken in Worte, aber diese Worte sind notwendig inadäquat. Das Kind sagt etwa, die Sonne bringe die Wolken in Bewegung. Welchen Sinn hat dieser Ausdruck, daß die Sonne die Wolken anziehe oder vor sich her stoße, daß sie hinter ihnen herjage, so wie ein Polizist die Diebe vor sich herjagt und dadurch in die Flucht »schlägt«? Alles ist möglich. Auch hier wieder ist die Haltung und nicht die Formulierung, die eingeschlagene Richtung und nicht die gefundene Antwort wichtig.

Bei der Interpretation der ausgelösten Antworten und zum Teil auch der spontanen Antworten muß man sich also, kurz gesagt, vom Grundsatz leiten lassen, diese Antworten als Symptome und nicht so sehr als Realitäten zu betrachten. Wo hat aber diese systematische Reduktion aufzuhören? Das läßt sich nur durch die reine Beobachtung entscheiden. Man muß zum Beispiel zahlreiche Kinderfragen untersuchen und die durch klinische Untersuchung erhaltenen Antworten mit diesen spontanen Fragen konfrontieren: Dann sieht man, bis zu welchem Punkt systematisch gestellten Fragen eine bestimmte innere Haltung zuzuordnen ist. Beim Artifizialismus beispielsweise genügen schon wenige Beobachtungen, um herauszufinden, daß die Verbindung zwischen den Dingen und den Menschen vom Kind oft spontan unter dem Aspekt einer Herstellungsbeziehung gesehen wird: Das Kind stellt sich spontan gewisse Fragen nach dem Ursprung der Dinge, und es stellt sie sich auf eine Weise, in der von vornherein die Vorstellung impliziert ist, daß die Menschen die Dinge gemacht haben oder zur Herstellung der Dinge beigetragen haben.

Doch die genannten Regeln genügen noch nicht, um alle Probleme zu lösen, die durch die Interpretation der Antworten aufgeworfen werden.

Wie kann man in den Ergebnissen der Befragungen auseinanderhalten, was das Kind von selbst gefunden hat und was auf den früheren Einfluß der Erwachsenen zurückzuführen ist?

In dieser Form ist das Problem unlösbar. Man muß zwei ganz verschiedene Fragen unterscheiden. Die Geschichte der intellektuellen Entwicklung des Kindes ist zu einem guten Teil die Geschichte der schrittweisen Sozialisierung eines individuellen Denkens, das sich am Anfang gegen die soziale Adaptation sträubt, das aber später immer stärker vom Einfluß der erwachsenen Umgebung durchdrungen wird. Unter diesem Gesichtspunkt ist das ganze kindliche Denken von der Ausformung der Sprache an dazu bestimmt, schrittweise in das erwachsene Denken überzugehen. Daraus ergibt sich ein erstes Problem: Wie verläuft diese Sozialisierung? Aufgrund dieser Tatsache einer schrittweisen Sozialisierung sind auf jeder Stufe der kindlichen Entwicklung zwei Anteile im Inhalt des kindlichen Denkens auseinanderzuhalten: der Anteil des Einflusses der Erwachsenen und der Anteil der selbständigen Reaktion des Kindes. Mit anderen Worten, die kindlichen Überzeugungen sind das Ergebnis einer vom Erwachsenen beeinflußten, aber nicht diktierten Reaktion. Man kann versuchen, diese Reaktion zu studieren, und wir werden das in diesem Buch auch tun. Man muß nur wissen, daß das Problem dreiteilig ist: das Universum, in welches das Kind sich einfügt, das Denken des Kindes und die Gesellschaft der Erwachsenen, die auf dieses Denken einwirkt. Andererseits sind aber auch in den kindlichen Überzeugungen zwei ganz verschiedene Typen zu unterscheiden. Die einen sind, wie wir gesehen haben, vom Erwachsenen beeinflußt, aber nicht diktiert. Die anderen hingegen sind einfach aufgezwungen worden, etwa von der Schule, von der Familie, durch Gespräche zwischen Erwachsenen, die das Kind mitgehört hat usw. Diese letzteren Überzeugungen sind selbstverständlich völlig uninteressant. Und das ist das zweite, vom methodologischen Standpunkt her viel gravierendere Problem: wie lassen sich beim Kind die durch den Erwachsenen aufgezwungenen Überzeugungen von den aus einer eigenen Reaktion hervorgegangenen Überzeugungen (die vom Erwachsenen beeinflußt, aber nicht diktiert sind) unterscheiden? Man sieht sofort, daß die beiden Probleme gesondert behandelt werden müssen.

Beim ersten werden zwei extreme Lösungen vorgeschlagen. Nach der einen würde es keine im eigentlichen Sinne kindlichen Überzeugungen geben: Man findet beim Kind nur Spuren punktueller und unvollständiger, von außen erhaltener Informationen, und um das wirkliche Denken des Kindes kennenzulernen, müßte man einige Waisen auf einer verlassenen Insel großziehen. Das ist die Lösung, die viele Soziologen implizit vorschlagen. Die Vorstellung, die Naturvölker würden mehr Aufschluß als die Kinder über die Entwicklung des menschlichen Denkens geben, obwohl man sie nur aus zweiter oder dritter Hand kennt, weil wenige überhaupt dazu imstande sind, sie wissenschaftlich zu studieren, beruht zu einem ansehnlichen Teil auf dieser Tendenz, das Kind als ganz vom sozialen Zwang der Umgebung geformt anzusehen. Es könnte aber auch sein, daß die Originalität der Kinder ganz einfach verkannt wird, weil das Kind in seiner Egozentrik gar nicht darauf aus ist, uns von der Richtigkeit seiner inneren Haltung zu überzeugen oder sich ihrer auch nur bewußt zu werden, um sie uns darzulegen. Es ist durchaus möglich, daß wir nur die Zweifel und das Tasten des Kindes sehen, weil es über das, was für es evident ist, keine Aussagen macht und sich auch gar nicht darum kümmert. Man ist deshalb durchaus dazu berechtigt, die Unterstellung abzulehnen, die Vorstellungen des Kindes würden *a priori* mit denen seiner Umwelt übereinstimmen. Mehr noch, wenn sich die logische Struktur des kindlichen Denkens, wie wir an anderer Stelle zu zeigen versucht haben, tatsächlich von unserer erwachsenen logischen Struktur unterscheidet, so ist der Inhalt des kindlichen Denkens mit großer Wahrscheinlichkeit zu einem Teil original.

Muß man sich also für die andere Extremlösung entscheiden und im Kind eine Art schizoides Wesen sehen, das ganz in seinem Autismus lebt, obwohl es scheinbar am Leben des Sozialkörpers teilnimmt? Damit würde man die Tatsachen verkennen, daß das Kind ein Wesen ist, dessen Haupttätigkeit die Adaptation ist und das sich sowohl an die Erwachsenen seiner Umgebung als auch an die Natur selbst anzupassen versucht.

Die Wahrheit liegt sicher dazwischen. Stern hat bei der Untersuchung der kindlichen Sprache ein Leitprinzip befolgt, das wir übernehmen können, wobei wir es zugunsten der Originalität des kindlichen Denkens erweitern. Das kindliche Denken ist nämlich sehr viel eigenständiger als die kindliche Sprache. Was Stern über die Sprache sagt, gilt zumindest *a fortiori* für das Denken.

Angenommen, sagt Stern, das Kind beschränke sich in seiner Sprache darauf, in allem den Erwachsenen zu kopieren. Auch eine solche Kopie enthält mehrere spontane Elemente. Das Kind kopiert vorerst nicht alles. Seine Nachahmung ist selektiv: Bestimmte Züge werden sofort kopiert, andere werden Jahre lang übersehen. Die Reihenfolge seiner Nachahmungen ist überdies im Durchschnitt konstant. Die grammatikalischen Kategorien beispielsweise werden in einer genau festgelegten Reihenfolge erworben usw. Wer aber selektive Nachahmung und feste Reihenfolge bei den Nachahmungen sagt, sagt auch teilweise spontane Reaktion. Solche Fakten zeigen zumindest, daß es eine zum Teil vom äußeren Druck unabhängige Struktur gibt.

Mehr noch. Auch was anscheinend kopiert wird, wird in Wirklichkeit umgeformt und neugeschaffen. Die Wörter zum Beispiel sind bei Kindern und bei Erwachsenen die gleichen, aber sie haben einen anderen, je nach Fall weiteren oder engeren, Sinn. Die Verbindungen sind anders. Die Syntax und der Stil sind eigenständig.

Stern stellt somit die begründete Hypothese auf, das Kind verarbeite, was es aufnimmt, und es verarbeite das Aufgenommene nach einer für es charakteristischen geistigen Chemie. Solche Überlegungen gelten mit noch mehr Grund im Bereich des Denkens selbst, wo der Anteil der Nachahmung als formender Faktor offensichtlich geringer ist. Bei den Vorstellungen treffen wir tatsächlich ständig auf etwas, das wir bei der Sprache nur selten sehen: wirkliche Konflikte zwischen dem Denken des Kindes und dem Denken seiner Umgebung, Konflikte, die im Geiste des Kindes zu einer systematischen Verformung der Aussagen der Erwachsenen führen. Man muß am lebenden Objekt erfahren haben, wie sehr Kinder auch die besten Lektionen mißverstehen können, um die Bedeutung dieses Phänomens zu ermessen.

Man wird einwenden, jede Sprache enthalte eine Logik und eine Kosmologie, und das Kind, das gleichzeitig sprechen und denken oder vor dem Denken sprechen lerne, denke in Funktionen des erwachsenen Sozialmilieus. Das stimmt, zum Teil. Da aber die Sprache der Erwachsenen für das Kind nicht das ist, was für uns eine Fremdsprache ist, die wir lernen (nämlich ein System von Zeichen, die Punkt um Punkt bereits erworbenen Begriffen zugeordnet werden), kann man die kindlichen Begriffe und die erwachsenen Begriffe ganz einfach so unterscheiden, daß man untersucht, wie das Kind unsere Wörter und unsere Begriffe gebraucht. Man wird dann bemerken, daß die Erwachsenensprache für das Kind oft eine »undurchsichtige« Wirklichkeit darstellt und daß eine der Tätigkeiten seines Denkens eben gerade darin besteht, sich an diese Realität anzupassen, so wie es sich auch an die physische Wirklichkeit anpassen muß. Diese Adaptation, die das verbale Denken des Kindes charakterisiert, ist eine eigene Leistung und setzt Schemata *sui generis* einer geistigen Verarbeitung voraus. Auch wenn das Kind im Zusammenhang mit einem Wort der erwachsenen Sprache einen bestimmten Begriff konstruiert, so kann dieser Begriff dennoch vollständig kindlich bleiben, insofern das Wort ursprünglich für die kindliche Intelligenz ebenso undurchsichtig wie irgendein physikalisches Phänomen ist und insofern das Kind dieses Wort, um es zu begreifen, nach seiner eigenen geistigen Struktur verformt und assimiliert hat. Ein ausgezeichnetes Beispiel für diese Gesetzmäßigkeit werden wir beim kindlichen Begriff »Leben« kennenlernen. Der Begriff »Lebewesen« ist vom Kind von einem erwachsenen Wort her konstruiert worden. Er hat aber einen ganz anderen Inhalt als der erwachsene Begriff »Leben« und zeugt von einer durch und durch eigenständigen Vorstellung von der Welt.

Der Grundsatz, an den wir uns halten wollen, besteht somit darin, daß wir das Kind nicht als ein rein nachahmendes Wesen betrachten, sondern als einen Organismus, der die Dinge an sich assimiliert, sie seiner eigenen Struktur entsprechend auswählt und verarbeitet. Wenn man die Dinge so ansieht, kann auch das, was vom Erwachsenen beeinflußt ist, eigenständig sein. Selbstverständlich sind aber die reinen Nachahmungen und die reinen Wiedergaben häufig anzutreffen. Eine kindliche Überzeugung ist oft nur die ganz passive Replik einer gehörten Aussage. Das Kind versteht zudem im gleichen Maße, wie es sich entwickelt, den Erwachsenen besser, es ist bald einmal dazu imstande, die Überzeugungen seiner Umwelt zu assimilieren. Wie soll man also bei den Ergebnissen der klinischen Untersuchung entscheiden, was vom Kind selbst und was von früher aufgeschnappten und vom Kind angenommenen Aussagen der Erwachsenen stammt? Die Regeln, die wir weiter oben (Abschnitt 3) dargelegt haben, mit denen sich spontane oder ausgelöste und suggerierte Antworten auseinanderhalten lassen, eignen sich unserer Meinung nach auch dazu, um dieses neue Problem zu lösen.

Da ist zuerst wieder die Einheitlichkeit der Antworten von durchschnittlich gleichaltrigen Kindern zu erwähnen. Wenn alle Kinder ein und derselben Entwicklungsstufe dieselbe Vorstellung von einem bestimmten Phänomen erworben haben, trotz allen Zufälligkeiten ihrer persönlichen Umstände, ihrer Begegnungen, der gehörten Gespräche usw., so ist das eine erste Garantie für die Originalität dieser Überzeugung.

Wenn sich zweitens die Überzeugung des Kindes mit dem Alter stetig fortschreitend entwickelt, so ist das ein neuer mutmaßlicher Hinweis zugunsten der Originalität dieser Überzeugung.

Wenn diese Überzeugung wirklich durch die kindliche Mentalität geformt wird, so kann sie drittens nicht plötzlich verschwinden, sondern man wird eine ganze Reihe von Kombinationen oder Kompromissen zwischen der alten und der neuen Überzeugung feststellen, die sich allmählich durchsetzt.

Eine tatsächlich mit einer geistigen Struktur verbundene Überzeugung wird viertens der Suggestion widerstehen; und diese Überzeugung wuchert fünftens in alle Richtungen und wirkt sich auf eine ganze Reihe verwandter Vorstellungen aus.

Diese fünf Kriterien zeigen, gleichzeitig angewandt, ausreichend, ob eine Überzeugung vom Kind einfach durch passive Nachahmung vom Erwachsenen übernommen worden ist oder ob sie teilweise ein Produkt der geistigen Struktur des Kindes ist. Sobald das Kind alles versteht, was man ihm sagt (von 11 bis 12

Jahren an), läßt sich selbstverständlich das Ergebnis der erwachsenen Belehrung mit diesen Kriterien nicht mehr erkennen. Doch dann ist das Kind kein Kind mehr, und seine geistige Struktur wird zu der des Erwachsenen.

Erster Teil
Der kindliche Realismus

Falls man über die kindlichen Vorstellungen von der Welt etwas Genaues aussagen will, muß man sich zweifellos zuerst die folgende Frage stellen: Ist die äußere Wirklichkeit beim Kind so äußerlich und objektiv wie bei uns? Anders gesagt, ist das Kind imstande, die äußere Welt von seinem Ich zu unterscheiden? Auch bei unserer früheren Untersuchung über die kindliche Logik sind wir schon am Anfang auf das Problem des Ich gestoßen. Wir sind zur Annahme gekommen, daß sich die Logik in Funktion der Sozialisierung des Denkens entwickelt. Solange das Kind annimmt, jedermann denke notwendig wie es, versucht es von sich aus weder andere zu überzeugen noch sich nach den allgemein anerkannten Wahrheiten zu richten, schon gar nicht, seine Aussagen zu beweisen oder zu überprüfen. Wenn die Logik des Kindes weder wissenschaftlich streng noch objektiv ist, so ist das, darf man folglich sagen, auf eine angeborene Egozentrizität zurückzuführen, die der Sozialisierung entgegenwirkt. Wenn wir die Beziehungen zwischen dem Denken des Kindes und jetzt nicht mehr dem Denken anderer Menschen, sondern den Dingen untersuchen, so stoßen wir sofort auf ein analoges Problem: Gelingt es dem Kind, aus seinem Ich herauszutreten, um sich eine objektive Vorstellung der Wirklichkeit zu konstruieren?

Die Frage scheint auf den ersten Blick recht überflüssig zu sein. Das Kind ist doch, wie der ungebildete Erwachsene, ganz den Dingen zugewandt. Dem Leben des Denkens steht es gleichgültig gegenüber. Die Originalität der individuellen Standpunkte läßt es kalt. Seine ersten Interessen, seine ersten Spiele, seine Zeichnungen sind grundsätzlich realistisch und tendieren ausschließlich in Richtung einer Nachahmung des Bestehenden. Kurz, das kindliche Denken ist offenbar ausschließlich dem Realismus zugewandt.

Es gibt aber zwei Arten, realistisch zu sein. Besser gesagt, man muß zwischen Objektivität und Realismus unterscheiden. Die Objektivität besteht darin, daß man die tausenderlei Auswirkungen des Ich auf das Alltagsdenken und die tausenderlei Täuschungen – Täuschungen der Sinne, der Sprache, der Standpunkte, der Werte, usw. –, die sich daraus ergeben, so gut kennt, daß man, bevor man sich ein Urteil erlaubt, zuerst die Fesseln des Ich abstreift. Der Realismus hingegen besteht darin, daß man nicht weiß, daß es ein Ich gibt, und deshalb die eigene Betrachtungsweise für unmittelbar objektiv und absolut hält. Der Realismus: das ist die anthropozentrische Illusion, das ist der Finalismus, das sind alle diese Täuschungen, von denen die Geschichte der Wissenschaften übervoll ist. Solange sich das Denken nicht des Ich bewußt wird, vermengt es ständig das Objektive mit dem Subjektiven, das Wahre mit dem Unmittelbaren; es breitet den ganzen Inhalt des Bewußtseins auf einer einzigen Ebene aus, auf der die wirklichen Beziehungen und die unbewußten Emanationen des Ich unrettbar ineinander übergehen.

Es ist deshalb nicht absurd, sondern im Gegenteil unerläßlich, allem voran die Grenze zu bestimmen, die das Kind zwischen seinem Ich und der äußeren Welt aufrichtet. Die Methode ist übrigens nicht neu. Mach und Baldwin haben sie schon vor einiger Zeit in die Psychologie eingeführt. Mach hat gezeigt, daß die Abgrenzung zwischen der inneren oder psychischen und der äußeren oder physischen Welt nicht angeboren ist, weit davon entfernt. Innerhalb ein und derselben undifferenzierten Wirklichkeit würde vielmehr die Aktion schrittweise die Bilder nach diesen beiden Polen klassieren und würden in Wechselbeziehung zueinander zwei Systeme ausgebildet.

Baldwin nennt diesen ursprünglichen Zustand, in dem die Bilder dem Bewußtsein einfach »präsentiert« werden, ohne daß zwischen einem Ich und einem Nicht-Ich unterschieden wird, *projektiv*. Dieses projektive Stadium ist durch seine »Adualismen« charakterisiert: Insbesondere die Dualismen Innen/Außen und Denken/Dinge fehlen noch vollständig; sie werden erst durch die spätere logische Entwicklung schrittweise aufgebaut.

Doch diese beiden Ansichten sind noch reine Theorie. Machs Hypothese stützt sich nicht auf eine eigentliche genetische Psychologie, und Baldwins »genetische Logik« ist eher konstruktiv als experimentell. Wenn man Baldwins geniale Gedankengänge[1] etwas genauer zu erfassen versucht, so entdeckt man, wenn auch vielleicht nicht wie hinfällig, aber doch zumindest wie komplex sie sind.

Wie steht es zum Beispiel mit dem Begriff »Projektion«? Man kann drei verschiedene Bedeutungen für ihn finden, denn er läßt sich kaum genau von der »Ejektion« abgrenzen. Manchmal steht er einfach für die Nichtunterscheidung zwischen dem Ich und der äußeren Welt: das fehlende Ich-Bewußtsein. Man hat etwa behauptet, das Kind, das von sich selbst in der dritten Person spreche, kenne sich selbst nicht als Subjekt und sehe sich gewissermaßen von außen. Das wäre insofern »Projektion«, als die eigenen Aktionen erzählt und vielleicht auch aufgefaßt werden, als ob sie für das sprechende Kind nicht zur inneren Welt gehören würden.

---

[1] J.-M. Baldwin: La pensée et les choses. Paris 1908. (Deutsch: Das Denken und die Dinge oder genetische Logik. Leipzig 1908.)

In anderen Fällen besteht eine Projektion, wenn wir dem Ich oder dem Denken zugehörige Eigenschaften den Dingen zusprechen. Das Kind, das den »Namen der Sonne« in der Sonne lokalisiert, »projiziert« so eine innere Wirklichkeit in die Außenwelt.

Die »Projektion« läßt sich schließlich nur schwer von den Fällen unterscheiden, in denen wir den Dingen nicht unsere Eigenschaften, sondern das Reziproke unserer Bewußtseinszustände zusprechen: Das Kind, das etwa Furcht vor einem Feuer empfindet, unterstellt diesem Feuer bedrohliche Absichten. Dem Feuer wird nicht das Angstgefühl zugesprochen. Sondern dieses Gefühl wird objektiviert, und das Kind projiziert dann in das Feuer den reziproken Zustand dieser Furcht: die Bosheit.

In dieser dritten Bedeutung haben die Psychoanalytiker das Wort »Projektion« verwendet. Es ist eine andere Bedeutung als in den beiden ersten Fällen, aber die drei Bedeutungen sind offensichtlich miteinander verwandt und gehen wahrscheinlich stetig ineinander über. Bei allen drei Bedeutungen besteht jedenfalls ein »Adualismus« zwischen dem Innen und dem Außen.

Welcher Mechanismus liegt dieser Projektion zugrunde? Werden die Bewußtseinsinhalte einfach nicht klassifiziert? Diesen Eindruck erhält man, wenn man Baldwins Werke liest. Man sieht in diesen Publikationen zwar, wie die Inhalte differenziert und die »Dualismen« ausgebildet worden sind. Man sieht aber nicht, wie der ursprüngliche und adualistische Zustand konstruiert worden ist. Das hängt zweifellos mit Baldwins Methode zusammen. In seinen letzten Schriften rekonstruiert dieser subtile Analytiker die genetische Logik in einer Weise, als ob er eine Psychologie der Introspektion skizzieren würde, indem er nämlich das Bewußtsein als eine letzte Tatsache auffaßt und weder auf das Unterbewußtsein noch auf die Biologie zurückgreift. Man kann sich aber fragen, ob die genetische Psychologie nicht notwendig biologische Tatsachen voraussetzt. Man kann sich insbesondere auch fragen, ob die Projektion nicht das Ergebnis eines unbewußten Assimilationsprozesses sei, derart daß die Dinge und das Ich sich vor jeder Bewußtwerdung gegenseitig beeinflussen. Sollte das zutreffen, so würden die verschiedenen Projektionstypen verschiedenen möglichen Kombinationen der Assimilation und der Adaptation entsprechen.

Dieser Prozeß und die mit ihm zusammenhängenden Vorgänge können aber nur durch eine sorgfältige Untersuchung der Tatsachen aufgedeckt werden. Einen ersten Beitrag dazu möchten wir mit der vorliegenden Arbeit über die Entwicklung des Kindes liefern. Irgendwelche Grenzen sind der Forschung hier nicht gesteckt. Wir begnügen uns deshalb mit der Analyse einiger klar definierter Fakten, die etwas Licht auf diese schwierigen Fragen werfen können. Wir bedienen uns einer regressiven Methode. Wir beginnen mit der Beschreibung der Vorstellungen, die die Kinder von der Natur des Denkens haben (Dualismus Denken/Dinge). Dann untersuchen wir die Grenzen, die die Kinder in bezug auf die Wörter, die Namen und ihre Träume zwischen der äußeren Welt und der inneren Welt ziehen. Eine kurze Analyse einiger konnexer Phänomene bildet den Abschluß. Diese regressive Methode hat einen wichtigen Vorteil. Wenn wir mit den am leichtesten zu interpretierenden Phänomenen beginnen, erhalten wir einige Leitlinien, die uns fehlen würden, wenn wir von der chronologischen Reihenfolge ausgingen.

Kapitel I
Der Begriff Denken

Stellen wir uns ein Wesen vor, dem die Unterscheidung zwischen dem Denken und den Körpern völlig fremd ist. Dieses Wesen wird sich seiner Wünsche und seiner Gefühle durchaus bewußt, aber es würde zweifellos einen sehr viel weniger klaren Begriff von sich selbst als wir von uns haben. Es würde sich gewissermaßen als sich selbst weniger innerlich denn wir, als weniger unabhängig von der äußeren Welt empfinden. Daß wir uns bewußt sind zu denken, hebt uns von den Dingen ab. Ein solches Wesen würde aber vor allem ein ganz anderes psychologisches Bewußtsein als wir haben. Die Träume zum Beispiel würden ihm als als ein Einbruch des Äußeren in das Innere erscheinen. Die Wörter wären an die Dinge gebunden, und das Sprechen wäre eine direkte Aktion auf die Körper. Umgekehrt wären die äußeren Körper nicht so materiell: sie wären von Absichten und von einem Willen durchdrungen.

Wir möchten zeigen, daß das die Wirklichkeit des Kindes ist. Das Kind weiß noch nichts von der Besonderheit des Denkens, noch nicht einmal in dem Stadium, wo es sich von den Aussagen der Erwachsenen zum »Geist«, zum »Gehirn«, »zur Intelligenz« beeinflussen läßt.

Unsere Technik, das Kind zu befragen, läßt sich folgendermaßen kurz beschreiben. Man fragt: »Weißt du, was das ist, ›denken‹? Wenn du hier bist und du an dein Haus denkst, oder wenn du an die Ferien denkst, oder an deine Mama, weißt du, was das ist, an etwas denken?« Sobald das Kind begriffen hat, worum es geht, fährt man fort: »Also! Womit denkt man?« Falls das Kind die Frage nicht erfaßt, was selten vorkommt, so entwickelt man den Gedanken: »Wenn du gehst, dann gehst zu mit den Füßen. Also! Wenn du denkst, womit denkst du?« Man fragt, wie die Antwort auch ausfällt, weiter, um sich zu vergewissern, was hinter den Wörtern der Antwort steht. Zum Abschluß fragt man, wie das wäre, wenn man den Kopf öffnen könnte, ohne daß man dabei sterben würde, ob man dann das Denken sehen oder berühren oder mit den Fingern abtasten usw. könnte. Diese letzten Fragen, die Suggestivfragen sind, müssen für das Ende aufgespart werden, das heißt für den Zeitpunkt, da das Kind nicht mehr dazu zu bringen ist, von selbst zu sprechen.

Falls das Kind gelernte Wörter wie »Gehirn«, »Seele« usw. verwendet, was manchmal vorkommt, so muß man es zudem über diese Ausdrücke ausfragen, bis man sieht, wie sie vom Kind assimiliert worden sind. Es kann ein reiner Verbalismus vorliegen.

Man kann aber auch durch und durch suggestive Verformungen finden.

Wir haben drei Stadien unterscheiden können, von denen das erste leicht gegen die beiden anderen abzugrenzen ist. Es scheint ein rein spontanes Element zu enthalten. In diesem Stadium glauben die Kinder, man denke »mit dem Mund«. Das Denken ist identisch mit der Stimme. Im Kopf oder im Körper geschieht gar nichts. Das Denken wird selbstverständlich mit den Dingen vermengt, insofern die Wörter zu den Dingen gehören. Am Denkakt ist nichts Subjektives. Die Kinder dieses Stadiums sind durchschnittlich 6 Jahre alt.

Das zweite Stadium ist an den Eingriffen der Erwachsenen erkenntlich. Das Kind hat gelernt, daß man mit dem Kopf denkt; bisweilen spielt es sogar auf das »Gehirn« an. Drei Umstände deuten jedoch auf eine gewisse Spontaneität beim Kind hin. Zunächst das Alter: Um 8 Jahre herum haben wir solche Antworten gefunden. Vor allem aber die Kontinuität zwischen dem ersten und dem zweiten Stadium: Das Denken wird noch oft als eine Stimme im Kopf oder im Hals aufgefaßt, was darauf hinweist, daß die früheren Überzeugungen nachwirken. Schließlich die Materialität, die das Kind dem Denken zuschreibt: Das Denken ist Luft oder Blut oder eine Kugel usw.

Das dritte Stadium, im mittleren Alter von 11 bis 12 Jahren, ist durch eine Entmaterialisierung des Denkens gekennzeichnet. Es ist freilich sehr schwierig, dieses dritte Stadium klar gegen das zweite abzugrenzen. Wichtig für uns ist aber die Abgrenzung zwischen dem ersten und dem zweiten, wo der Beitrag der Erwachsenen zur Überzeugung des Kindes hinzukommt.

1. Das erste Stadium: Man denkt mit dem Mund

Das Mädchen, vom dem Stern[1] spricht, glaubte, man denke mit der Zunge, die Tiere mit dem Mund. Es nahm auch an, die Leute würden denken, wenn sie sprechen, und nicht mehr denken, wenn sie den Mund schlössen. Unser Material läßt darauf schließen, daß diese kindlichen Überzeugungen weit verbreitet sind.

Mont (7;0)[2]: »Weißt du, was das ist: denken? – *Ja.* – Denke an dein Haus, machst du mit? – *Ja.* – Womit denkst du? – *Mit dem Mund.* – Kannst du auch

[1] C. Stern: Die Kindersprache. Leipzig 1907. S. 210. Siehe auch J. Sully: Etudes sur l'enfance. Paris 1898. S. 163. (Deutsch: Untersuchungen über die Kindheit. Leipzig 1897.)

[2] 7;0 = 7 Jahre, 0 Monate alt. Die Antworten der Kinder werden kursiv wiedergegeben. Alle kindlichen Aussagen werden wörtlich zitiert. Die Anführungszeichen stehen jeweils am Anfang und am Ende eines Gesprächs, das ohne Unterbrechung geführt worden ist.

denken, wenn der Mund geschlossen ist? – *Nein.* – Wenn die Augen geschlossen sind? – *Ja.* – Wenn die Ohren verschlossen sind? – *Ja.* – Schließe deinen Mund und denke an dein Haus. Denkst du? – *Ja.* – Womit hast du gedacht? – *Mit dem Mund.*«

Pig (9;6, in der Entwicklung zurückgeblieben): »Kennst du das Wort denken? – *Ja.* – Was ist das Denken? – *Wenn jemand gestorben ist und man an ihn denkt.* – Denkst du manchmal? – *Ja, an meinen Bruder.* – Und in der Schule, denkst du dort? – *Nein.* – Und hier (wir befinden uns in einem Büro des Schulhauses)? – *Ja, ich denke, weil Sie mich Dinge fragen.* – Womit denkst du? – *Mit dem Mund und den Ohren.* – Und die Kleinkinder, denken sie? – *Nein.* – Und wenn seine Mama mit ihm spricht, denkt dann ein solches Kleinkind? – *Ja.* – Womit? – *Mit seinem Mund.*«

Acker (7;7): »Womit denkt man? – *Mit dem Mund.*« Diese Aussage ist in einer Befragung über die Träume, auf die wir noch zu sprechen kommen werden, viermal wiedergekehrt. Anschließend an Fragen zum Animismus haben wir noch wissen wollen: »Kann ein Hund denken? – *Ja, er hört.* – Kann ein Vogel denken? – *Nein, er hat keine Ohren.* – Womit denkt der Hund? – *Mit seinen Ohren.* – Denkt ein Fisch? – *Nein.* – Eine Schnecke? – *Nein.* – Ein Pferd? – *Ja, mit seinen Ohren.* – Ein Huhn? – *Ja, mit seinem Mund.*«

Schmi (5;6): »Womit denkt man? – *Mit dem Mund.*«

Muy (6 Jahre): »Womit denkst du? – *Mit etwas, mit meinem Mund!*«

Manchmal denkt man, haben wir eben gesehen, nicht nur mit dem Mund, sondern auch mit den Ohren.

Barb (5;6): »Weißt du, was das ist: denken? – *Wenn man sich an etwas nicht mehr erinnert, denkt man nach.* – Womit denkst du? – *Mit meinen Ohren.* – Und wenn du sie zumachst, kannst du dann denken? – *Ja ... nein.*«

Rehm (5;11): »Weißt du, was das ist, wenn man an etwas denkt? – *Ja.* – Denke an dein Haus. – *Ja.* – Womit denkt man? – *Mit seinen Ohren.* – Wenn du an dein Haus denkst, so machst du das mit deinen Ohren? – *Ja.*«

Barbs Formulierung ist bemerkenswert: Denken, das bedeutet eine Stimme oder einen Ton wiederaufleben lassen, die man vergessen hat. Solche Fälle bilden den Übergang zu den nächsten, in denen sich das zweite Stadium ankündigt: Die Kinder, deren Antworten weiter unten wiedergegeben werden, antworten bereits, man denke mit dem Kopf, aber das Denken ist noch kein innerlicher Vorgang, es ist noch mit dem Mund verbunden. Die Kinder, die nicht mehr vom Mund sprechen, sondern aus dem Denken eine im Kopf lokalisierte leise Stimme machen, fassen wir im zweiten Stadium zusammen. Zwischen den beiden Gruppen gibt es alle möglichen Übergänge. Man muß jedoch bei einer Klassierung irgendwo die Grenze ziehen. Wir zählen also alle

Kinder, die ausdrücklich das Wort »Mund« gebrauchen, zum ersten Stadium.

Ceres (7 Jahre): »Womit denkt man? – *Weiß ich nicht.* – Wo denkt man? – *Im Kopf.* – Wo? – *Im Mund, im Kopf drin.*«
 Ratt (8;10): »Wenn du an dein Haus denkst, wo denkst du dann? – *Im Kopf.* – Was hat es im Kopf? – *Nichts.* – Wie kannst du dann an dein Haus denken? – *Mit dem Mund.*« »Hat es in deinem Kopf Wörter? – *Nein.* – Hat es darin die Stimme? – *Ja.* – Ist die Stimme und das Denken das gleiche? – *Ja.*«
 Kenn (7;6): »Womit denkt man? – *In meinem Kopf.* – Ist dein Kopf leer oder gefüllt? – *Gefüllt.* – Wenn man deinen Kopf aufmachen würde, würde man dann sehen, was du denkst? – *Nein, denn man sieht nicht hinein.* – Wenn man in deinen Kopf hineinsehen würde, ohne daß du stirbst, würde man dann dein Denken sehen? – *Man hört es nicht, wenn man leise spricht.* – Womit denkt man? – *Mit dem Kopf.* – Mit was im Kopf? – *Mit dem Mund.* – Was hat es im Kopf? Hat es das Denken drin? – *Ja, wenn man an etwas denkt.* – Was hat es im Kopf? – *Man redet.* – Wenn dein Mund geschlossen ist, denkst du dann? – *Ja, ohne zu reden.* – Womit denkst du, wenn du nicht redest? – *Mit dem Mund.* – Was hat es im Kopf, wenn man denkt? – *Nichts.* – Könntest du das Denken sehen? – *Nein.* – Könntest du es hören? – *Nein.* – Würde ich es spüren, wenn ich den Finger hineintun könnte? – *Ja.*«

Ein ausgezeichnetes Beispiel, dieser zuletzt zitierte Fall. Man sieht darin den Widerstand und die Spontaneität der kindlichen Überzeugung: Das Kind sagt zuerst, ohne daß man es ihm suggeriert, man höre das Denken nicht, wenn man leise spreche; erst dann stellt es fest, man denke mit dem Mund. Das Denken ist somit eine unhörbare innere Stimme. Man könnte freilich diese Stimme mit dem Finger spüren. Kenn verweist dadurch auf jene Fälle, wo das Denken ausdrücklich mit der Luft in Verbindung gebracht wird (die Luft aus dem Mund, wenn dieser spricht).
 Bei den jetzt zitierten Kindern liegt den Antworten, die man erhalten hat, eine spontane Überzeugung zugrunde. Bei anderen Kindern ist am Anfang der Befragung nichts vorhanden, aber die Befragung löst bei ihnen eine Überzeugung aus, ohne diese zu suggerieren. Besonders interessant ist, daß diese Überzeugung viel Ähnlichkeit hat mit den erwähnten Fällen.

Metr (5;9): »Wenn du denkst, womit denkst du dann? – *Ich weiß es nicht.* – Mit deinen Händen? – *Nein.* – Mit deinem Kopf? – *Nein, man sieht das Denken nie.* – Womit liest du? – *Mit meinen Augen.* – Kannst du denken, wenn deine Augen geschlossen sind? – *Ja.* – Wenn du die Ohren verstopft hast? – *Ja.* – Denken die ganz kleinen Kinder? – *Nein, sie wissen nichts. Sie sind zu klein.* – Womit denkt man? – *Ich weiß es nicht, ich habe das Denken nie gesehen.* – Denkt man mit dem Kopf? – *Nein.* – Womit? – *Mit dem Mund.*«

Hier haben wir ein ausgezeichnetes Beispiel für eine ausgelöste Überzeugung vor uns. Man sieht, wie sich die Überzeugung allmählich herausschält, ohne daß man direkt etwas dazu beiträgt, aber auch ohne daß das Kind unmittelbar von selbst eine Lösung findet.

Man trifft bisweilen, aber selten, auf Varianten. Ein einziges Kind (Go, 5;9) hat gesagt, man denke *mit unserem Herz*. Doch das muß ein gelerntes Wort gewesen sein, denn Go ändert im Laufe der Befragung seine Meinung und sagt schließlich, man denke mit den Ohren. Außer diesem Kind haben alle Prüflinge, die wir nicht im zweiten oder dritten Stadium einordnen können, gesagt, man denke mit dem Mund oder mit den Ohren. Man hätte erwarten können, daß die Kinder teils visuell, teils eher auditiv veranlagt wären und daß die ersten mit den Augen denken würden. Das trifft jedoch nicht zu, und die Frage der bildhaften Vorstellung scheint keinerlei Rolle zu spielen. Die beiden einzigen Kinder, die gesagt haben, man denke mit den Augen, haben bei der Befragung über die Träume diese Antwort gegeben, was den Wert dieser Aussage verkleinert.

Wie soll man diese Assimilation des Denkens an die Sprache interpretieren? Zunächst muß festgehalten werden, daß das Wort »denken« für unsere Kinder einen restriktiven Sinn hat: Denken bedeutet für sie nachdenken, ein mit Anstrengung verbundenes Denken. Das ist darauf zurückzuführen, daß sie sich noch keiner anderen Manifestation des Denkens bewußt geworden sind, ausgenommen die Träume, auf die wir später zu sprechen kommen. Das Wort »Gedächtnis« ist unseren Schülern im allgemeinen unbekannt, und wenn man sie fragt, womit man »sich erinnert«, so begreifen sie entweder die Frage nicht, oder sie sagen »mit dem Mund«. Der Ausdruck Denken hat also für die Kinder nur einen beschränkten Sinn, aber er ist das einzige Wort, das für die Kinder eine eindeutige geistige Tätigkeit bezeichnet. Und der einzige Sitz dieser geistigen Tätigkeit ist in ihrer Vorstellung der Mund. Was bedeutet dies?

Hier ist eine wesentliche Unterscheidung einzuführen. Stern[3] hat behauptet, mit ungefähr 3 Jahren komme es zu einer Differenzierung zwischen dem Psychischen und dem Physischen, insofern das Kind von diesem Zeitpunkt an bestimmte Wörter verwende, die »glauben«, »scheinen« usw. bedeuten, wie beispielsweise im folgenden Satz: »Sie hat, glaube ich, Kopfweh.« Das Kind würde somit einen Unterschied zwischen dem wahrgenommenen Wirklichen und der Interpretation oder der Hypothese, also einen Unterschied zwischen den Dingen und dem Denken machen. Man

---

[3] C. Stern: Die Kindersprache. Leipzig 1907.

muß sich jedoch vor dem »Sophismus des Impliziten« hüten und zwischen den beiden Ebenen der Aktion und der Reflexion unterscheiden. Auf der Ebene der Aktion oder der auf die Tatsachen ausgerichteten Handlungen des Denkens zeigt sich mit aller Deutlichkeit, daß die Kinder, von denen Stern spricht, zwischen der unmittelbaren Wahrnehmung und der angenommenen oder gefolgerten Wirklichkeit zu unterscheiden beginnen. Das ist eine bemerkenswerte Erwerbung. Das spricht freilich noch nicht dafür, daß sich diese gleichen Kinder dieser Dualität bewußt geworden seien (daß sie also bemerkt hätten, was sie implizit taten). Das bedeutet insbesondere nicht, daß sie aus dieser Dualität die Vorstellung einer wahrgenommenen Wirklichkeit und eines diese Wirklichkeit interpretierenden Denkens abgeleitet hätten. Das ist schließlich kein Grund dafür, daß sie ganz allgemein zwischen dem Physischen und dem Psychischen unterscheiden würden. Diese Kinder haben nur eine Entdeckung gemacht, daß nämlich die Wirklichkeit nicht mehr vollständig den Wünschen oder den Behauptungen gehorcht (siehe SD, S. 300f.). Doch die physische Wirklichkeit kann in diesem Stadium noch immer von einem Willen, einem Psychismus usw. durchdrungen sein, so wie das Kind sein eigenes Denken noch immer nicht kennen oder als eine materielle Stimme auffassen kann.

Wenn wir von der Entwicklung des Denkbegriffs sprechen, dürfen wir deshalb die Überzeugung des Kindes, wonach man mit dem Mund denke, zu Recht als ursprünglich betrachten. Der Denkbegriff ist somit, sobald er erstmals auftritt, mit dem Begriff der Stimme vermengt, also mit den Wörtern, die man ausspricht oder hört.

Besteht also in diesem Stadium ein Unterschied zwischen dem Psychischen und dem Physischen? Man wird zweifellos mit Ja antworten, da das gesprochene Wort eine Tätigkeit des Ich ist. Zwei grundlegende Vorbehalte hindern uns daran, den Sachverhalt so zu formulieren: Einerseits gehören die Wörter für das Kind zur materiellen Realität, und andererseits wird das, was das Wort an subjektiver Aktivität enthält, vom Kind entweder nicht bemerkt oder an einen materiellen Prozeß assimiliert, an das Atmen oder das Blasen. Das Denken besteht somit entweder aus Wörtern-Dingen oder seltener aus Luft.

Die Wörter haben für das Kind tatsächlich nichts Innerliches oder Psychisches an sich. Das versuchen wir weiter unten mit einer direkten Analyse zu zeigen. Wir werden sehen, daß die Wörter zu den Dingen gehören oder in den Dingen sind. Die Ohren und der Mund arbeiten also nur mit den Dingen zusammen, sie empfangen die Wörter und entlassen sie wieder nach außen. Ebenso wie in einem bestimmten Stadium der Traum »im Zimmer« ist, ist auch das Denken ebensosehr außen wie im Mund. Es wird keine klare Unterscheidung zwischen der psychischen Innerlichkeit und der materiellen Äußerlichkeit vorgenommen.

Begnügen wir uns im Augenblick mit einer ersten Näherung. Wenn man Kinder fragt: »Woher kommt das Denken?«, so sagen sie zwar, man denke mit dem Mund, sie zögern aber nicht, dem Denken einen äußeren Ursprung zuzuschreiben. Dafür zuerst zwei Beispiele:

Acker (7;7) sagt viermal, wie wir weiter oben gesehen haben, man denke mit dem Mund. »Wenn man mit dem Mund denkt, woher kommt das Denken? – *Von den Augen, von außen. Man sieht, dann denkt man.* – Wenn man nicht redet, denkt man dann also? – *Ja.* – Womit? – *Durch den Mund.*« Kurze Zeit später: »Wenn man nichts sagt, wodurch denkt man dann? – *Durch den Magen.*« Das Kind zeigt, daß es damit die Speiseröhre oder den Rachen meint. Es handelt sich also immer noch um die Stimme.

Ratt (8;10) hat, wie wir gesehen haben, gesagt, es sei nichts im Kopf, wenn man denke. »Kann man die Stimme sehen? – *Nein.* – Kann man sie fühlen? – *Ja.* – Haben die Wörter denn Kraft? – *Ja.* – Sag mir ein Wort, das Kraft hat. – *Der Wind.* – Warum hat das Wort ›Wind‹ Kraft? – *Weil er schnell geht.* – Geht das Wort oder der Wind schnell? – *Der Wind.* – Sag mir ein Wort, das Kraft hat? – *Wenn man einen Fußtritt gibt.* – Ist das ein Wort? – *Nein.* – Sag mir ein Wort, das Kraft hat? – ... – Womit denkt man? – *Mit dem Mund.* – Was ist im Kopf, wenn man denkt? – *Nichts.* – Was macht die Stimme? – *Sie spricht.* – Weißt du, was das ist, die Wörter? – *Wenn man spricht.* – Wo ist das Wort ›Haus‹? – *Im Mund.* – Ist es im Kopf? – *Nein.*«

Man zweifelt vielleicht am Wert solcher Beispiele, solange man unsere Ergebnisse bei den Wörtern noch nicht kennt (Abschnitt 4 und Kapitel II). Von diesen Ergebnissen her gesehen sind aber beide Fälle klar. Keines der beiden Kinder hat zwischen den Wörtern und den damit benannten Dingen unterschieden. Acker meint, man müsse nur ein Haus sehen, um sogleich auch das Wort zu denken, als ob der Name auf das Ding geschrieben wäre. Ratt begreift nicht, daß die Dinge und nicht die Namen Kraft haben. Der Name wird somit im Ding wahrgenommen: ebenso wie sich die Sensualisten des Denken als ein Spiel von Bildern vorgestellt haben, die unter dem Druck der Gegenstände im Gehirn eingepreßt werden, stellt sich das Kind das Denken als die Artikulierung von Wörtern vor, die durch den Druck der Dinge in den Mund gelegt worden sind.

Hier noch der Fall eines Kindes, das eine ganz eigene Auffassung vom Gedächtnis hat, die für den Realismus, von dem wir sprechen, charakteristisch ist:

Schi (6 Jahre) spricht spontan das Wort ›Gedächtnis‹ aus. »Was ist das Gedächtnis? – *Daß man sich an etwas erinnert.* – Wie erinnert man sich? – *Ganz plötzlich kommt es in unsere Seele zurück. Zuerst hat man uns etwas gesagt, das kommt in unsere Seele, dann geht es hinaus und kommt zurück.* – Es geht hinaus? Wohin geht es? – *In den Himmel.* – Glaubst du das? – *Ja, ich weiß nicht, aber ich sage, was ich weiß* (was ich glaube).«

Die Wanderung der Erinnerung in den Himmel ist sicher fabuliert. Es bleiben aber die bezeichnenden Ausdrücke: »hinausgehen« und »zurückkommen«. Man muß sie wörtlich nehmen, denn wie Schi, werden wir noch sehen, sagt auch, daß die Träume »hinausgehen«, wenn man schläft (siehe Kapitel III, Abschnitt 2: »*Während man nicht schläft, ist er in unserem Kopf. Während man schläft, geht er hinaus..., er geht zur Mauer*«). Man darf Schi keinerlei genauere Vorstellung über das »Wie« solcher Phänomene unterstellen: Seine Worte bedeuten einfach, daß es ihm nicht gelingt, sich die Erinnerungen, die gehörten Worte und die Träume als »innerlich« vorzustellen. Wir werden im Zusammenhang mit dem Namen der Dinge andere, ganz analoge Fälle von Kindern kennenlernen, die sagen, der Name sei »im Zimmer« (siehe Roc, Kapitel II, Abschnitt 2).

Insofern das Denken an die Stimme assimiliert wird, hat es, kurz gesagt, an den Dingen selbst Anteil, partizipiert es an den Dingen. Wir erlauben uns, auf die Ereignisse des zweiten Kapitels zu verweisen, wo sich zeigt, wie begründet diese Folgerung ist. Was den zweiten, den inneren, Aspekt des Denkens betrifft, der für das Kind im wesentlichen in einer Artikulierung des Wortes besteht, wollen wir jetzt zu zeigen versuchen, daß auch er materiell ist, daß auch er merkwürdigerweise an der äußeren Welt partizipiert.

Die meisten Kinder haben freilich von dieser innerlichen Aktivität nichts gemerkt. Denken, das heißt sprechen, und das Sprechen geschieht ganz von selbst. Einige Kinder haben aber festgestellt, daß es die Stimme gibt, und in diesem ersten Stadium assimilieren sie diese Stimme an »Luft«, sowohl eine äußerliche als auch eine innerliche Luft, sowohl an den Atem als auch an den Wind.

Rou (7;6): »Kann man das Denken sehen? – *Ja.* – Wie? – *Vor sich.* – Wo denn? Hier (in 50 cm Entfernung) oder ganz dort hinten? – *Gleich wo. Der Wind bewegt die Gräser, und man sieht, wie sie sich bewegen. Das ist das Denken.* – Ist es vor dir oder im Gehirn? – *In beidem. Man kann gleich wie denken.* – Kann man das Denken berühren? – *Manchmal, die Dinge, die wahr sind.*«

Brunn (11;11, zurückgeblieben und langsam denkend): »Hat das Denken Kraft? – *Nein, denn es ist nicht lebendig.* – Warum ist es nicht lebendig? – *Es ist Luft.* – Wo ist das Denken? – *In der Luft, draußen.*« Brunn sagt aber auch, das Denken sei in uns: das Gedächtnis, sagt er, »*ist ein Denken.* – Wo ist es? – *Im Kopf.*«

Ris (8;6), ein Mädchen, das wir im Zusammenhang mit den Träumen (Kapitel III, Abschnitt 1) noch einmal kennenlernen, sagt, ohne früher schon einmal über das Denken befragt worden zu sein, der Traum bestehe »*aus Wörtern.* – Und woraus bestehen die Wörter? – *Aus Stimme.* – Woher kommt die Stimme? – *Aus der Luft.*«

Analoge Fälle werden wir im zweiten Stadium (Abschnitt 3) antreffen.

Im Zusammenhang mit den Träumen werden wir sehen, daß das Denken oft an die Luft, den Wind, die Bise und sogar an den »Rauch, der aus dem Bauch heraus kommt« (die Atmung!) assimiliert wird. Was soll man von diesen Tatsachen halten? Auf den ersten Blick sieht es so aus, als seien diese Kinder beeinflußt worden, als habe man ihnen gesagt, wir hätten eine Seele oder einen Geist, dieser Geist sei unsichtbar wie der Wind, und daraus hätten die Kinder geschlossen, man denke mit Luft. Wir werden im zweiten Stadium Fälle kennenlernen, die man wahrscheinlich so ansehen muß. Die geschilderten Fälle scheinen sich aber dieser Interpretation zu widersetzen. Diese Kinder sagen nicht, das Denken sei innerlich: Es ist außen wie innen. Rou, ein intelligentes Kind, ist in dieser Hinsicht eindeutig: Er vermengt das Denken mit dem Ding, an das man denkt. Deshalb sagt er auch, wenn man an Dinge denkt, die »wahr« sind, könne man das Denken berühren. Die Antworten, die sich auf die Stimme und die Atmung (die Luft, den Wind, den Rauch aus dem Bauch usw.) berufen, sind überdies zu mannigfach, als daß man einen systematischen Einfluß der Erwachsenen aus der Umwelt des Kindes annehmen dürfte.

Kurzum, insofern das Denken aus Wörtern besteht, hat es Anteil an den benannten Dingen, und insofern es aus Stimme besteht, wird es an einen zugleich innerlichen und äußerlichen Wind assimiliert. In beiden Fällen gibt es keine klare Grenze zwischen dem Ich und der Außenwelt.

2. Das Sehen und der Blick

Bevor wir den Begriff des Denkens weiter untersuchen, wollen wir kurz einen Gegenbeweis zu den vorausgehenden Interpretationen geben. Findet sich in den kindlichen Vorstellungen vom Blick und vom Sehen dieselbe Vermengung zwischen dem Innerlichen und dem Äußerlichen? Dieses Feld liegt noch brach, wir haben keine Untersuchungen zu diesem Thema angestellt. Zufällig haben wir bei unseren anderen Untersuchungen einige Tatsachen gefunden, die wir an dieser Stelle erwähnen wollen, weil sie für sich allein sehr signifikant sind. Zuerst eine Frage, die Stanley Hall[4] zitiert, und eine Kindheitserinnerung einer unserer Mitarbeiterinnen.

Ein 5jähriger Knabe: »*Papa, warum vermischen sich unsere Blicke nicht miteinander, wenn sie sich begegnen?*«

[4] S. Hall; in: Pedagogical Seminary. Vol. 10 (1903). S. 346.

Eine Mitarbeiterin: »*Ich erinnere mich, als ich ein kleines Mädchen war, habe ich mich gefragt, wie es möglich sei, daß zwei Blicke, die sich kreuzen, nicht an einem bestimmten Punkt aufeinanderprallen. Ich stellte mir vor, dieser Punkt befinde sich halbwegs zwischen den beiden Personen. Ich habe mich auch gefragt, weshalb man den Blick eines anderen Menschen nicht spürt, auf der Wange beispielsweise, wenn man uns auf die Wange blickt.*«

Und jetzt drei Fälle, die spontan das Sehen und das Licht durcheinanderbringen; die Beobachtung stammt aus Gesprächen über die Schatten oder die Träume:

Pat (10 Jahre) sagt, in einer Schachtel habe es Schatten, »*weil die Wolken* (Pat glaubt, das Tageslicht stamme von den Wolken, wenn die Sonne nicht scheine) *nicht hindurchgehen können*« (weil das Licht nicht durch die Schachtel hindurchkommt). Unmittelbar anschließend sagt Pat von einer Brieftasche, sie werfe einen Schatten, »*weil die Wolken diese Seite nicht sehen.* – Ist Sehen und Hellmachen das gleiche? – *Ja.* – Nenne mir die Dinge, die hell machen? – *Die Sonne, der Mond, die Sterne, die Wolken, dann der liebe Gott.* – Machst du auch hell? – *Nein ... ja.* – Wie denn? – *Mit den Augen.* – Warum? – *Denn wenn man die Augen nicht hätte, könnte man das Licht nicht sehen.*«
Duc (6;6) sagt ebenfalls, das Tageslicht könne nicht durch eine Hand hindurchsehen, weil er »Sehen« mit »Hellmachen« verwechselt.
Sci (6 Jahre) sagt, die Träume kämen »*mit den Lichtern.* – Wie denn? – *Man ist auf der Straße. Die Lichter* (die Straßenlaternen) *können dorthin blicken ... sie sehen auf die Erde.*« »Nenne mir Dinge, die hell machen. – *Die Lichter, die Kerzen, die Zündhölzer, der Donner, das Feuer, die Zigaretten.* – Machen die Augen hell oder machen sie nicht hell? – *Sie machen hell.* – Geben sie in der Nacht hell? – *Nein.* – Warum? – *Weil es geschlossen ist.* – Geben sie hell, wenn sie offen sind? – *Ja.* – Geben sie hell wie die Lichter? – *Ja, ein klein wenig.*«

Diese Tatsachen sind auch wegen ihrer Analogie zur Wahrnehmungstheorie des Empedokles interessant, der das Sehen bekanntlich als das Zusammentreffen eines Feuers, das vom Auge ausgeht, mit dem Licht, das von den Gegenständen ausgeht, erklärt hat[5].
Alle fünf Beobachtungen ergeben dieselbe Schlußfolgerung: Für diese Kinder ist der Blick zum Teil dem Auge äußerlich. Er geht aus dem Auge heraus, er gibt hell, und es läßt sich nicht einsehen, weshalb man ihn nicht spüren sollte. Wie weit verbreitet solche Überzeugungen sind, wissen wir nicht, aber sie zeigen, daß ein zugleich innerliches und äußerliches Denken möglich ist, und bestätigen dadurch die Interpretation, die wir im letzten Abschnitt gegeben haben.

---

[5] Siehe A. Reymond: Histoire des sciences exactes et naturelles dans l'antiquité gréco-romaine. Paris 1924. S. 43.

3. Das zweite und das dritte Stadium: Man denkt mit dem Kopf

Man darf die Überzeugungen des ersten Stadiums für spontan halten, denn sie sind allgemein verbreitet und können in dieser Allgemeinheit nicht durch die Erwachsenen aus der Umwelt des Kindes suggeriert worden sein. Die Überzeugungen, die für das zweite Stadium charakteristisch sind, scheinen hingegen zum Teil durch die Umgebung beeinflußt zu sein. Man sieht nicht recht ein, wie die Kinder ganz allein hätten herausfinden können, daß man mit dem Kopf denkt. Es ist dennoch eine interessante Feststellung, daß die Kinder erst mit 7 bis 8 Jahren (einzelne schon mit 6 Jahren) Fragen zu diesem Thema stellen und assimilieren, was man ihnen geantwortet hat.

Für dieses zweite Stadium ist im Gegensatz zum dritten charakteristisch, daß das Denken, obwohl es in den Kopf verlegt wird, materiell bleibt. Das Kind nimmt entweder weiterhin an (erster Typ), es sei eine Stimme und ein Atem. Oder es versucht (zweiter Typ) die Wörter »Gehirn«, »Intelligenz« usw. zu begreifen und stellt sich darunter Kugeln, Schläuche, Winde usw. vor.

Zuerst wollen wir einige Fälle des ersten Typs vorstellen, die für uns besonders interessant sind, weil sie zeigen, wie die Phänomene des ersten Stadiums trotz des wachsenden Drucks der Erwachsenen fortbestehen:

Falq (7;3): »Weißt du, was das Denken ist? – *Man denkt an etwas, das man tun will.* – Womit denkt man? – *Mit etwas.* – Womit? – *Einer leisen Stimme.* – Wo ist sie? – *Dort* (er zeigt auf die Stirne).« »Woher kommt diese leise Stimme? – *Aus dem Kopf.* – Wie geht sie? – *Sie geht ganz allein.* – Denkt das Pferd auch? – *Ja.* – Womit? – *Eine leise Stimme im Kopf.* – Und die Hunde? – *Ja.* – Sagt diese leise Stimme Wörter? – *Ja.* – Weshalb? Die Hunde reden doch nicht! – *Sie reden, dann hören sie zu.* – Wo? – *Da* (Stirne). – Warum? – *Man hat etwas.* – Was? – *Eine kleine Kugel.*« Im Kopf befindet sich auch »*ein kleiner Mund.* – Hast du das jetzt herausgefunden? – *Ja.* – Glaubst du das? – *Ja.*« Kurze Zeit später spricht Falq mit uns über das Gedächtnis: »Wo ist es? – *Da drin* (zeigt auf seine Stirne). – Was ist dort drin? – *Eine kleine Kugel.* – Was hat es darin? – *Das Denken.* – Was würde man darin sehen, wenn man hineinschauen könnte? – *Rauch.* – Woher kommt er? – *Aus dem Kopf.*« »Woher kommt dieser Rauch? – *Vom Denken.* – Ist das Denken Rauch? – *Ja.*« »Warum ist das Denken in der Kugel? – *Ein wenig Wind und Rauch ist hineingekommen.* – Woher? – *Von außen.* – Woher? – *Der Wind von außen und der Rauch aus dem Kamin.* – Ist der Wind lebendig? – *Nein, es ist eben der Wind, und wenn man an etwas denkt, dann kommt es in die Kugel. Wenn man an etwas gedacht hat, kommt das Denken mit dem Wind und dem Rauch.*« »Wie? – *Das Denken zieht den Wind und den Rauch an, und es vermischt sich.*« »Was ist der Rauch? – *Atem.* – Und der Wind? – *Auch.*« »Hat es Atem in dir? – *Nein … ja, wenn man atmet.* – Wenn man atmet, was geht dann hinein und hinaus? – *Die Bise.* – Macht man Wind, wenn man atmet? – *Ja.* – Und auch Rauch? – *Nein … ja, Dampf.*«

Man sieht ohne weiteres die Analogie (vom Fabulieren in den Einzelheiten, insbesondere bei der »kleinen Kugel«, abgesehen) zu Rou, Ris und Brun (Abschnitt 1). Man sieht vor allem auch, wie der Wind, der Rauch, das Atmen und die Stimme zueinander gehören. Falq steht somit in der direkten Verlängerung des ersten Stadiums, mit einigen zusätzlich zu seinen spontanen Überzeugungen erworbenen Begriffen wie der Kugel, die in der Stirne ist. Der »kleine Mund« im Kopf erinnert an dieses andere Kind, das laut Malan gesagt hat: »*Der Mund dort hinten* (im Kopf) *redet zu meinem Mund vorne.*«

Reyb (8;7): »Was ist das Denken? – *Wenn man an etwas denkt.* – Was heißt das? – *Man möchte davon haben.* – Womit denkt man? – *Mit unseren Gehirnen.* – Wer hat dir das gesagt? – *Niemand*... – Wo hast du dieses Wort gelernt? – *Ich habe es immer gekannt.* – Was ist das Gehirn? – *Die Schläuche des Kopfes.* – Was geschieht in diesen Schläuchen? – *Etwas.* – Was? – *Daß man denkt.* – Kann man das Denken sehen? – *Nein.* – Und es berühren? – *Nein.* – Wie ist es? – *Daß man hört.* – Kannst du mit geschlossenen Ohren denken? – *Nein.* – Mit geschlossenen Augen? – *Nein.* – Mit geschlossenem Mund? – *Nein.* – Wohin gehen diese Schläuche? Wo gehen sie hinein? – *Durch die Ohren.* – Wo geht es hinaus? – *Durch den Mund.* – Wer hat dir von den Schläuchen des Kopfes erzählt? – *Niemand.* – Hast du es schon einmal gehört? – *Nein.*«

Der Einfluß der Erwachsenen ist unverkennbar. Es scheint jedoch eine spontane Reaktion vorzuliegen, wenn Reyb sagt, das Denken sei das, was »man hört«.

Grand (8 Jahre) sagt während einer Befragung über den Animismus, der Mond wisse nichts, weil er »*keine Ohren hat*«. Das ist bereits ein Hinweis. Später: »Weißt du, was Denken ist? – *Ja.* – Womit denkt man? – *Mit dem Kopf.* – Was ist das Denken? – *Es ist weiß im Kopf.* – Womit denkt man? – *Es ist eine leise Stimme.*«

Menn (12 Jahre) glaubt auch, man denke »*mit dem Kopf.* – Kann man das Denken sehen, wenn man den Kopf öffnet? – *Nein. Es bleibt nicht drin.* – Könnte ich es sehen? – *Nein.* – Könnte man es berühren? – *Nein, es ist das, was man plaudert.* – Könnte man es spüren? – *Nein.* – Warum? Was ist denn das Denken? – *Ja* (man könnte es spüren). *Es ist unsere Stimme.*«

Ein bemerkenswerter Fall, der zeigt, daß das Kind zwar das Denken in den Kopf verlegt, daß es aber mit der Frage des Innerlichen und des Äußerlichen noch nicht fertig geworden ist: Das Denken ist »unsere Stimme«, und diese Stimme »bleibt nicht drin«. In anderen Gegenden der Schweiz, wo S. Perret dieselbe Befragung durchgeführt hat, findet man analoge Fälle:

Nic (10;3), ein Mädchen, nimmt an, man könne das Denken nicht sehen, weil »*ich sprechen muß, um es zu sehen.*«

E. Kun (7;4) und seine Schwester M. Kun (8;4) sind nacheinander befragt worden, ohne daß sie Zeit hatten, sich abzusprechen. Beide sagen, das Denken sei im Kopf, und es sei »*weiß*« und »*rund*«. M. Kun sagt von ihm, es sei so »*groß wie ein großer Apfel*«, E. Kun, es sei »*klein*«. In diesen Aussagen lassen sich offenbar Spuren einer Belehrung über das Gehirn durch Erwachsene erkennen. E. Kun sagt jedoch an anderer Stelle, man denke »*mit dem Mund. – Wo befindet sich das Denken? – Mitten im Mund. – Kann man es sehen? – Ja. – Kann man es berühren? – Nein. – Warum? – Weil es weit weg ist. – Wo? – Im Hals.*« Man sieht, wie spontane Überzeugungen mit Gelerntem vermischt sind.

Alle diese Fälle zeigen, kurz gesagt, daß die Antworten des ersten und des zweiten Stadiums kontinuierlich ineinander übergehen und daß diesen Antworten folglich durchaus ein Wert zukommt. Zuerst hatten wir den Eindruck, diese »Stimmen« seien eine Reminiszenz an religiöse Unterweisungen (»die Stimme des Gewissens« usw.); wir sind aber, weil die Überzeugung derart allgemein verbreitet ist, von dieser Interpretation abgekommen.

Keines der erwähnten Kinder stellt sich somit das Denken als etwas von der Materie Verschiedenes vor. Dieser Substantialismus ist auch für die folgenden Kinder charakteristisch, die unter dem Druck der Begriffe der Erwachsenen das Denken nicht mehr mit der Stimme identifizieren. Wir werden noch sehen, wie merkwürdig diese Begriffe verformt worden sind. Diese Verformung ist aber in ihrer Art ebenso aufschlußreich wie die spontanen Reaktionen.

Im (6 Jahre): Das Denken ist »*meine Intelligenz*«. Es bewirkt, »*daß wir denken, daß wir suchen. – Wer hat dir das gesagt? – Man hat es mir nicht gesagt, aber ich weiß.*« Man kann jedoch diese »*Intelligenz nicht berühren, weil sie voller Blut ist.*«

Duss (9 Jahre) identifiziert das Denken mit dem »*Hirn*«, das so groß »*wie ein Ball*« ist. Er glaubt im übrigen, man träume »*mit dem Mund*«.

Zimm (8;1) denkt mit seiner »*Intelligenz*«, glaubt aber, man könnte diese Intelligenz sehen und berühren, wenn sich der Kopf öffnen ließe.

Kauf (8;8), ein Mädchen, denkt mit seinem Gedächtnis. »*Das Gedächtnis ist ein Ding, das sich im Kopf befindet und das macht, daß wir denken. – Wie, glaubst du, sieht diese Gedächtnis aus? – Es ist ein kleines Viereck, in einer Haut, ein wenig oval, und darin sind die Geschichten. – Wie sind diese Geschichten darin? – Sie sind auf das Fleisch geschrieben. – Womit? – Mit Bleistift. – Wer hat sie aufgeschrieben? – Der liebe Gott. Bevor ich geboren worden bin, hat er sie hineingetan.*«

In den Einzelheiten fabuliert Kauf offensichtlich. Die Tendenz, »die Geschichten« für angeboren zu halten, muß aber dennoch als spontan angesehen werden. Diese Überzeugung hängt mit einem

Phänomen zusammen, das wir oft beobachtet haben: daß den Kindern jede Erinnerung daran fehlt, woher ihre Kenntnisse, auch die erst vor kurzem erworbenen, kommen. Im, dessen Antworten wir eben kennengelernt haben, ist beispielsweise davon überzeugt, das Wort »Intelligenz« schon immer gewußt zu haben. Reyb hat das Wort Gehirn »immer gekannt« usw. (siehe dazu auch UD, 4. Kapitel, Abschnitt 1). Es ist deshalb ganz natürlich, daß Kinder wie Kauf annnehmen, dieses Wissen sei angeboren, sobald sie einmal über den Ursprung ihrer Kenntnisse nachzudenken beginnen. Beim Ursprung der Namen werden wir demselben Phänomen noch einmal begegnen. Man hat uns darauf hingewiesen, daß diese Tendenz der Kinder, was sie gelernt haben, als aus ihnen selbst kommend zu betrachten, psychologisch nicht ohne Einfluß auf die Entstehung von Lehren wie Platons Erinnerung an die Ideen gewesen sein dürfte.

Hier nun Kinder, die das Denken mit Luft identifizieren, aber aufgrund eines mehr oder weniger direkten Einflusses der Erwachsenen:

Tann (8 Jahre) denkt mit seinem »Geist«. »Was ist das, der Geist? – *Das ist jemand, der nicht wie wir ist, der keine Haut hat, der keine Knochen hat, der wie Luft ist, den man nicht sehen kann. Nach unserem Tod geht er aus unserem Körper hinaus.* – Er geht hinaus? – *Er geht hinaus, aber er bleibt, indem er hinausgeht (!).* – Was bleibt denn? – *Er bleibt, aber er ist trotzdem im Himmel.*« Man ersieht daraus, der Dualismus innerlich/äußerlich drängt sich Tanns Intelligenz noch nicht unwiderstehlich auf...

Peret (11;7): Man denkt »*mit der Stirne*. – Was hat es darin? – *Unseren Geist.*« »Kann man den Geist berühren? – *Nein.* – Warum nicht? – *Man kann ihn nicht berühren. Man kann es nicht, man sieht ihn nicht.* – Warum? – *Es ist Luft.* – Warum, glaubst du, ist es Luft? – *Weil man ihn nicht berühren kann.*«

Man sieht den Unterschied zwischen diesen Kindern und den früher zitierten (Rou, Brunn und Ris im Abschnitt 1, Falq im Abschnitt 3), die das Denken ebenfalls für Luft halten. Deren Aussagen zeugen vor eigener Überlegung und enthalten keine Spuren von gelernten Wörtern, während Tann und Peret ihrerseits nur gerade von der Umwelt aufgenommene Vorstellungen verballhornen. Doch auch diese Verballhornungen sind interessant: Sie zeigen, wie sehr das Denken für Kinder dieses zweiten Stadiums noch materiell bleibt.

Man kann deshalb nicht sagen, das Denken habe sich während des zweiten Stadiums schon von den Dingen abgehoben. Das Kind setzt entweder die Überlegungen des ersten Stadiums einfach fort, indem es das Denken mit der Stimme identifiziert, oder es verfällt einem mehr oder weniger vollständigen Verbalismus. In beiden Fällen wird das Denken nicht von den Dingen unterschieden, an die man denkt, ebensowenig die Wörter von den durch sie benannten Dingen. Es besteht bloß ein Konflikt zwischen den früheren Überzeugungen des Kindes und dem Druck der Belehrungen der Erwachsenen; und nur diese Krise ist Ausdruck für einen Fortschritt, ohne daß dieses zweite Stadium für das Kind schon eine neue Lösung brächte.

Wann kann man sagen, das Kind unterscheide zwischen dem Denken und den Dingen? Wo ist, anders gesagt, der Anfang des dritten Stadiums anzusetzen? Wir glauben nicht, daß die bis jetzt bei unseren Befragungen verwendete Technik ausreicht, um eine derart subtile Unterscheidung aufzudecken. Mit einer Befragung über die Namen und über die Träume zusammen erbringt sie jedoch nützliche Aufschlüsse. Wir schlagen deshalb vor, die Diagnose des dritten Stadiums von drei Kriterien abhängig zu machen. Damit man sagen darf, ein Kind könne zwischen dem Denken und den Dingen unterscheiden, müssen die folgenden drei Forderungen erfüllt sein: 1. Das Kind muß imstande sein, das Denken im Kopf zu lokalisieren und es als unsichtbar, unbetastbar usw., kurz gesagt immateriell und auch von der »Luft« oder der »Stimme« verschieden zu beschreiben; 2. Das Kind muß imstande sein, zwischen dem Wort oder dem Namen und den Dingen selbst zu unterscheiden; 3. Das Kind muß imstande sein, die Träume im Kopf zu lokalisieren und zu sagen, man sehe die Träume nicht, wenn man den Kopf öffnen könnte. (Auf die Technik, die für Punkt 2 und 3 verwendet wird, kommen wir weiter unten zu sprechen.) Keines dieser drei Kriterien läßt für sich allein einen sicheren Schluß zu, aber wenn alle gleichzeitig zutreffen, so ist das nach unserer Meinung ein zureichendes Anzeichen dafür, daß das dritte Stadium begonnen hat.

Ein Beispiel für die Punkte 1 und 3:
Visc (11;1): »Wo ist das Denken? – *Im Kopf.* – Würde man das Denken sehen, wenn man den Kopf öffnen könnte? – *Nein.* – Könnte man es berühren? – *Nein.* – Es spüren wie die Luft? – *Nein* ...« usw. Etwas später: »Was ist ein Traum? – *Er ist ein Gedanke.* – Womit träumt man? – *Mit dem Kopf.* – Mit geschlossenen oder mit offenen Augen? – *Geschlossen.* – Wo ist der Traum, während du träumst? – *In unserem Kopf.* – Ist er nicht vor uns? – *Es ist, als ob (!) man sehen würde.* – Hat es etwas vor dir, wenn du träumst? – *Nichts.* – Was hat es im Kopf? – *Gedanken.* – Sehen die Augen etwas im Kopf? – *Nein.*«

Das dritte Stadium beginnt mit ungefähr 11 Jahren. Einige Kinder sind schon mit 10 oder sogar mit 9 Jahren so weit. Im Durchschnitt werden jedoch diese wesentlichen Entdeckungen mit 11 Jahren gemacht: Das Denken ist keine Materie, und es unterscheidet sich von den Phänomenen, die es sich vorstellt.

4. Die Wörter und die Dinge

Zwei verschiedene, wenn auch miteinander zusammenhängende Vermengungen charakterisieren die beiden ersten Stadien, die wir eben studiert haben. Einerseits vermengt das Kind das Denken mit dem Körper: Das Denken ist für es eine Tätigkeit des Organismus – die Stimme –, es ist somit Ding unter den Dingen, es gehört zu seinem Wesen, materiell auf die Gegenstände und die Personen einzuwirken, für die man sich interessiert. Andererseits wird der Bedeutungsträger mit dem bezeichneten Gegenstand, das Denken mit dem Ding, an das man denkt, vermengt. Unter diesem Gesichtspunkt unterscheidet das Kind beispielsweise nicht zwischen einem wirklichen Haus und dem Begriff oder dem Vorstellungsbild oder dem Namen dieses Hauses. Dieser Punkt ist noch zu untersuchen.

Wie kann man dieser wichtigen Unterscheidung auf die Spur kommen? Welches Element wird vom Kind als erstes dem denkenden Subjekt zugeordnet? Der Begriff, das Bild oder das Wort? Sicher nicht der Begriff. Wir wissen nicht, in welchem Alter das Wort »Idee« auftritt. Das wäre ein interessantes Thema für eine Untersuchung: Wann hört man erstmals Ausdrücke wie zum Beispiel »eine falsche Idee«, »sich etwas vorstellen« usw.? Aus dem vorliegenden Material wissen wir nur, daß Rou mit 7 Jahren (Abschnitt 1) noch das Ding mit seinem Begriff verwechselt; er sagt, man könne das Denken berühren, weil man die Dinge berühren kann, »die wahr sind«. Man darf mit Recht anmerken, daß eine solche Überzeugung voraussetzt, es gebe »Dinge, die nicht wahr sind«, also eben gerade geistige Gegenstände – was die Kinder »Geschichten« oder »Dinge zum Lachen« nennen. Wenn wir die Erklärungen der Kinder zu den Träumen untersuchen, werden wir sehen, daß diese geistigen Gegenstände nicht für Vorstellungen, sondern für Dinge gehalten werden: Bilder »aus Luft«, Wörter usw. Die Untersuchung der Träume wird uns auch Aufschluß geben über den Zeitpunkt, in dem das Kind Vorstellungsbilder als solche erkennt, so daß wir uns hier nicht mit diesem Problem beschäftigen müssen.

Bleiben noch die Wörter. Bekanntlich haben Sully, später Compayré und viele andere mit viel Recht behauptet, jeder Gegenstand scheine in den Augen des Kindes einen ursprünglichen und absoluten Namen zu besitzen, der gewissermaßen ein Teil der Natur dieses Gegenstandes sei. Luquet hat gezeigt, daß viele Kinderzeichnungen gerade wegen dieser Eigenart eine Legende erhalten: »Daß eine Legende hinzugefügt wird, hat unserer Meinung nach nur den Sinn, den Namen des Gegenstandes auszusagen, der vom zeichnenden Kind für eine Eigenschaft gehalten wird, die ebenso mit dem Wesen dieses Gegenstandes verbunden und ebenso wiedergabewürdig wie seine visuellen Merkmale ist«[6].

Eine Untersuchung darüber, in welchem Alter das Kind zwischen den Wörtern und den damit bezeichneten Dingen unterscheiden kann, verspricht deshalb interessant zu werden. Um dieses Problem zu lösen, haben wir zwei verschiedene Methoden angewandt. Die wichtigere wird im nächsten Kapitel dargelegt: Sie bezieht sich auf die Herkunft und die Lokalisierung des Namens der Dinge. Die indirektere, mit der wir uns hier befassen, ist auch die fragwürdigere. Sie besteht ganz einfach darin, daß man das Kind fragt, ob die Wörter »Kraft haben«, und ihm seinen Trugschluß vor Augen hält, falls es in die Falle schlittert. Der Nachteil der Methode ist nur der, daß es sich um eine Falle handelt. Wir würden deshalb aus den Ergebnissen dieser Methode keine Schlüsse ziehen, wenn sie die einzige gewesen wäre. Mit den Methoden des 2. Kapitels zusammen hat sie aber durchaus einen Sinn.

Wir haben drei Typen von Antworten gefunden, die drei aufeinanderfolgenden Stadien entsprechen. Im ersten Stadium (bis etwa 7-8 Jahre) gelingt es den Kindern überhaupt nicht, zwischen dem Wort und dem Ding zu unterscheiden: Sie begreifen das Problem gar nicht. Im zweiten Stadium (7-11 Jahre) begreifen die Kinder das Problem, sie können es aber nicht systematisch lösen. Im dritten Stadium (von 10-11 Jahren an) wird die richtige Antwort gegeben.

Zuerst Beispiele für das erste Stadium:

Bourg (6 Jahre): »Hat ein Wort Kraft? – *Nein ... Ja.* – Nenne mir ein Wort, das Kraft hat. – *Papa, weil es ein Papa ist, und dann ist es stark.* – Wenn ich ›Wolke‹ sage, hat dann dieses Wort ›Wolke‹ Kraft? – *Ja, denn es macht, daß es in der Nacht hell ist* (daraus spricht die ziemlich allgemein verbreitete Überzeugung, daß die Wolken Licht ausstrahlen, wenn die Sonne verdeckt ist). – Ist das Wort ›Regenschirm‹, nur das Wort, nicht der Regenschirm, stark? – *Ein wenig, denn man kann damit in die Augen stechen, und das kann uns töten.*«

Bov (6;5): »Wenn ich ›Regenschirm‹ sage, sage ich ein Wort, oder ›Schublade‹, das ist ein Wort, es hat keine Schubladen hier, das alles sind Wörter. Wenn ich keine Wörter zu dir sagte, wüßtest du nicht, was ich sagen will. Sag ein Wort ... Ist das Wort ›Sonne‹ stark? – *Nein, denn es* (die Sonne) *ist leicht.* – Ist das Wort ›schlagen‹ stark? – *Ziemlich stark.* – Warum? – *Weil es manchmal weh tut.* – Ist es das Wort ›schlagen‹, das stark ist? Wenn ich das Wort ›schlagen‹ sage, mit dem Mund, nur das Wort, ist es dann stark? – *Nein, denn der Mund kann nicht schreien.* – Sag mir ein starkes Wort. – *Wenn ein Pferd durchgeht.*«

Cam (6 Jahre): »Wenn ich das Wort ›rennen‹ sage, renne ich nicht. Ich sage das Wort mit dem Mund. Ist ein Wort stark? – *Ja.* – Warum? – *Weil man es sagt.* – Wenn ich das Wort ›hüpfen‹ sage, ist es stark? – *Ja, denn die Mädchen hüpfen mit einem Seil.*«

[6] Luquet, in: Journal de Psychologie. Jg. 19 (1922). S. 207.

Die Fälle dieses ersten Stadiums beweisen selbstverständlich an sich noch nichts. Es wäre möglich, daß die Kinder zwar einen Begriff davon haben, was ein Wort ist, daß sie aber über keine Vokabel verfügen, mit der sie diesen Begriff bezeichnen könnten, so daß das Wort »Wort« für sie das Vorhandensein des Dinges selbst implizieren würde. In diesem Falle wäre unser Experiment wertlos. Möglich wäre auch, daß wir uns nicht genügend verständlich hätten machen können. Es gibt nur ein Mittel, um zu beweisen, daß diese Kinder das Wort und das bezeichnete Ding tatsächlich miteinander vermengen, indem man nämlich zeigt, daß die älteren Kinder zwar das Problem begreifen, es aber noch nicht lösen können. Das sollen die Beispiele für das zweite Studium zeigen.

Dieses zweite Stadium ist somit recht paradox. Das Kind begreift einerseits das Problem und macht folglich einen Unterschied zwischen dem Wort und dem bezeichneten Ding. Diese Unterscheidung reicht aber einerseits nicht aus, um das Kind vor der Falle zu schützen, die man ihm stellt: Es fällt ständig in die vorbereitete Grube. Hier einige Beispiele:

Krug (6 Jahre): »Ist ein Wort stark? – *Nein, es macht gar nichts.* – Gibt es Wörter, die Kraft haben, oder gibt es sie nicht? – *Es gibt solche, die Kraft haben.* – Welche Wörter? – *Das Wort ›stark‹, weil man sagt, es sei stark.* – Hat das Wort ›Elefant‹ Kraft? – *Ja, denn ein Elefant kann uns tragen.* – Ja, der Elefant, aber das Wort allein? – *Nein, das ist nicht stark.* – Warum? – *Weil es gar nichts macht.* – Was? – *Das Wort.* – Hat das Wort ›schlafen‹ Kraft? – *Es ist schwach, denn wenn man schläft, ist man müde.* – Hat das Wort ›rennen‹ Kraft? – *Ja, denn man ist stark... weil das Wort ›rennen‹ stark ist.*«

Aud (8;8): »Haben die Wörter Kraft? – *Nein, die Wörter sind gar nichts. Sie haben keine Kraft, man kann nichts daraufstellen.* – Sag mir ein Wort. – *›Stoff‹. Das hat keine Kraft, denn wenn man etwas daraufstellt, zerreißt er. Ein Wort hat keine Kraft, denn man kann sich nicht darauf auf den Boden stellen. Das Wort, das ist wenn man es ausspricht.* (Das Wort) *Papier, wenn man etwas daraufstellt, würde es zerreißen.* – Gibt es Wörter, die Kraft haben? – *Nein.* – Sag mir ein anderes Wort. – *›Schirmständer‹. Das hat Kraft, weil man die Regenschirme darauf tun kann.* (Dieses Wort ist von Aud ausgewählt worden, wie übrigens auch das Wort ›Stoff‹, weil er diese Gegenstände im Zimmer vor Augen hat.) – Ist es das Wort, auf das man die Regenschirme legt? – *Nein.* – Hat das Wort Kraft? – *Nein.* – Und das Wort ›Stoff‹, weshalb hat es keine Kraft? – *Weil er leicht zerreißt.* – Ist es das Wort, das zerreißt? – (Er lacht.) *Nein, der Stoff.* – Hat das Wort ›Auto‹ Kraft? – *Das Wort hat keine Kraft, das Auto hat Kraft (!).* – Sehr gut. Jetzt hast du es herausgefunden. Sag mir ein anderes Wort, das keine Kraft hat. – *Das Spinnennetz, denn man darf nur ganz leichte Dinge daraufflegen, sonst zerreißt es.* – Das Wort zerreißt? – *Nein* (er lacht.) – Du kleiner Schelm, du hast dich schon wieder getäuscht! – (Er lacht.) *Ja.* – Sag mir ein Wort, das keine Kraft hat. – *Die Bäume.* – Ist das ein Wort, das keine Kraft hat? – *Ja, denn man kann nichts daraufflegen.* – Worauf? – *Auf die Bäume.*«

Diese Fälle sind recht bemerkenswert. Krug und insbesondere Aud begreifen das Problem richtig. Aud zum Beispiel sagt auf Anhieb, ein Wort, das sei, »wenn man es ausspricht«. Er fügt jedoch ebenso spontan hinzu, daß das Wort »Papier« nicht stark sei, weil Papier leicht zerreißt! Man ersieht aus solchen Beispielen, daß die Vermengung nicht rein verbaler Natur ist, sondern auf eine systematische Schwierigkeit zurückgeht, zwischen dem Bedeutungsträger und dem bezeichneten Gegenstand oder zwischen dem Denken und den Dingen, an die man denkt, zu unterscheiden.

Als Beispiel für das dritte Stadium folgt noch ein Kind, das die Falle während der Befragung allmählich herausfindet und dabei vom zweiten in das nächste Stadium übergeht. Die Antworten dieses Kindes sind, wie man noch sehen wird, völlig spontan, und sie haben uns auf die Idee gebracht, diese kleine Untersuchung durchzuführen. Nachdem das Kind vom »Denken« als von einem immateriellen Ding gesprochen hatte, hatten wir den Einfall, zur Kontrolle zu fragen, ob das Denken Kraft habe. Die durch und durch echte und eindeutige Reaktion des Kindes hat uns veranlaßt, dieselbe Frage zu den Wörtern und auch anderen, jüngeren Kindern zu stellen:

Tié (10;10): »Hat das Denken Kraft? – *Nein, es hat Kraft und dann wieder keine.* – Warum hat es Kraft? – *Je nachdem, an was man denkt.* – Wenn man woran denkt? – *An etwas, das Kraft hat.* – Wenn du an diesen Tisch denkst, hat es dann Kraft? – *Ja.* – Wenn du an den See denkst ebenfalls? – *Nein.* – Wenn du an den Wind denkst, hat es dann? – *Ja.* (Tié hat uns kurze Zeit vorher gesagt, das Wasser des Sees habe keine Kraft, *»weil es ruhig ist«*, der Wind habe Kraft, *»weil er die Häuser zum Einstürzen bringen kann«*, und der Tisch habe Kraft, weil er Dinge trägt.)« »Die Wörter, haben die Kraft? – *Das Wort ›Boxen‹ ... Aha! Nein, sie haben keine Kraft* (er lacht). – Warum hast du gemeint, sie hätten Kraft? – *Ich habe mich getäuscht, ich habe gemeint, es sei das Wort, das zuschlage.*«

Dieses Beispiel spricht für sich. Bei Tié ist die Verwechslung zwischen dem Wort und dem Ding von einer expliziten und bisweilen spontanen Vermengung des Denkens mit den Gegenständen, an die man denkt, begleitet. Daß Tié noch während des Gesprächs seine Trugschlüsse überwunden hat, verleiht dem Fall einen zusätzlichen Wert, denn diese Tatsache zeigt, wie schwierig es selbst für einen überlegten und suchenden Geist ist, richtig zu antworten.

Wir können diese Untersuchung hier abbrechen, denn die systematische Behandlung des »Realismus der Namen«, die wir im nächsten Kapitel angehen, verschafft uns die zusätzlichen Informationen, die uns jetzt noch fehlen. Die wenigen charakteristischen Tatsachen, die wir zitiert haben, müssen bis dahin als Beweis genügen, daß der Bedeutungsträger bis in ein Alter von 10 bis 11 Jahren mit dem bezeichneten Gegenstand verwechselt wird. Mit ungefähr 11 Jahren, so haben wir gesehen, trennt sich der Begriff des Denkens vom Begriff der physischen Materie. Mit ungefähr 10 bis 11 Jahren, sehen wir jetzt, wird sich das Kind bewußt, daß es Gedanken oder Wörter gibt, die von den Dingen, an die man denkt, verschieden sind. Die beiden Entdeckungen gehören zusammen.

Bis zu einem Alter von 11 Jahren ist denken alles in allem gleichbedeutend mit sprechen – man denkt entweder mit dem Mund, oder das Denken ist eine im Kopf lokalisierte Stimme –, und sprechen besteht darin, durch das Mittel der Wörter auf die Dinge selbst einzuwirken, so daß die Wörter gewissermaßen an den benannten Dingen wie auch an der Stimme, die sie ausspricht, partizipieren. Das alles ist erst Substanz und materielle Aktion. Ein reiner Realismus, und zwar ein Realismus, der auf eine ständige Verwechslung zwischen dem Subjekt und dem Objekt, zwischen dem Innen und dem Außen zurückzuführen ist.

Kapitel II
Der Realismus der Namen

Im Problem der Namen sind alle Schwierigkeiten enthalten, die bei der Untersuchung des Dualismus Innen/Außen beim Kinde auftreten. Sind die Namen im Subjekt oder im Objekt? Sind sie Zeichen oder Dinge? Hat man sie durch Beobachtung entdeckt oder ohne objektiven Grund gewählt? Je nachdem ob das Kind diese Fragen in der einen oder anderen Richtung beantwortet, erfahren wir etwas über den genauen Umfang und Wert des Realismus, von dem wir im ersten Kapitel gespürt haben, daß es ihn gibt.

Das Problem der Namen ist der Kern des Problems des Denkens, denn für das Kind ist das Denken gleichbedeutend mit dem Sprechen. Das »Wort« ist bei den jüngeren Kindern möglicherweise ein noch unscharf definierter Begriff (zumindest vor 7 bis 8 Jahren, also im ersten der Stadien, die wir im Abschnitt 4 unterschieden haben), der »Name« hingegen ist ein völlig klares Konzept. Alle Kinder, die wir befragt haben, wissen, was ein Name ist: Er ist dazu da, sagen sie, »jemanden zu rufen«. Es sind somit nicht die geringsten Schwierigkeiten zu erwarten, wenn man fragt, wie die Namen begonnen haben, wo sie sind, weshalb sie so sind usw. Mehr noch, diese durch das Gespräch mit den Kindern erhaltenen Ergebnisse können in gewissen Fällen durch einen Gegenbeweis ergänzt werden, der aus der Prüfung der spontanen Fragen der Kinder abgeleitet werden kann. Die »Fragen nach den Namen«, die für die ursprünglichsten Stadien des kindlichen Fragens charakteristisch sind, sind allgemein bekannt: »Was ist das?« Wenn man diese Fragen sorgfältig prüft, so sieht man, daß das Kind dieser Stadien viel mehr zu tun glaubt, als nur einen Namen zu lernen. Es dringt seiner Meinung nach in das Wesen des Dings ein und entdeckt eine wirkliche Erklärung. Sobald der Name gefunden ist, stellen sich keine Probleme mehr. Später geben die etymologischen Fragen in dieser Hinsicht nützliche Aufschlüsse, und sie weisen dieselbe Tendenz zum Realismus der Namen auf. Hier zwei spontane Aussagen, die dieses Interesse für die Namen und insbesondere den gewissermaßen magischen Aspekt zeigen, den dieser Realismus der Namen beim Kind erhalten kann:

Ar (6½) sagt während eines Konstruktionsspiels: *»Und als es keine Namen gab...«*.
Bo (6½) antwortet: *»Wenn es keine Wörter gäbe, wäre es schön langweilig. Man könnte nichts fabrizieren. Wie hätte man die Dinge dann gemacht* (wenn es keine Namen gegeben hätte)?«

Der Name scheint somit zum Wesen der Dinge zu gehören, ja er ist sogar die Voraussetzung dafür, daß sie überhaupt hergestellt werden können.

Wir befinden uns somit hier nicht in einem künstlichen Bereich, sondern mitten im Zentrum des kindlichen Interesses. Es gibt nur eine Schwierigkeit, nämlich beim Fragen die richtige Formulierung zu finden. Wir haben uns wie üblich für das Kriterium entschieden, nur solche Fragen zu stellen, auf welche die ältesten Kinder ein richtige Antwort geben können, während die Antworten der jüngeren Kinder mit zunehmendem Alter schrittweise besser werden.

Nach längerem Abtasten haben wir uns zur folgenden Technik entschlossen. Man stellt acht verschiedene Fragen in dieser Reihenfolge: 1. Man vergewissert sich, daß das Kind weiß, was ein Name ist: »Sag mir deinen Namen?«, dann: »Welchen Namen hat das?« (man zeigt verschiedene Gegenstände). »Was ist also ein Name?«. 2. Man fragt: »Wie haben die Namen begonnen? Der Name der Sonne, wie hat der begonnen?« 3. Nachdem man die Antwort erhalten hat, sagt man: »Woher wissen wir denn, daß die Sonne so heißt«. 4. »Wo sind die Namen? Wo ist der Name der Sonne? Wo ist der Name des Sees?« usw. 5. »Kennen die Dinge ihren Namen? Kennt die Sonne ihren Namen? Wissen die Wolken, daß sie Wolken heißen, oder wissen sie es nicht?« usw. 6. »Hat die Sonne immer ihren Namen gehabt, oder hat es sie zuerst gegeben, ohne daß sie einen Namen hatte, und hat sie ihren Namen erst später bekommen?« 7. »Warum nennt man die Sonne so? Warum nennt man den Salève oder den Jura so?« usw. 8. Zum Schluß sagt man zum Kind: »Du heißt (Hans), dein Bruder heißt (Paul). Man hätte auch dich Paul und ihn Hans nennen können, nicht wahr? Hätte man also am Anfang auch den Jura ›Salève‹ und den Salève ›Jura‹ nennen können? Oder hätte man die Sonne ›Mond‹ und den Mond ›Sonne‹ nennen können?«

Man mag einige dieser Fragen für spitzfindig halten. Sie werden aber alle mit 11 bis 12 Jahren richtig beantwortet. Man darf deshalb durchaus mit Recht untersuchen, weshalb sie nicht schon früher richtig beantwortet werden.

1. Der Ursprung der Namen

Wir befassen uns hier mit den Fragen 1, 2, 6 und 3. Die Frage nach der Definition der Namen wird auf jeder Altersstufe richtig beantwortet. Auf die Frage 2 erhält man dreierlei Antworten, die drei Stadien kennzeichnen. Im ersten Stadium (5–6 Jahre) betrachtet das Kind die Namen als eine Eigenschaft der Dinge, die direkt von den Dingen herrührt. In einem zweiten Stadium (7–8 Jahre) sind die Namen durch den Schöpfer der Dinge erfunden worden: vom lieben Gott oder von den ersten Menschen. Falls es die ersten Menschen waren, glaubt das Kind im allgemeinen, die Menschen, die die Namen gegeben haben, hätten die Dinge auch gemacht: die Sonne, die Wolken usw. (in Einklang mit den artifizialistischen Überzeugungen, die wir im Teil III studieren wollen). Im dritten Stadium schließlich (9–10 Jahre) glaubt das Kind, die Namen seien auf beliebige Menschen zurückzuführen, ohne daß sie etwas mit der Schöpfung der Dinge zu tun hätten. Wir wollen die Antworten auf die Frage 2 in den Einzelheiten durchgehen. Zuerst Beispiele für das erste Stadium: der Name rührt direkt vom Ding her.

Lav (6;6) sagt, die Namen seien dazu da, »*um zu rufen.* – Wie haben die Namen begonnen? Der Name der Sonne, woher kommt der? – *Weiß nicht.* – Woher kommt dein Name, ›Jules‹? Wer hat dir deinen Namen gegeben? – *Ich weiß nicht.* – War es dein Papa? – *Ja.* – Und der Name der Sonne, woher kommt der? – *Vom Himmel.* – Kommt die Sonne oder der Name der Sonne vom Himmel? – *Die Sonne.* – Und der Name der Sonne, woher kommt der? – *Vom Himmel.«* »Hat jemand der Sonne ihren Namen gegeben, oder war dieser Name einfach da? – *Jemand.* – Wer? – *Der Himmel.«* »Und die Arve[1], woher kommt ihr Name? – *Vom Berg.«* »Sind es vielleicht Männer gewesen, die ihr diesen Namen gegeben haben – *Nein.«* Und so fort.

Fert (7 Jahre) zum Namen des Salève: »Wie hat dieser Name begonnen? – *Durch einen Brief.* – Und woher kam denn dieser Brief? – *Vom Namen.* – Und dieser Name? – *Vom Berg.* – Wie ist der Name vom Berg gekommen? – *Durch einen Brief.* – Woher kam dieser Brief? – *Vom Berg.* – Die Wolken heißen Wolken, oder nicht? Woher kommt der Name der Wolken? – *Der Name? Das ist der Name!* Ja. Woher kommt er? – *Von den Wolken.* – Was heißt das, der Name komme von den Wolken? – *Das ist der Name, den sie haben.* – Wie ist denn dieser Name ›Wolken‹ entstanden? Wie hat er angefangen? – *Ganz von selbst.«* »Ja, aber woher ist denn der Name gekommen? – *Ganz von selbst.«*

Diese Kinder unterscheiden zwar zwischen dem Namen und dem benannten Ding, aber sie sehen nicht ein, daß der Name von etwas anderem als dem Ding selbst herrühren könnte. Hier noch ein Fall, der zwischen diesem ersten und dem zweiten Stadium einzuordnen ist:

Stei (5;6): »Hast du einen Namen? – *Ja: André.* – Und das da? – *Eine Schachtel.* – Und das? – *Eine Feder.«* Und so fort. »Was nützt es, einen Namen zu haben? – *Weil man außen alle Namen darauf sieht* (Stei glaubt somit, man müsse nur hinsehen, um den Namen der Dinge zu ›sehen‹). – Warum hast du einen Namen? – *Damit ich weiß, wie ich heiße.* – Was sind also die Namen? – *Damit man weiß, wie man heißt.* – Wie hat der Name der Sonne begonnen? – *Ich weiß nicht.* – Was meinst du? – *Weil es die Sonne ist, die den Namen*

---

[1] Die Arve ist ein Nebenfluß der Rhone (Anmerkung des Übersetzers).

macht, hat die Sonne mit ihm begonnen, denn die Sonne hat geschienen, dann ist es die Sonne, die Sonne heißt. – Und dein Name, wie hat der begonnen? – *Wir müssen getauft werden.* – Wer hat dich getauft? – *Der Pfarrer.* – Hast du deinen Namen angenommen? – *Der Pfarrer hat ihn uns gemacht.* – Wie ist der Mond zu seinem Namen gekommen? – *Der Mond? Es ist der Mond, der Mond heißt.* – Wie hat er angefangen, Mond zu heißen? – *Es ist der liebe Gott, der ihn zuerst so genannt hat.* – Wie haben die Wolken begonnen, ›Wolken‹ zu heißen? – *Es ist der liebe Gott, der sie zuerst gemacht hat, die Wolken.* – Aber der Name der Wolken, ist das das gleiche wie die Wolken selbst? – *Ja, das ist das gleiche.* – Wie hat der Name des Salève begonnen? – *Ganz von selbst.* – Hat sich der Salève seinen Namen gegeben, oder war es jemand, der ihm seinen Namen gegeben hat? – *Er hat immer Salève geheißen.*« Stei kehrt somit zur Vorstellung zurück, der Name rühre von den Dingen selbst her.

Im zweiten Stadium wird die Überzeugung, die Stei nebenher geäußert hat, immer stärker: Der Name kommt vom Schöpfer des Dings und hängt somit mit dem Ding seit allem Anfang zusammen. Hier einige Beispiele:

Fran (9 Jahre): »Weiß du, was ein Name ist? – *Damit man weiß, wie die Schüler heißen.* – Woher kommen die Namen? Wie hat das angefangen? – *Das ist, weil der liebe Gott gesagt hat: ›Jetzt muß man Kinder machen, und dann muß man sie mit den Namen nennen‹.* – Was meinst du damit, ›mit den Namen nennen‹? – *Das ist, damit man weiß, welche Schüler.* – Der Name des Tisches, wie hat der begonnen? – *Der liebe Gott hat gesagt: ›Man muß Tische machen, um darauf zu essen! Man muß wissen, was das ist, der Tisch.*«
Bab (8;11): »Wie hat der Name der Sonne begonnen? – *Man hat gesagt, man müsse sie so nennen.* – Wer hat das gesagt? – *Leute.* – Welche Leute? – *Die ersten Menschen.*« Und so fort.

Alle Antworten sind ähnlich. Wir wollen uns hier nicht darüber auslassen, wie sich die meisten Kinder diese »Schöpfung« der Sonne, des Himmels, der Berge, der Flüsse usw. durch die ersten Menschen vorstellen. Mit dieser Überzeugung befassen wir uns später im Teil III.
Im dritten Stadium schließlich sind die Namen nicht mehr durch die Schöpfer der Gegenstände, sondern durch beliebige Menschen, beispielsweise Gelehrte usw., gegeben worden:

Caud (9;6): »*Es ist ein Mann, der die Sonne ›Sonne‹ genannt hat, und dann haben wir es gewußt.* – Wer ist dieser Mann? – *Ein Gelehrter.* – Was ist ein Gelehrter? – *Ein Mann, der alles weiß.*« »Wie hat er es angestellt, um alle Namen zu finden? Wie hättest du es gemacht, wenn du ein Gelehrter wärest? – *Ich würde einen Namen suchen.* – Wie? – *Ich würde in meinem Kopf suchen.*« Caud sagt uns anschließend, Gott habe die Sonne, das Feuer usw. gemacht, und die Gelehrten hätten ihnen den Namen gegeben.

Die Entwicklung der Antworten auf die Frage 1 scheint auf eine schrittweise Rückbildung dieses Realismus der Namen hinzudeuten. Im ersten Stadium ist der Name im Ding. Im zweiten Stadium kommt der Name von den Menschen, aber er ist mit dem Ding zusammen gemacht worden. Er ist somit gewissermaßen mit dem Ding »konsubstantiell«, und er kann durchaus noch in ihm sein. Im dritten Stadium wird der Name schließlich auf das Subjekt zurückgeführt, das über das Ding nachdenkt.

Die Untersuchung der Frage 6 bestätigt diese Meinung voll und ganz. Hier wird, wie erinnerlich, gefragt, ob die Dinge immer ihren Namen gehabt hätten oder ob es sie schon gegeben habe, bevor sie einen Namen hatten. Diese Frage dient, wie man sieht, vor allem als Gegenbeweis für die Frage 2. Deshalb darf man sie nicht unmittelbar nach der Frage 2 stellen, sonst würde das Kind einfach die Folgerungen aus dem ziehen, was es soeben gesagt hat, ohne über das neue Problem, das man ihm vorlegt, nachzudenken. Stellt man die Fragen hingegen in der angegebenen Reihenfolge, so betrachtet das Kind diese Frage 6 als ein neues Problem. Die Antwort ermöglicht folglich ein Urteil über den Wert der Antworten zur Frage 2.

In den meisten Fällen stimmen die Antworten auf die beiden Fragen genau miteinander überein. Die Kinder des ersten und zweiten Stadiums sagen also, es habe die Dinge nicht gegeben, bevor sie einen Namen hatten, während die Kinder des dritten Stadiums das Gegenteil behaupten. Die Frage 6 wird somit wie die Frage 2 erst mit 9 bis 10 Jahren richtig beantwortet.

Zuerst einige Beispiele von Kindern, die glauben, die Dinge hätten ihren Namen immer gehabt:

Zwa (9;6): »Was hat es zuerst gegeben, die Dinge oder die Namen? – *Die Dinge.* – Hat es die Sonne gegeben, bevor sie ihren Namen hatte? – *Nein.* – Warum nicht? – *Weil man nicht wußte, welchen Namen man ihr geben sollte.* – War aber die Sonne schon da, bevor ihr der liebe Gott ihren Namen gegeben hat? – *Nein, denn sie wußte nicht, woraus sie hervorgehen sollte* (der Umgang mit dem Nichts bereitet Mühe!). – Es gab sie aber schon? – *Nein.* – Und die Wolken, gab es sie schon, bevor sie ihren Namen hatten? – *Nein, denn es hatte niemand auf der Erde* (!).« Wir versuchen es jetzt mit einer Frage außerhalb des üblichen Rahmens, die aber durch die Metaphysik von Zwa ganz natürlich nahegelegt wird: »Wenn es etwas nicht gibt, kann das dann einen Namen haben? – *Nein.* – Früher haben die Leute gemeint, es gebe einen besonderen Fisch im Meer. Sie haben ihm den Namen ›Chimäre‹ gegeben. Es gibt ihn aber gar nicht ... Können also die Dinge, die es nicht gibt, einen Namen haben? – *Nein, denn wenn der liebe Gott gesehen hätte, daß da Dinge waren, die es nicht gab, dann hätte er ihnen keine Namen gegeben.*« »Haben die Feen einen Namen? – *Ja.* – Also, da sind Dinge, die es nicht gibt und die einen Namen haben? – *Nur Feen.*« »Warum sind da Dinge, die es nicht gibt und die einen Namen haben? – *Der liebe Gott hat andere Namen erfunden, und die gibt es nicht* (also die Namen gibt es nicht).«

Diese Unfähigkeit, zwischen dem Sein und dem Namen zu unterscheiden, ist bemerkenswert. Wir verdanken unserem Kollegen Dr. Naville die folgende Beobachtung, die ganz in dieselbe Richtung weist: »Papa, gibt es Gott?«, fragt ein neunjähriges Mädchen. Der Vater antwortet, daß er nicht ganz sicher sei, worauf das Mädchen entgegnet: »*Es muß ihn doch geben, denn er hat einen Namen!*«

Mart (8;10): »Hat die Sonne immer ihren Namen gehabt? – *Ja, sie hatte immer ihren Namen, seit sie geboren wurde.* – Wie ist die Sonne geboren worden? – *Wie wir.*« Dieselbe Antwort wird für die Wolken, den Salève usw. gegeben.

Pat (10 Jahre): »Hat es die Sonne schon gegeben, bevor sie ihren Namen hatte? – *Ja.* – Wie hieß sie? – *Die Sonne.* – Ja, aber bevor sie Sonne hieß, hat es sie da schon gegeben? – *Nein.*«

Nab (8;11), deren Antworten auf die Frage 2 wir schon kennengelernt haben, sagt: »Hat die Sonne immer ihren Namen gehabt, oder hat es sie schon gegeben, bevor sie ihren Namen hatte? – *Sie hat immer ihren Namen gehabt.* – Wer hat ihr ihren Namen gegeben? – *Männer.* – Und bevor diese Männer ihr ihren Namen gaben, hat es sie dann schon gegeben? – *Ja.* – Wie hieß sie? – *Sonne.* – Wer hat ihr diesen Namen gegeben? – *Die Männer.*«

Jetzt lassen wir die Meinung einiger Kinder folgen, die glauben, es habe die Dinge gegeben, bevor sie ihren Namen hatten. Diese Kinder sind 9 bis 10 Jahre alt und gehören fast ausschließlich zum dritten der Stadien, die wir weiter oben unterschieden haben:

Mey (10 Jahre): »Sag mir, gab es die Sonne, bevor sie ihren Namen hatte? – *Ja, es sind die Menschen, die sie gegeben haben* (die ihr ihren Namen gegeben haben). – Und die Wolken, hat es sie gegeben, bevor sie ihren Namen hatten? – *Sicher!*«

Veil (9½): »Gab es die Sonne, bevor sie ihren Namen hatte? – *Es hat sie schon* (vorher) *gegeben.* – Wie hieß sie damals? – *Sie hatte noch keinen Namen.*«

Jetzt wollen wir zur Untersuchung der Frage 3 übergehen. Da der Realismus der Namen bis in ein Alter von 9 oder 10 Jahren derart im Geiste des Kindes verankert ist, daß es seiner Meinung nach keine Dinge geben kann, die noch keinen Namen haben, ist die Frage 3, woher wir die Namen der Dinge kennen, für unsere Schüler eine ganz natürliche Frage. Die Leiterinnen des Maison des Petits (Übungsschule des Institut Jean-Jacques Rousseau), die Damen Audemar und Lafendel, haben uns freundlicherweise darauf aufmerksam gemacht, daß das eine Frage sei, die die Kinder bisweilen spontan im Zusammenhang mit dem Ursprung der Schrift stellen, der ein beliebtes Thema für Fragen ist. Falls das Kind sagt, der Name rühre von den Dingen her oder Gott habe den Gegenständen ihren Namen gegeben, drängt sich die Frage geradezu auf, woher wir denn wüßten, daß die Sonne so heiße usw. Wir halten deshalb diese Frage 3 nicht für eine Suggestivfrage, denn sie setzt den Realismus der Namen voraus. Wir würden eher sagen, sie sei die natürliche Folge der Frage 2. Im übrigen wird diese Frage 3 wie die Frage 2 mit ungefähr 9 bis 10 Jahren richtig beantwortet.

Bei dieser Frage 3 haben wir die folgenden Stadien gefunden. In einem ersten Stadium (5-6 Jahre) behauptet das Kind, wir hätten die Namen der Dinge erfahren, indem wir diese ganz einfach anschauten: Man muß die Sonne nur sehen, damit man herausfindet, daß sie »Sonne« heißt. In einem zweiten Stadium (7-8 Jahre) erklärt das Kind, Gott habe uns die Namen der Dinge gesagt. In einem dritten Stadium (von 9-10 Jahren an) findet das Kind schließlich heraus, daß die Namen, seit man sie erfunden hat, von einer Generation zur nächsten weitergegeben worden sein müssen.

Diese drei Stadien entsprechen, das sieht man ohne weiteres, logisch und chronologisch den drei Stadien, die wir bei der Frage 2 genauer umrissen haben. Diese Korrespondenz gilt nicht unbedingt für alle Einzelheiten. Hier einige Beispiele für das erste Stadium: indem man die Sonne ansieht, weiß man, daß sie »Sonne« heißt.

Stei (5;6) hat, wie erinnerlich, gesagt, die Namen kämen von den Dingen selbst oder vom lieben Gott. »Wie hat man erfahren, daß die Sonne so heißt? – *Ich weiß es nicht, das ist so, weil man sie sieht.* – Woher weißt du, daß sie so heißt? – *Ich sehe sie. Meine Mama hat es gesagt.* – Und deine Mama, woher wußte sie, daß die Sonne so heißt? – *Weil sie die Sonne sieht!... Man lernt es in der Schule.«* Der Name des Salève stammt vom Salève selbst, sagt Stei. »Wie hat man erfahren, daß er Salève heißt? – *Weil er ein großer Berg ist.* – Deshalb heißt er ›Salève‹? – *Meine Mama hat es mir gesagt.* – Und woher hat es deine Mama gewußt? – *Ich weiß es nicht. In der Schule.* – Und woher haben es die Männer in der Schule gewußt, daß er Salève heißt? – *Weil sie den Salève gesehen haben.«* Zum Mond: »*Weil man den Mond sah, wußte man, daß er Mond hieß.«*

Fert (7 Jahre) hat, wie wir oben gesehen haben, gesagt, der Name des Salève komme *»vom Berg.* – Als die ersten Menschen hierher kamen, woher haben sie das gewußt, daß er Salève hieß? – *Weil die Seite da war* (weil er abschüssig ist!) – Woher wußten sie, daß die Sonne so heißt? – *Weil sie geleuchtet hat.* – Woher kommt aber der Name? – *Ganz von selbst.«*

Für Fran (9 Jahre) kommen die Namen, wie wir gehört haben, vom lieben Gott. »Woher kommt der Name der Sonne? – *Es ist der liebe Gott.* – Und wie haben wir erfahren, daß die Sonne ›Sonne‹ heißt? – *Weil sie am Himmel ist. Sie ist nicht auf der Erde. Sie gibt uns hell am Himmel.* – Ja, aber woher kennen wir den Namen? – *Weil das eine große Kugel ist. Sie hat Strahlen. Man hat gewußt, daß sie ›Sonne‹ heißt.* – Woher weiß man, daß man sie ›Sonne‹ nennen muß? Man hätte sie anders nennen können! – *Weil sie uns hell gibt.* – Woher haben die ersten Menschen gewußt, daß sie, und nicht etwas anderes, Sonne heißt? – *Weil es in der großen Kugel gelb ist, und die Strahlen sind gelb ... und dann haben sie so gesagt, das sei die Sonne, und dann war es die Sonne* (man könnte hier meinen, Fran ahne etwas vom willkürlichen, von einer Entscheidung abhängigen Charakter der Namen, aber es zeigt sich anschließend, daß es nur so aussieht oder daß Fran aus seiner Entdeckung zumindest keine Weiterungen ableitet). – Wer hat der Sonne den Namen gegeben? – *Der liebe Gott hat gesagt, das sei die Sonne.* – Und die ersten Menschen, wie haben die denn gewußt, daß man sie Sonne nennen müsse? – *Weil sie in die Luft geht. Sie geht in die Höhe.* – Als ich aber dich anschaute, habe ich deinen Namen nicht gesehen. Du hast mir gesagt, daß du Albert heißt. Woher haben die ersten Menschen den Namen der Sonne gekannt? – *Weil sie sie gesehen hatten, die Sonne.* – Hat es der liebe Gott den Menschen gesagt, oder haben sie den Namen ganz allein gefunden? – *Die Menschen haben ihn gefunden.*«

Lav (6;6) schließlich, der, wie wir gesehen haben, die Namen als von den Dingen herrührend ansah, ist überzeugt, daß er die Namen der Gestirne ganz allein herausgefunden hat, nicht aber so schwierige Namen wie Salève: »Du hast den Namen der Sonne ganz allein gefunden? – *Ja.* – Und wie steht es mit dem Salève? Woher weißt du, daß er Salève heißt? Hast du das allein herausgefunden, oder hat man es dir gesagt? – *Man hat es mir gesagt.* – Und die Sonne? – *Ganz allein.* – Und den Namen der Arve? – *Ganz allein...* – Und die Wolken? – *Man hat es mir gesagt.* – Und der Name des Himmels? – *Man hat ihn ebenfalls gesagt.* – Und der Name des Mondes? – *Den habe ich allein gefunden.*« »Hat ihn deine kleine Schwester allein gefunden, oder hat man ihn ihr gesagt? – *Sie hat ihn allein gefunden.*«

Diese Antworten sind sehr einleuchtend, denn obwohl sie den Realismus der Namen auf den Höhepunkt treiben, haben sie nichts Absurdes an sich. Wenn nämlich diese Kinder nur die Dinge ansehen müssen, um ihren Namen zu erfahren, so darf man deshalb noch nicht meinen, der Name sei für sie irgendwie auf dem Ding eingeschrieben. Man muß vielmehr sagen, daß für diese Kinder der Name zum Wesen des Dings gehört: Der Name Salève impliziert einen abschüssigen Berg, der Name Sonne eine gelbe und leuchtende Kugel, Strahlen usw. Man muß aber sogleich auch hinzufügen, daß für diese Kinder das Wesen der Dinge kein Begriff, sondern das Ding selbst ist. Das Denken und die Dinge, an die man denkt, gehen vollständig ineinander über. Der Name ist somit im Gegenstand, aber nicht als eine auf den Gegenstand geklebte Etikette, sondern als ein unsichtbares Merkmal. Wenn man genau sein will, darf man deshalb nicht sagen, der Name »Sonne« impliziere eine gelbe Kugel usw., sondern die gelbe Kugel, welche die Sonne ist, impliziert und enthält in Wirklichkeit den Namen »Sonne«. Das Phänomen ist dem »intellektuellen Realismus« analog, den Luquet im Zusammenhang mit der Kinderzeichnung so ausgezeichnet beschrieben hat: Die Kinder zeichnen, was sie von einem Gegenstand wissen, auf Kosten dessen, was sie von ihm sehen, sie meinen jedoch selbst, sie würden genau das zeichnen, was sie sehen.

Wenden wir uns jetzt dem zweiten Stadium zu (7-8 Jahre im Durchschnitt): Man kann den Namen der Dinge nicht sehen, wenn man diese nur anschaut; es ist »der liebe Gott, der uns die Namen gesagt hat«.

Zwa (9;6): »Woher haben die ersten Menschen gewußt, daß die Sonne ›Sonne‹ heißt? – *Weil es der liebe Gott Noah gesagt hat.* – Und der Salève, woher hat man erfahren, daß er Salève hieß? – *Der liebe Gott hat es Noah gesagt, und der hat alles den Gelehrten gesagt.* – Wohnte denn Noah in diesem Land? – *Ja.*« »Wenn man einen kleinen Neger hierherbringen würde, der Genf oder den Salève nie gesehen hat, könnte er seinen Namen herausfinden? – *Nein.* – Warum? – *Weil er Genf nie gesehen hat.* – Und wenn er die Sonne anschaut, kennt er dann ihren Namen? – *Ja.* – Warum? – *Weil er sie in seinem Land gesehen hat.* – Könnte er aber herausfinden, daß sie ›Sonne‹ heißt? – *Ja, denn er erinnert sich.* – Würde aber ein Mann, der die Sonne nie gesehen hat, ihren Namen kennen, wenn er sie ansieht? – *Nein.*«

Man muß aber die Überzeugung des Kindes nur etwas erschüttern, und schon kehrt es zu den Lösungen des ersten Stadiums zurück. Hier eines dieser zögernden Kinder:

Mart (8;10): »Wie hat man erfahren, daß die Sonne so heißt? – *Weil man es uns sagte.* – Wer? – *Der liebe Gott hat es uns gesagt.* – Sagt uns denn der liebe Gott Dinge? – *Nein.* – Woher weiß man es also? – *Man hat es gesehen.* – Wie hat man sehen können, daß die Sonne so heißt? – *Man hat es gesehen.* – Was hat man gesehen? – *Die Sonne.* – Wie hat man aber ihren Namen erfahren? – *Man hat gesehen.* – Was hat man gesehen? – *Ihren Namen.* – Wo hat man ihren Namen gesehen? – *Als es schönes Wetter war.* – Wie hat man von den Wolken erfahren, daß sie so heißen? – *Weil es schlechtes Wetter war.* – Woher hat man aber gewußt, daß sie so heißen? – *Weil man gesehen hat.* – Was? – *Die Wolken.*« Und so fort.

Bestimmte Kinder, die mit diesen Schwierigkeiten fertig werden möchten, benützen dazu die fix und fertigen Lösungen einer volkstümlichen Theologie. Ohne zu zögern, schreiben sie den Ursprung der Sprache einer wörtlichen Inspiration zu, wie sie schon de Bonald formuliert hat:

Pat (10 Jahre): »Und wer hat der Sonne ihren Namen gegeben? – *Der liebe Gott.* – Und wie hat man ihren Namen erfahren? – *Der liebe Gott hat ihn diesen Männern in den Kopf gegeben.* – Wenn nicht der liebe Gott den Namen gegeben hätte, hätten sie dann einen anderen Namen geben können? – *Sie hätten das tun können.* – Wußten sie, daß sie Sonne hieß? – *Nein.* – Und der Name der Fische? – *Der liebe Gott hat ihn diesen Männern in den Kopf gegeben.*«

Noch ein Beispiel zum dritten Stadium (9–10 Jahre):

Mey (10 Jahre): »Und wie haben wir dann die Namen erfahren? – *Das ist vom Vater auf den Sohn übergegangen.*« Man erinnert sich, für Mey sind die Namen von Menschen erfunden worden, lange nachdem die Dinge entstanden waren.

Die Untersuchung dieser Frage 3 hat neben vielen spontanen Vorstellungen auch gewisse fix und fertige oder indirekt auf den Einfluß der Erwachsenen zurückzuführende Begriffe aufgedeckt. Die Antworten des ersten Stadiums sind jedenfalls ganz ursprünglich, und in der Abfolge der drei Stadien zeigt sich ein regelmäßiger Fortschritt, was darauf hinweist, daß die eigene Überlegung des Kindes ebenfalls beteiligt ist. Erst wenn sich das Kind genügend entwickelt hat, um die Überzeugungen des ersten Stadiums aufzugeben, sucht es etwas anderes und greift es zu den von außen angebotenen religiösen Vorstellungen. Das Kind verwirft auch spontan die Vorstellung einer Sprache, die direkt auf Gott zurückzuführen wäre, und es entscheidet sich für die einfacheren Lösungen des dritten Stadiums.

2. Der Ort der Namen

Die jüngsten unserer Kinder mußten nur die Sonne ansehen, um herauszufinden, daß sie »Sonne« heißt. Man kann sich deshalb fragen, »wo die Namen sind«. Das ist unsere Frage 4. Um sie richtig zu stellen, muß man die Kinder nur daran erinnern, daß ein Gegenstand und sein Name nicht dasselbe sind, worauf man sogleich hinzufügen kann: »Wo ist also der Name?« Stellt man diese Frage 4 nach der Frage 3, so ist sie nicht absurd. Man wird einwenden, sie sei viel zu schwierig. Sie wird aber, wie alle anderen Fragen, von 9 bis 10 Jahren an richtig beantwortet, und zwar ohne jede Mithilfe unsererseits. Sie wird zudem nicht auf einer bestimmten Altersstufe ein für allemal richtig beantwortet wie eine Frage, die lange unverständlich geblieben und dann nach einer Entdeckung, die allein die Lösung herbeiführen konnte, plötzlich klar geworden wäre. Im Gegenteil, zwischen den ursprünglichsten und den richtigsten Antworten findet eine unmerkliche Entwicklung statt. Innerhalb jedes einzelnen Stadiums läßt sich zudem zwischen den individuellen Antworten eine vollständige Konvergenz feststellen.

Wir haben drei Stadien gefunden. Im ersten (5–6 Jahre) ist der Name der Dinge in den Dingen. Im zweiten (7–8 Jahre) ist der Name der Dinge überall oder nirgends, was, werden wir noch sehen, auf dasselbe hinausläuft. Im dritten (9–10 Jahre) schließlich sind die Namen in unserer Stimme, dann in unserem Kopf oder eben im Denken. Das ist keine Pseudo-Symmetrie. Rechnet man für jedes Stadium das Durchschnittsalter der befragten Kinder aus, so kommt man für das erste auf 6, das zweite auf 7⅔ und das dritte auf 9½ Jahre.

Wir beginnen mit einigen Beispielen für das erste Stadium. Der Name ist in den Dingen. Wir zitieren zuerst einen nuancierten Fall, der uns sofort zeigt, worin das Phänomen besteht.

Fert (7 Jahre) meint, wie erinnerlich, die Namen rührten von den Dingen her, und man müsse die Dinge nur sehen, um ihren Namen herauszufinden. Der Name der Sonne, sagt er nach der Befragung, die man nachlesen konnte, ist »*ganz von selbst*« entstanden. »Du würdest glauben, daß das geschehen ist... – *In der Sonne.*« Kurze Zeit später: »Wo ist der Name der Sonne? – *Drin.* – Wie? – *In der Sonne drin.* – Wo ist der Name des Salève? – *Drin.* – Wie? – *Im Salève drin.* – Wo ist der Name der Wolken? – *Auch drin.* – Wo ist dein Name?... Sag mir doch, mein lieber Fert, wo dein Name ist? – *Man hat mir einen Namen gegeben.* – Ja, aber wo ist er, dieser Name? – *Es ist aufgeschrieben.* – Wo? – *Im Buch.* – Wo ist der Name des Jura? – *Im Jura drin.* – Wie ist der Name der Sonne in der Sonne drin? Wie ist das möglich? – *Weil es warm ist*(!). – Wenn man die Sonne öffnen würde, könnte man dann den Namen sehen? – *Nein.* – Und warum ist der Name Salève drin? – *Weil es Steine hat.* – Und warum ist der Name der Wolken in den Wolken drin? – *Weil sie grau sind.* – Und wo ist das Wort See? – *Darauf.* – Warum? – *Weil es nicht drin ist.* – Warum? – *Weil es Wasser hat.* – Warum ist es darauf? – *Weil es nicht hineinkommt, es geht nicht hinein.* – Aber das Wort ›See‹ ist darauf? Was soll das heißen? Ist es darauf geschrieben? – *Nein.* – Warum ist es darauf? – *Weil es nicht hinein geht.* – Geht es darauf? – *Nein.* – Wo ist es denn? – *Es ist an keinem Ort!*«

Man sieht klar, was Fert bis jetzt hat sagen wollen. Das Wort ist im Ding, weil es zum Wesen des Dings gehört. Es ist nicht dem Ding eingeschrieben, es ist in der Sonne, weil die Sonne warm ist, im Salève, weil der Salève steinig ist usw. Also ein Realismus der Namen, wie wir ihn im letzten Paragraphen definiert haben: Das Ding enthält seinen Namen als innerliches, wenn auch unsichtbares Merkmal. Beim See verfällt Fert einem materielleren Realismus: Er hat Hemmungen, den Namen in das Wasser zu verlegen! Diese Zögern ist höchst aufschlußreich und zeigt besser als alles andere die Macht des kindlichen Realismus. Unter dem Druck der Absurditäten, zu denen er durch unsere Fragen geführt wird, greift er jedoch zuletzt zur Hypothese, die das zweite Stadium kennzeichnet: Der Name ist nicht im Ding. Doch diese Überzeugung ist durch unsere Befragung ausgelöst worden und deshalb noch so labil, daß Fert sie bald danach wieder verwirft. Im gleichen Augenblick, da Fert seine letzte Antwort gibt, läutet die Pausenglocke.

20 Minuten später, das Kind hat inzwischen im Pausenhof gespielt, geht das Gespräch weiter:

»Wo ist das Wort ›See‹? – *Es ist drin, weil es Wasser hat* (!).« Fert bringt somit den See mit der Sonne, den Wolken usw. in Einklang. Wir versuchen es mit einem Gegenargument: »Wie ist das möglich, man gibt der Sonne einen Namen, und dann geht er in die Sonne? – (Er lacht.) *Nein, nur wir wissen es.* – Wo ist also der Name der Sonne? – *Er ist an keinem bestimmten Ort.* – Wo wäre er, wenn es einen solchen Ort gäbe? – *Nur wir wissen es.* – Wo ist der Name, wenn man an ihn denkt? – *In der Sonne, man denkt an die Sonne.* – Wo ist aber der Name, wenn man daran denkt? – *In der Sonne.* – Wo ist das Denken, wenn man denkt? – *Das ist das, was man denkt.* – Wo ist das, was man denkt? – *Irgendwo* (er verwechselt den Gegenstand mit dem Denken). – Womit denkt man? – *Wenn man sich erinnert ... Mit dem Gedächtnis.* – Wo ist das Gedächtnis? ... – In den Füßen? – *Nein.* – Und wo sind die Namen? Wenn du an den Namen der Sonne denkst, wo ist dann dieser Name der Sonne? – *Wir kennen ihn.* – Ja, aber wo ist er? – *Er ist an keinem bestimmten Ort.* – Ist er im Kopf? – *Nein.* – Warum nicht? – *Weil wir denken* (wieder eine Verwechslung zwischen dem Gegenstand und dem Denken: wenn man an die Sonne denkt, ist die Sonne nicht in unserem Kopf). – Wenn aber der Name im Kopf wäre, könnte man dann nicht daran denken? – *Ja* (zögernd). – Also ist der Name im Kopf? – *Im Kopf* (ohne jede Überzeugung). – Bist du nicht sicher? – *Nein.* – Warum ist er nach deiner Meinung nicht im Kopf? – *Weil er in der Sonne ist!*«

Man sieht, wie bewundernswert Fert unseren immer eindringlicheren Vorschlägen widersteht. Am Ende bekennt er einen Realismus, der keinen Zoll breit zurückgewichen ist: Damit man an die Sonne denken kann, muß der Name Sonne »in der Sonne« sein!

Die anderen Beispiele gehören zum selben Typ:

Horn (5;3) sagt, ein Name sei *»für uns nützlich. Wenn man etwas sagen will, wenn man will, daß wir kommen.«* »Wo ist der Name der Sonne? – *Er ist oben, am Himmel.* – Wo denn? – *In der Sonne.* – Wo ist dein Name? – *Er ist da* (zeigt auf seine Brust).« Doch anschließend bestreitet Horn, daß der Name der Salève am Salève sei, *»denn man kann nicht darauf gehen. –* Worauf? – *Auf dem Namen.* – Horns weitere Antworten sind in die nächsten Stadien einzuordnen.

Mart (8;10): »Wo ist der Name der Sonne? – *Im Himmel.* – Ist die Sonne am Himmel oder der Name der Sonne? – *Der Name.*« »Warum im Himmel? – *Weil er im Himmel ist.*«

Pat (10 Jahre) befindet sich an der Grenze zwischen diesem und dem nächsten Stadium: »Wo sind die Namen? – *In unserem Kopf.* – Wo ist der Name der Sonne? – *Sie hat ihn in ihrem Kopf.«* Pat hatte eben gesagt, die Sonne kenne ihren Namen. Wir versuchen, ihn von diesem Irrtum abzubringen: »Sie kennt doch ihren Namen nicht selbst? – *Ja, die Sonne kennt ihn nicht.* – Wo ist denn also ihr Name? – *In meinem Kopf* (drittes Stadium!). – Und der Name des Mondes? Wo ist der? – *In seinem Kopf.* – Der Name der Sonne? – *In ihrem Kopf* (!).«

Dieses erste Stadium bestätigt voll und ganz, was wir im ersten Abschnitt gesehen haben. Der Name der Dinge gehört ursprünglich zu den Dingen. Das heißt jedoch nicht, er sei materiell in das Ding eingeschrieben oder in ihm abgebildet. Er gehört zum Wesen des Dings. Er ist ein Merkmal, nicht ein psychisches, denn das Kind stellt sich die Stimme nicht als immateriell vor, aber ein unsichtbares.

Im zweiten Stadium (7–8 Jahre) löst sich der Name von den Dingen ab. Doch das Kind lokalisiert ihn deshalb noch nicht im denkenden Subjekt. Er ist im buchstäblichen Sinne überall, genauer überall, wo er ausgesprochen worden ist. Er ist »in der Luft«. Er umgibt die Leute, die sich seiner bedienen. Andere Kinder sagen, er sei »an keinem bestimmten Ort«; Fert hat das soeben momentan gesagt. Diese Eigenschaft bedeutet nicht, daß der Name immateriell oder im Kopf zu lokalisieren sei, denn die Kinder, die so weit kommen (drittes Stadium), sagen auf Anhieb, der Name sei im Kopf oder in der Stimme. »An keinem bestimmten Ort« bedeutet somit nur, der Name werde nicht mehr im Ding lokalisiert. Die Antwort ist noch sehr ursprünglich, man findet sie nur bei Kindern, die noch Bindungen zum ersten Stadium aufweisen.

Roc (6;6), ein Mädchen, ist für dieses zweite Stadium typisch. »Sag mir, wo ist der Name der Sonne? – *Am Himmel.* – Die Sonne ist am Himmel. Wo ist aber der Name? – *Am Himmel.* – Wo? – *Überall.* – Wo denn? – *In allen Häusern.* – Ist der Name der Sonne auch hier? – *Ja.* – Wo denn? – *In den Schulen, in den Klassen.* – Wo in den Klassenzimmern? – *Überall.* – Ist er hier in diesem Zimmer? – *Ja.* – Wo noch? – *In den Ecken.* – Wo noch? – *In den kleinen Ecken* (Handbewegung in Richtung der umgebenden Luft). – Wo ist der Name des Salève? – *In den Häusern.* – Wo ist er in diesem Haus? – *In den Klassenzimmern.* – Ist er hier? – *Ja.* – Wo denn? – *Dort* (sie schaut zur Decke hinauf). – Wo? – *Im Raum.* – Was ist das, der Raum? – *Das sind die kleinen Wege, durch die man hindurch kann*[2]. – Kann man den Namen ›Salève‹ sehen? – *Nein.* – Kann man ihn berühren? – *Nein.* – Ihn hören? – *Nein.*« Der Name der Rhone ist wie der Name ›Heft‹ usw. ebenfalls im Zimmer vorhanden. »Und wo ist dein Name? – *Im Haus.* – In welchem Haus? – *In allen Häusern, die ihn kennen.* – Ist er hier, in diesem Haus? – *Ja.* – Warum? – *Weil man ihn sagt.* – Wo ist er sonst? – *In der Schule.* – Wo? – *In den Ecken.* – Siehst du dieses Haus dort (ein Haus, das man durch das Zimmerfenster hindurch sieht), ist dein Name dort drin? – *Nein.* – Warum? – *Weil es dort Leute hat, die man nicht kennt.* – Wenn jemand hier hinein käme, würde er wissen, daß dein Name im Zimmer ist? – *Nein.* – Könnte er ihn erfahren? – *Wenn man ihn sagen würde.* – Seit wann ist dein Name in diesem Zimmer? – *Seit heute, seit dieser kurzen Zeit.* – Bis wann wird er hier drin sein? – *Bis heute abend.* – Warum? – *Weil dann alle Leute weg sind.* – Wir gehen um vier Uhr weg. Bis

---

[2] Die sehr ähnlich klingenden französischen Ausdrücke »espace« (Raum) und »passer« (hindurchgehen) legen dem Kind eine spontane Etymologie nahe, die sich in der deutschen Übersetzung nicht wiedergeben läßt (Anmerkung des Übersetzers).

wann wird er hier sein? – *Bis vier Uhr.* – Warum? – *Weil ich hier bin.* – Wenn du weggehst und wir bleiben, ist dann dein Name hier? – *Er bleibt.* – Bis wann? – *Bis Sie weggehen.*« »Wo wird dein Name sein, wenn wir weggehen? – *Bei den anderen Leuten.* – Bei wem? – *Bei den Leuten, die man kennt.* – Wie geht er zu den anderen Leuten? – *Er geht durch das Fenster.* – Im Haus, wo ich hingehe, wird dein Name dort sein? – *Ja.* – Wo? – *In der Küche* (Roc ist bei sich zu Hause vor allem in der Küche). – Wo? – *In den kleinen Ecken.* – Ist dein Name nicht in unseren Köpfen? – *Ja.* – Warum? – *Weil ich ihn gesagt habe* (meinen Namen gesagt habe).« »Ist er nicht mehr in den kleinen Ecken? – *Doch, er ist in den kleinen Ecken.*«

Die Vorstellung von Roc scheint sehr klar zu sein, obwohl sie eher paradox tönt. Der Name ist nicht mehr in den Dingen, er ist mit den Leuten verbunden, die ihn kennen. Das ist ein großer Fortschritt im Vergleich zum ersten Stadium. Doch er ist nicht in uns, er ist in der Stimme lokalisiert, dort, wo man ihn ausgesprochen hat; er ist in der Luft, rings um uns herum. Wenn Roc sagt, der Name folge uns nach, er gehe durch das Fenster usw., so heißt das nicht, daß sie wortwörtlich so etwas glauben würde. Daß sie sich nicht anders vorstellen kann, wie unsere verbalen Kenntnisse uns begleiten, ist einfach darauf zurückzuführen, daß sie sich die Frage noch nie gestellt hat. Festzuhalten ist folglich, daß der Name 1. mit dem denkenden Subjekt und nicht mit dem Gegenstand verbunden ist, daß er aber 2. dem Subjekt äußerlich ist und sich in seiner Stimme befindet, also gleichzeitig in der umgebenden Luft und im Mund. Das Ende der Befragung ist in dieser Hinsicht eindeutig: Roc ist zwar mit unserem Vorschlag einig, ihr Name sei in unserem Kopf, aber sie verzichtet deshalb nicht auf ihre Meinung, er sei »in den kleinen Ecken«.

Stei (5;6) sagt spontan, der Name des Mondes »*ist nicht im Mond.* – Wo ist er? – *Er hat keinen bestimmten Ort.* – Was meinst du damit? – *Das heißt, daß er nicht im Mond ist.* – Wo ist er denn? – *An keinem bestimmten Ort.*« »Wenn du aber den Namen sagst, wo ist er dann? – *Er ist mit dem Mond* (Rückfall in das erste Stadium). – Wo ist denn dein Name? – *Mit mir.* – Und mein Name? – *Mit Ihnen.* – Und wenn ich deinen Namen kenne, wo ist er dann? – *Mit Ihnen, wenn Sie ihn kennen.* – Und der Name des Mondes? – *Mit ihm.* – Und wenn du ihn kennst? – *Er ist mit uns.* – Wo ist er, wenn er mit uns ist? – *Überall.* – Wo genau? – *In der Stimme.*«

Dieses zweite Stadium ist vom Dualismus Innen/Außen her gesehen interessant und bestätigt, was wir im Zusammenhang mit dem Begriff des Denkens gefunden haben: Das Denken ist zugleich in uns und in der umgebenden Luft. Für die Wörter und die Namen ist diese Überzeugung in einem gewissen Sinne berechtigt, denn ein Wort muß tatsächlich die Luft passieren, um das Ohr des Gesprächspartners zu erreichen.

Zwischen dem Kind des zweiten Stadiums und uns Erwachsenen besteht jedoch ein grundlegender Unterschied: Das Kind nimmt zwar an, daß die Namen in der Luft seien, aber es weiß überhaupt nicht, daß sie von innen kommen. Der Vorgang ist zentripetal und nicht zentrifugal. Der Name kommt vom Gegenstand und gelangt in die Stimme, dann wird er zwar durch die Stimme wieder nach außen abgegeben, aber er geht in keinem Fall direkt aus einem inneren »Denken« hervor.

Das dritte Stadium ist hingegen durch die Entdeckung gekennzeichnet, daß die Namen in uns sind und von innen kommen. Das Kind sagt auf Anhieb, sie seien »im Kopf«. Dieses Stadium wird mit 9 bis 10 Jahren erreicht.

Das zweite und das dritte Stadium sind freilich nicht immer leicht auseinanderzuhalten. Hier als Beispiel drei Fälle eines Zwischenstadiums, das die Namen im Mund und in der Stimme lokalisiert.

Bab (8;11): »Wo ist der Name der Sonne? – *Er ist dort.* – Wo denn? – *Dort, gegen den Berg hin.* – Ist die Sonne dort oder der Name der Sonne? – *Die Sonne.* – Und wo ist der Name der Sonne? – *Ich weiß es nicht... nirgends.* – Wenn wir das Wort Sonne sagen, wo ist dann der Name der Sonne? – *Dort, gegen den Berg hin.* – Ist dort der Name oder die Sonne selbst? – *Die Sonne.* – Wo ist der Name der Sonne, wenn man redet? – *In unserem Mund.* – Und wo ist der Name des Salève? – *In unserem Mund.* – Und der Name des Sees? – *In unserem Mund.*«

Mey (10 Jahre): »Wo ist der Name der Sonne? – *In unseren Stimmen. Man sagt ihn.*«

Caud (9;6): »Wo ist das Wort ›Salève‹? – *Das Wort ›Salève‹ ist überall.* – Was meinst du damit? Ist es in diesem Zimmer? – *Ja.* – Warum? – *Weil man davon spricht.* – Wo ist es in diesem Zimmer? – *Es ist in unserem Kopf.* – Ist es in unserem Kopf oder im Zimmer? – *Es ist in unserem Kopf und im Zimmer.*«

Diese Antworten lassen sich nur interpretieren, wenn man den ganzen Kontext berücksichtigt. Wir haben gesehen (Abschnitt 1), daß Bab annimmt, die Namen seien gleichzeitig mit den Dingen und mit den Dingen zusammen geschaffen worden, während Caud und Mey immer sehr weit entwickelte Interpretationen gegeben haben. Wir dürfen deshalb annehmen, ohne daß man uns mangelnde Sorgfalt vorwerfen kann, Mey und Caud seien im dritten Stadium, während Bab noch glaubt, die Namen kämen aus den Dingen in die Stimme (zweites Stadium). Caud steht allerdings dem zweiten Stadium noch sehr nahe und muß endgültig dem Zwischenstadium zugeordnet werden.

Abschließend ein eindeutiger Fall des dritten Stadiums:

Bus (10 Jahre): »Wo sind die Namen? Der Name der Sonne beispielsweise? – *Im Kopf.* – In welchem? – *In unserem. In allen außer in denen, die nichts wissen.*«

Man ersieht daraus, die Antworten auf diese Frage 4 entwickeln sich regelmäßig mit dem Alter. Die Ergebnisse der vorausgehenden Fragen werden voll und ganz bestätigt. Gehen wir jetzt zur Frage 5 über, also zur Frage, ob die Dinge ihren Namen kennen: »Weiß die Sonne, daß sie Sonne heißt?« usw. Man kann sich tatsächlich fragen, ob in den ersten Stadien zum Realismus der Namen nicht ein animistisches Element hinzukommt. Mit anderen Worten, ist die Tatsache, daß der Name in den Dingen ist, nicht zum Teil darauf zurückzuführen, daß die Dinge ihren Namen kennen? Pat ist in dieser Hinsicht eindeutig. Er glaubt, wie wir gesehen haben, die Namen seien »im Kopf« der Dinge, woraus hervorgeht, daß die Dinge ihn kennen. Wir haben jedoch keine konstante Relation zwischen dem Realismus der Namen und dem Bewußtsein, das den Dingen zugeschrieben wird, finden können: Fert zum Beispiel, der die Namen in den Dingen lokalisiert, ist der Meinung, daß kein einziger Gegenstand seinen Namen kennt usw.

Dennoch hat die Frage 5 interessante Ergebnisse erbracht. Wir haben vier Typen von Antworten gefunden. Es gibt zunächst einige Kinder, die allen Gegenständen das Bewußtsein ihres Namens zuschreiben:

Fran (9 Jahre): »Kennt ein Fisch seinen Namen? – *Ja, denn man kann ihn eine Felche oder eine Forelle nennen.* – Kennt eine Fliege ihren Namen? – *Ja, denn man kann sie eine Fliege, eine Biene oder eine Wespe nennen.*« Gleiche Antworten für einen Stein, einen Tisch usw. »Kennt ein Bleistift seinen Namen? – *Ja, er kennt ihn.* – Woher? – *Es steht darauf, aus welcher Fabrik er kommt.* – Weiß er, daß er schwarz ist? – *Nein.* – Weiß er, daß er lang ist? – *Nein.* – Aber er weiß, daß er einen Namen hat? – *Ja, denn Männer haben gesagt, daß das ein Bleistift sei.*« Die Wolken können uns nicht sehen, »*weil sie keine Augen haben*«, aber sie kennen ihren Namen, »*weil sie wissen, daß man sie Wolken nennt*« usw.

Es gibt weiter Kinder, und sie sind viel zahlreicher und interessanter (denn bei ihnen ist man eher geneigt anzunehmen, daß sie nicht fabulieren), die dieses Wissen den bewegten Körpern vorbehalten:

Mart (8;10): »Kennt ein Hund seinen Namen? – *Ja.* – Weiß ein Fisch, daß er ›Fisch‹ heißt? – *Sicher!* – Kennt die Sonne ihren Namen? – *Ja, denn sie weiß, daß sie ihren Namen hat.* – Wissen die Wolken, daß sie ›Wolken‹ heißen? – *Ja, denn sie haben die Namen, sie kennen ihre Namen.* – Wissen die Zündhölzer, daß sie Zündhölzer heißen? – *Nein, ja.* – Ja oder nein? – *Nein, denn sie sind nicht lebendig.* – Kennt der Mond seinen Namen? – *Ja.* – Warum? – *Weil er lebendig ist, er geht* (!). – Kennt der Wind seinen Namen? – *Ja.* – Warum? –

Weil er den Wind macht. – Kennt die Rhone ihren Namen? – *Ja, denn sie ist die Rhone (!).* – Ist sie lebendig? – *Ja, denn sie geht in die Arve.* – Kennt der See seinen Namen? – *Ja, denn er geht.* – Weiß er, daß er geht? – *Ja, denn er ist es, der geht (!).*«

Es gibt Kinder, die glauben, nur die Tiere und Pflanzen, oder auch ausschließlich die Tiere, kennen ihre Namen. Man findet bisweilen sogar eine bereits weiter entwickelte Intelligenz, etwa Mey, der noch sagt, daß die Bäume vielleicht ihren Namen kennen:

Mey (10 Jahre): »Kennt ein Hund seinen Namen? – *Ja.* – Ein Fisch? – *Ja, denn man weiß, daß man Leute heißt* (da wir wissen, daß wir Menschen sind), *die Fische müssen es also auch wissen!* – Und die Sonne, weiß sie, daß sie Sonne heißt? – *Nein.* – Warum nicht? – *Weil sie nicht lebendig ist.* – Kennt der Wind seinen Namen? – *Nein.* – Wissen die Bäume, daß sie so heißen? – *Nein, denn man kann es ihnen nicht beibringen.* – Warum nicht? – *Sie verstehen es nicht.* – Dann kennen sie also ihren Namen nicht? – *Vielleicht kennen sie ihn, vielleicht nicht.* – Warum ›vielleicht nicht‹? – *Die Bäume können nichts lernen.* – Und warum ›vielleicht kennen sie ihn‹? – *Sie sehen andere Bäume als sie, sie glauben, daß sie gleich sind.* – Und was hat das zur Folge? – *Weil sie wissen, daß sie eine Eiche sind, aber sie können sie nicht sehen.*«

Schließlich gibt es Kinder, die allen Dingen die Kenntnis ihres Namens absprechen. Das ist durchschnittlich mit 9 bis 10 Jahren der Fall. Die Kinder, die wie Mart diese Kenntnis des Namens mit der Bewegung verquicken, sind im Mittel 7 Jahre alt. Diese Entwicklung erinnert sehr stark an den Verlauf, den wir später (Teil II) bei einer direkten Untersuchung des kindlichen Animismus kennenlernen werden.

3. Der innere Wert der Namen

Was wir bis jetzt untersucht haben, könnte man das ontologische Problem der Namen nennen: ihre Existenz, ihren Ort, ihre Herkunft. Jetzt wollen wir uns dem logischen Problem zuwenden: Sind die Namen beliebige Zeichen, oder haben sie einen inneren logischen Wert? Die beiden Probleme hängen eng miteinander zusammen. Die Namen müssen, insofern sie in den Dingen sind, offensichtlich als absolute Werte betrachtet werden. Der ontologische Realismus und der logische Realismus der Namen haben somit dieselben Wurzeln, aber ihre weitere Entwicklung verläuft vielleicht anders. Wir möchten eben zeigen, daß der logische Realismus viel länger erhalten bleibt als der ontologische Realismus. Die Fragen 7 und 8 werden nämlich erst mit 10 bis 11 und 12 Jahren gelöst. Sogar die Kinder, die den Namen im Kopf lokalisieren und glauben, der Name der Dinge sei erst kürzlich entstanden, sind noch immer davon überzeugt, daß die Namen nicht das Ding, sondern die Idee des Dings implizieren: Die Sonne heißt so, weil sie leuchtend und rund ist usw.

Wir beginnen mit der Frage 8: Sind die Namen austauschbar? Wir wollen zwei Stadien unterscheiden. Vor dem 10. Lebensjahr antworten die Kinder mit einem Nein. Später räumen sie diese Austauschbarkeit ein. Den Übergang zwischen den beiden Stadien bildet ein Zwischenstadium mit einigen Kindern. Zuerst Beispiele für das erste Stadium:

Fert (7 Jahre): »Dein Name ist Albert? – *Ja.* – Man hätte dich Heinrich nennen können, ohne daß sich irgend etwas geändert hätte? – *Nein.* – Hätte man den Jura ›Salève‹ und den Salève ›Jura‹ nennen können? – *Nein.* – Warum nicht? – *Weil es nicht das gleiche ist.*« »Hätte man die Sonne ›Mond‹ und den Mond ›Sonne‹ nennen können? – *Nein.* – Warum nicht? – *Weil die Sonne warm gibt, und der Mond ist dazu da, um hell zu geben.*«

Roc (6;6) räumt ein, daß Gott die Namen hätte vertauschen können. »Wäre das falsch oder nicht falsch gewesen? – *Das wäre falsch gewesen.* – Warum? – *Weil der Mond eben der Mond und nicht die Sonne sein sollte, und die Sonne sollte eben die Sonne sein!*«

Fran (9 Jahre): »Hätte man der Sonne auch einen anderen Namen geben können? – *Nein.* – Warum nicht? – *Weil sie nichts als die Sonne ist, hätte man ihr keinen anderen Namen geben können.*«

Zwa (9;6) versteht ein wenig Deutsch und müßte deshalb Verständnis für die Relativität der Namen haben. Damit ist jedoch nichts: »Hätte man die Namen vertauschen, hätte man andere Namen geben können? Dein Name ist Ludwig, hätte man dich auch Karl nennen können? – *Ja.* – Hätte man diesen Stuhl (französisch) auch ›Stuhl‹ (deutsch) nennen können? – *Ja, denn das ist ein deutsches Wort.* – Warum sind die Namen in der deutschen Sprache anders? Warum sprechen sie nicht gleich wie wir? – *Weil sie anders sprechen können.* – Haben die Dinge mehrere Namen? – *Ja.* – Wer hat die deutschen Namen gegeben? – *Der liebe Gott und die Deutschen.* – Du sagst, man hätte die Namen vertauschen können. Hätte man die Sonne ›Mond‹ und den Mond ›Sonne‹ nennen können? – *Nein.* – Warum nicht? – *Weil die Sonne stärker scheint als der Mond.* – Hast du einen Bruder? – *Gilbert.* – Hätte man Gilbert den Namen ›Jules‹ geben können? – *Ja.* – Also! Hätte man die Sonne ›Mond‹ nennen können? – *Nein.* – Warum nicht? – *Weil sich die Sonne nicht verändern kann, sie kann nicht kleiner werden.*« »Wenn aber alle Leute die Sonne ›Mond‹ und den Mond ›Sonne‹ genannt hätten, hätte man dann wissen können, daß das falsch ist? – *Ja, denn die Sonne bleibt immer größer. Sie bleibt, wie sie ist, und der Mond bleibt, wie er ist.* – Ja, es soll aber nicht die Sonne geändert werden, sondern nur der Name. Hätte man sie ... usw.? – *Nein.* – Wie hätte man erfahren, daß es falsch ist? – *Weil der Mond am Abend am Himmel aufsteigt und die Sonne am Tag.*«

Bus (10 Jahre) sagt, man hätte nichts verändern können, »*weil sie den Namen, ›Sonne‹ der Sonne haben geben wollen.*« »Wenn die ersten Menschen, ganz am Anfang, andere Namen gegeben hätten, hätte man dann je gemerkt, daß das falsch ist, oder hätte man es nie gemerkt? – *Man hätte es gemerkt.* – Wie? – *Weil die Sonne warm und der Mond nicht warm ist.*«

Und nun ein Mädchen des Zwischenstadiums, das zwar die Namen für vertauschbar hält, was aber »nicht gut gehen würde«:

Dup (7;6, sehr frühreif): »Hätte man die Sonne ›Stoll‹ nennen können? – *Ja.* – Hätte niemand etwas bemerkt? – *Nein.* – Hätte man den Tisch ›Stuhl‹ nennen können? – *Ja, nein.* – Hätte man es tun können oder nicht? – *Ja, man könnte.*« Man hat die Sterne ›Sterne‹ genannt, »*weil man dachte, es ginge so besser.* – Warum? – *Ich weiß es nicht.* – Hätte man sie ›Nägel‹ nennen können? – *Das würde nicht so gut gehen*« usw.

Dup markiert im Vergleich zu den früher erwähnten Kindern einen beträchtlichen Fortschritt, denn sie hat das Dezisionistische der Namen zum Teil begriffen. Sie hat insbesondere begriffen, daß niemand etwas bemerkt hätte, wenn man die Namen ausgetauscht hätte. Dennoch hat sie immer noch den Eindruck, es bestehe eine Verbindung zwischen dem Namen und der Idee des Dings (das ist der etymologische Trieb, für den wir bald Beispiele kennenlernen), ohne daß sie es freilich riskiert, sich über diese Verbindung genauer auszulassen.

Jetzt folgen Kinder des zweiten Stadiums, also Kinder, die, wir wollen noch nicht sagen den willkürlichen, aber den dezisionistischen Charakter der Namen begriffen haben:

Mey (10 Jahre): »Hätte man dir den Namen Heinrich geben können? – *Ja.* – Hätte man den Jura ›Salève‹ und umgekehrt nennen können? – *Ja, denn die Menschen hätten die Namen vertauschen oder das Gegenteil tun können.* – Hätte man die Sonne ›Mond‹ nennen können? – *Warum nicht!* – Man hätte es also tun können? Hätte man das (Tisch) Stuhl und das (Stuhl) Tisch nennen können? – *Ja.* – Wenn man die Sonne ›Mond‹ genannt hätte, hätte man dann bemerkt, daß das falsch ist? – *Nein.* – Warum nicht? – *Man hätte nicht gewußt, daß das falsch ist.* – Warum nicht? – *Man hätte der Sonne den Namen ›der Mond‹ gegeben. Man hätte es nicht bemerkt.*«
Bab (8;11), der zuerst eine Reihe ziemlich primitiver Antworten gegeben hat, erkennt plötzlich seine Trugschlüsse und kommt bei der letzten Frage sehr gut durch: »Hätte man den Salève ›Jura‹ und den Jura ›Salève‹ nennen können? – *Ja.* – Warum? – *Weil es gleich ist.* – Hätte man die Sonne ›Mond‹ und den Mond ›Sonne‹ nennen können? – *Ja.* – Hätten wir bemerkt, daß die Namen vertauscht wurden? – *Ja.* – Warum? – *Weil man es uns gesagt hätte.* – Und wenn niemand etwas gesagt hätte, würden wir es dann auch erfahren haben? – *Nein.* – Warum nicht? – *Weil die Namen nicht darauf geschrieben sind!*«

Mit 9 bis 10 Jahren, also im gleichen Alter, in dem alle schon früher besprochene Fragen richtig beantwortet werden, läßt das Kind somit gelten, daß man die Namen hätte vertauschen können und daß niemand etwas bemerkt hätte. Diese Antwort allein beweist jedoch noch nicht, daß der Name keinen inneren Wert hat. Sie zeigt nur, daß der ontologische Realismus im Schwinden begriffen ist: Die Namen sind von jetzt ab nicht mehr mit den Dingen verbunden. Die Frage 7: »Weshalb hat dieser Gegenstand diesen Namen?«, wird erst nach der Frage 8 richtig beantwortet, und sie ist faktisch die schwierigste aller unserer Fragen.

Die richtige Antwort auf die Frage 8 zeigt ganz einfach, daß der Name für das Kind einen »Entscheidungs«charakter hat: Man hat sich dazu entschieden, die Sonne ›Sonne‹ zu nennen, aber nichts weist in Wirklichkeit darauf hin, daß die Sonne so heißt. Der Name ist jedoch noch nicht willkürlich; er ist kein reines Zeichen. Er drängt sich im Gegenteil aus etymologischen Gründen auf. Das Wort ›Sonne‹ impliziert die Vorstellung von etwas Leuchtendem, etwas Rundem usw. Erst mit ungefähr 11 bis 12 Jahren verzichtet das Kind auf solche Begründungen, so daß die Frage 7 richtig beantwortet wird.

Bei den Antworten lassen sich die folgenden Stadien unterscheiden. Bis ungefähr zum 10. Lebensjahr enthalten alle Namen die Idee des Dings. In einem zweiten Stadium (10 und 11 Jahre) besteht bloß eine Übereinstimmung zwischen dem Namen und der Idee: Der Name »paßt gut« usw. Das heißt, er enthält noch ein wenig die Idee des Dings, aber man hätte andere Namen finden können, die dieselbe Idee enthalten. Nach dem 11. bis 12. Lebensjahr schließlich hat der Name an sich keinen Inhalt, er ist ein reines Zeichen.

Zuerst Beispiele für das erste Stadium:

Horn: (5;3): »Warum heißt die Sonne so? – *Weil sie so tut, als ob sie die Sonne wäre.*«

Roc: (6 Jahre): »Weshalb hat man die Sonne so genannt? – *Weil sie leuchtete.* – Und den Salève? – *Weil er ein Berg ist.* – Warum nennt man die Berge so? – *Weil es ganz weiß ist.*«

Bab (8;11) hat zwar Frage 8, nicht aber die Frage 7 richtig beantwortet: »Warum nennt man die Sonne so? – *Weil sie ganz rot ist.* – Warum hat man den Mond so genannt? – *Weil er ganz gelb ist.* – Und den Salève? – *Weil man ihn Salève nennt.* – Weshalb? – *Weil*... – Gibt es einen Grund oder gibt es keinen? – *Es gibt einen Grund.* – Warum also? – ... – Warum nennt man die Wolken so? – *Weil sie ganz grau sind.* – Heißt das, daß sie ganz graue ›Wolken‹ sind? – *Ja.*«

Veil (9;6) beantwortet die Frage 8 ebenfalls richtig. Er glaubt jedoch, die Sonne heiße so, »*weil sie warm gibt*«, ein Tisch, »*weil wir darauf schreiben können*« usw.

Bus (10 Jahre): Der Salève heißt so, »*weil es hinaufgeht*«, die Sterne, »*weil es die Form hatte*«, ein Stock, »*weil er dick ist*«. – Heißt das, daß dick der Name des Stockes ist? – *Er ist lang.*«

Fran (9 Jahre): Der Salève heißt ›Salève‹, »*weil es ein Berg ist, der auf allen Seiten hinuntergeht* (man vergleiche auch seine Antworten im Abschnitt 1).

Die Beispiele ließen sich beliebig vermehren. Sie erinnern ganz merkwürdig an die Fälle von Synkretismus, die wir früher untersucht haben (SD, Kapitel VI), und insbesondere an die Fälle von »Begründungen um jeden Preis«. Das Prinzip ist dasselbe: Ein Wort ist immer mit seinem Kontext verbunden, und zwar derart, daß es so aufgefaßt wird, als würde es diesen ganzen Kontext implizieren.

In diesem verbalen Synkretismus und im Realismus der Namen, mit dem er zusammenhängt, sind zweifellos die Ursprünge für den »etymologischen Trieb«, wie Bally ihn genannt hat, zu suchen, also für diese Tendenz, jedem Namen eine Herkunft zuzusprechen, die ihn rechtfertigt.

Im zweiten Stadium fassen wir die Kinder zusammen, die nicht so leichtfertig eine Verbindung zwischen den Namen und ihrem Inhalt annehmen. Sie haben einfach das Gefühl einer Übereinstimmung:

Dup (7;6), ein Mädchen: »Warum nennt man die Sterne ›Sterne‹? – *Weil man gedacht hat, es gehe so besser.* – Warum? – *Ich weiß es nicht.*« (Man vergleiche die Antworten von Dup auf die Frage 8 weiter oben). Der Name ›Sonne‹ wurde der Sonne gegeben, »*weil die Sonne mehr Licht* (als der Mond) *gibt, und dann glaube ich, daß der Name Sonne besser für die Sonne paßt, denn diejenigen, die dieses Wort gefunden haben, haben gefunden, daß es besser passe.*«

Mey (10 Jahre) sagt, nachdem er die Frage 8 richtig beantwortet hatte, man habe die Sonne so genannt, »*weil sie geglaubt haben, das sei ein hübscher Name, und sie hat geleuchtet.*«

Dup und Mey sagen nicht, der Name der Sonne impliziere das Licht. Sie sagen, es müsse eine Beziehung bestehen. Theoretisch ist das richtig, aber faktisch ist das natürlich nicht das Ergebnis einer historischen Analyse, sondern einfach die letzte Konsequenz des Realismus der Namen.

Von den bis jetzt zitierten Kindern hat nur Mey die Frage 8 richtig beantwortet, aber erst am Ende des Gesprächs und nach den Antworten, die wir bereits kennen. Alle anderen Kinder sind mindestens 11 bis 12 Jahre alt:

Mey (10 Jahre): »Warum heißt der Mond so? – *Einfach so, ohne irgend etwas, ohne Grund!* – Warum heißt der Salève so? – *Das ist ein Name, den man gefunden hat.* – Hätte man ihn ›Nitschewo‹ nennen können? – *Sicher, denn das ist auch ein Name!*«

Gen (11 Jahre): »Warum heißt die Sonne so? – *Einfach so, das ist ein Name.* – Und der Mond? – *Einfach so. Man kann jeden beliebigen Namen geben.*«

Erst wenn die Frage 7 richtig beantwortet wird, darf man also annehmen, daß das Kind den willkürlichen Charakter der Namen begriffen hat. Schon mit 9 bis 10 Jahren wird der Realismus der Namen, in seiner ontologischen Form, aufgegeben. Erst mit 11 bis 12 Jahren verschwindet allmählich der Realismus in seiner logischen Form. Der logische Realismus ist, alles in allem, aus dem ontologischen Realismus hervorgegangen, aber er bleibt länger erhalten.

4. Schlußfolgerungen

Abschließend wollen wir die Zusammenhänge zwischen dieser Untersuchung über den Realismus der Namen und den Arbeiten über den Begriff Denken verdeutlichen.

Für das Kind bedeutet denken mit Wörtern umgehen. Mit dieser Überzeugung sind dreierlei Vermengungen verbunden, deren Überwindung dreierlei Dualismen hervorbringt. Als erstes ist die Vermengung von Zeichen und Ding zu nennen: Das Denken wird als mit dem Gegenstand verbunden aufgefaßt[3]. Dazu kommt die Vermengung von Außen und Innen: Das Denken wird gleichzeitig in der Luft und im Mund lokalisiert. Und schließlich werden die Materie und das Denken vermengt: Das Denken wird als ein materieller Körper, eine Stimme, ein Hauch usw. betrachtet.

Bestätigt die Untersuchung des Realismus der Namen diese Vermengungen, und zeigt sie, wie sich das Kind der entsprechenden Dualismen bewußt wird? Wir würden diese Frage mit Ja beantworten.

Die Vermengung von Zeichen und Ding ist derart in der Natur des Realismus der Namen impliziert, daß man gar nicht näher auf diese Frage eintreten muß. Die Vermengung von Innen und Außen hingegen ist auf den ersten Blick nicht so deutlich zu sehen. Das zweite Stadium beim Ort der Namen ist freilich eine eindeutige Äußerung dieser Vermengung. Sobald das Kind zwischen dem Namen und dem bezeichneten Gegenstand zu unterscheiden beginnt, lokalisiert es diesen Namen nicht sogleich im Kopf, sondern zuerst in der umgebenden Luft, »überall«, wo dieser Name erwähnt wird. Die Stimme ist, anders gesagt, gleichzeitig in uns und außerhalb von uns. Genau dasselbe haben wir beim Denken gesehen, das gleichzeitig »außen« und im Mund drin ist.

Der dritten Vermengung sind wir in der vorliegenden Untersuchung nicht direkt begegnet, aber sie ist selbstverständlich in der zweiten impliziert.

Prüft man die Altersstufen, in denen die drei Dualismen sichtbar

---

[3] Das Ding ist, wie H. Delacroix es in ›Le Langage et la pensée‹ (Paris 1924) formuliert, »mit dem Zeichen verwachsen«.

werden, so begreift man ohne weiteres, wie die Nichtmaterialität des Denkens entdeckt wird. Bis in ein Alter von ungefähr 6 bis 7 Jahren rühren die Namen von den Dingen her. Man hat sie durch das Betrachten der Dinge gefunden. Sie sind in den Dingen usw. Diese erste und plumpe Form der Vermengung von Zeichen und Ding verschwindet mit ungefähr 7 bis 8 Jahren. Die Vermengung von Innen und Außen verschwindet mit etwa 9 bis 10 Jahren, sobald die Namen »im Kopf« lokalisiert werden. Im Zusammenhang mit dem Denkbegriff haben wir gesehen, daß das Denken mit etwa 11 Jahren für immateriell gehalten wird. Es sieht somit so aus, als würde das Kind zuerst entdecken, daß die Zeichen von den Dingen verschieden sind, und als würde es durch diese Entdeckung dazu gebracht, das Denken immer mehr zu verinnerlichen. Diese stetige und schrittweise Unterscheidung zwischen Zeichen und Ding würde dann zusammen mit der Verinnerlichung des Denkens das Kind dazu führen, das Denken allmählich als immateriell aufzufassen.

Welchen psychologischen Faktoren muß diese fortschreitende Unterscheidung zwischen Zeichen und Ding zugeschrieben werden? Wahrscheinlich der Tatsache, daß sich das Kind seines eigenen Denkens bewußt wird. Diese Bewußtwerdung tritt mit eben 7 bis 8 Jahren ein. Ihre Modalitäten haben wir an anderer Stelle untersucht (UD, Kapitel IV, Abschnitt 1 und 2). Diese Bewußtwerdung ist ihrerseits von sozialen Faktoren abhängig, wie wir zu zeigen versucht haben: Der Kontakt mit anderen Menschen und das Gespräch zwingen den Geist, sich seiner Subjektivität und der eigenen Denkprozesse bewußt zu werden.

Kapitel III
Die Träume

Das Kind ist Realist, und es ist Realist, weil es nicht weiß, daß es das Subjekt gibt und daß das Denken innerlich ist. Man muß deshalb damit rechnen, daß es große Schwierigkeiten hat, sich das subjektivste Phänomen, das es überhaupt gibt, zu erklären, nämlich das Phänomen des Traums. Eine Untersuchung der kindlichen Vorstellungen vom Traum scheint uns deshalb unter einem doppelten Gesichtspunkt aufschlußreich zu sein: Die Erklärung des Traums setzt einerseits den Dualismus Innen/Außen und andererseits den Dualismus Denken/Materie voraus.

Damit diese Untersuchung richtig herauskommt, müssen wir wie üblich vergessen, was uns die Analyse der Mentalität der Naturvölker und insbesondere die denkwürdigen Arbeiten von Lévy-Bruhl gelehrt haben. Wir stoßen zweifellos bei jedem Schritt auf Analogien zwischen dem Kind und dem Primitiven; wir finden diese aber nicht, indem wir sie suchen, sondern indem wir das Kind für sich selbst, ohne irgendwelche Voraussetzungen, studieren.

Die Methode, die zu befolgen ist, damit man den wirklichen Vorstellungen des Kindes über die Träume auf die Spur kommt, ist sehr viel subtiler als bei den bereits dargestellten Untersuchungen. Wahrscheinlich stellen die Kinder viele Fragen zu ihren Träumen und erhalten die verschiedensten Antworten auf diese Fragen, vor allem im Zusammenhang mit Angstträumen. Deshalb muß man ständig höchste Vorsicht walten lassen und immer wieder versuchen, jedes Ergebnis durch zusätzliche Fragen zu bestätigen.

Am vorteilhaftesten schien uns ein Verfahren mit einer Befragung zu vier Punkten zu sein, wobei die Fragen immer in derselben Reihenfolge gestellt werden müssen. Der erste Punkt ist die Herkunft des Traums. Man fragt: »Weißt du, was ein Traum ist? Träumst du in der Nacht? Dann sag mir doch, woher die Träume kommen?« Im allgemeinen genügt diese Frage, um das Kind zum Sprechen zu bringen, insbesondere falls die Träume »aus dem Kopf« kommen. Falls eine äußere Herkunft angenommen wird, muß man weitere Fragen stellen, sich das »Wie« usw. erklären lassen. Eine besonders zweideutige Antwort ist: »Es ist die Nacht, die die Träume bewirkt.« Manche Kinder wollen damit einfach sagen, daß man in der Nacht träumt. Andere hingegen nehmen an, die Nacht, das heißt, ein schwarzer Rauch (siehe Kapitel IX, Abschnitt 2), löse im Zimmer (und nicht im Kopf) die Bildung von Träumen, das heißt von kleinen Trugbildern aus. Man muß somit tiefer schürfen, ohne durch die Frage selbst irgend etwas zu suggerieren, auch ohne dem Kind die Frage zu verleiden und es zum »Mir-ist-es-Wurstismus« zu treiben.

Ein zweiter Punkt rundet den ersten ab und stellt eine unerläßliche Kontrolle dar: die Frage nach dem Ort des Traums. Wenn das Kind sagt, die Träume kämen »aus dem Kopf«, so sind zwei grundverschiedene Fälle möglich. Das Kind glaubt entweder, der Traum sei im Kopf. Oder es nimmt an, der Kopf produziere einen Traum im Zimmer. Auch wenn die Träume von Gott oder von der Nacht kommen, können sie innerlich oder äußerlich sein. Man muß deshalb unbedingt wissen, wo das Kind die Träume lokalisiert. Diese Frage ist im übrigen ein Pendant zu den Fragen über den Ort des Denkens und den Ort der Namen, die wir bereits untersucht haben. Im Falle der Träume ist die Frage allerdings schwierig zu formulieren. Man fragt: »Wo ist der Traum, während du träumst?« Dabei besteht natürlich die Gefahr, daß das Kind, obwohl es weiß, daß der Traum im Kopf ist, »vor dem Kopf« sagt, weil es meint, man frage es, wo der Traum zu sein *scheint*. Die Antwort »vor uns« kann also bedeuten, daß das Kind vom Traum tatsächlich annimmt, er sei vor uns, sie kann aber auch heißen, daß der Traum nur vor uns zu sein scheint. Dieser Punkt muß deshalb gründlich behandelt werden. Man sagt: »Ja, vor uns, aber ist er wirklich vor uns (oder »ist es wirklich so, daß er vor uns ist«), oder scheint er nur vor uns zu sein?« Oder man sagt bei jüngeren Kindern: »Ist er wirklich vor uns, oder stimmt das nicht, kann man es nur so sagen?« usw. Die meisten Kinder, die den Traum »vor uns« lokalisieren, sind freilich zu dieser Unterscheidung zwischen »sein« und »scheinen« nicht imstande und verstehen deshalb die Kontrollfrage nicht. Doch das muß in jedem einzelnen Fall nachgewiesen werden.

Umgekehrt muß man die Befragung unbedingt mit dem ersten Punkt beginnen, bevor man nach dem »Ort« der Träume fragt. Andernfalls kann eine suggerierte Überzeugung durch Beharren vorliegen, insofern das Kind, das den Traum »vor uns« lokalisiert, versucht sein kann, die Herkunft des Traums außen zu suchen, was es nicht getan hätte, wenn man ihm die Frage nach der Herkunft zuerst gestellt hätte.

Der dritte Punkt ist das Organ des Traums. Man fragt: »Womit träumt man?« Der vierte Punkt schließlich ist die Frage nach dem »Warum« der Träume. Das ist eine Suggestivfrage, denn wenn man fragt: »Warum hast du von deiner Mama geträumt, von der Schule geträumt?« usw., so setzt man voraus, daß mit dem Traum ein Zweck verbunden sei. Die Kinder, die älter als 7 bis 8 Jahre sind, haben tatsächlich mit einer kausalen Erklärung darauf geantwortet (»weil ich während des Tages daran gedacht habe« usw.);

nur die jüngeren Kinder haben dem »Warum« einen vorkausalen Sinn gegeben. Die Frage muß deshalb beibehalten werden.

Um Suggestionen durch hartnäckiges Beharren zu vermeiden, wollen wir anmerken, haben wir nur Kinder, die wir nicht über die Namen befragt hatten, nach den Träumen befragt, zwei oder drei Kinder ausgenommen. Nur die Hälfte der Kinder war zudem schon an der Befragung über die Namen beteiligt.

Die Antworten lassen sich in drei ziemlich verschiedene Stadien unterteilen. Während des ersten Stadiums (ungefähr 5 bis 6 Jahre) glaubt das Kind, der Traum komme von außen, er befinde sich im Zimmer, und man träume folglich mit den Augen. Der Traum ist zudem affektiv belastet: Oft kommen die Träume, um uns zu »belästigen«, »weil man Dinge gemacht hat, die man nicht tun darf« usw. Im zweiten Stadium (7 bis 8 Jahre im Durchschnitt) ist das Kind der Meinung, der Traum komme aus dem Kopf, aus dem Denken, aus der Stimme usw. Doch der Traum ist im Zimmer, vor uns. Man träumt mit den Augen; man betrachtet ein äußerliches Bild. Äußerlich bedeutet nicht wahr; der Traum ist falsch, aber er besteht aus einem Bild, das außerhalb von uns existiert, so wie es das Bild eines Kindleinfressers geben kann, ohne daß diesem Bild in der Wirklichkeit etwas entspricht. Im dritten Stadium schließlich (ungefähr 8 bis 10 Jahre) kommt der Traum aus dem Denken; er wird im Kopf lokalisiert (oder in den Augen), man träumt mit dem Denken oder auch mit den Augen, aber innerlich.

1. Das erste Stadium: Der Traum kommt von außen und bleibt äußerlich

Wenn das Kind zum erstenmal träumt, so verwechselt es aller Wahrscheinlichkeit nach diesen Traum mit der Wirklichkeit. Beim Erwachen wird der Traum noch immer für wahr, für objektiv gehalten, und die Erinnerung an den Traum vermischt sich insbesondere auch mit den Erinnerungen an den Vortag. Im Falle der Angstträume scheint das klar zu sein. Es ist bekannt, welche Mühe man oft hat, ein Kind zu beruhigen, das aus einem Angsttraum erwacht, und daß es oft unmöglich ist, es von seiner Überzeugung abzubringen, die geträumten Gegenstände würde es tatsächlich geben. Was die Vermischung von Traum und Erinnerung an den Abend vor dem Traum betrifft, haben wir aus eigenen Kindheitserinnerungen einige sehr typische Dokumente gesammelt.

Einer unserer Mitarbeiter: »*Ich habe während meiner ganzen Kindheit geglaubt, ich sei wirklich unter einem Zug hindurchgegangen. Ich erinnere mich genau an den Ort des Abenteuers: einen Niveauübergang in der Nähe meines*

Elternhauses. In meiner falschen Erinnerung hatte meine Mutter diesen Übergang soeben überquert, sie schob einen Säugling in einem Kinderwagen vor sich her, als ein Zug mit hoher Geschwindigkeit über mich hinwegbrauste. Ich hatte gerade noch Zeit, mich auf den Rücken zu legen, und ich sehe noch jetzt vor mir, wie die Wagen rasch über meinen Kopf rollen. Ich erhob mich wieder, ohne daß mir auch nur das geringste geschehen wäre, und lief meiner Mutter nach. An diese falsche Erinnerung glaubte ich während meiner ganzen Kindheit. Erst als ich mich mit etwa 12 Jahren einmal (zum erstenmal!) damit wichtig machte, ein Zug sei über mich hinweggefahren, sagten mir meine Eltern, das sei eine falsche Erinnerung. Ich erinnere mich aber so genau an das Ereignis, daß ich davon überzeugt bin, ich müsse es geträumt haben und hätte diesen Traum mit dem Bild des mir vertrauten Niveauübergangs verquickt.«

Eine unserer Mitarbeiterinnen war in ihrer Jugend lange davon überzeugt, ihre Eltern hätten versucht, sie im Meer zu ertränken. Auch hier scheint die visuelle Genauigkeit der Erinnerung auf einen Traum hinzuweisen.

Fräulein Feigin hatte die gute Idee, zu untersuchen, wie das Kind allmählich zwischen Traum und Wirklichkeit zu unterscheiden lernt. Sie hat dabei herausgefunden, daß die Absurditäten im Traum bis ungefähr in ein Alter von 9 Jahren nicht als Kriterium erwähnt werden. Die Widersprüche zu den realen Tatsachen und die Gegenüberstellung mit dem Denken anderer Menschen werden hingegen schon früher genannt. Die Untersuchung hat jedoch in allen Fällen gezeigt, daß die Unterscheidung zwischen Traum und Wirklichkeit nicht immer leicht ist und daß insbesondere emotionale Träume gerne vollständig mit der Wirklichkeit verwechselt werden.

Wie nun erklärt das Kind sich den Traum, sobald es ihn einmal von der Realität unterscheiden kann? Es wird sich offensichtlich sagen, der Traum sei eine Art Wirklichkeit, eine trügerische Wirklichkeit – so wie ein Bild von Epinal trügerisch sein kann, wenn darauf Dinge dargestellt sind, die es in Epinal nicht gibt –, aber eine objektive Wirklichkeit – so wie das Bild im Buch aus Papier und Farben gemacht ist, die es wirklich gibt. Genau das läßt sich beobachten. Sully[1] zitiert diese spontane Aussage eines Kindes, das nicht in ein bestimmtes Zimmer zurückkehren wollte, »weil es voller Träume ist«.

Banf (4;6) sagt, der Traum, das seien »*Lichter*«, die im Zimmer sind. Diese Lichter sind »*kleine Lampen, wie an den Fahrrädern*« (wie die Lampen, die Fahrräder nachts verwenden). Diese Lichter kommen »*vom Mond. Er teilt sich. Diese Lichter kommen während der Nacht.*« Mit anderen Worten, Banf schreibt die »Lichter«, aus denen die Träume bestehen, der auffälligsten Lichtquelle zu: dem Mond, der in »Viertel« zerfällt.

---

[1] J. Sully: Etudes sur l'enfance. Paris 1898. S. 146. (Deutsch: Untersuchungen über die Kindheit. Leipzig 1897.)

Had (6;6): »Weiß du, was der Traum ist? – *Wenn man schläft und dann etwas sieht.* – Woher kommt er? – *Vom Himmel.* – Kann man ihn sehen? –*Nein* (!) ... *ja, wenn man schläft.* – Könnte ich ihn sehen, wenn ich dabei wäre? – *Nein.* – Warum nicht? – *Weil Sie nicht schlafen.* – Kann man ihn berühren? – *Nein.* – Warum nicht? – *Weil er vor uns ist* (!).« Später: »*Wenn man schläft, träumt man, und man sieht sie* (die Träume), *aber wenn man nicht schläft, sieht man sie nicht.*«

Kun (7;4) sagt, die Träume kämen »*von der Nacht.* – Wohin gehen sie? – *Überall hin.* – Womit träumt man? – *Mit dem Mund.* – Wo ist der Traum? – *In der Nacht.* – Wo spielt er sich ab? – *Überall. In den Häusern, in den Zimmern.* – An welchem Ort? – *In den Betten.* – Kann man ihn sehen? – *Nein, weil er nur in der Nacht ist.* – Würde man sehen, daß du träumst? – *Nein, weil er ganz nahe bei uns ist.* – Könnte man ihn berühren? – *Nein, denn man schläft, wenn man träumt.* – Gehört der Traum zum Denken? – *Nein.* – Wo befindet er sich denn? – *In der Nacht.* – Wo? – *Nahe bei uns.* – Gehört er zum Denken, mit dem man überlegt? – *Nein.*« Später: »Kann man ihn sehen? – *Nein, denn wenn man ihn anschaut, geht er.*«

Sci (6 Jahre): »Woher kommen die Träume? – *Von der Nacht.* – Was ist das? – *Das ist der Abend.* – Woraus besteht die Nacht? – *Sie ist schwarz.* – Wie kommt es zu den Träumen? – *Es kommt dazu, wenn man die Augen geschlossen hat.* – Wie genau? – *Ich weiß nicht.* – Wo entstehen die Träume? – *Dort draußen* (er zeigt auf das Fenster). – Woraus bestehen die Träume? – *Aus schwarz.* – Ja, aber woraus? – *Aus Licht.* – Woher kommt dieses Licht? – *Licht von außen.* – Woher? – *Dort ist welches* (er zeigt auf die Straßenlaternen).« »Warum hat man Träume? – *Weil es das Licht ist, das sie macht* (vgl. im Zusammenhang mit dem Licht, was Sci zum Sehen sagt, Kapitel I, Abschnitt 2).« Etwas später sagt Sci, der Traum komme »*vom Himmel.* – Wer schickt sie zu uns? – *Die Wolken.* – Warum die Wolken? – *Sie kommen* (vgl. Kapitel IX, Abschnitt 2).« Die Überzeugung, die Nacht komme von den Wolken, ist verbreitet. Sci kommt somit auf seine Vorstellung zurück, der Traum sei der Nacht zu verdanken.

Bourg (6 Jahre): »Wann träumst du? – *In der Nacht.* – Wo ist der Traum, wenn du träumst? – *Im Himmel.* – Und dann? – *... Er kommt in der Nacht.*« »Kann man den Traum berühren? – *Nein, man sieht nicht, wo er ist, und auch* (weil) *man schläft.* – Und wenn man nicht schlafen würde? – *Nein, denn man sieht den Traum nicht.* – Wenn du schläfst, kann dann jemand anderer deinen Traum sehen? – *Nein, weil man schläft.* – Warum sieht man ihn nicht? – *Weil es Nacht ist.* – Woher kommen die Träume? – *Vom Himmel.*« Damit man einen Traum hat, muß also etwas im Zimmer sein. Man sieht jedoch dieses Ding nicht, weil man schläft und weil es dunkel ist. Theoretisch könnte man es aber sehen.

Barb (5;6): »Hast du schon geträumt? – *Ja, ich habe geträumt, ich hätte ein Loch in der Hand.* – Sind die Träume wahr? – *Nein, es sind Bilder, die man sieht* (!). – Woher kommen sie? – *Vom lieben Gott.* – Hast du die Augen geschlossen oder offen, wenn du träumst? – *Geschlossen.* – Kann ich deinen Traum sehen? – *Nein, Sie sind zu weit von mir weg.* – Und deine Mama? – *Ja, aber sie zündet das Licht an.* – Ist der Traum in deinem Zimmer oder in dir drin? – *Ja, er ist nicht in mir, sonst würde ich ihn nicht sehen* (!). – Und deine Mutter könnte ihn sehen? – *Nein, sie ist nicht im Bett. Nur meine kleine Schwester schläft bei mir.*«

Zeug (6 Jahre): »Woher kommen die Träume? – *Das kommt von der Nacht.* – Wie? – *Ich weiß nicht.* – Was heißt das, es kommt von der Nacht? – *Die Nacht macht ihn.*« »Kommt der Traum ganz von allein? – *Nein.* – Wer macht ihn? – *Die Nacht.*« »Wo ist der Traum? – *Im Zimmer, dort kommt er.* – Woher kommt er in der Nacht? – *Vom Himmel.* – War denn im Himmel schon ein fixfertiger Traum? – *Nein.* – Wo ist er denn entstanden? – *Im Zimmer.*«

Ris (8;6), ein Mädchen: »Woher kommen die Träume? – *Von der Nacht.*« »Wo ist der Traum, während du schläfst? – *In meinem Bett.* – Wo genau? – *Im Zimmer, ganz nahe, daneben.* – Woher kommt der Traum? – *Von der Nacht.* – Hätte ich ihn gesehen, wenn ich ganz nahe bei dir gewesen wäre? – *Nein.* – Und du, siehst du ihn? – *Nein* (cf. Bourg). – Was ist dann also? – ... – Ist er aus etwas oder ist er aus nichts? – *Aus etwas.* – Aus Papier? – (Sie lacht.) *Nein.* – Woraus also? – *Aus Wörtern.* – Und woraus sind die Wörter? – *Aus Stimme.*« »Woher kommt die Stimme des Traums? – *Aus dem Himmel.* – Woher genau aus dem Himmel? – ... – Wie ist sie im Himmel entstanden? – ...« »Ist der Traum von selbst gekommen, oder hat ihn jemand geschickt? – *Er ist von selbst gekommen.* – Warum träumt man? – *Wenn man an etwas denkt.*« Ris ist also schon ziemlich weit voran! Sie verbindet aber das Denken mit der Stimme und nimmt immer noch an, der Traum komme von außen: »Woraus besteht die Stimme? – *Aus Luft.* – Woher kommt sie? – *Aus der Luft.* – Und der Traum? – *Aus dem Himmel.*«

Mont (7;0) erklärt, die Dinge, die er im Traum sehe, seien »*an der Mauer.* – Würde ich sie sehen, wenn ich dort wäre? – *Ja.* – Woher kommen sie? – *Von außen.* – Wer schickt sie? – *Männer.*« »Was hast du geträumt? – *Von einem überfahrenen Mann.* – War dieser Traum vor dir oder in dir? – *Vor mir.* – Wo denn? – *Unter meinem Fenster.* – Hätte ich ihn gesehen, wenn ich dort gewesen wäre? – *Ja.* – Und deine Mama? – *Ja.* – Hättest du ihn am Morgen gesehen? – *Nein.* – Warum nicht? – *Weil es ein Traum war.* – Woher dieser Traum? ... – Hast du ihn gemacht oder jemand anderer? – *Jemand anderer.* – Wer? – *Ein Mann, den mein Papa kennt* (der überfahrene Mann). – Macht er alle Träume? – *Nur einmal.* – Und die anderen Träume? – *Die anderen Männer.*«

Engl (8;6): »Woher kommen die Träume? – *Ich weiß nicht.* – Was meinst du, sag es mir? – *Vom Himmel.* – Wie denn? – ... – Wohin kommen sie? – *In das Haus.* – Wo ist der Traum, während man träumt? – *Neben uns.* – Hast du die Augen zu, wenn du träumst? – *Ja.* – Wo ist der Traum? – *Darüber.* – Kann man ihn berühren? – *Nein.* – Kann man ihn sehen? – *Nein.* – Könnte jemand neben dir ihn sehen? – *Nein.*« »Womit träumt man? – *Mit den Augen.*«

Wir haben bewußt viele Beispiele zitiert, damit man sieht, daß die Antworten in ihrem Wesen gleich bleiben, obwohl sie sich in den Einzelheiten stark voneinander unterscheiden können. Für alle diese Kinder ist der Traum ein Bild oder eine Stimme, die von außen kommt und sich vor unsere Augen stellt. Dieses Bild ist nicht wahr in dem Sinne, daß es wirkliche Ereignisse darstellen würde, aber es existiert objektiv als Bild: Es ist außerhalb des Kindes, und es ist in keiner Weise ein innerliches Objekt. Die Natur dieser Überzeugung muß kurz näher beschrieben werden.

Zunächst hat man sicher unsere Frage bemerkt: »Könnte jemand neben dir den Traum sehen?« Darauf antworten die realistischen Kinder wie Had und Mont mit Ja. Sie stellen sich den Traum als ein fix und fertiges Bild vor, das aus den Dingen hervorgeht, von denen man träumt, und sich neben uns hinlegt. Andere Kinder hingegen, beispielsweise Bourg und Engl, antworten mit Nein. Interessant ist nun aber, daß sie selbst nach ihrer Meinung »den Traum« nicht sehen. Das ist darauf zurückzuführen, daß sie in dem Augenblick, da wir ihnen diese Frage stellen, nicht an die Sinneswahrnehmungen im eigentlichen Sinne des Wortes denken, an das, was man im Traum sieht, sondern an dieses Etwas, das angeblich den Traum im Zimmer fabriziert: »Man sieht den Traum nicht, weil es Nacht ist.« (Bourg). In diesem Fall ist das Kind nicht so realistisch. Was es im Zimmer lokalisiert, ist einfach die Ursache des Traums. Heißt das, daß es die Bilder lokalisiert? Keineswegs. Obwohl alle Kinder antworten, sie hätten die Augen geschlossen, glauben sie alle »mit den Augen« die Bilder zu sehen, die die Ursache des Traums außerhalb von ihnen fabriziert. Neben ihnen ist etwas wie eine Präsenz, die auf ihre Augen wirkt, die aber für alle Beteiligten unsichtbar ist. Das ist ein erster Grad von Subjektivismus, wenn man solche Kinder mit Mont und seiner Gruppe vergleicht, aber es ist immer noch Realismus. Die Kinder der ersten Gruppe fallen, verglichen mit den späteren Stadien, noch einem primären Realismus zum Opfer, die der zweiten Gruppe einem Realismus, der mit den Notwendigkeiten der Erklärung zusammenhängt, also einem abgeleiteten Realismus. Im übrigen kommen beide Arten von Antworten bei jedem Kind gleichzeitig vor.

Von der Lokalisierung des Traums her gesehen entsprechen diese beiden Gruppen von Antworten zwei verschiedenen Arten von Überzeugungen. Einige Kinder (Mont usw.) glauben, der Traum befinde sich an dem Ort, wohin er uns versetzt: Wenn man von einem Mann träumt, der auf der Straße liegt, so ist der Traum auf der Straße »unter meinem Fenster«. Und doch ist daran nichts wahr, denn es ist ein Traum, das heißt ein falsches Bild. Also ein primärer Realismus oder Vermengung/Verwechslung von »Sein« und »Schein«: Der Traum scheint auf der Straße zu sein, also ist er auf der Straße. Doch, und das muß sehr hervorgehoben werden, diese Vermengung ist bei den Kindern, die wissen, daß der Traum trügerisch ist, nie rein. Mit anderen Worten, dieselben Kinder, die den Traum auf der Straße lokalisieren, glauben auch (weil sie selbst daran teilhaben und trotz aller Widersprüche), daß er im Zimmer sei. Das gilt für Mont, für den die Träume gleichzeitig »an der Mauer« seines Zimmers und auf der Straße sind. Gleiche Fälle werden uns weiter unten (Metr und

Giamb) begegnen, so daß wir im Augenblick nicht länger darauf beharren müssen.

Bei der zweiten Variante von Überzeugungen wird einfach angenommen, der Traum sei im Zimmer. Das ist ein sehr viel aufschlußreicherer Realismus, denn er ist nicht direkt von den Trugbildern des Traums selbst abhängig. Man würde doch meinen, die Kinder müßten die Träume entweder in den Dingen, also aufgrund eines primären Realismus (wie es Mont teilweise tut), oder aber im Kopf lokalisieren. In Wirklichkeit lokalisieren sie aber den Traum neben sich, weil sie schon so weit entwickelt sind, daß sie den Traum nicht für wahr halten, aber noch nicht so weit, daß sie die Bilder als subjektive und innerliche Vorstellungen auffassen würden. Daß sich der Traum im Zimmer befindet, ist somit ein Kompromiß zwischen dem integralen Realismus und dem Subjektivismus. Das »Sein« wird nicht mehr mit dem »Schein« verwechselt, aber die Innerlichkeit der Bilder wird noch nicht begriffen.

Diese Überzeugung von der Äußerlichkeit der Bilder, aus denen der Traum besteht, ist außerordentlich widerstandsfähig. Man könnte auf den ersten Blick annehmen, die Kinder hätten uns nicht richtig verstanden und deshalb geglaubt, wir würden sie fragen, wo der Traum zu sein scheine. Das ist aber nicht so. Barb zum Beispiel definiert den Traum: »Es sind Bilder, die man sieht«, aber er weigert sich eindeutig, obwohl wir es ihm nahelegen, die Bilder in sich selbst zu lokalisieren: »Er (der Traum) ist nicht in mir, sonst würde ich ihn nicht sehen«. Hier ein ganz entscheidender Fall, denn es handelt sich um ein in der Entwicklung weit vorangeschrittenes Kind, das dabei ist, sich von den Überzeugungen des ersten Stadiums zu lösen, und das fast spontan die Hypothese formuliert, die es anschließend wieder verwirft, der Traum sei in ihm:

Metr (5;9): »Woher kommt der Traum? – *Ich glaube, man schläft so gut, daß man träumt.* – Kommt er aus uns oder von außen? – *Von außen.* – Womit träumt man? – *Ich weiß nicht.* – Mit den Händen? – ... – Mit nichts? – *Ja, mit nichts.* – Wenn du im Bett bist und träumst, wo ist dann der Traum? – *In meinem Bett, in der Decke. Ich weiß nicht. Wenn sie in meinem Bauch wären* (!), *dann wären die Knochen da, und man würde es nicht sehen.* – Ist der Traum da, wenn du schläfst? – *Ja, er ist in meinem Bett neben mir.«* – Wir versuchen, Metr eine andere Idee zu suggerieren: »Ist der Traum im Kopf? – *Ich bin im Traum: Er ist nicht in meinem Kopf* (!). *Wenn man träumt, weiß man nicht, daß man im Bett ist. Man weiß, daß man geht. Man ist im Traum. Man ist in seinem Bett und weiß nicht, daß man darin ist.* – Können zwei Leute den gleichen Traum haben? – *Es gibt nie zwei* (identische) *Träume.* – Woher kommen die Träume? – *Ich weiß nicht. Sie entstehen.* – Wo? – *Im Zimmer, und dann kommen sie zu den kleinen Kindern. Sie kommen ganz allein.* – Siehst du den Traum, wenn du in deinem Zimmer bist? Und wenn ich auch in deinem Zimmer wäre, würde ich ihn sehen? – *Nein, die Männer träumen nie.* – Können zwei Leute den gleichen Traum haben? – *Nein, nie.* – Wenn der Traum im Zimmer ist, ist er dann nahe bei dir? – *Ja, hier!* (30 cm vor den Augen).«

Ein bemerkenswerter Fall. Eine Aussage ist besonders entscheidend: »Ich bin im Traum, er ist nicht in meinem Kopf«; mit anderen Worten, ich bin in die Gesamtheit des Traums eingeschaltet, also kann ich nicht gleichzeitig diese Gesamtheit in mir enthalten! Diese Formulierung und der unmittelbar anschließende Kommentar sind höchst aufschlußreich. Metr unterscheidet einerseits klar zwischen »in seinem Bett sein« und »wissen, daß man darin ist«: »Man ist in seinem Bett und weiß nicht, daß man darin ist«. Als Beweis dafür, daß der Traum nicht in ihm ist, führt Metr (der, wollen wir nebenbei festhalten, für »glauben« und »wissen« zusammen nur ein einziges Wort kennt) andererseits die Tatsache an, daß er, Metr, »in seinem Traum« sei. Um zu beweisen, daß er wirklich in seinem Traum sei, fügt er hinzu, beim Träumen »wisse«, das heißt glaube er, er gehe usw. Mit anderen Worten, Metr weiß zwar, daß der Traum trügerisch ist (und räumt sogar ein, daß er als einziger seinen Traum sieht), aber er glaubt dennoch, er selbst sei in seinem Traum repräsentiert, möglicherweise als Bild, aber als Bild, das von ihm ausgeht. Metr glaubt somit wie Mont, das geträumte Bild partizipiere am Ding selbst. Von seiner Argumentation her gesehen ist er im übrigen gleich weit wie ein Kind des zweiten Stadiums, Fav, das wir weiter unten zitieren. Aus allen Fällen, die wir bis jetzt kennengelernt haben, wollen wir somit in bezug auf die Lokalisierung der Bilder das Fazit ziehen, daß der Traum als ein Bild aufgefaßt wird, das sich neben uns befindet, daß aber dieses Bild an den Dingen, die es repräsentiert, partizipiert und folglich zum Teil von dem Ort ausgeht, wo die Dinge sind.

Gehen wir zum zweiten Punkt über: die Substanz des Traums. Die Antworten der Kinder des ersten und des zweiten Stadiums sind in dieser Hinsicht identisch, ausgenommen in einem Fall, nämlich wenn vom Traum angenommen wird, er bestehe aus »Nacht« oder »schwarz«. Diese Aussage hängt direkt mit dem Glauben an die äußere Herkunft des Traumes zusammen: Der Traum kommt von außen, aus der Nacht (also einem schwarzen Rauch), folglich besteht er »aus Nacht«. In anderen Fällen hat der Traum als Substanz den Körper, dem seine Attribute im höchsten Grad zukommen. Die Kinder, die vom visuellen Aspekt der Träume beeindruckt sind – und das ist die große Mehrheit –, nehmen an, der Traum sei »aus Licht«. Die Kinder, die im Traum Stimmen gehört haben, betrachten ihn als »aus Wörtern«, das heißt letzten Endes als »aus der Luft« bestehend.

Wenn wir jetzt zum Ursprung des Traums übergehen, so finden

wir zwei Arten von Antworten, die bei den meisten Kindern nebeneinander vorkommen. Zuerst sind die Antworten zu erwähnen, die keine Erklärung im eigentlichen Sinne des Wortes geben oder deren Erklärung einfach die Fortsetzung dessen ist, was das Kind von der Substanz des Traums glaubt. Ein Kind sagt zum Beispiel, der Traum komme »aus dem Himmel«, »von außen«, »aus der Nacht«, »aus dem Zimmer«, lauter Aussagen, die ungefähr dasselbe meinen. Wenn ein Kind den »Licht«aspekt des Traums besonders betont, so greift es zur Erklärung seiner Herkunft auf Lichtquellen wie den Mond oder die Straßenbeleuchtung zurück.

Andererseits scheinen aber, und das ist viel interessanter, einige Kinder zu glauben, die Personen, von denen man träumt, würden den Traum hervorrufen. Mont beispielsweise scheint anzunehmen, der Mann, von dem er geträumt hat (der überfahrene Mann, der zum Bekanntenkreis seines Vaters gehört), habe selbst den Traum ausgelöst. Frau Rodrigo, die unsere Fragen rund hundert spanischen Kindern gestellt hat, erhielt zahlreiche Antworten, wonach nicht nur der liebe Gott oder der Teufel die Träume schickt (was noch nichts beweist), sondern vor allem auch die »Wölfe« (das Kind hat von Wölfen geträumt), der »König« (das Kind hat von ihm geträumt), »Männer«, die »Armen« (das Kind hat von Zigeunern geträumt) usw. Der Traum selbst scheint also auch hier wieder an der Person zu partizipieren, von der man träumt; mit anderen Worten, die Person, von der man träumt, scheint zum Teil die Ursache des Traums zu sein, obwohl sie im Traum nicht in Fleisch und Blut auftritt. Wir müssen uns aber davor hüten, dem Kind in diesem Punkt eine systematische Theorie zuzuschreiben, sondern wir wollen versuchen, die wirkliche Bedeutung dieser Antworten herauszuarbeiten. Vorher muß jedoch die Frage nach dem »Weshalb« der Träume behandelt werden. Es sieht nämlich so aus, wie wir aufzuzeigen versuchen wollen, daß die Träume von bestimmten Kindern als eine Art Strafe aufgefaßt werden und daß dieser Sanktionscharakter solche Kinder zur Annahme bringt, die Personen, von denen man träumt, hätten mit der Entstehung des Traumes etwas zu tun. Einige Beispiele:

Sci (6 Jahre) schreibt, wie wir schon gesehen haben, die Träume den Straßenlampen zu, aber das hindert ihn nicht daran, den Träumen Absichten zu unterstellen: »Warum hat man überhaupt Träume? – *Weil das Licht sie macht.* – Warum? – *Weil sie* (die Träume) *kommen wollen.* – Warum? – *Um uns zu ärgern.* – Warum? – *Damit man erwacht.*«

Bag (7 Jahre): »Woher kommen die Träume? – *Es ist die Nacht. Vom lieben Gott. Der liebe Gott macht, daß sie kommen.* – Wie macht er das? – *Er kommt in der Nacht herunter und redet uns in die Ohren.*« »Wie entsteht der Traum? – *Er entsteht mit Wörtern...* – Woraus besteht der Traum? – *Er ist aus*

Buchstaben.« Wir fordern Bag auf, uns einen seiner Träume zu erzählen. Er hat von Dieben geträumt: »Woher kam dieser Traum? – *Vom lieben Gott.* – Warum hat dir der liebe Gott diesen Traum geschickt? – *Weil es ein Unglück ist. Weil man nicht lieb gewesen ist.«* »Was hast du getan, daß du einen solchen Traum hast? – *Ich habe etwas Böses getan. Mama hat meinetwegen weinen müssen. Sie hat meinetwegen um den Tisch rennen müssen.«* Diese letzte Einzelheit stammt nicht aus einem Traum, sagt Bag, sondern aus der Wirklichkeit: Bag hatte, nachdem er etwas Dummes angestellt hatte, versucht, sich seiner Mutter dadurch zu entziehen, daß er »um den Tisch gerannt war«!

Giamb (8;6): »Woher kommen die Träume? – *Wenn man etwas angestellt hat, und man weiß es oftmals.* – Was meinst du damit? – *Man hat etwas angestellt, und man träumt alle Tage davon.«* Giamb scheint somit zum zweiten Stadium zu gehören, aber wir werden noch sehen, daß er zwischen den beiden Stadien steht: Dieser Traum hat für ihn sowohl einen inneren als auch einen äußeren Ursprung. »Wo ist der Traum, während man träumt? – *Wenn man etwas getan hat.* – Wenn du träumst, wo bist du dann? – *Im Bett.* – Und wo ist der Traum? – *Zu Hause.* – Wo genau? – *Im Hause, wo man etwas angestellt hat* (!). – Und wo ist der Traum? – *Im Zimmer.* – Wo im Zimmer? – *Im Bett.* – Wo im Bett? – *Überall darauf, überall im Bett.«* »Woher kommt der Traum? – *Von dort, wo man spazierengegangen ist.* – Wenn du von Fräulein S. (der Lehrerin) träumst, woher kommt dann der Traum? – *Von der Schule.* – Was hat denn gemacht, daß du diesen Traum hast? – *Vielleicht ist man im Klassenzimmer, dann macht man etwas und träumt davon.«* »Warum träumst du von Kindern (er hat von seinen Kameraden geträumt)? – *Weil sie Dinge getan haben, die sie nicht tun durften.* – Warum hast du davon geträumt? – *Weil sie Dinge getan haben, die man nicht tun durfte.«* »Was bewirken die Träume? – *Das ist das, was man gesehen hat, während man davon träumt.* – Womit träumt man? – *Mit den Augen.* – Woher kommt der Traum? – *Von den Schülern, die etwas getan haben. Es sind die Schüler, die sie gemacht haben.* – Kommt der Traum aus dem Kopf oder von außen? (Wir stellen somit Giamb eine Suggestivfrage) – *Aus dem Kopf.* – Warum aus dem Kopf? – *Weil man Dinge getan hat, die man nicht tun durfte.«* »Wer hat dir gesagt, man träume von den Dingen, die man nicht tun darf? – *Weil man manchmal Angst hat* (die Angst wird als Sanktion empfunden).« Kurze Zeit später stellen wir die folgende Suggestivfrage: »Wer schickt die Träume? – *Es sind die Kinder, die machen, daß wir träumen.«*

Man ersieht aus diesen Beispielen mit aller Deutlichkeit, daß der Traum für das Kind nicht ein beliebiges Phänomen, sondern ein durch und durch mit Affektivität belastetes Ereignis ist. Es mag sein, daß gewisse Eltern so dumm sind, die Träume ihrer Kinder zu mißbrauchen, indem sie diese als eine Strafe hinstellen, aber im eben zitierten Fall scheint die Überzeugung des Kindes von der Intentionalität der Träume durchaus spontan zu sein: Sci zum Beispiel vermengt keinerlei moralische Vorstellung mit dem Traum, doch dieser ist auch für ihn mit Intentionen ausgestattet; Giamb verbindet seinen Traum mit Fehlern, die er nicht selbst begangen hat, und sieht in der Angst, die der Traum auslöst, den

Beweis für dessen moralischen Charakter. Von dieser Intentionalität zur Vorstellung, der Traum gehe von den Personen aus, von denen man träumt, ist es nur ein Schritt. Diesen Schritt macht Giamb, obwohl dieses Kind schon fast zum zweiten Stadium gehört.

Im übrigen gleichen aber die Antworten von Giamb stark denen von Mont und Metr, die wir früher zitiert haben. Der eigentliche Kern der Aussagen von Giamb wie von Mont ist ein Realismus des Bildes, analog zum Realismus der Namen, und zwar derart, daß das Bild als notwendig mit dem Ding, das es repräsentiert, verbunden aufgefaßt wird. Giamb kann zwar durchaus sagen, der Traum rühre daher, daß »man etwas weiß«, er kann durchaus auf unseren Vorschlag eingehen, wonach der Traum aus dem Kopf komme, er lokalisiert dennoch den Traum im Zimmer und sogar am Ort, »wo man etwas getan hat«, das heißt am Ort, wo das Ding ist, von dem man träumt. Mehr noch, er nimmt an, die Menschen, von denen man träume, seien die Ursache des Traums, weil sie »Dinge getan haben, die man nicht tun durfte«.

Betrachtet man nur den negativen Aspekt dieser Antworten, ohne dem Kind eine systematische Theorie zu unterstellen, so kommt man zum folgenden Fazit. Das Kind betrachtet zwar den Traum als falsch, das heißt als ein Bild, das sich vor uns bewegt, um uns zu täuschen, aber es nimmt trotzdem immer noch an, das Bild gehöre zur Person, die es repräsentiert, und gehe materiell von den Tatsachen aus, die gesehen worden sind. Gleich wie das Wort mit dem damit benannten Ding verbunden ist und gleichzeitig im Ding und bei uns lokalisiert wird, partizipiert auch das Bild an der vorgestellten Person und wird auch es gleichzeitig in dieser Person und in unserem Zimmer lokalisiert. Das Zeichen und der bezeichnete Gegenstand werden miteinander vermengt. Wir glauben deshalb nicht, daß das Kind die Person, von der man träumt, als die bewußte Ursache und als die einzige Ursache des Traums betrachtet. Wir glauben nur, daß das Kind noch nicht die Fähigkeit hat, das Bild einer Person, die man tatsächlich gesehen hat, als innerlich und als durch das Denken hervorgebracht aufzufassen. Das Bild wird als von der Person ausgehend betrachtet, gleich wie die Namen aus den Dingen hervorgehen (Kapitel II), und zwar um so mehr, als affektive und moralische Gründe das Kind glauben lassen, dieses Bild verfolge uns nicht zufällig, sondern um uns zu bestrafen.

Diese affektiven Gründe erklären, weshalb in der Vorstellung der Kinder die Bilder, die sie träumen, fast immer an Personen und nicht an Dingen partizipieren. Wenn das Kind sagt, die Nacht oder der Mond schickten Träume, so hat es nicht von der Nacht oder vom Mond geträumt; wenn es hingegen sagt, eine bestimmte Person schicke einen Traum, so hat es von ihr geträumt. Es ist offensichtlich leichter, diese Haltung eines Realismus der Bilder Personen gegenüber aufrechtzuerhalten als Dingen gegenüber: Das Bild einer Person enthält mehr Affektivität als das Bild eines Gegenstandes, und es scheint stärker von der repräsentierten Person auszugehen, als das Bild eines Gegenstandes aus ihm selbst. Die Haltung der Kinder Bildern gegenüber ist bekannt:

Dan, ein 14jähriges Kind, das wir weiter unten zitieren werden, erinnert sich, daß er in seiner Kindheit geglaubt hat, *»daß die Statuen und die Bilder von Personen nicht lebendig seien, aber denken und sehen könnten. Man war nicht allein, wenn eine Zeichnung im Zimmer war.«*
   Del (6;6) (vgl. SD, S. 269) vor einer Statue: *»Ist er tot?«*
   Dar (2 Jahre) beginnt zu weinen, weil eine an der Wand aufgehängte Photographie herunterfällt, und sagt, die Frauen darauf hätten sich beim Fallen weh getan!

Von den affektiven Gründen, an die wir oben erinnert haben, abgesehen dürfte diese Partizipation der Bilder und der dargestellten Personen vom gleichen Typus wie die Partizipation der Namen und der bezeichneten Dinge sein. Unter diesem Aspekt sind die kindlichen Überzeugungen, die wir studiert haben, offenbar leicht zu interpretieren. Die von uns vorgeschlagene Interpretation läßt sich um so leichter akzeptieren, als alle Kinder bei ihren ersten Träumen diese Träume als wahr betrachten. Die Umwelt und die Eltern bringen das Kind zu einem erheblichen Teil von dieser falschen Überzeugung ab. Ohne diesen Einfluß wäre die Partizipation zwischen den im Traum gesehenen Personen und den wirklichen Personen viel lebendiger.

Lassen sich nun Kinder finden, die solche Partizipationen systematisch annehmen und somit ebenso systematisch an ihre Träume glauben, auch wenn sie diese auf eine andere Ebene als die Wirklichkeit stellen? Sully sagt, das »scheine erwiesen« (a.a.O., S. 147). Wir können nur einen einzigen Fall zitieren, der dafür spricht, und auch dieser Fall ist zweifelhaft, weil es sich nur um Erinnerungen handelt. Er soll jedoch erwähnt werden, denn er könnte eine Bedeutung erhalten, falls jemand mit Glück durch direkte Beobachtung analoge Dinge finden sollte.

Dan (14 Jahre) hat keine Kenntnisse über die Soziologie der Naturvölker und stammt aus einer Familie, der jeder Aberglaube fern liegt. Er unterhält vertrauensvolle und freundschaftliche Beziehungen zu einem unserer Mitarbeiter, so daß eine absichtliche Verfälschung ausgeschlossen ist. Er erzählt uns aus seinen Kindheitserinnerungen. Die Träume waren für ihn »*wahr*«. Sie bildeten »*etwas wie eine andere Welt. Alle gingen* (in Wirklichkeit) *um die gleiche Zeit zu Bett, und man ging weg oder alles wurde anders.*« Dan wußte, daß er in seinem Bett liegen blieb, »*aber das ganze Ich war draußen*«. (Wir werden im nächsten Paragraphen genau dieselben Ausdrücke bei einem achtjährigen Kind, Fav, wiederfinden.) Die Welt der Träume war in Länder eingeteilt, und man konnte, bestätigt Dan, in verschiedenen Träumen die gleiche Gegend vorfinden. »*Ich hatte sehr oft den gleichen Traum von Katzen. Es hatte eine Mauer, einen kleinen Zug, viele Katzen auf einer Mauer, und alle diese Katzen liefen hinter mir her.*« Dieser Katzentraum ängstigte Dan. Er kannte aber ein Verfahren, um in die wirkliche Welt zurückzukehren, das er sogar im Traum anwandte. »*Ich warf mich* (im Traum) *zu Boden. Dann erwachte ich. Ich fürchtete mich immer noch* (nach dem Erwachen). *Ich glaubte, die Katzen hätten mich aufgefressen.* Dan bediente sich interessanterweise solcher Vorstellungen, um bestimmte Geschichten zu erklären, die er hörte, und er bediente sich umgekehrt dieser Geschichten, um seine Welt der Träume zu koordinieren. So hatte er sich, wie übrigens fast alle Kinder, die wir dazu befragt haben, die Erklärung zurechtgelegt, die Feen, die Ungeheuer usw. hätten irgendeinmal gelebt, da man in den heutigen Geschichten noch von ihnen spreche. Und diese Welt der Feen, sagte sich Dan, lebe in der Welt der Träume fort. Insbesondere die Reise, durch die wir unser Bett verlassen, um in den Traum einzugehen, »*hatte mit den Märchen zu tun.*« Die gerafften Reisen der Märchen mußten früher wirklich vorgekommen sein, da sie im Traum möglich waren.

Dan hatte als Kind zudem die mit den Entfremdungs- und Entpersönlichkeitsgefühlen zusammenhängende Vorstellung, die man bei vielen Kindern findet, alles geschehe notwendig, alles sei vorausbestimmt, man sei nicht verantwortlich für die Dinge, und Strafen hätte es nicht geben dürfen. Dieselbe Eigenschaft sprach Dan der Welt der Träume zu: alles ereignet sich darin notwendig, aber ohne Beziehung zur realen Welt. Es war »*etwas wie ein Doppelleben*«, aber ein unabhängig vom Willen des Träumers zum voraus geregeltes Leben.

Daß diese Aussagen wirklich Überzeugungen von Dan im Kindesalter entsprochen haben (und nicht nur Systematisierungen sind, die sich aus der Rückschau mit 14 Jahren ergeben), scheint daraus hervorzugehen, daß dieser Glaube an die Welt der Träume schlagartig verschwand, als Dan in die Schule kam und andere Kinder kennen lernte. Dan erinnert sich daran, daß er sich gefragt habe, ob seine Kameraden auch in dieses Land der Träume gingen. Als er feststellte, daß das nicht der Fall war, schwand seine eigene Überzeugung endgültig.

Wir wissen nicht, wieweit diese Erinnerungen wahr sind. Uns scheint aber, man könne in ihnen ein Anzeichen dafür sehen, daß die Kinder ohne ihre erwachsene Umwelt Vorstellungen über die Träume mit sehr viel ausgeprägteren Partizipationen als die oben analysierten hätten. Unabhängig vom Umfang dieser Partizipationen (die sich beim Kind wegen ihrer affektiven Tönung kaum direkt untersuchen lassen) steht fest, daß die Bilder des Traums während des ersten Stadiums als dem Geist äußerlich und von außen, entweder von den Personen und den Dingen selbst oder von einer Materie wie der Nacht, dem Licht usw., herrührend aufgefaßt werden.

2. Das zweite Stadium: Der Traum kommt aus uns, ist aber außerhalb von uns

Der beste Beweis dafür, daß unsere Interpretation begründet ist, ist das zweite Stadium. Es ist in gewisser Hinsicht interessanter als das erste, denn es zeigt uns den kindlichen Realismus in seiner dauerhaftesten und entwickeltsten Form. Die Kinder dieses Stadiums haben entdeckt oder begriffen, daß der Traum aus uns kommt, aus dem Denken, aus dem Kopf usw. Da sie aber noch nicht einzusehen vermögen, daß ein Bild zu dem Zeitpunkt, da man es sieht, »außerhalb« sein kann, lokalisieren sie es noch wie im ersten Stadium neben uns, im Zimmer.

Es scheint in vielen Fällen so zu sein, daß das Kind von selbst zur Vorstellung kommt, man träume mit dem Kopf und mit dem Denken. Die Widersprüche zwischen dem Traum und der Wirklichkeit zwingen das Kind allmählich dazu, einen Unterschied zwischen dem Bild und dem dargestellten Gegenstand zu machen und das Bild wenn auch noch nicht als einen inneren, so doch als einen vom Wirklichen gelösten und mit der Stimme, dem Sehen, dem Denken usw. verbundenen Gegenstand zu betrachten. Es ist dieselbe Entwicklung, die wir schon bei den Namen gefunden haben, sobald sich die Namen vom bezeichneten Ding lösen.

Zuerst wollen wir einige Fälle zeigen, die zwischen dem ersten und dem zweiten Stadium stehen und bei denen man das Gefühl hat, das Kind versuche spontan, sich von der Vorstellung einer äußerlichen Herkunft des Traums zu befreien:

Horn (5;3): »Weißt du, was ein Traum ist? – *Ja, das ist, wenn man Leute sieht.* – Wo ist der Traum? – *Im Rauch.* – In welchem Rauch? – *Im Rauch, der aus unserer Bettdecke herauskommt.* – Woher kommen die Träume? – *Das kommt von hier* (zeigt auf seinen Bauch). – Wie ist es dann möglich, daß er in der Bettdecke ist, wenn man träumt? – *Weil man es weiß.*« Horn fügt hinzu, der Traum komme vor die Augen, in einigen Zentimetern Abstand. Er glaubt nicht, daß man mit dem Mund denkt, lokalisiert aber das Denken in der Brust. Ist somit der Rauch, mit dem er den Traum verknüpft, die Atmung? Ein Vergleich mit den Aussagen von Ris (Abschnitt 1) und Falq (Kapitel I, Abschnitt 3) scheint darauf hinzuweisen, denn der Traum wird von diesen Kindern, insofern er Denken ist, für Stimme, Luft, Atem gehalten.

Dug (6;6): »Was ist ein Traum? – *Man träumt in der Nacht. Man denkt an etwas* (!). – Woher kommt er? – *Ich weiß es nicht.* – Was meinst du? – *Wir machen sie* (!).« »Wo ist der Traum, während man träumt? – *Außen.* – Wo genau? – *Hier* (er zeigt durch das Fenster auf die Straße). – Warum draußen? – *Weil man aufgestanden ist.* – Und dann? – *Er ist weggegangen.* – Wo ist er, während man träumt? – *Daheim.* – Wo genau? – *In unserem Bett.* – Wo? – *Ganz nahe.* – Würde ich ihn sehen, wenn ich dort wäre? – *Nein . . . Ja, denn Sie sind ganz nahe beim Bett.*« »Woher kommt der Traum? – *Von nirgends* (!). – Wo kommen sie her? – *Aus unserem Bett.* – Wie sind sie dort hineingekommen? – *Weil man träumt.*« »Wo wird der Traum gemacht? – *Im Bett.* – Wie? – *Von außen.* – Warum? – *Weil das Fenster offen steht.* – Warum träumt man? – *Weil man gestern (am Vorabend) im Bad war und Angst hatte.*« »Gibt es etwas, das den Traum schickt? – *Ja, die Vögel.* – Warum? – *Weil sie den Wind gerne haben.*« Dug erzählt anschließend, er habe von Soldaten geträumt. »Woher kam dieser Traum? – *Von außen.* – Woher denn? – *Von weit weg, von dort* (er zeigt durch das Fenster nach draußen). – Warum? – *Weil die Bise bläst.* – Wer schickt die Träume? – *Der Wind.* – Und weiter? – *Die Vögel.* – Und weiter? – *Die Tauben.* – Und weiter? – *Das ist alles.* – Warum die Tauben? – *Weil sie es gern haben, wenn die Bise bläst.* – Machen das die Tauben extra, wenn sie die Träume schicken? – *Nein.* – Wissen sie, daß sie sie schicken? – *Nein.* – Warum schicken sie dann die Träume? – *Weil der Wind bläst.* – Macht die Taube den Traum? – *Ja.* – Wie denn? – *Weil sie den Wind heranbringt.* – Und wenn kein Wind bläst, kann man dann träumen? – *Nein, denn dann gelingt es dem Traum nicht.*«

Diese eigenartigen Fälle erinnern stark an die Erklärungen, welche die Kinder am Ende des ersten und am Anfang des zweiten Stadiums für das Phänomen des Denkens geben: Das Denken ist Stimme, das heißt Luft und Rauch, und es ist gleichzeitig innen und außen (vgl. Rou usw., Kapitel I, Abschnitt 1, und Falq, Abschnitt 3). Dug sagt interessanterweise wie die Kinder, die gerade beginnen, den Namen von den Dingen zu lösen und ihn zu einem inneren Gegenstand zu machen, zuerst, der Traum sei »nirgends«, worauf er in den Realismus des ersten Stadiums zurückfällt.

Noch einige Kinder, die zwischen dem ersten und dem zweiten Stadium stehen:

Pig (9;6): »Woher kommen die Träume? – *Wenn man schläft, meint man, jemand sei neben uns. Wenn man am Tage etwas sieht, träumt man am Abend davon.* – Was ist denn der Traum? – *Etwas.* – Woher kommt er? – *Ich weiß nicht. Er kommt ganz von allein.* – Woher? – *Von nichts.* – Wo entsteht er? – *Im Zimmer.* – Wo im Zimmer? – *Dort, wo man sich hinlegt.* – Wo entsteht er, im Zimmer oder in dir? – *In mir ... draußen.* – Was glaubst du? – *Draußen.*« »Woher kommt der Traum, aus dem Zimmer oder aus dir? – *Aus mir.*« »Wo ist er, außerhalb von dir oder in dir? – *Neben mir.* – Wo denn? – *In meinem Zimmer.* – Wie weit weg? – (Er zeigt auf einen Punkt, der etwa 30 Zentimeter vor seinen Augen liegt.).«

Dus (9 Jahre) ist ein ganz ähnlicher Fall. Er glaubt auch, das Ich sei an der Bildung des Traums beteiligt: »Woher kommen die Träume? – *Wenn man krank ist.*« Der Ursprung des Traums liegt aber auch außerhalb von uns: »Woher kommen sie? – *Sie kommen von außerhalb von uns.*« Man träumt »*mit dem Mund*«, aber der Traum ist »*im Bett.* – Wo denn? Im Kopf oder draußen? – *Draußen.*«

Einerseits ist somit der Traum außerhalb des Körpers, andererseits kommt er gleichzeitig von innen (Mund) und von außen. Das ist das Gegenstück zu den Kindern, die wir früher kennengelernt haben, und sie sagen, sie würden mit dem Mund denken, obwohl sie das Denken mit der äußeren Luft identifizieren. Pig ist jedoch im Vergleich zum ersten Stadium weit fortgeschritten, denn er sagt, wir träumten von gesehenen Dingen, so daß wir an der Bildung unserer Träume beteiligt sind, aber er ist noch weit von der Vorstellung entfernt, der Traum komme aus uns, also von innen.

Jetzt wollen wir zu eindeutigen Fällen des zweiten Stadiums übergehen: Der Traum kommt aus uns, aber ist außerhalb von uns, während wir träumen:

Schi (6 Jahre) ist ein sehr intelligenter Junge und beantwortet unsere Fragen mit lebhaftem Interesse. Deshalb haben seine Antworten einen besonderen Wert: »Hast du schon geträumt? Was ist das, ein Traum? – *Während der Nacht denkt man* (!) *an etwas.* – Womit träumt man? – *Mit der Seele, dem Denken.* – Woher kommt der Traum? – *Während der Nacht. Die Nacht führt uns den Traum vor.* – Was meinst du damit? Wo ist der Traum, während man träumt? – *Er ist in unserem...* (Kopf wollte er sagen), *er ist zwischen der Nacht und unserem Kopf* (!). – Während du träumst, hast du dann die Augen offen oder geschlossen? – *Geschlossen.* – Wo ist dann also der Traum? – *Wenn man schwarz sieht, dann kommt der Traum.* – Wo ist er? – *Während man nicht schläft, ist er in unserem Kopf. Während man schläft, geht er hinaus* (!). *Wenn es Nacht ist, ist es dunkel, aber während man schläft, ist es nicht mehr dunkel.* – Wo ist er, wenn er hinausgeht? – *Vor den Augen, und er geht zur Mauer.* – Würde dein Papa ihn sehen? – *Nein.* – Nur du? – *Ja, denn ich schlafe.*«

Schi ist der Schlüssel zu allen Phänomenen des zweiten Stadiums. Er weiß, daß der Traum im »Denken« ist und daß wir ihn erzeugen. Er kann aber noch nicht einsehen, daß der Traum in bezug auf den Körper innerlich ist. Damit man ihn, auch mit geschlossenen Augen, sieht, muß er »zwischen der Nacht und uns« sein. Deshalb kommt Schi darauf zu sagen, der Traum »geht hinaus«, sobald man schlafe. Wir müssen uns davor hüten, Schi eine Theorie über die Natur dieses Hinausgehens zu unterstellen: Er formuliert damit nur seinen unmittelbaren Eindruck, wonach man nur äußere Gegenstände sehen könne. Sein Realismus hindert ihn daran, irgendeine Unterscheidung zwischen »äußerlich scheinen« und »äußerlich sein« vorzunehmen. Wenn er nur angenommen hätte, der Traum »scheine äußerlich« zu sein, so hätte er ihn nicht »an der Mauer«, sondern entweder im Kopf oder in den geträumten Gegenständen (in der Schule, auf dem See usw.) lokalisiert. Doch Schi weiß, daß er als einziger seinen Traum sieht. Man erinnert sich, daß Schi schon im Zusammenhang mit dem Denken analoge Dinge gesagt hat: »*Zuerst hat man uns etwas gesagt, das kommt in unsere Seele, dann geht es hinaus und kommt es zurück*« (Kapitel I, Abschnitt 1).

Jetzt lassen wir einen Fall folgen, den wir bei einer spontanen Zeichnung beobachtet haben, die vor unserer Befragung angefertigt wurde:

Fav (8 Jahre) ist Schüler einer Klasse, deren Lehrerin die ausgezeichnete Gewohnheit hat, jedem Kind ein »Beobachtungsheft« zu geben, in welches das Kind täglich mit oder ohne illustrierende Zeichnung ein Ereignis einträgt, das es persönlich außerhalb der Schule beobachtet hat. Eines Morgens hat Fav, spontan wie immer, notiert: »Ich habe geträumt, der Teufel wollte mich braten«. Die dazugehörige Zeichnung ist hier wiedergegeben. Links sieht man Fav in seinem Bett, in der Mitte den Teufel und rechts Fav, im Nachthemd, vor dem Teufel stehend, der ihn braten will. Man hat uns freundlicherweise auf diese Zeichnung aufmerksam gemacht, worauf wir Fav aufsuchten. Seine Zeichnung illustriert tatsächlich und sehr eindrücklich den kindlichen Realismus: Der Traum ist neben dem Bett, vor dem Schläfer, der ihn ansieht. Fav ist in seinem Traum zudem im Nachthemd, als ob ihn der Teufel aus dem Bett herausgeholt hätte.

Die Befragung hat folgendes erbracht: In bezug auf die Herkunft des Traums ist Fav über das erste Stadium hinaus. Er weiß, wie Schi, daß der Traum aus dem Denken kommt: »Was ist denn ein Traum? – *Er ist ein Gedanke.* – Woher kommt dieser Gedanke? – *Wenn man etwas sieht und dann daran denkt.*« »Kommt er aus uns? – *Ja.* – Kommt er von außen? – *Nein.*« Fav weiß auch, daß man »*mit dem Gehirn, der Intelligenz*« denkt. Und er weiß wie alle Kinder dieses Stadiums, daß nur er allein seinen Traum sieht: Weder wir noch sonst jemand hätte den Traum mit dem Teufel in Favs Zimmer sehen können. Fav begreift aber noch nicht, daß der Traum innerlich ist: »Wo ist der Traum, während man träumt? – *Vor unseren Augen.* – Wo genau? – *Wenn man in seinem Bett ist, vor den Augen.* – Wo? Ganz nahe? – *Nein, im Zimmer.*« Wir zeigen Fav sein Bild (II): »Was ist das? – *Das bin ich.*« »Welches ist der wahrere von dir, der da (I) oder der da (II)? – *Im Traum* (er zeigt auf II). – Ist das etwas? – *Ja, das bin ich. Es waren vor allem meine Augen, die darin* (er zeigt auf I) *geblieben waren, um zu sehen* (!). – Wie waren deine Augen dort? – *Ich war ganz dort, vor allem meine Augen.* – Und dein übriger Körper? – *Das war auch darin* (im Bett). – Wie ist das möglich? – *War ich doppelt da? Ich war in meinem Bett und ich schaute die ganze Zeit zu.* – Mit offenen oder geschlossenen Augen? – *Geschlossenen, denn ich schlief ja.*« Einen Augenblick später scheint Fav die Innerlichkeit des Traums begriffen zu haben: »Wenn man träumt, ist dann der Traum in uns, oder sind wir im Traum? – *Der Traum ist in uns, denn wir sehen den Traum.* – Ist er im Kopf oder außerhalb? – *Im Kopf.* – War das, was du gesehen hast, im Kopf oder außerhalb? – *Im Kopf.* – Du hast mir eben gesagt, es sei außerhalb gewesen, was soll das heißen? – *Man sah den Traum nicht auf den Augen.* – Wo ist der Traum? – *Vor unseren Augen.* – Hat es ›wirklich‹ etwas vor den Augen? – *Ja.* – Was? – *Den Traum.*« »Fav weiß somit, daß vom Traum etwas innerlich ist, er weiß, daß die scheinbare Äußerlichkeit des Traums auf eine Täuschung zurückzuführen ist (»man sah den Traum nicht auf den Augen«), und dennoch meint er, damit die Täuschung zustande komme, müsse »wirklich etwas« vor uns sein: »Warst du ›wirklich‹ dort? – *Ja, ich war zweimal wirklich* (I und II). – Wenn ich dort gewesen wäre, hätte ich dich dann gesehen (II)? – *Nein.* – Was heißt das: Ich war zweimal wirklich? – *Das ist darum, als ich in meinem Bett war, war ich wirklich darin; und dann, als ich in meinem Traum war, war ich mit dem Teufel zusammen, ich war auch wirklich da.*«

Aus diesen Antworten lassen sich folgende Schlußfolgerungen ziehen. Fav vermag nicht zwischen der scheinbaren Äußerlichkeit des Traums und der Äußerlichkeit selbst zu unterscheiden. Er räumt ein, daß etwas im Kopf vor sich geht, »denn wir sehen den Traum«. Das ist ein großer Fortschritt im Vergleich zum ersten Stadium. Er räumt sogar ein, wenn man den Traum außen sehe, falle man einer Täuschung zum Opfer: »Man sah den Traum nicht auf den Augen«; wenn man also träumt, sieht man etwas Äußeres und nicht Inneres. Für Fav rührt jedoch dieses Trugbild nicht daher, daß man sich täuscht oder daß man außen etwas zu sehen glaubt, was in Wirklichkeit nur in uns ist. Für Fav kommt die Täuschung daher, daß man durch materielle Bilder *getäuscht wird*, die es objektiv vor uns gibt, die wir aber nicht für Bilder, sondern für Personen halten. Die Existenz dieser äußeren Bilder bestreitet Fav jedoch nicht. Wir Erwachsenen sagen, die Wahrnehmung sei falsch: Fav sagt, die Wahrnehmung sei richtig, aber es werde etwas Trügerisches wahrgenommen. Der Traum ist somit für Fav etwas wie eine immaterielle Projektion, etwas wie ein Schatten oder ein Bild in einem Spiegel. Wüßte man das nicht, so würde man eine spontane Aussage wie diese: »Es waren vor allem meine Augen, die darin (I) geblieben waren, um zu sehen«, nicht verstehen. Fav scheint somit alles in allem zwischen widersprüchlichen Aussagen hin und her zu schwanken, die aber für ihn vielleicht gar nicht widersprüchlich sind; man muß sich nur in Erinnerung rufen, daß er sich das Denken als etwas Materielles vorstellt, um das Paradoxe an seinen Antworten zu begreifen: Einerseits projizieren wir etwas, das aus unserem Kopf kommt, nach außen, aber andererseits existiert das, was wir projizieren, materiell im Zimmer.

Diese Tatsachen ermöglichen uns auch ein besseres Verständnis der Partizipationen zwischen den Bildern, von denen man träumt, und den Personen, die diese Bilder darstellen, eine Partizipation, für die wir schon im ersten Stadium Beispiele kennengelernt haben. Fav scheint tatsächlich anzunehmen, daß das Bild II etwas von ihm selbst enthält. Das erklärt, weshalb er darauf besteht, daß in seinem Bett »vor allem« seine Augen »zurückgeblieben« seien (vgl. die Formulierung von Dan im Abschnitt 1: »*aber das ganze Ich war draußen*«; auch die Formulierung im gleichen Abschnitt 1: »*ich bin im Traum, er ist nicht in meinem Kopf*«). Fav verwendet selbstverständlich diese Formulierung, weil ihm keine bessere einfiel; er nimmt nicht ein »Double« an, das aus ihm herauskommt, was die Ethnographen etwa den Naturvölkern unterstellen (wobei sich nur die Frage stellt, ob die Naturvölker wie Fav oder wie die Ethnographen denken?). Weshalb aber diese Schwierigkeit? Weil eben das Bild II als dem Subjekt I äußerlich aufgefaßt wird. Die Partizipation von II an I rührt folglich von Favs Realismus her. Für uns Erwachsene partizipiert das Bild in keiner Weise an der dargestellten Person, weil das Bild nichts oder allenfalls eine innere Vorstellung ist, aber für ein realistisches Denken, welches das Bild im Zimmer lokalisiert, muß im Bild etwas von der Person erhalten bleiben. Das ist das genaue Gegenstück zu dem, was wir bei den Namen gefunden haben, die an den bezeichneten Dingen partizipieren, bis sie als geistige oder innere Gegenstände aufgefaßt werden.

Damit man sieht, daß diese Interpretationen nicht bloße Phantasie sind, wollen wir einige Fälle aufzählen, die nicht so viel hergeben wie Schi und Fav, die aber in bezug auf diesen entscheidenden Punkt der Äußerlichkeit des Traums ebenso eindeutig sind:

Mos (11;6) sagt, der Traum »*ist etwas, das man denkt, wenn man schläft, und das man sieht.* – Woher kommt er? – *Es ist etwas, an das man während des Tages gedacht hat.* – Wo ist der Traum? – *Vor uns.* – Kann man ihn sehen? – *Oh! Nein.* – Warum nicht? – *Er ist unsichtbar* (eine für unsere Interpretation bedeutsame Aussage: Sie zeigt, daß Mos nicht von den Bildern spricht, die man außen zu sehen glaubt, sondern von etwas Unsichtbarem, das durch das Denken projiziert wird und außen die Bilder erzeugt). – Ist er vor den Augen? – *Nein.* – Wo denn? – *Etwas weiter von uns weg.* – Wo genau? – *Es sind Dinge, die an uns vorübergehen und die man nicht sieht.*«

Mith (7½): »Weißt du, was das ist: träumen? – *Ja.* – Womit träumt man? – *Mit den Augen.* – Woher kommt der Traum? – *Im Herzen.* – Wo ist der Traum, während man träumt? – *Im Traum, in unserem Bewußtsein.* – Ist er wirklich darin? – *Nein.* – Wo ist er? – *Draußen.* – Wo denn? – *Im Zimmer.*«

Card (9;6): Der Traum, »*das ist, wenn man meint, das Haus brennt, wenn man meint, daß man uns verbrennen wird.* – Ist der Traum wirklich? – *Nein, weil man eingeschlafen ist.* – Was ist er dann? – *Feuer. Das ist wenn man an etwas denkt.«* »Woher kommt der Traum? – *Aus dem Kopf.* – Womit träumt man? – *Wenn man denkt.* – Womit? – *Mit der Intelligenz.* – Wo ist der Traum? – *Im Bett.«* »Ist er in uns oder vor uns? – *Im Zimmer.* – Wo im Zimmer? – *Ganz nahe.* – Hast du das jetzt herausgefunden? – *Nein, ich wußte es schon.«*

Gren (13;6, in der Entwicklung zurückgeblieben): »Woher kommt der Traum? – *Wenn man denkt.«* Er kommt »*aus uns* (Gren zeigt auf seine Stirne). – Wo ist der Traum? – *Hier* (er zeigt auf einen Punkt etwa 30 Zentimeter vor seinen Augen).«

Kenn (7;6): Der Traum, das ist, daß »*man Dinge erfindet«*. Er kommt »*aus dem Mund.* – Hast du die Augen offen oder zu, wenn du träumst? – *Zu.* – Würde ich den Traum sehen, wenn ich dabei wäre? – *Nein. Man sieht ihn nicht, weil er nicht nahe bei uns ist.«* »Warum sieht man ihn nicht? – *Weil er nicht nahe bei uns ist.* – Wo ist er denn? – *Er ist nicht bei uns.* – Wo ist er? – *Weiter weg.* – Wo, glaubst du? – *... Er kommt zu uns hin.«* »Woher kommen sie? – *Aus dem Mund.* – Wo ist der Traum, wenn du von der Schule träumst? – *In der Schule, denn man würde sagen, daß man in der Schule sei.* – Ist der Traum wirklich in der Schule, oder könnte man bloß sagen, daß er in der Schule sei? – *Er ist in der Schule.* – Wirklich? – *Nein.* – Ist er in der Schule oder in deinem Mund? – *In meinem Mund.* – Du hast mir gesagt, er sei weit weg. Stimmt das, oder stimmt das nicht? – *Er ist weit weg.«*

Zimm (8;1) nimmt im Gegensatz zu Kenn nicht an, der Traum sei in der Schule, sondern er lokalisiert ihn vor den Augen. Wenn er von der Schule träume, sagt Zimm, »*so glaube ich, ich sei dort.* – Wenn du träumst, ist dann der Traum in der Schule oder in dir? – *In meinem Zimmer.«*

Bar (7 Jahre) ist im gleichen Fall. Die Träume »*kommen aus uns«*. »Wenn man träumt, man sei in der Schule, wo ist dann dieser Traum? – *Vor mir.«* »Außerhalb von dir? – *Ja.* – Im Zimmer? – *Vor mir.«*

Die Entdeckung, daß der Traum auf das Denken zurückzuführen sei, ändert, wie man sieht, kaum etwas an der Lokalisierung, die wir im ersten Stadium beobachtet haben. Kenn sagt zwar, man träume mit dem Mund, aber als Beweis dafür, daß eine Drittperson die Träume nicht sehen kann, führt er bemerkenswerterweise die Tatsache an, daß der Traum sich an der Stelle befinde, wohin er uns versetzt. Unsere Gegenvorschläge bringen ihn nicht davon ab. Selbstverständlich glaubt Kenn nicht, der Traum versetze uns wirklich in die Schule, er glaubt einfach, das Bild der Schule, das man im Traum gesehen hat, sei »in der Schule«; so wie die gleichaltrigen Kinder glauben, wenn man rede, so sei der Name der Sonne »in der Sonne«. Für die meisten Kinder des zweiten Stadiums ist jedoch der Traum neben uns, im allgemeinen etwa 30 Zentimeter vor den Augen.

Bevor wir unsere Interpretationen als gesichert betrachten, wollen wir jedoch in Einklang mit unserem gewohnten Kriterium weiter fortgeschrittene Kinder befragen, die gerade dabei sind, die richtige Antwort zu finden. An ihnen läßt sich ersehen, ob sie wirklich den Täuschungen zum Opfer gefallen sind, die wir bei den jüngeren Kindern zu finden glauben. Hier drei solche Fälle:

Drap (15 Jahre, aber in der Entwicklung etwas verzögert) sagt spontan auf unsere Fragen über das Denken: »Kann man das Denken sehen? – *Ja, wenn man träumt.* – Warum? – *Man träumt etwas und man sieht* (es) *vor sich.* – (Wir wechseln das Thema in der von Drap eingeschlagenen Richtung:) Womit träumst du? – *Mit dem Gedächtnis.* – Wo ist der Traum? – *Nirgends.* – Wo ist er, in deinem Kopf oder davor? – *Davor. Man sieht ihn, aber man kann ihn nicht berühren.*« »Warum davor? – *Weil man drin nicht sehen kann*« (vgl. die Bemerkung von Barb im ersten Stadium).

Drap scheint den früher zitierten Fällen voraus zu sein, insofern er den Traum »nirgends« lokalisiert. Damit will er aber nur sagen, der Traum sei immateriell. Der ganze Kontext zeigt deutlich, daß Drap immer noch glaubt, der Traum sei vor uns. Das wird durch seine weiteren Äußerungen bewiesen:

Wir versuchen, Drap die Innerlichkeit des Traums verständlich zu machen. »Du siehst mich jetzt, und du erinnerst dich, daß du mich schon vor einem Jahr gesehen hast. Erinnerst du dich an mein Gesicht? – *Ja.* – Wo ist das, woran man sich erinnert? – *Vor den Augen.* – Warum? – *Weil man im Kopf drin nicht sehen kann. Es ist, als ob* (!) *es davor wäre.*« Nachdem er den Unterschied zwischen dem Sein und dem »als ob« begriffen hat, räumt er ein, daß das Bild im Kopf sei. Und er sagt, er begreife jetzt zum erstenmal, daß der Traum im Kopf sei.

Diese Überraschung, die unsere Erklärung bei Drap auslöst, zeigt ganz klar, daß er vorher nicht zwischen dem »Sein« und dem »Scheinen« unterscheiden konnte.

Pug (7;2): Träumen, das ist, »*wenn man Sachen sieht, die nicht wirklich sind.* – Wer hat dir das gesagt? – *Niemand.* – Woher kommen die Träume? – *Ich weiß es nicht.* – Aus dem Kopf oder von außen? – *Aus dem Kopf.* – Wo ist der Traum? – *Vor mir.* – Wo? – *Ganz nahe* (er zeigt auf einen Punkt in 30 Zentimeter Entfernung vor den Augen). – Ist er wirklich dort oder scheint er nur dort zu sein? – *Ich weiß nicht.* – Würde ich ihn sehen, wenn ich dabei wäre? – *Nein, denn Sie schlafen nicht.* – Würde deine Mama ihn sehen? – *Nein.* – Und doch sagst du mir, er sei draußen? – *Nein, er ist nicht draußen.* – Wo ist er? – *Nirgends.* – Warum? – *Er ist nichts.* – Ist er draußen oder im Kopf? – *Im Kopf.* – Dann ist er also nicht vor dir? – *Aber doch, er ist trotzdem vor mir* (!).« »Ist der Traum in deinem Kopf? – *Ja.* – Dann ist er also nicht vor dir? – *Ja, er ist überall.*«

Dieser Fall zeigt, wie wenig die Suggestion bei einem Kind dieses Stadiums vermag. Pug möchte durchaus gelten lassen, daß der Traum im Kopf sei. Er glaubt jedoch immer noch, dieser sei außen und überall. Das ist ganz analog zum Fall von Roc (Kapitel II, Abschnitt 2) bei den Namen: Roc möchte sagen, daß die Namen im Kopf seien, aber sie glaubt dennoch, daß sie im Zimmer bleiben.

Grand (8 Jahre): »Weißt du, was das ist: träumen? – *Einmal habe ich einen Mann gesehen, vor dem ich am Tage Angst hatte, und ich habe in der Nacht* (von ihm) *geträumt.* – Woher kommt der Traum? Wo entsteht er? – *In unserem Kopf.* – Wo ist der Traum, während man träumt? – ... – Im Kopf oder draußen? – *Es scheint* (!), *er sei draußen.*« Grand hält offenbar die Äußerlichkeit des Traums für eine Täuschung. Wir fahren aber fort: »Wo ist der Traum? – *Nicht außen und nicht innen.* – Wo ist er denn? – *Im Zimmer.* – Wo? – *Er ist um mich herum.* – Weit weg oder ganz nahe? – *Ganz nahe; mein Bruder hat, als er einmal träumte, gezittert.*«

Grands Bruder hat gezittert, also ist der Traum etwas, vielleicht etwas Immaterielles, aber jedenfalls etwas Äußerliches. Wir werden sehen, daß Grand im weiteren Verlauf des Gesprächs in das dritte Stadium übergeht, indem er mit dem vorher Gesagten ganz plötzlich bricht.

Diese letzten Gespräche, in deren Verlauf das Kind nachdenkt und sucht, zeigen, daß die Kinder dieses zweiten Stadiums nicht deshalb sagen, der Traum sei im Zimmer, weil sie die Frage ganz einfach nicht begreifen. Sie unterscheiden durchaus zwischen »Sein« und »Schein«. Sie zweifeln an der Äußerlichkeit des Traums, aber sie kommen nicht um diese Äußerlichkeit herum, wenn sie sich selbst eine Erklärung dafür zurechtlegen, daß man »etwas sieht«: »Im Kopf drin kann man nicht sehen!«

Der Realismus dieses zweiten Stadiums ist alles in allem viel feiner als der des ersten. Ein intellektuellerer und weniger unmittelbarer Realismus. Dieser Realismus als solcher bestätigt unsere Interpretation der Phänomene des ersten Stadiums. Sehen wir nämlich in den Aussagen des zweiten Stadiums von dieser wesentlichen Entdeckung ab, daß der Traum auf das denkende Subjekt zurückzuführen sei, so bleibt: 1. daß der Traum äußerlich ist; 2. daß das Bild einer Person mit dieser Person durch Partizipation verbunden sein muß, weil es keine subjektive Vorstellung des Schläfers ist. Genau das haben wir im ersten Stadium gefunden. Spuren davon findet man auch im ganzen zweiten Stadium.

3. Das dritte Stadium: Der Traum ist innerlich und kommt von innen

Zwei Probleme sind noch zu diskutieren: die schrittweise Verinnerlichung der Bilder und die Verbindungen, die für das Kind zwischen dem Denken und den Träumen bestehen.

Zuerst wollen wir uns einige Übergänge vom zweiten zum dritten Stadium ansehen:

Grand (8 Jahre) ist besonders interessant, denn nach den uns bereits bekannten Begründungen für die Äußerlichkeit des Traums kommt er spontan auf folgende Idee: »*In unseren Augen sehe ich, wenn man sie bewegt* (wenn man sie reibt)*, wenn ich sie drehe, eine Art Kopf* (die Phosphene). – Ist der Traum innen oder außen? – *Ich glaube, er ist weder um mich herum noch in meinem Zimmer.* – Wo ist er denn? – *In meinen Augen.*«

Pasq (7;6): »Wo ist der Traum während man träumt, im Zimmer oder in uns drin? – *In mir.* – Hast du ihn gemacht, oder ist er von außen gekommen? – *Ich habe ihn gemacht.* – Womit träumt man? – *Mit den Augen.* – Wenn du träumst, wo ist dann der Traum? – *In den Augen.* – Ist er im Auge oder hinter dem Auge? – *Im Auge.*«

Falq (7;3): »Woher kommt der Traum? – *In den Augen.* – Wo ist der Traum? – *In den Augen.*« »Im Kopf oder in den Augen? – *In den Augen.* – Zeige mir wo? – *Hier dahinter* (er zeigt auf das Auge). – Ist der Traum Denken? – *Nein, er ist etwas.* – Was ist er? – *Eine Geschichte.* – Wenn man hinter die Augen sehen könnte, würde man dann etwas sehen? – *Nein, es ist eine kleine Haut.* – Was hat es auf dieser Haut? – *Kleine Dinge, kleine Bilder.*«

Grand und Falq, das ist interessant zu wissen, gehören zu den Kindern, die glauben, das Denken sei »eine Stimme im Kopf«. Die Kinder glauben wie erinnerlich zuerst, sie würden mit dem Mund denken, und identifizieren das Denken mit Wörtern und Namen, die mit den Dingen selbst verbunden sind. Sobald sie entdecken, daß das Denken innerlich ist, machen sie es zuerst zu einer »Stimme«, die sich hinten im Mund, eben im Kopf, befindet. Dasselbe gilt für die Vorstellungen, die mit dem Traum zusammenhängen. Der Traum ist zunächst ein äußeres Bild, das durch die Dinge und später durch den Kopf hervorgebracht wird. Sobald die Kinder die Innerlichkeit des Traums in der Folge allmählich entdecken, stellen sie sich ihn als ein Bild, eine »Geschichte« vor, wie Falq sagt, die in das Auge oder hinter dem Auge eingeprägt sei. Das Auge würde somit die innere Stimme des Denkens innerlich »sehen«, gleich wie sie das Ohr innerlich »hört«.

Bei den Träumen wird somit das Denken wie beim Wort noch mit der physischen Materie vermengt. Auch die am weitesten fortgeschrittenen Kinder, also eindeutige Fälle des dritten Stadiums, die den Traum als bloß gedacht, und zwar innerlich gedacht, betrachten, verwenden oft noch Formulierungen, die an die frühere Materialität des Denkens erinnern.

Tann (8 Jahre): »Woher kommen die Träume? – *Wenn man die Augen schließt; anstatt daß es dunkel wird, sieht man Dinge.* – Wo sind diese Dinge? – *Nirgends. Es gibt sie nicht. Das ist in den Augen.* – Kommen die Träume von innen oder von außen? – *Von außen. Wenn man einen Ausflug macht und etwas sieht, prägt sich das auf unserer Stirn in kleinen Blutkörperchen ein.* – Was geschieht, wenn man schläft? – *Man sieht es.* – Ist dieser Traum im Kopf oder draußen? – *Es kommt von außen, und wenn man davon träumt, so kommt es vom Kopf.«* »Wo sind die Bilder, wenn man träumt? – *Von innen im Gehirn kommen sie in die Augen hinein.* – Hat es etwas vor den Augen? – *Nein.«*

Step (7;6): Der Traum ist *»in meinem Kopf.* – In deinem Kopf oder vor deinen Augen? – *Vor meinen Augen. Nein, er ist in meinem Kopf.«* Man träumt, *»wenn man mit sich ganz allein plaudert und dann schläft.* – Woher kommt der Traum? – *Wenn man ganz allein redet.«*

Tann ist offensichtlich von Erwachsenen belehrt worden. Wie er diese Belehrungen assimiliert hat, ist aber nicht weniger interessant.

Nun folgen einige weiter entwickelte Kinder, die weder das Denken noch die inneren Bilder derart zu materialisieren versuchen. Diese Kinder sind somit in das dritte der Stadien einzuordnen, die wir beim Denkbegriff unterschieden haben. Sie sind im allgemeinen 10 bis 11 Jahre alt, was die früheren Ergebnisse bestätigt:

Ross (9;9): Der Traum ist *»wenn man an etwas denkt.* – Wo ist der Traum? Ist er vor dir? – *In meinem Kopf.* – Gibt es dort in deinem Kopf so etwas wie Bilder? Wie entstehen diese? – *Nein, man stellt sich das vor, was man vorher getan hat.«*

Visc (11;1): Man träumt *»mit dem Kopf«*, und der Traum ist *»in unserem Kopf.* – Ist er nicht vor dir? – *Es ist so, als ob* (!) *man sehen würde.* – Ist etwas vor dir? – *Nichts.* – Was ist im Kopf? – *Gedanken.* – Sind es die Augen, die etwas im Kopf sehen? – *Nein.«*

Bouch (11;10): »*Wenn du träumst, du seist angezogen, so siehst du ein Bild. Wo ist es? – Ich bin angezogen wie die anderen, dann ist es* (das Bild) *in unserem Kopf, aber man glaubt* (!), *es sei vor uns.«*

Cell (10;7) sagt ebenfalls: »*Für mich sieht es so aus, als würde ich es* (das Haus) *vor mir sehen, aber es ist im Kopf.«*

Auf dieselben Fragen und sogar auf noch suggestivere Fragen reagieren diese Kinder offensichtlich anders als die Kinder der beiden anderen Stadien. Die Ausdrücke »man glaubt«, »es sieht so aus«, »es ist, als ob«, mit denen die Äußerlichkeit des Traums beschrieben wird, sind neu und für dieses Stadium sehr charakteristisch.

4. Schlußfolgerungen

Abschließend wollen wir noch die Beziehungen zwischen den eben analysierten Ergebnissen und den Resultaten unserer Untersuchung über die Namen und den Denkbegriff untersuchen. Diese

Beziehungen sind sehr eng. Die beiden Gruppen von Phänomenen verlaufen ziemlich parallel. Drei Abarten eines Realismus oder, wenn man diese Formulierung vorzieht, drei »Adualismen« charakterisieren, so schien uns, die Vorstellungen der Kinder über das Denken und die Wörter. Alle drei zeigen sich auch im Zusammenhang mit den Träumen und verschwinden später schrittweise, und zwar in derselben Reihenfolge wie bei den Namen.

Die Kinder vermengen als erstes den Bedeutungsträger mit dem bezeichneten Gegenstand oder den inneren Gegenstand mit dem Ding, das er darstellt. Beim Denken im allgemeinen werden zum Beispiel die Idee und der Name der Sonne als zur Sonne gehörig und von ihr ausgehend angesehen. Den Namen der Sonne berühren bedeutet, die Sonne selbst berühren. Beim Traum haben wir etwas sehr Ähnliches gefunden: Vom geträumten Bild wird angenommen, es gehe vom Ding oder von der Person aus, die dieses Bild darstellt. Der Traum von einem überfahrenen Mann kommt von diesem Mann selbst usw. Wenn man von der Schule träumt, so ist der Traum »in der Schule«; wenn man an die Sonne denkt, so ist das Wort oder der Name, an den man denkt, »in der Sonne«, also genau gleich. Der Traum und das Ding, von dem man träumt, werden miteinander vermengt.

In beiden Fällen bewirkt dieser Realismus Partizipationsgefühle. Der Name der Sonne impliziert nach dem Empfinden des Kindes die Wärme, die Farbe, die Form der Sonne. Er scheint insbesondere, durch unmittelbare Partizipation, die Wechselbeziehung zwischen der Sonne und uns zu bewirken. Umgekehrt scheint der Traum, in dem ein Mann überfahren wird, von diesem Mann auszugehen; der Traum ist mit Affektivität geladen, er kommt, »um uns zu ärgern« oder »weil man Dinge angestellt hat, die man nicht hätte tun dürfen« usw.

Doch die Vermengung zwischen dem Bedeutungsträger und dem bezeichneten Gegenstand verschwindet im Falle des Traums früher als bei den Namen und den Gedanken, und zwar ganz einfach deshalb, weil der Traum trügerisch ist, so daß sich das Zeichen notwendig von den Dingen lösen muß, die es darstellt. Dieser trügerische und ängstigende Charakter der Träume erklärt im übrigen, weshalb die Partizipationen im Falle der Träume affektiver getönt sind als bei den Namen.

Eine zweite Vermengung betrifft das Innen und das Außen. Die Wörter werden ursprünglich in den Dingen lokalisiert, später überall, vor allem in der umgebenden Luft, dann im Mund allein und schließlich im Kopf. Die Träume machen einen genau gleichen Werdegang durch: Sie werden zuerst in den Dingen lokalisiert (aber nicht lange, die Gründe dafür wurden eben erwähnt); sie werden später in das Zimmer verlegt, dennoch kommen sie aus dem Kopf (gleich wie die Wörter in der umgebenden Luft lokalisiert werden und dennoch aus dem Mund kommen); die Träume werden schließlich in den Augen und endgültig im Denken und im Kopf selbst lokalisiert.

Im Falle des Denkens bewirkt diese Vermengung des Innen mit dem Außen in den frühen Stadien Paradoxien, etwa das Denken sei ein Hauch, der gleichzeitig im Kopf und außerhalb des Kopfes sei. Die Vorstellungen der Kinder vom Traum bestätigen diese Interpretation voll und ganz: Für einige unter ihnen ist der Traum eine Stimme oder Luft, die gleichzeitig innerlich und äußerlich ist. Eine dritte Abart des Realismus bewirkt schließlich eine Vermengung zwischen dem Denken und der Materie. Das Denken ist für diejenigen Kinder, die sich die Frage gestellt haben, ein Atem, ein Hauch, da man ja mit der Stimme denkt. Es ist auch ein Rauch, insofern der Atem mit der Stimme verwechselt wird. Der Traum besteht für diejenigen Kinder, die sich die Frage gestellt haben, ebenfalls aus Luft oder Rauch. Bei den jüngeren Kindern, die den subjektiven Ursprung der Träume noch nicht begriffen haben (erstes Stadium), ist er einfach »Dunkelheit« oder »Licht«.

Als wir die kindlichen Vorstellungen über die Namen untersuchten, sind wir zum Schluß gekommen, daß die Vermengung des Bedeutungsträgers mit dem bezeichneten Gegenstand zuerst verschwindet (um 7 bis 8 Jahre). Dieses Verschwinden löst die Unterscheidung Außen/Innen aus (mit ungefähr 9 bis 10 Jahren), und diese Unterscheidung wiederum bringt die Vorstellung hervor, daß das Denken etwas anderes als ein materieller Körper sei. Bei den Auffassungen von den Träumen ist dieser Prozeß noch deutlicher zu sehen. Die Vermengung des Bildes mit dem zugeordneten Gegenstand verschwindet sehr früh (mit etwa 5 bis 6 Jahren). Im gleichen Maße, wie sie verschwindet, wird der Traum nicht mehr in den Dingen lokalisiert. Die Unterscheidung zwischen dem Innen und dem Außen bahnt sich damit bereits an, und sie wird mit 9 bis 10 Jahren (Beginn des dritten Stadiums) abgeschlossen. Erst mit ungefähr 11 Jahren bringt diese Unterscheidung zwischen dem Innen und dem Außen das Kind dazu, endgültig einzusehen, daß der Traum nicht ein materielles Bild, sondern einfach ein Gedanke ist.

Die kindlichen Vorstellungen über die Namen und das Denken einerseits und die Träume andererseits entwickeln sich also vollständig parallel zueinander. In den frühen Stadien sehen die Kinder selbst natürlich weder irgendeine Analogie noch irgendeine Verbindung zwischen dem Traum und dem Wort. Weder die Bilder noch die Namen werden für Vorstellungsobjekte gehalten, sie können deshalb in den Augen des Kindes nicht miteinander verwandt sein. Daß die in beiden Fällen beobachteten Phänomene und der Entwicklungsverlauf dieser Phänomene ähnlich sind, garantiert uns folglich, daß unsere Befragungen und unsere Interpretationen begründet sind. Weitere Befragungen in anderen Ländern sind notwendig, um besser auseinanderzuhalten, was Einfluß der Erwachsenen und was spontane und dauerhafte Überzeugung des Kindes ist. Ein Vergleich zwischen unserem Material aus Genf und den Antworten, die S. Perret in Neuchâtel und im Berner Jura und M. Rodrigo in Madrid und Santander gesammelt haben, bestärkt uns jedoch in unserer Meinung, daß das Element der Konstanz und der Spontaneität, die wir beim Kind angenommen haben, tatsächlich das vorherrschende Element sei.

Kapitel IV
Der Realismus und die Ursprünge der Partizipation

Wir wollen jetzt versuchen, die möglichen Konsequenzen des Realismus herauszuarbeiten, den wir in den vorausgehenden Kapiteln analysiert haben.

Zuerst müssen wir freilich die wirkliche Bedeutung unserer Untersuchungen über den Denkbegriff, den Realismus der Namen und die Erklärung des Traumes beim Kind genauer umreißen, sonst könnte die Interpretation unseres Materials schwerwiegende Mißverständnisse heraufbeschwören. Man hat vielleicht den Eindruck gewonnen, wir würden den Kindern zwar nicht unbedingt Theorien, aber doch eindeutige und spontan formulierte Vorstellungen über die Natur des Denkens, der Namen und der Träume zuschreiben. Eben das liegt uns völlig fern. Wir räumen ohne weiteres ein, daß die Kinder nie oder fast nie über die Themen nachgedacht haben, auf die sich unsere Gespräche beziehen. Die Erfahrungen, die wir gesammelt haben, bestehen deshalb nicht darin, daß wir bereits ausgearbeitete Ideen unserer Kinder untersucht haben, sondern daß wir festgestellt haben, wie die kindlichen Vorstellungen über die vorgelegten Fragen konstruiert und in welche Richtung sie durch eine spontane geistige Haltung gelenkt werden.

Unter diesen Umständen kann das Ergebnis unserer Befragungen nur negativ und niemals positiv sein. Damit wollen wir sagen, daß eine Erklärung, die ein Kind als Antwort auf unsere Fragen gibt, nicht als eine »kindliche Vorstellung« betrachtet werden kann. Sie ist einfach ein Hinweis darauf, daß das Kind seine Lösung nicht in der gleichen Richtung wie wir gesucht hat, aber bestimmte implizite Postulate, die sich von denen der Erwachsenen unterscheiden, vorausgesetzt hat.

Uns interessieren hier nur diese Voraussetzungen. Wir sehen jetzt von den Einzelheiten unserer früheren Ergebnisse ganz ab (denn man muß sich davor hüten, diese Einzelheiten wörtlich zu nehmen) und halten davon nur das folgende Fazit fest. Das Kind ist Realist, denn es setzt voraus, daß das Denken mit seinem Objekt, die Namen mit den bezeichneten Gegenständen verbunden und die Träume äußerlich sind. Sein Realismus ist eine spontane und unmittelbare Neigung, das Zeichen mit dem bezeichneten Gegenstand, das Innen mit dem Außen und ebenso das Psychische mit dem Physischen zu vermengen. Dieser Realismus hat eine zweifache Konsequenz. Die Grenze zwischen dem Ich und der Außenwelt ist einerseits beim Kind sehr viel fließender als bei uns. Und der Realismus setzt sich andererseits in »Partizipationen« und spontan magischen Haltungen fort.

Damit wollen wir uns jetzt beschäftigen.

1. Der Realismus und das Selbstbewußtsein

Das Problem des kindlichen Selbstbewußtseins ist ein vielgestaltiges und sehr komplexes Problem, weshalb wir uns hüten, es allgemein zu untersuchen. Damit eine Synthese möglich wäre, müßte man über alle Inhalte des kindlichen Bewußtseins analoge Untersuchungen, wie wir sie im Zusammenhang mit dem Denken, den Namen und den Träumen durchgeführt haben, anstellen. Dennoch müssen wir uns mit dem Problem befassen, denn die Fragen der Partizipation und der magischen Kausalität beim Kinde hängen damit zusammen. Wir bedienen uns einer regressiven Methode. Wir begnügen uns damit, eine Kurve der in den vorangehenden Kapiteln studierten Prozesse und ihrer Transformationen aufzustellen, und wollen dann diese Kurve extrapolieren, um daraus die vermutlichen ursprünglichen Stadien abzuleiten. Die Methode ist gefährlich, vielleicht aber die einzig mögliche.

Es sieht so aus, als ließen sich aus den früheren Analysen zwei Folgerungen ableiten. Das Kind ist sich erstens des Inhalts seines Denkens in keiner Weise weniger bewußt, als wir es unserer Denkinhalte sind. Es hat festgestellt, daß es sein Denken, die Namen und seine Träume gibt. Es hat eine Menge recht feiner Besonderheiten bemerkt. Ein Kind hat beispielsweise gesagt, man träume von Dingen, die uns interessieren, ein anderes sagt, wenn man an gewisse Dinge denke, so möchte man »davon haben«, wieder ein anderes hat gesagt, es habe von seiner Tante geträumt, weil es diese gerne wieder einmal sehen möchte. Die meisten Kinder glauben von Dingen zu träumen, die ihnen Angst gemacht haben usw. Und es gibt beim Kind eine ganze Psychologie, eine sehr nuancierte, oft sehr listenreiche Psychologie, die in allen Fällen von einem lebendigen Empfinden für das affektive Leben zeugt. Wir haben an anderer Stelle (UD, Kapitel IV, Abschnitt 1) gesagt, das Kind habe Schwierigkeiten mit der Introspektion. Das widerspricht keineswegs dem, was wir hier sagen. Man kann das Ergebnis eines geistigen Prozesses (logisches Denken oder affektives Denken) lebhaft empfinden, ohne daß man weiß, wie man zu diesem Ergebnis gekommen ist. Das gilt besonders für das Kind. Deshalb sprechen wir von einer kindlichen »Intuition«: richtige Wahrnehmung der Bewußtseinstatsachen, ohne daß man den Weg kennt, auf dem diese Tatsachen erworben wurden, das ist das Paradoxe an dieser »Intuition«.

Diese Paradoxie hängt eng mit der folgenden Besonderheit zusammen (das ist unsere zweite Folgerung). Das Kind ist sich zwar derselben Denkinhalte wie wir bewußt, aber es lokalisiert sie ganz anders. Was wir in uns verlegen, verlegt es in das Universum oder in die anderen, und es verlegt in sich selbst, was wir in anderen lokalisieren. Dieses Problem der Lokalisierung der Denkinhalte ist das Grundproblem des Selbstbewußtseins beim Kind, und wenn man es nicht klar genug formuliert, simplifiziert man, was in Wirklichkeit sehr komplex ist. Man kann sich durchaus einen wachen Geist vorstellen, der auf die geringsten Erschütterungen des affektiven Lebens anspricht, der alle Besonderheiten der Sprache, der Gebräuche und des Verhaltens im allgemeinen sehr fein beobachtet, der aber seines eigenen Ichs nur sehr wenig bewußt ist, weil er jeden seiner Gedanken systematisch als objektiv und jedes seiner Gefühle als allgemein verbreitet auffaßt. Das Ichbewußtsein geht aus der Dissoziation der Wirklichkeit, so wie sie das ursprüngliche Bewußtsein auffaßt, und nicht aus der Assoziation bestimmter Inhalte hervor. Wenn man beim Kind ein lebhaftes Interesse für sich selbst, eine logische und zweifellos auch moralische Egozentrizität feststellt, so beweist das nicht, daß das Kind seines Ich bewußt sei, sondern es ist im Gegenteil ein Hinweis darauf, daß es sein Ich mit dem Universum vermengt, daß es also seiner selbst nicht bewußt ist. Das wollen wir zu zeigen versuchen. In den vorangehenden Kapiteln haben wir nur von den Werkzeugen des Denkens (Begriffe, Bilder, Wörter usw.) gesprochen, aber nicht von den Vorstellungen und schon gar nicht vom affektiven Leben. Diese Werkzeuge werden also vom Kind fast ebenso gut bemerkt wie von uns, aber ganz anders lokalisiert. Für uns ist eine Idee oder ein Wort im Geist und das vorgestellte Ding im sinnlich wahrnehmbaren Universum. Die Wörter und bestimmte Ideen zudem im Geiste aller, andere Ideen nur im eigenen Denken. Für das Kind sind die Gedanken, die Bilder, die Wörter zwar teilweise von den Dingen verschieden, aber sie werden in die Dinge verlegt. Wenn man den stetigen Ablauf dieser Entwicklung in aufeinanderfolgende Phasen zerlegt, erhält man die folgenden vier Etappen: 1. Eine Phase des *absoluten Realismus,* in der die Werkzeuge des Denkens in keiner Weise von den Dingen unterschieden werden und in der es nur diese Dinge zu geben scheint. 2. Eine Phase des *unmittelbaren Realismus,* in der die Werkzeuge des Denkens von den Dingen unterschieden, aber noch in die Dinge verlegt werden. 3. Eine Phase des *mittelbaren Realismus,* in der die Werkzeuge des Denkens noch als eine Art Dinge aufgefaßt und gleichzeitig im eigenen Körper und in der Umwelt lokalisiert werden. Und schließlich 4. eine Phase des *Subjektivismus* oder *Relativismus,* in der die Werkzeuge des Denkens in uns verlegt werden. Das Kind vermengt somit zuerst gewissermaßen sein Ich – oder sein Denken – mit der Welt; erst später ist es zu einer Trennung fähig.

Es scheint, dieses Gesetz lasse sich auf den Inhalt der Vorstellungen, darin eingeschlossen die einfachsten Wahrnehmungen, ausdehnen. Mit anderen Worten, jede Vorstellung wird vom Kind ursprünglich als absolut empfunden, als etwas, das den Geist in das Ding selbst eindringen läßt; erst später erfaßt das Kind die Vorstellung schrittweise als zu einem gegebenen Standpunkt relativ. Das Kind vermengt somit abermals, aber in einem neuen Sinne, sein Ich mit der Welt – in diesem speziellen Fall also den Standpunkt des Subjekts und die äußere Tatsache –, dann unterscheidet es seinen eigenen Standpunkt von den anderen möglichen Standpunkten. Das Kind hält immer seinen eigenen Standpunkt zuerst für absolut. Wir lernen weiter unten zahlreiche Beispiele dafür kennen: Das Kind glaubt, die Sonne folge ihm, die Wolken folgten ihm, die Dinge seien immer so, wie es sie sieht (unabhängig von der Perspektive, der Entfernung usw.). Im gleichen Maße, wie es die Subjektivität seines Standpunktes übersieht, betrachtet es sich selbst als Zentrum der Welt. Daraus ergeben sich verschiedene finalistische, animistische und quasi-magische Vorstellungen, für die wir auf jeder Seite Beispiele finden werden. Diese Vorstellungen bestätigen schon für sich allein, daß das Kind nichts von seiner Subjektivität weiß.

Doch das Bewußtsein der Subjektivität des eigenen Standpunktes ist nur ein bescheidenes Element des Selbstbewußtseins. Dieses besteht vor allem aus dem Gefühl für das jeweils Besondere des eigenen Willens, der eigenen Wünsche, der Affektionen usw. Aber auch hier wieder: Werden die ersten Schmerz- oder Lustgefühle, die ersten Wünsche vom Kind als persönlich oder als allen Menschen gemeinsam empfunden? Mit großer Wahrscheinlichkeit gilt auch hier dasselbe Gesetz, ist also das Kind zuerst davon überzeugt, weil es sich die Frage nie gestellt hat, daß es alles, was es empfindet, an sich, objektiv gibt. Durch eine Reihe von Enttäuschungen und durch die Erfahrung des Widerstandes anderer lernt es, daß seine Gefühle subjektiv sind. Auch hier erwächst das Ich aus einer Dissoziation des primären Bewußtseins: Das primäre Bewußtsein oder Bewußtsein des »es-ist-wünschbar«, des »es-ist-schmerzlich« wird durch absoluten Realismus, dann durch unmittelbaren Realismus direkt in das Wirkliche projiziert, und erst aus der Ablösung von diesem Wirklichen geht das doppelte Gefühl einer objektiven Tatsache und einer eigenen Emotion, die diese Tatsache bewertet, hervor.

Wenn man also die Dinge in den großen Umrissen abschätzt, ohne auf die Einzelheiten einzugehen, weil keine unmittelbaren Tatsachen vorliegen, sieht es so aus, daß der ganze Inhalt des kindlichen Bewußtseins ursprünglich in das Wirkliche (in die Dinge und in die anderen Menschen) projiziert wird, was gleichbedeutend mit einem völligen Fehlen des Selbstbewußtseins ist. Dreierlei Anzeichen legen uns diese Annahme nahe.

Es ist zunächst nicht möglich, zwischen Vorstellungselementen und affektiven Elementen zu trennen. So ursprünglich eine Empfindung auch sein mag, sie ist immer vom Bewußtsein eines Objekts begleitet oder stellt selbst ihr Objekt dar. Wir haben aber eben eingeräumt, und zwar aufgrund der in den vorangehenden Kapiteln beobachteten Phänomene, daß jede Vorstellung ursprünglich realistisch sei.

Seit Baldwin und insbesondere seit Pierre Janet ist weiter bekannt, daß die Nachahmung auf einer Art Vermengung des Ich mit dem Anderen zurückzuführen ist. Mit anderen Worten, der Ton, den das Kind hört, löst in ihm die notwendige Bewegung für eine Fortsetzung aus, ohne daß das Kind einen Unterschied zwischen dem von ihm unabhängigen und dem von ihm erzeugten Ton macht. Im Falle einer ungewollten Nachahmung geschieht es immer wieder, daß wir uns mit dem Wesen identifizieren, das wir nachahmen, ohne daß wir noch wissen, was von ihm kommt und was wir ihm nur zuschreiben. Wir haben im Kapitel I (Abschnitt 3) den Fall jener Kinder diskutiert, die glauben, sie hätten selbst herausgefunden, was man ihnen gesagt hat. Umgekehrt glauben die Kinder immer, sie hätten das, was sie nicht wissen und nie gewußt haben, »vergessen«! Jedes Wissen erscheint dem Kind als eine eigene Erfindung, und jedes Nichtwissen erscheint ihm als ein Vergessen. Diese Phänomene scheinen auf eine Hypertrophie des Selbstgefühls zurückzuführen zu sein. In Wirklichkeit sind sie nur Anzeichen für die fehlende klare Unterscheidung zwischen dem Innen und dem Außen. Nachahmung ist nicht möglich ohne Projektion. Wenn es sich so verhält, muß auch das Umgekehrte richtig sein: Die Absichten und der Wille des Ich müssen ebenso den anderen zugesprochen werden, wie die Handlungen der anderen dem Ich zugesprochen werden.

Schließlich ist auch bekannt, daß jüngere Kinder organische Empfindungen nicht spontan lokalisieren. Ein Schmerz am Fuß zieht nicht ohne weiteres die Aufmerksamkeit auf den Fuß usw. Der Schmerz ist fließend, er kann nicht an einem bestimmten Ort fixiert werden. Das Kind glaubt, jedermann spüre ihn. Auch wenn er lokalisiert wird, dürfte er vom Kind noch lange als zweifellos allen gemeinsam empfunden werden: Kleinkinder wissen nicht spontan, daß sie allein den Schmerz spüren. Zwischen dem eigenen Körper, wie er von außen gesehen wird, und dem eigenen Körper, wie er von innen her gefühlt wird, besteht für das ursprüngliche Bewußtsein in keiner Weise dieselbe Beziehung wie für uns: was wir innerlich nennen, wird genau gleich wie das, was wir äußerlich nennen, lange als allen Menschen gemeinsam betrachtet.

Diese Hypothesen lassen sich leider nicht durch eine direkte Analyse überprüfen. Die Extrapolation der zwischen 4 bis 5 und 11 bis 12 Jahren erhaltenen Ergebnisse scheint aber zu zeigen, daß das Bewußtsein der Innerlichkeit nicht aus einer unmittelbaren Anschauung, sondern aus einer intellektuellen Konstruktion resultiert, und diese Konstruktion ist nur durch eine Dissoziation der Inhalte des ursprünglichen Bewußtseins möglich.

Das ursprüngliche Bewußtsein kann also nur hypothetisch erfaßt werden, die eben genannte Dissoziation läßt sich jedoch direkter beobachten. Eine Kindheitserinnerung von Edm. Gosse ist uns in dieser Hinsicht eine wichtige Hilfe. Nach einer unbestraft gebliebenen Lüge erkannte Gosse, daß sein Vater nicht alles wußte. Diese Entdeckung, daß er allein gewisse Dinge wissen konnte, scheint bei Gosse das Bewußtsein des Ich verstärkt zu haben:

»Der Glaube an die Allwissenheit und Unfehlbarkeit meines Vaters war jetzt tot und begraben. Wahrscheinlich wußte er nur weniges, denn unter diesen Umständen kannte er gerade eine Tatsache von solcher Bedeutung nicht, daß das, was man weiß, bedeutungslos bleibt, wenn man gerade diese Tatsache nicht kennt... Von allen Gedanken, die in dieser Krise mein noch so ursprüngliches und wenig entwickeltes Gehirn durchzuckten, war der merkwürdigste der, ich hätte in mir selbst einen Gefährten und einen Vertrauten gefunden. Es gab ein Geheimnis in dieser Welt, und dieses Geheimnis gehörte mir und jemandem, der in meinem Körper lebte. Wir waren zu zweien und konnten miteinander sprechen. So rudimentäre Gefühle lassen sich kaum genauer beschreiben, aber es steht fest, daß der Sinn für meine Individualität in dieser dualistischen Form zu eben diesem Zeitpunkt plötzlich in mir wachgeworden ist, und es steht ebenfalls fest, daß es für mich ein großer Trost war, in mir selbst jemanden zu finden, der mich zu verstehen vermochte.«[1]

Ein höchst aufschlußreicher Bericht. Solange das Kind an die Allwissenheit seines Vaters glaubte, war sein eigenes Ich nicht-existent, insofern es davon überzeugt war, daß seine Gedanken und Aktionen, wenn auch nicht unbedingt allen Menschen gemeinsam, so doch zumindest seinen Eltern bis in die Einzelheiten bekannt seien. An dem Tag, da es sich bewußt wird, daß seine Eltern nicht allwissend sind, entdeckt es gleichzeitig seine Subjektivität. Das Ereignis ist zweifellos erst spät eingetreten und betrifft nur die höhere Ebene der Persönlichkeit. Es zeigt aber klar, wie sehr das Ichbewußtsein das Ergebnis einer Dissoziation des Wirklichen und nicht einer ursprünglichen Anschauung ist und wie sehr diese Dissoziation auf soziale Faktoren zurückzuführen ist, also auf eine

[1] E. Gosse: Père et fils. Paris 1912. S. 53f.

Differenzierung zwischen dem Standpunkt der anderen und dem eigenen Standpunkt.

Im Hinblick auf die Beziehungen zwischen dem eigenen Körper, wie er von außen gesehen wird, und dem eigenen Körper, wie er von innen gefühlt wird, wäre es vielleicht aufschlußreich, auf die Frage des Gebrauchs der ersten Person durch das Kind zurückzukommen. Die Kinder sprechen bekanntlich von sich selbst in der dritten Person, bevor sie das Pronomen »ich« verwenden. Der von H. Wallon[2] beschriebene Imbezile sagt, nachdem er einen Verweis erhalten hat: »*Schau, was Fernand* (er selbst) *nimmt!*« Ein von uns beobachtetes Mädchen sagt mit 2;9 Jahren: »*Du bist ein Fräulein, nicht wahr, ich?*«, womit es sagen wollte: »Ich bin ein Fräulein, nicht wahr, ich?« Baldwin und viele andere haben darin ein Anzeichen für ein projektives Stadium gesehen: Das Kind sieht sich wie außerhalb seines Denkens, wie auf einen Spiegel »projiziert«, ohne ein Gefühl für seine Subjektivität. Man hat gegen diese Interpretation zahlreiche Einwände vorgebracht. Rasmussen sieht darin nur eine Nachahmung der Umwelt, die das Kind gezwungenermaßen mit seinem Namen und nicht mit einem »Ich« nennt. Delacroix betrachtet das »Ich« in seinem schönen Buch über ›Die Sprache und das Denken‹ nur als ein grammatikalisches Werkzeug.

Uns scheint aber, hinter der grammatikalischen Frage stelle sich eine zweite Frage, die mit der Logik der Relationen zu tun hat. Wenn ein Kind, noch mit 8 bis 9 Jahren, sagt »Ich habe einen Bruder, Paul«, so folgert es daraus, daß Paul keinen Bruder hat (UD, 2. und 3. Kapitel), weil es noch keinen Unterschied zwischen seinem eigenen und einem anderen Standpunkt macht. Weshalb sollte für den Gebrauch der ersten Person nicht dasselbe gelten? Schwierigkeiten hat das Kind in diesem Alter mit allen Possessivausdrücken. Egger hat schon festgestellt, wenn man ein Kind von 1;6 Jahren auffordert: »Zeige mir meine Nase, meinen Mund« usw., so zeigt es seine Nase usw. Man muß sagen: »Zeige mir die Nase von Papa«, damit man verstanden wird.

So gesehen bleibt das Phänomen bedeutungsvoll. Das Kind, das von sich selbst in der dritten Person spricht, lokalisiert selbstverständlich das, wovon es spricht, in seinem Körper. Es hat aber vielleicht nicht begriffen, daß die Vorstellung, die es von sich selbst hat, eine andere als die ist, die ein anderer Mensch von ihm haben kann. Wenn es von sich selbst spricht, so versucht es damit sicher nicht, sich auf den Standpunkt eines anderen Menschen zu stellen, sondern es glaubt, es stelle sich auf den einzig möglichen, also einen absoluten Standpunkt. Eine solche Tatsache ist wichtig. Sie zeigt, daß Fernands Schmerz und sein Urteil, das er über diesen Schmerz abgibt, für ihn nicht gleichermaßen innerlich sind: Nur sein Schmerz wird im Körper lokalisiert, während das Urteil von einem gemeinsamen und undifferenzierten Standpunkt her abgegeben wird. Fernand weiß nicht, daß er ein Urteil über sich selbst abgibt. Würde man ihn fragen, wo sein »Ich« sei, so würde er nur die Hälfte seines Bewußtseins nennen, die den Schmerz spürt, nicht aber die andere Hälfte, die diesen Schmerz gewissermaßen von außen betrachtet.

Das Kind, das von sich in der dritten Person spricht, hat, kurz gesagt, zweifellos schon zum Teil ein »Ich«gefühl – Baldwin hat in diesem Punkt offensichtlich übertrieben –, aber vielleicht noch nicht das Gefühl für sein

---

[2] H. Wallon, in: Journal de Psychologie. Jg. 8 (1911). S. 436.

»Mich« oder sein »empirisches Ich«, wenn wir darunter mit W. James jenes Element des Ich verstehen, das das andere Ich in seinem Tun beobachtet. Doch schon nur diese Tatsache würde die oben erwähnten Schwierigkeiten bestätigen, die das Kind hat, wenn es die Grenzen zwischen der inneren Welt und der allen gemeinsamen Welt abstecken will.

2. Die Partizipationsgefühle und die magischen Praktiken beim Kind

Wir haben die Besonderheiten des kindlichen Ichbewußtseins derart hervorgehoben, weil diese Phänomene für die Ursprünge der Kausalität wichtig sind. Die ursprünglichsten Formen der kindlichen Kausalität scheinen nämlich auf eine Vermengung der Wirklichkeit mit dem Denken, genauer auf eine fortwährende Assimilation der äußeren Vorgänge an die durch die innere Erfahrung hervorgebrachten Schemata zurückzuführen zu sein. Diese Idee möchten wir in den beiden folgenden Paragraphen skizzieren und in den anschließenden Untersuchungen entwickeln. Im vorliegenden Paragraphen wollen wir nur einige Fälle solcher Partizipationsgefühle oder magischer Praktiken aufzählen und einfach auf die systematischsten Fälle hinweisen, die wir bei den später zu behandelnden Untersuchungen haben beobachten können.

Als »Partizipation« bezeichnen wir in Einklang mit der Definition von Lévy-Bruhl die Beziehung, die das ursprüngliche Denken zwischen zwei Wesen oder zwei Phänomenen zu sehen glaubt, welche es als teilweise identisch betrachtet oder die nach seiner Meinung einen starken Einfluß aufeinander ausüben, obwohl zwischen ihnen weder ein räumlicher Kontakt noch eine einsichtige kausale Konnexion besteht. Über die Anwendbarkeit dieses Begriffs auf das kindliche Denken läßt sich diskutieren, aber das ist nur eine Frage der Wortwahl. Es ist durchaus möglich, daß die Partizipation beim Kind etwas anderes ist als die Partizipation beim Primitiven. Sie sind aber einander ähnlich, und schon das allein berechtigt uns, unsere Terminologie um den adäquatesten Ausdruck zu bereichern, den man gefunden hat, um das Denken der Naturvölker zu beschreiben: wir präjudizieren damit in keiner Weise eine Identität der verschiedenen Partizipationsformen, die man unterscheiden kann.

Als »Magie« bezeichnen wir den Gebrauch, den das Individuum von den Partizipationsbeziehungen machen zu können glaubt, um die Wirklichkeit zu verändern. Jede Magie setzt eine Partizipation voraus, aber die Umkehrung dieser Aussage ist nicht wahr. Auch hier wieder mag man diesen Gebrauch des Begriffs »Magie« im Zusammenhang mit dem Kind bedauern, aber wir nehmen damit in keiner Weise vorweg, die Magie beim Kind und die Magie beim Primitiven seien miteinander identisch.

Man muß weiter zwischen der Partizipation und der Magie einerseits und dem kindlichen Animismus andererseits unterscheiden, also der Tendenz des Kindes, den unbelebten Gegenständen Leben und Bewußtsein zuzuschreiben. Die beiden Gruppen von Phänomenen hängen aber eng miteinander zusammen. So meinen beispielsweise die Kinder, die Sonne würde ihnen folgen. Wenn sie den Akzent auf die Spontaneität der ihnen nachfolgenden Sonne setzen, so ist das Animismus. Wenn sie glauben, sie selbst würden die Sonne hinter sich herziehen, so ist das Partizipation und Magie. Diese Überzeugungen stehen einander selbstverständlich sehr nahe. Wir wollen sie dennoch auseinanderhalten, denn wir werden später die gesammelten Tatsachen derart interpretieren, daß der Animismus von der Partizipation herzuleiten sei und nicht umgekehrt. Zum Zeitpunkt, da die Partizipationsgefühle unter dem Einfluß einer Differenzierung zwischen dem Ich und der Außenwelt aktualisiert werden, wird das Ich zumindest mit magischen Kräften ausgestattet und werden umgekehrt die Gegenstände mit Bewußtsein und Leben bedacht.

Wir wollen jetzt versuchen, die verschiedenen Typen der Partizipation beim Kind und die magischen Praktiken, die einige von ihnen auslösen, zu klassifizieren. Aus dieser Liste schließen wir selbstverständlich alles aus, was mit dem Spiel im eigentlichen Sinne des Wortes zusammenhängt. Das Spiel ist von Partizipationen ganz durchdrungen, aber nicht auf der Ebene der Überzeugungen, so daß wir dieses Problem unberücksichtigt lassen.

Man kann die Partizipationen und magischen Praktiken des Kindes auf zweierlei Weise klassifizieren: vom Inhalt, von der vorherrschenden Bedeutung oder von der Struktur der kausalen Relation her. Vom Inhalt her findet man magische Relationen, die mit der Angst, mit Gewissensbissen (Masturbation), mit der Triebhaftigkeit im eigentlichen Sinne des Wortes und viertens mit dem Gefühl der Ordnung, die in der Natur herrscht, verbunden sind. Die vier Bedeutungen werden in den zu zitierenden Beispielen sichtbar werden. Der andere Gesichtspunkt, die Struktur der Verbindungen, ist uns hier jedoch wichtiger, und deshalb wollen wir die Fakten, die wir gesammelt haben, in die folgenden vier Kategorien einteilen:

1. Es gibt zunächst die *Magie durch Partizipation der Handlungen und der Dinge*. Das Kind führt eine Handlung oder in Gedanken eine Operation (zählen usw.) aus und nimmt an, diese Handlungen oder diese Operationen würden durch Partizipation einen Einfluß auf ein bestimmtes gewünschtes oder befürchtetes Ereignis ausüben. Diese Handlungen haben die Ten-

denz, symbolisch zu werden, insofern sie sich von ihrem ursprünglichen Kontext lösen, gleich wie sich die konditionierten Reflexe von den Dingen lösen und einfache Zeichen werden.
2. Es gibt die *Magie durch Partizipation des Denkens und der Dinge:* Das Kind hat den Eindruck, ein Gedanke, ein Wort oder ein Blick usw. würden die Wirklichkeit verändern. Oder es materialisiert eine psychologische Eigenschaft, zum Beispiel die Trägheit usw., als ob ein träges Wesen eine Substanz oder eine Kraft ausscheiden würde, die von selbst handelt. Die Partizipation des Denkens und der Dinge löst auch hier Handlungen aus, die symbolisch zu werden neigen.
3. Es gibt die *Magie durch Partizipation von Substanzen:* Von zwei oder mehreren Körpern wird angenommen, sie würden aufeinander einwirken, sich anziehen oder sich abstoßen usw., und zwar durch einfache Partizipation; die Magie besteht hier darin, daß man den einen Körper dazu benutzt, um auf den anderen oder die anderen einzuwirken.
4. Es gibt schließlich die Magie durch die *Partizipation von Intentionen.* In diesem Falle wird von den Körpern angenommen, sie seien lebendig und mit Absichten ausgestattet. Also Animismus. Die Partizipation besteht darin, daß das Kind glaubt, der Wille des einen Körpers würde ohne weiteres auf den Willen des anderen einwirken; und die Magie besteht darin, daß diese Partizipation ausgenützt wird. Die üblichste Form ist die *Magie durch Befehlen:* den Wolken, der Sonne usw. befehlen, uns nachzufolgen oder von uns wegzugehen. Auch in diesen beiden letzten Fällen läßt sich bisweilen eine Tendenz zum Symbolismus beobachten.

Zuerst wollen wir einige Beispiele für die erste Gruppe vorstellen: Magie durch Handlungen. Wir haben selbstverständlich nur Kindheitserinnerungen zusammentragen können, denn die Kinder hüten sich davor, von ihren magischen Praktiken zu erzählen, solange sie sich ihrer bedienen. Wir wollen mit einem interessanten Fall beginnen, der zwar zum Teil zur zweiten Gruppe magischer Praktiken gehört, der aber sehr schön zeigt, wie weit kindliche Magie gehen kann.

Es ist der Fall von Edm. Gosse[3]. Seine packende und peinlich genaue Autobiographie ›Vater und Sohn‹ zeigt, daß die Erziehung, die man diesem Kind zuteil werden ließ, alles andere als magischen Praktiken förderlich war. Bei seinen Eltern war jede Phantasie strengstens verpönt. Man hatte ihm nie eine Geschichte erzählt. Als einzige Lektüre erhielt er religiöse oder wissenschaftliche Schriften. Seine Religion war rigoristisch, jede Mystik war ihr

---

[3] E. Gosse: Père et fils. Paris 1912. S. 58f. und S. 123.

fremd. Er hatte nie Freunde. Mit ungefähr 5 bis 6 Jahren entwickelte seine intellektuelle Tätigkeit, die kein Ventil in der Literatur oder irgendeiner konkreten Beschäftigung fand, eine Magie, die überaus reich gewesen zu sein scheint:

>»Mein Geist, der damals derart unter Zwang stand und gleichzeitig so aktiv war, fand in einer Art sehr natürlicher, sehr kindlicher Magie eine Zuflucht. Diese Magie kam in Konflikt mit den absoluten religiösen Vorstellungen, die meine Eltern mir mit allzu mechanischer Beharrlichkeit weiterhin gewaltsam einschärften, und entwickelte sich parallel zu ihnen. Ich bildete für mich bizarre abergläubische Vorstellungen aus, die ich nur an einigen konkreten Beispielen verständlich machen kann. Ich redete mir selbst ein, wenn es mir gelänge, die benötigten Worte oder die notwendigen Losungen zu finden, so könnte ich den großartigen Vögeln und prachtvollen Schmetterlingen in den illustrierten Handbüchern meines Vaters die Fähigkeit verleihen, wieder lebendig zu werden und aus dem Buch herauszufliegen, so daß nur Löcher zurückbleiben würden. Ich glaube, ich könnte in der Kapelle, wenn wir in schleppendem und tragendem Ton laute Lieder von religiösen Erfahrungen und Demutsübungen sangen, meine Stimme wie diejenigen von einigen Dutzend Sängern erschallen lassen, wenn es mir nur gelänge, den Zauberspruch zu finden. Während der äußerst langen und ermüdenden abendlichen Gebete glaubte ich, eines meiner beiden Selbst (das Kind stellte sich vor, es sei doppelt: ›Wir waren zu zweien und konnten miteinander plaudern‹, S. 54) könnte auf eines der Kranzgesimse hinaufflattern und mein anderes Selbst und die Personen des Hauses von oben betrachten, wenn ich nur den Schlüssel zum Geheimnis zu fassen bekäme. Ich arbeitete stundenlang an solchen kabbalistischen Formeln und malte mir, um diese Ziele zu erreichen, völlig irrationale Mittel aus. Ich war zum Beispiel davon überzeugt, wenn ich zählen könnte, ohne mich je zu irren, so würde ich mich plötzlich, sobald ich irgendeine hohe Zahl aussprechen würde, im Besitz des großen Geheimnisses befinden. Ich bin sicher, daß mir diese magischen Vorstellungen in keiner Weise von außen suggeriert wurden ...«

Diese ganze intellektuelle Gärung vollzog sich, ohne daß meine Eltern das geringste davon merkten. Als ich aber zu glauben begann, für den Erfolg meiner Magie sei es nötig, mir weh zu tun, und als ich mir in aller Heimlichkeit Nadeln ins Fleisch zu treiben und die Gelenke mit Büchern zu bearbeiten begann, war meine Mutter, und das dürfte niemanden erstaunen, bald von meinem ›ungesunden‹ Aussehen betroffen (S. 58 f.)«.

Die jetzt zitierten Beispiele sind meistens weniger eindeutig, aber es geht uns gerade darum, alle möglichen Zwischenstufen zwischen ausgeprägten und einfacheren, weniger »magischen« Fällen aufzuzeigen. Als Magie durch Handlungen möchten wir im Falle von Gosse natürlich die am Ende erwähnten Praktiken klassifizieren, nämlich die Nadeln und die Schläge. In dieselbe Kategorie können wir auch die Magie auf der Grundlage des Zählens stellen: fehlerlos oder sehr schnell zählen, um ein bestimmtes Ziel zu erreichen. Diese Magie auf der Basis einer Rechenoperation oder des Abzählens ist weit verbreitet. Hier einige weitere Beispiele:

Eine unserer Mitarbeiterinnen: »Um die Pläne zu verwirklichen, die mir am Herzen lagen (im Spiel gewinnen, schönes Wetter für einen Ausflug usw.), benutzte ich das folgende Verfahren: Ich hielt für kurze Zeit den Atem an, und wenn es mir gelang, ohne neu Atem zu holen, bis auf zehn (oder eine andere, mehr oder weniger schwierig zu erreichende Zahl, je nach Bedeutung des Vorhabens) zu zählen, so war ich sicher, daß ich das Gewünschte erhalten würde.«

Daß man mit Zählen fertig wird, bevor man wieder Atem holt, wird hier somit gleichzeitig als Zeichen und Ursache für den Erfolg des Vorhabens aufgefaßt.

Ein rund 10 Jahre alter Knabe mit starker Neigung zum Onanieren hatte die Gewohnheit, bis zu einer bestimmten Zahl (10 oder 15) zu zählen, wenn man ihm eine Frage stellte, aber auch in anderen Fällen, damit er keine Dummheiten sagte oder erhielt, was er wünschte. In diesem besonderen Fall scheint die Gewohnheit folgendermaßen entstanden zu sein. In den Stunden der Versuchung kam das Kind auf die Idee, jeweils bis zu einer bestimmten Zahl zu zählen und dann, je nachdem ob es ihm gelang, unter bestimmten Bedingungen bis zu dieser Zahl zu kommen, der Versuchung nachzugeben oder nicht nachzugeben. Die Gewohnheit war verallgemeinert worden und zu einem Entscheidungsmittel, dann einem Zeichen und schließlich einem magischen Verfahren geworden.

Das Abzählen ist auch hier wieder gleichzeitig Zeichen und Ursache. Man findet selbstverständlich auch das Negativ zu den genannten Fällen: Die Rechenoperation dient nicht nur dazu, irgend etwas zu erhalten, sondern auch dazu, irgendein Unglück zu vermeiden. Das Phänomen ist bei jenen Kindern weit verbreitet – und sie sind viel zahlreicher, als man glaubt –, die jeden Abend von der Angst vor dem Tod, dem eigenen Tod oder dem Tod der Eltern, heimgesucht werden. Einer unserer Mitarbeiter hat in dieser Hinsicht bezeichnende Erinnerungen:

»Mit ungefähr 6 bis 8 Jahren schreckte mich jeden Abend der Gedanke, ich würde am nächsten Morgen nicht mehr erwachen. Ich spürte meinen Herzschlag, ich versuchte mit der Hand auf der Haut zu ertasten, ob das Herz nicht stehen bliebe. Zweifellos auf diese Weise habe ich begonnen zu zählen, um mir Sicherheit zu verschaffen. Ich zählte sehr schnell zwischen zwei Herzschlägen, und wenn es mir gelang, bis zu einem bestimmten Herzschlag auf die festgelegte Zahl zu kommen oder die Herzschläge mit geraden oder ungeraden usw. Zahlen zusammenfallen zu lassen, so fühlte ich mich sicher. Die Einzelheiten dieser Operationen habe ich vergessen. Ich erinnere mich hingegen noch sehr gut an folgendes. Im Rohr der Heizkörper meines Zimmers kam es in regelmäßigen Abständen zu einem plötzlichen und lauten knackenden Geräusch, das mich jeweils auffahren ließ. Ich bediente mich dieses Anzeichens, um sicher zu sein, ob ich sterben würde oder nicht: Ich zählte sehr schnell zwischen einem Geräusch und dem nächsten, und wenn ich über eine bestimmte

Zahl hinauskam, war ich gerettet. Ich bediente mich des gleichen Verfahrens, um herauszufinden, ob mein Vater, der nebenan schlief, am Sterben sei oder nicht.«

Man sieht die Verwandtschaft zwischen solchen Phänomenen und den Manien von Patienten mit Obsessionen und ihren Abwehrmitteln. Das Beispiel ist aber nur ein Negativ der weiter oben erwähnten Fälle von Magie.

Hier eine Erinnerung an Ergebnisse, die im Alter von 9 bis 11 Jahren stattgefunden haben:

»Ich begleite oft meinen Vater zu seinen Schießübungen. Während mein Vater schießt, sitze ich auf einer Bank. Er hat mir seine Zigarre gegeben, damit ich sie in dieser Zeit halte. Ich möchte die Punktezahl der Schüsse aus der Stellung der Zigarre bestimmen. Je nachdem ob die Zigarre fast senkrecht (das brennende Ende unten) steht oder in einem Winkel von 90°, 120° oder 180° geneigt ist, ist der Schuß nicht so gut, gut oder sehr gut. Der Schuß ist nie ein Nuller, denn mein Vater ist ein guter Schütze. Nach zwei oder drei guten Schüssen senke ich freilich die Zigarre ein wenig, weil ich das Gefühl habe, es könne auf die Dauer nicht gut sein.« Unser Informant hat uns bestätigt, es habe sich dabei nicht um ein Spiel gehandelt, sondern er habe wirklich geglaubt, er könne durch die Stellung der Zigarre die Schießkunst seines Vaters beeinflussen.

Andere magische Handlungen oder Operationen beruhen auf der Freude am Rhythmus oder auf einem anderen Vergnügen ästhetischer Art. Sie bewirken bald positiv magische Akte, bald Obsessionen, die das Negativ dazu sind. Dazu gehört das weit verbreitete Vergnügen, wenn möglich nicht auf die Rillen zwischen den Trottoirplatten zu treten oder pro Platte nur einen Schritt zu machen usw.

Am Anfang steht ein rein ästhetisches oder völlig spielerisches Vergnügen. Doch das Kind muß nur etwas lebhaft begehren oder etwas anderes fürchten, damit das Spiel zu einer Schicksalsprobe wird und der Erfolg oder der Mißerfolg als Zeichen und Ursache der Verwirklichung dessen aufgefaßt werden, was man wünscht oder verfürchtet:

Ein Mitarbeiter: »Oft wenn ich etwas lebhaft wünschte, setzte ich beim Gehen den Fuß nur auf jede zweite Platte des Gehwegs. Wenn mir das bis an das Ende des Weges gelang, so war das ein Zeichen dafür, daß mein Wunsch in Erfüllung gehen würde. Oder ich berührte die Steine einer Mauer, indem ich jeden dritten Stein mit dem Finger leicht antippte. Wenn ich so zufällig zum letzten Stein der Mauer kam, so war ich sicher, Erfolg zu haben« usw.

Ein anderer unserer Mitarbeiter fühlte sich von einer Gefahr bedroht, wenn er auf die Rillen zwischen den Platten trat. Wenn er einmal auf einen Zwischenraum getreten war, so tat er dies bis ans Ende des Weges, damit das Unglück weniger groß sei.

Hier noch ein anderes Beispiel für solche rhythmischen Handlungen, die sicherstellen sollen, daß ein bestimmtes Ereignis Wirklichkeit wird:

Ein onanierendes Kind, das wir Clan nennen wollen, befürchtete, es würde der Faulheit oder der »Verdummung« verfallen. Seine Träume und seine Zukunftspläne wiesen deshalb eine Tendenz zur Überkompensation auf. Das Kind nahm sich vor, »ein großer Mann« zu werden. Um dieses Ziel zu erreichen, hatte es die folgende Gewohnheit angenommen, und zwar während längerer Zeit: »Wenn ich X [einen öffentlichen Platz in Z] überquerte, klopfte ich mit meinem Tramabonnement auf das gekreuzte Drahtgitter, das den Rasen umschloß. Das zwang mich, mich nach vorne zu beugen [das Gitter ist ziemlich niedrig]. Ich tat dies jeden Morgen, um ein großer Mann zu werden.«

Hier noch ein Fall, der der Obsession im eigentlichen Sinne des Wortes näher als der Magie steht und das Negativ zu einem Fall von Magie zu sein scheint, den wir weiter unten kennenlernen.

Eine Mitarbeiterin erinnert sich, daß sie, neben dem bereits erwähnten »Rillen-Ritus«, sich dazu getrieben fühlte, jeden beim Gehen ungewollt verschobenen Stein wieder an seinen früheren Platz zu legen, weil sonst irgendein Wunsch, den sie in diesem Augenblick hatte, nicht hätte Wirklichkeit werden können.

Hierher gehört wahrscheinlich auch die merkwürdige Erinnerung, die Flournoy aus der Kindheit von Fräulein Vé berichtet:

»Eine meiner am weitesten zurückliegenden Erinnerungen bezieht sich auf meine Mutter. Sie war schwer krank, seit Monaten im Bett, und ein Dienstbote hatte mir gesagt, sie würde in wenigen Tagen sterben. Ich dürfte 4 oder 5 Jahre alt gewesen sein. Mein liebster Besitz war ein kleines braunes Holzpferd, das mit ›richtigen Haaren‹ bezogen war ... In meinem Hirn keimte eine seltsame Idee: daß ich auf mein Pferdchen verzichten müsse, damit meine Mutter geheilt würde. Das Vorhaben ließ sich nicht auf einmal verwirklichen. Es fiel mir entsetzlich schwer. Zuerst warf ich das Zaumzeug und den Sattel ins Feuer, wobei ich mir dachte, ›wenn es nur sehr häßlich aussieht, darf ich es vielleicht behalten‹. Ich erinnere mich nicht genau, wie sich die Dinge weiter abgespielt haben; aber ich weiß noch, daß ich am Ende in großer Verzweiflung mein Pferdchen in Stücke geschnitten habe; als meine Mutter einige Tage später wieder aufstehen konnte, war ich lange davon überzeugt, mein Opfer habe sie auf geheimnisvolle Weise geheilt.«[4]

Diese Vorstellung von der magischen Wirksamkeit des Opfers kommt auch in einfacherer Form vor: die Wirksamkeit mühsamer oder langweiliger Taten, wenn man etwas Gewünschtes erreichen will. Hier ein Fall dieser Art:

---

[4] Th. Flournoy: Une mystique moderne. In: Archives de Psychologie. Vol. 15 (1915). S. 1–224.

Um von seinem Lehrer nicht vor der Klasse etwas gefragt oder sonst behelligt zu werden, hatte ein Knabe die Gewohnheit, am Morgen, bevor er wegging, zwei- oder dreimal die Schuhe anzuziehen. Er hatte den Eindruck, je langweiliger dieses Ritual durchzustehen sei, um so größer sei auch die Chance, vom Schicksal begünstigt zu werden.

Schließlich gibt es auch zahllose Rituale, um eine Gefahr zu bannen:

Ein Knabe, der in einem etwas abseits liegenden Haus wohnte, ängstigte sich jeweils stark an den Abenden, da seine Eltern nicht zu Hause waren. Bevor er zu Bett ging, ließ er die Vorhänge herunter, die über dem Fenster aufgerollt waren. Er hatte den Eindruck, falls es ihm gelänge, den Vorhang sehr rasch herunterzuziehen, würden die Diebe nicht kommen. Falls sich der Vorhang jedoch nur mit Mühe senken ließ, war das Haus in Gefahr.

Solche und auch die folgenden Fälle werfen ein Licht auf den Ursprung dieser Partizipationsgefühle und dieser Magie durch Gesten. Die meisten kleinen Mädchen verspüren am Abend im Bett eine heftige Angst vor der Dunkelheit und den verschiedenen Geräuschen. Sie treffen deshalb allerlei Vorsichtsmaßnahmen, beispielsweise indem sie sich unter der Decke verstecken, der Türe den Rücken zudrehen, die Decke bis genau zum Kinn hinaufziehen usw. Daran ist nichts Magisches, denn das sind schlichte Schutzvorkehrungen. Doch einige solcher Gesten lösen sich aus ihrem ursprünglichen Kontext und werden Rituale, wie die eben erwähnte Geschichte mit dem Vorhang, wodurch sie einen ganz anderen inneren Wert erhalten. Und damit beginnt die Magie:

Eine unserer Mitarbeiterinnen fühlte sich beschützt, sobald sie die Arme fest gegen den Körper preßte.
  Eine andere Mitarbeiterin fühlte sich geborgen, sofern die Bettdecken fein säuberlich gestreckt waren und sie hineinschlüpfen konnte, ohne an dieser Ordnung das geringste zu verändern. Falls das Bett zufällig einmal nicht gemacht war oder sie die Leintücher beim Hineinschlüpfen in Unordnung brachte, fühlte sie sich in Gefahr.

Man sieht ohne weiteres, woher solche Handlungen kommen: einen Vorhang senken, sich zusammenkuscheln oder feststellen, daß niemand das Bett berührt hat. Sobald aber die Geste ihre ursprüngliche Bedeutung verliert und aus sich selbst wirksam ist, wird sie magisch.

Wir wollen jetzt zu den Fällen von Magie durch *Partizipation des Denkens und der Dinge* übergehen. Zwischen ihnen und den bereits erwähnten Beispielen gibt es alle möglichen Übergänge, wie uns die Fälle von Zahlenmagie gezeigt haben. Die jetzt zu besprechenden Fälle hängen jedoch mit geistigen Elementen zusammen, die noch stärker als die Zahlen mit dem Denken verbunden sind, zum Beispiel mit den Namen und mit den Wörtern selbst. Solche Fälle gehen somit aus dem kindlichen Realismus hervor, den wir in den ersten Kapiteln zu analysieren versucht haben. Schon dort haben wir übrigens zahlreiche Fälle von solchen Gefühlen einer Partizipation zwischen den Dingen und dem Denken kennengelernt: Die Namen sind mit den benannten Dingen verbunden, die Träume mit den Dingen, von denen man träumt usw. Der beste Beweis dafür, daß diese Partizipationen, deren Tragweite wir angedeutet haben, spontan sind und nicht durch unsere Fragen ausgelöst werden, ist die Tatsache, daß wir ihnen die echtesten Fälle von Magie verdanken, die wir in den von uns gesammelten Kindheitserinnerungen angetroffen haben, nämlich die Fälle von Magie durch den Namen. Hier einige Beispiele dafür:

Die erste Onanierkrise Clans, des Kindes, von dem wir bereits gesprochen haben, hatte sich in Mayens-de-Sion abgespielt. Wieder zu Hause, versuchte Clan unter dem Druck seiner Gewissensbisse, nicht nur seine Erinnerung, sondern die Tatsache selbst oder ihre Folgen, nämlich die »Verdummung«, die er befürchtete (siehe oben), zu verdrängen. Zu diesem Zweck konzentrierte er sich auf den Namen Mayens-de-Sion: »Ich gab mir alle Mühe, den Namen Mayens-de-Sion auszutilgen«. Dazu verballhornte er einfach die Ortsbezeichnung. Immer wieder sagte er laut und mit deutscher Betonung »Máyenser-séyens« vor sich hin, die beiden Silben »may« und »sey« besonders betonend.

Clan, der unter der Ungerechtigkeit eines Lehrers zu leiden hatte, sagte in seinem Zimmer zu Hause immer wieder den Spitznamen dieses Lehrers vor sich hin, nicht um sich über ihn lustig zu machen (soweit eine solche Erinnerung zuverlässig ist!), sondern um sich seinem Einfluß zu entziehen.

Ein Naturwissenschaftler, dessen Arbeiten heute weltweit bekannt sind, hat uns die folgende Kindheitserinnerung geschildert. In 50 Zentimeter Abstand von seiner Katze und diese scharf ins Auge fassend wiederholte er mehrmals die Formel: »Tin tin, pin pin, o-ü-in, pin pin, tin tin, pin pin, o-ü-in, pin pin« usw. Falls die Erinnerung nicht trügt, sollte diese Formel dem Kind ermöglichen, »sich in seine Katze hineinzuwerfen«: Durch das Aussprechen dieser Silben hatte das Kind das Gefühl, es dringe in die Katze und bringe sie so durch Partizipation in seine Gewalt.

Eine unserer Mitarbeiterinnen spielte als Kind besonders gerne »Schule«. Sie verteilte den Kameradinnen, die sie gerne mochte, Gutpunkte und ihren Feindinnen schlechte Noten usw., das alles vor lauter leeren Stühlen. Am nächsten Tag war sie in der Schule davon überzeugt, das wirkliche Unterrichtsgespräch beeinflußt zu haben, nämlich ihren Freundinnen geholfen zu haben, gute Antworten zu geben, und ihren Feindinnen geschadet zu haben.

Andere Formen der Partizipation des Denkens und der Dinge beruhen auf einer Art Vermengung oder Nichtunterscheidung zwischen psychischen und materiellen Eigenschaften:

Wie alle onanierenden Kinder hatte Clan Angst, seine geistigen Fähigkeiten zu verlieren und ein »Faulpelz« zu werden. Daraus entstand das folgende Ritual: »Wenn ich mit einem faulen Knaben zusammen war, gab ich ihm die Hand. Sobald ich wieder zu Hause war, sagte ich zu mir selbst: Einem Faulpelz die Hand geben, bedeutet selbst ein Faulpelz werden. Und dagegen tat ich etwas.« Er rieb sich nämlich anschließend kräftig die Hände.

Gewisse Rituale bestehen darin, einfach etwas zu denken, damit ein bestimmtes Ereignis eintritt oder nicht eintritt (Freuds „Allmacht des Denkens«):

Bei Kindern kommt es oft vor, wie übrigens auch bei vielen Erwachsenen, daß sie das Gegenteil dessen denken, was sie sich wünschen, als ob es die Wirklichkeit darauf abgesehen hätte, die Wünsche absichtlich zu vereiteln.

Ebenso kommt es bisweilen vor (wie aus den von uns gesammelten Kindheitserinnerungen hervorgeht), daß Kinder, um keine Angstträume zu haben – und die Träume sind, wie man sich erinnert, nach Meinung der jüngeren Kinder auf äußere Ursachen zurückzuführen –, bewußt an schreckliche Dinge und an den bekannten Inhalt der Alpträume denken, damit der Traum nicht kommt.

Hier noch zwei Beispiele von Partizipationsempfindungen, die mit der Wirksamkeit des Denkens zusammenhängen:

Clans erste Onanierkrise war durch den Anblick eines kleinen Mädchens ausgelöst worden, das er nicht kannte und das er eines Tages von weitem ziemlich ungeniert angestarrt hatte. Anschließend hatte er sich die Frage gestellt, »ob das kleine Mädchen ein Kind bekommen werde«. Eine analoge Frage stellte sich Clan ein anderes Mal, als er durch ein Schlüsselloch geguckt hatte.

Abschließend sei noch ein Beispiel wiedergegeben, das zwischen solchen Partizipationsempfindungen und der anschließenden Gruppe steht:

Einer unserer Mitarbeiter erinnert sich daran, daß er es beim Murmelspiel so einrichtete, jeweils mit der Murmel des Gewinners des letzten Spiels zu spielen, um leichter zu gewinnen, als würde die Geschicklichkeit des anderen Spielers der Murmel eine Dauerwirkung verleihen oder als wäre die Murmel durch ihr eigenes Glück mit Wirksamkeit geladen.

Alle diese Fälle beruhen somit darauf, daß irgendein geistiges Element, die Namen, die Faulheit, das Denken und die Träume, die Geschicklichkeit usw., als mit den Dingen selbst verbunden, als mit Wirksamkeit ausgestattet betrachtet wird. Von hier zur dritten Gruppe, also zur Magie durch *Partizipation von Substanzen*, gibt es alle möglichen Übergänge, wie uns das Beispiel der magischen

Murmel gezeigt hat, deren Wirksamkeit nicht mehr auf die Geschicklichkeit des Spielers, sondern auf die Murmel selbst zurückgeführt wird. Diese dritte Gruppe ist daran erkennbar, daß die magische Aktion nicht mehr direkt von einer Handlung oder einem Gedanken des Subjekts wie im Falle der beiden ersten Gruppen herrührt, sondern von einem Körper, einem Ort usw. ausgeht, dessen sich das Subjekt bedient, um auf einen anderen Körper oder auf ein Ereignis einzuwirken. Zuerst wollen wir zwei klare Beispiele zitieren, bei denen die Wahl des magischen Körpers durch seine Ähnlichkeit mit dem Körper bestimmt zu sein scheint, auf den das Kind einwirken will:

Eine unserer Mitarbeiterinnen berichtet von einer Erinnerung, wobei sie von sich selbst in der dritten Person spricht: »Ein sechsjähriges Mädchen warf jedesmal, wenn es mit seiner Gouvernante bei einem Weiher vorbeispazierte, in dem seltene Seerosen wuchsen, kleine Kieselsteine (sie wählte lauter weiße und runde) in das Wasser, wobei es immer darauf achtete, von der Gouvernante nicht gesehen zu werden. Es war der Meinung, am nächsten Tag würden Seerosen genau an der Stelle zu finden sein, wo die Kieselsteine hingefallen waren. Weil es hoffte, die Blüten würden dann in Griffweite kommen, warf es seine Kiesel immer nahe ans Ufer des Weihers.«
Eine andere Mitarbeiterin: »Wenn man eine Pflanze in einen Topf setzt, legt man einen kleinen Stein auf den Boden des Topfes, um das Begießen zu erleichtern. Ich hatte diese Gewohnheit beobachtet, aber ihren Sinn mißverstanden. Ich wählte meinen Stein auf eine besondere Art aus, weil ich mir vorstellte, das Leben der Pflanze würde von seiner Farbe oder seiner Form abhängen. Dabei ging es ebensosehr um eine Wirkung des Steines auf die Pflanze wie um eine Art Zusammengehörigkeit zwischen dem Stein und mir: der Stein verbündete sich mit mir, um die Pflanze zum Wachsen zu bringen.«

Hier noch eine andere Erinnerung, die mit ziemlicher Sicherheit im 10. bis 11. Lebensjahr anzusetzen ist:

Einer von uns sammelte am Seeufer Muschelschalen und kleine Schneckenhäuschen. Unterwegs verspürte er alle möglichen Partizipationsempfindungen, die sowohl von der Neigung des Kindes, in allen Dingen Zeichen zu sehen, als auch von seiner Tendenz, das Zeichen mit der Ursache der Ereignisse zu verwechseln, zeugten, wobei die Ursache hier magischer Natur war. Wenn er etwa eine bestimmte seltene Art suchte und unterwegs eine andere interessante Art fand, so zog er daraus den Schluß, er würde die gesuchte Art, je nach Fall, finden oder nicht finden. Er stützte sich dabei in keiner Weise auf Ähnlichkeiten beim Standort dieser Arten, sondern allein auf okkulte Verbindungen: Eine bestimmte unerwartete Entdeckung mußte im Laufe des Tages eine andere Entdeckung nach sich ziehen. Oder wenn er meinte, in der Ferne eine bestimmte Art zu sehen und dann feststellen mußte, daß er sich getäuscht hatte, so schloß er daraus, er würde an diesem Tag die besonders gesuchte Art nicht mehr finden.

Man kann solche Tatsachen mit Partizipationsbeziehungen zu bestimmten Orten, günstigen oder unheilvollen Orten, in einer Gruppe zusammenfassen:

Einer unserer Mitarbeiter: »Wenn ich zum Zahnarzt ging und dabei eine bestimmte Straße benutzte, so wählte ich, falls es weh tat, das nächste Mal einen anderen Weg, damit ich nicht wieder Schmerzen haben würde.«

Man kann auch die zahlreichen Partizipationsempfindungen, die durch Meinungen über die Luft und den Wind ausgelöst werden, zu dieser Gruppe zählen. Wir werden noch sehen (PK, Kapitel I[5]), daß 4 bis 6 Jahre alte und sogar einige noch ältere Kinder glauben, in den Zimmern habe es keine Luft; man müsse aber nur die Hände oder einen Fächer usw. bewegen, um »Luft zu machen« und dadurch »Wind« von außen, durch die geschlossenen Fenster, in das Zimmer hineinzubringen. Das ist eine wirkliche Partizipation, denn es gelingt dem Kind nicht, das »Wie« eines solchen Phänomens zu erklären, und es versucht dies auch gar nicht: In den Augen des Kindes muß man nur die Hand bewegen, damit der Wind herbeieilt, und der durch die Hände erzeugte Wind hat eine unmittelbare Wirkung auf den Wind außerhalb des Zimmers.

Wenn man vor einem 4 bis 6 Jahre alten Kind eine Dampfmaschine in Gang setzt, so erklärt ein solches Kind die Bewegung des äußeren Rades durch eine direkte Einwirkung des Feuers, und zwar auch auf Distanz (wenn das Feuer 50 Zentimeter entfernt ist). Es kommt oft vor, daß das Kind annimmt, der Wind außerhalb würde das Feuer unterstützen, und zwar wiederum durch eine unmittelbare und nicht wahrnehmbare Anziehung (PK, Teil IV): also Partizipation zwischen dem durch das Feuer erzeugten Wind und dem Wind von außerhalb. Der Schatten, den man auf den Tisch wirft, wird von den jüngeren Kindern oft durch eine Partizipation mit dem Schatten der Nacht oder dem Schatten unter den Bäumen erklärt: Diese Schatten würden herbeieilen, sobald wir die Hand auf ein Blatt Papier legen, so daß die Finger Schatten werfen usw. (PK, Teil III). Hier sagt das Kind wiederum, der Schatten der Bäume »komme«, ohne das »Wie« dieses Kommens zu präzisieren. Es sagt ganz einfach, der Schatten der Hände komme gleichzeitig von den Händen und von den Bäumen. Das ist keine logische Identität (wie wenn man beispielsweise sagen würde, »der Schatten der Hand ist von gleicher Natur wie der Schatten der Bäume«), auch keine einsichtige kausale Beziehung, sondern schlichte Partizipation.

[5] J. Piaget: La causalité physique chez l'enfant. Paris 1927. (Eine deutsche Übersetzung ist nicht erschienen; dennoch kürzen wir den Titel hier nach seiner deutschen Übersetzung ab: PK für »Physikalische Kausalität beim Kinde«; Anmerkung des Übersetzers.)

Abschließend wollen wir ein Beispiel zitieren, das zwischen dieser Gruppe und der nächsten steht. Es handelt sich um ein kleines Mädchen, das seinen Murmeln die Fähigkeit zusprach, aufeinander einwirken zu können, und zwar sowohl aufgrund einer gewissen Gemeinsamkeit im Wesen (die Murmeln derselben »Sippe« ziehen sich notwendig gegenseitig an), als auch wegen einer Art Partizipation der Absicht, ähnlich der der vierten Gruppe:

Eine Mitarbeiterin: »Wenn ich Murmeln gewonnen [und aus dem gegnerischen Lager genommen] hatte, so spielte ich nie mit diesen gewonnenen Murmeln weiter. Ich glaubte, ich würde sie eher wieder verlieren als die anderen, weil ich mir vorstellte, diese Murmeln seien mit ihrer früheren Umgebung verbunden und würden dazu neigen, zu ihrem früheren Besitzer zurückzukehren.«

Es gibt schließlich eine vierte Gruppe von Partizipationen, die *Partizipationen durch Gemeinsamkeit in den Absichten*, die Akte einer *Magie durch Befehlen* auslöst. Die Fakten dieser Gruppe hängen mit Magie wie mit kindlichem Animismus zusammen. Zwei Grundempfindungen stehen an ihrem Ausgangspunkt: die Egozentrizität, die das Kind meinen läßt, die Welt drehe sich um es, und der Respekt vor den Eltern, der es meinen läßt, die Welt gehorche mehr moralischen als physikalischen Gesetzen. Der kindliche Animismus und Artifizialismus leitet sich direkt von dieser Geisteshaltung her, sobald sie sich zu Vorstellungen konkretisiert. Doch schon vor jeder Reflexion verursacht diese Haltung Empfindungen einer Partizipation zwischen den Dingen und uns, zahllose Empfindungen, auf die wir schon jetzt aufmerksam machen wollen, bevor wir sie im Zusammenhang mit den einzelnen Gruppen von Phänomenen gründlicher prüfen.

Es gibt zunächst die Partizipationen, die mit der Materialität des Denkens verbunden sind. Da das Denken mit der Stimme identisch ist, wird es bisweilen für Luft gehalten, eine zugleich innerliche und äußerliche Luft. Daraus resultiert die Meinung, wonach der Wind und der Rauch in uns hineinkommen und an unserem Atem und unserem Denken partizipieren (siehe Kapitel I, Abschnitte 1, 2 und 3). Dieselben Überzeugungen kommen beim Traum vor. Alle diese Meinungen gehen, wie wir gesehen haben, ohne weiteres aus einem verhältnismäßig einfachen Realismus und der Nichtunterscheidung zwischen dem Denken und den Dingen hervor. Weiter gibt es die viel zahlreicheren Partizipationen, die mit der Vorstellung zusammenhängen, die Dinge würden entweder dem Kind selbst oder den Erwachsenen gehorchen. Zuerst wollen wir einige Beispiele für den ersten Typ geben, wobei wir mit zwei Erinnerungen beginnen.

Ein Professor unter unseren Freunden war in seiner Kindheit lange davon überzeugt (er behielt jedoch diese Meinung immer für sich, bevor er uns davon erzählte), er sei der »Beherrscher« der Welt, das heißt, er könne die Sonne, den Mond, die Sterne und die Wolken nach Belieben führen.

Clan stellte sich ebenfalls vor, die Sterne seien sein »Besitztum«.

Wir zitieren diese beiden Erinnerungen, weil sie zeigen, wie sehr sie mit den Überzeugungen übereinstimmen, die wir direkt beobachten konnten. Wir werden noch sehen (Kapitel VII, Abschnitt 2), daß die meisten Kinder (bis zum Alter von 8 Jahren) glauben, die Sterne würden ihnen folgen. Bei zahlreichen Kindern liegt der Akzent nicht so sehr auf der Spontaneität der Gestirne, sondern auf der Macht des Kindes selbst. Hier einige eindeutige Beispiele, die sich sowohl auf die Wolken als auch auf die Gestirne beziehen:

Nain (4;6): »Kann der Mond gehen, wohin er will, oder gibt es etwas, das ihn bewegt? – *Ja, ich, wenn ich gehe.*« Und an anderer Stelle: »*Er kommt mit mir, er folgt uns nach.*«

Giamb (7 Jahre): »Bewegt sich der Mond, oder bewegt er sich nicht? – *Er folgt uns nach. –* Warum? – *Wenn man geht, geht er* (auch).« »Wer macht, daß sich der Mond bewegt? – *Wir. –* Wie bringen wir das fertig? – *Wenn man geht. Er bewegt sich von ganz allein.*« Dann erfindet Giamb, der Wind stoße die Sonne und den Mond, aber er besteht darauf, daß wir diese Bewegung regulieren: »Wenn man sich nicht bewegen würde, würde dann der Mond gehen oder nicht gehen? – *Der Mond würde anhalten.* – Und die Sonne? – *Sie geht auch mit uns.*«

Tag (6;6): »Hast du schon einmal gesehen, daß sich die Wolken bewegen? – *Ja. –* Kannst du sie in Bewegung versetzen? – *Ja, wenn man geht. –* Was bewirkt das, wenn man geht? – *Das setzt sie in Bewegung. –* Was setzt sie in Bewegung? – *Wir, denn wenn wir gehen, folgen sie uns nach. –* Wie kommt es, daß sie uns nachfolgen? – *Weil man geht.*« »Woher weißt du das? – *Deshalb, wenn man in die Luft schaut, bewegen sie sich vorwärts. –* Wenn du willst, daß sie auf die andere Seite gehen, kannst du das? – *Man dreht sich um, dann geht man rückwärts. –* Und was tun die Wolken? – *Sie gehen rückwärts. –* Was kann man von weitem in Bewegung versetzen, ohne es zu berühren? – *Den Mond. –* Wie? – *Wenn man vorwärts geht, folgt er uns nach. Die Sterne auch. –* Wie? – *Wenn man vorwärts geht, folgen sie uns auch. Es hat einige dahinter, die ihm* (dem Mond) *folgen.*«

Sala (8 Jahre): »Hast du schon Wolken gesehen, die sich vorwärts bewegen? Was bringt sie dazu, sich vorwärts zu bewegen? – *Wenn man vorwärts geht, gehen sie auch vorwärts. –* Kannst du sie dazu bringen, daß sie sich in Bewegung setzen? – *Jedermann kann es, wenn man geht.*«

Tuli (10 Jahre): »Was bringt die Wolken dazu, sich vorwärts zu bewegen? – *Wenn man geht.*«

Port (9 Jahre) sagt, die Wolken würden sich bewegen, wenn sich der liebe Gott bewegt, und fügt spontan hinzu: »*Aber wenn die Leute auch auf der Straße gehen, so bringt das die Wolken dazu, sich vorwärts zu bewegen.* – Kannst du sie also dazu bringen, sich zu bewegen? – *Ja, wenn ich gehe, schaue ich manchmal zum Himmel. Ich sehe, wie die Wolken sich bewegen, dann sehe ich auch den Mond, wenn er dort ist.«*

Man ersieht daraus, worin diese Partizipationen und magischen Haltungen bestehen. Es ist nicht direkt eine substantielle Partizipation, sondern einfach eine Partizipation in den Bewegungen und vor allem in den Absichten: Wir können den Gestirnen und den Wolken befehlen, weil deren Absichten an den unseren partizipieren. Es kann freilich geschehen, daß diese dynamische Partizipation eine substantielle Partizipation nach sich zieht. Das gilt insbesondere für die Luft, den Schatten usw. Für das Kind haben wir die Macht, die Luft oder den Schatten usw. anzuziehen, indem wir selbst eine Luftbewegung oder einen Schatten auslösen. Wir haben diese Fakten in die Gruppe der substantiellen Partizipationen (3. Gruppe) eingeordnet, aber ihr Ursprung ist offensichtlich eine einfache dynamische Partizipation von der Art der vorhergehenden Fälle. Ein Fall, der von Sully zitiert und von Leuba und Delacroix mit Recht zu den magischen Haltungen gezählt wird[6], zeigt klar diese Verwandtschaft zwischen dynamischer und substantieller Partizipation: »Ein kleines Mädchen«, schreibt Sully, »spazierte eines Tages mit seiner Mutter bei ziemlich starkem Wind. Zuerst war es von diesem starken und angriffigen Wind begeistert, aber es hatte ihn bald satt und sagte: ›Dieser Wind bringt die Haare von Mama ganz durcheinander; Babba (Kosename des kleinen Mädchens) bringt die Haare von Mama in Ordnung, dann bläst der Wind nicht mehr‹. Drei Wochen später war das Kind bei regnerischem Wetter draußen; es sagte zu seiner Mutter: ›Mama, trockne die Hände von Babba ab, dann kein Regen mehr‹. Das kleine Mädchen«, fügt Sully hinzu, »betrachtete den Wind und den Regen als ungezogene Kinder, aus denen man brave Kinder machen kann, indem man die Wirkungen ihrer Untaten verschwinden läßt; mit anderen Worten, man muß sie daran hindern, noch einmal Ungezogenheiten zu begehen, indem man ihnen ein höheres und auffälliges Verbot vor Augen hält.«[7] Dieser Kommentar verdeutlicht mit aller Klarheit den moralischen und dynamischen Ursprung dieser Partizipationen. Doch zwischen der dynamischen Partizipation, die darin besteht, daß die Absichten des Windes mit unseren eigenen Intentionen verbunden werden, und der substantiellen Partizipation, die darin besteht, daß die Luftbewegung, die wir mit eigenen Händen erzeugen können,

---

[6] Siehe H. Delacroix: La religion et la foi. Paris 1924. S. 27–42, insbesondere die Beziehungen, die Delacroix zwischen der Magie und dem Wünschen herstellt. Siehe auch J. H. Leuba: La psychologie des phénomènes religieux. 1914. Kapitel VIII.

[7] J. Sully: Etudes sur l'enfance. Paris 1898. S. 115. (Deutsch: Untersuchungen über die Kindheit. Leipzig 1897.)

mit dem Wind selbst verbunden wird, ist der Unterschied offensichtlich klein.

Hier noch ein schöner Fall einer dynamischen Partizipation, die substantiell wird und an die waghalsigsten Formen der Partizipation bei Naturvölkern heranreicht:

James zitiert den Fall eines Taubstummen, der Professor geworden ist und seine eigenen Erinnerungen (in der dritten Person) aufgezeichnet hat. Wir entnehmen den Erinnerungen über den Mond den folgenden Abschnitt[8]: »Als drittes fragte er sich mit Verwunderung, weshalb der Mond regelmäßig am Himmel erscheine. Er dachte, der Mond sei deshalb herausgekommen, um ihn allein zu sehen. Er begann nun mit ihm zu sprechen und stellte sich vor, er sehe ihn lächeln oder die Stirn runzeln. Schließlich fand er heraus, daß er meistens dann geschlagen wurde, wenn der Mond sichtbar war. Es sah so aus, als würde der Mond ihn überwachen und seine Dummheiten dem Vormund [er war Waise] hinterbringen. Er fragte sich oft, wer der Mond wohl sein könnte. Schließlich war er davon überzeugt, er sei seine Mutter, denn so lange diese gelebt hatte, hatte er den Mond nie gesehen.« Er ging am Sonntag zur Kirche, »weil er sich vorstellte, der Mond wünsche, daß er dorthin gehe, so wie er jeweils mit seiner Mutter hingegangen war.« Sein sittliches Gewissen entwickelte sich »vor allem dank dem Einfluß des Mondes (an jenem Abend, als ich das verschwundene Geld fand, war Vollmond) [Geld, das er gestohlen hatte, war aus seinem Versteck verschwunden].«

Dieser Vorgang macht uns die Partizipationen verständlich, die mit dem Ursprung der Dinge verbunden sind und bei denen die magische Aktion viel stärker den Erwachsenen als dem Kind oder den Dingen selbst zugeschrieben wird. Auch in diesen Fällen kommt es zu einem Übergang von der dynamischen zur substantiellen Partizipation. In den frühesten Stadien hat das Kind einfach den Eindruck, seine Eltern würden die Welt lenken. Zwischen der Sonne und den Menschen besteht zum Beispiel eine Partizipation in dem Sinne, daß die Sonne keinen anderen Seinsgrund hat und keine andere Tätigkeit ausübt, als sich mit uns zu beschäftigen. Wenn nun das Kind sich fragt oder wenn wir es fragen, wie die Gestirne begonnen haben, so sagt es sich selbstverständlich, die Sonne sei vom Menschen gemacht worden, sie sei aus dem Menschen »hervorgegangen« usw. Der Glaube an einen gemeinsamen Ursprung ist aus der dynamischen Partizipation hervorgegangen.

Wir werden zahlreiche Beispiele solcher Partizipationsempfindungen kennenlernen, die vor den artifizialistischen Überzeugungen im eigentlichen Sinne des Wortes zu finden sind und diese ankündigen. Sie sind charakteristisch für das Stadium des »diffusen Artifizialismus«, wie wir ihn nennen wollen. Wir wollen schon

---

[8] W. James: Thougt before language. In: Philosophical Review. Vol. 1 (1892). S. 613–624. (Den Anfang dieses Abschnittes zitieren wir in Kapitel VII, Abschnitt 1.)

hier auf diese Empfindungen hinweisen, denn auch sie führen zu magischen Haltungen, wenn auch noch nicht zu magischen Praktiken. Man hat immer wieder Kinder zitiert, die ihre Eltern bitten, einem Gewitter Einhalt zu gebieten, oder die irgend etwas haben möchten, als ob den Eltern alles möglich wäre. Frau Klein etwa hat es erlebt, daß ihr Kind sie bat, den Spinat beim Kochen in Kartoffeln zu verwandeln[9]. Oberholzer erwähnt ein kleines Mädchen, das seine Tante bat, dafür besorgt zu sein, daß es regnen würde[10]. Bovet hat daran erinnert, wie erstaunt und verwirrt Hebbel als Kind war, als er sah, wie bekümmert sich sein Vater die durch ein Gewitter verursachten Schäden betrachtete: Hebbel stellte auf diese Weise fest, daß sein Vater nicht allmächtig war[11]! Reverdin[12] hat die folgende Begebenheit selbst erlebt. Als er mit seinem 3 Jahre und 4 Monate alten Sohn im Garten spazierte, sah er etwa fünfzig kleine Glasperlen, die zwischen den Kieselsteinen verstreut waren. Der Kleine bemerkte sie nicht. Um ihm das Suchen zu erleichtern, zog Reverdin um einige Perlen herum einen Kreis; er sagte seinem Sohn, in der Mitte dieses Kreises würde er eine Perle finden. Nach kurzer Zeit wollte der Kleine selbst die Hauptrolle spielen: »Er begann selbst Kreise zu ziehen, weil er der Meinung war, es würden notwendig Perlen darin erscheinen.« Selbstverständlich kann man in einer solchen Tatsache einfach eine »falsche Überlegung«[13] sehen: Die Perle wird sichtbar, nachdem man einen Kreis gezogen hat, folglich ist das Ziehen des Kreises die Ursache für dieses Erscheinen. Es sieht aber so aus, als käme in diesem speziellen Fall doch auch ein impliziter Glaube des Kindes an die Macht des Erwachsenen hinzu.

3. Die Ursprünge der kindlichen Partizipation und Magie

Wie der Animismus und der Artifizialismus, die wir später behandeln werden, scheinen auch die Partizipation und die Magie beim Kind einen zweifachen Ursprung zu haben. Sie lassen sich einerseits durch ein Phänomen individueller Ordnung erklären, den Realismus, das heißt die Vermengung des Denkens mit den Dingen oder des Ich mit der äußeren Welt, und andererseits durch ein Phänomen sozialer Ordnung, nämlich die Übertragung der Haltungen, die durch die Beziehungen des Kindes zu den Personen seiner Umgebung ausgelöst werden, auf die physische Welt.

---

[9] M. Klein: Eine Kinderentwicklung. In: Imago. Jg. 7 (1921). S. 265.
[10] S. Spielrein, in: Archives de Psychologie. Vol. 18 (1921–1923). S. 307.
[11] P. Bovet, in: Revue de Théologie et de Philosophie (1919). S. 172f.
[12] Reverdin, in: Archives de Psychologie. Vol. 17 (1918–1919). S. 137.
[13] Siehe I. Meyerson, in: Année psychologique publiée. Jg. 23 (1922). S. 214–222.

Wir wollen zuerst die Rolle des Realismus untersuchen und zu diesem Zweck zwei der psychologischen Theorien über die Magie studieren, die vor kurzem ausgearbeitet worden sind. Frazer sieht bekanntlich in der Magie eine einfache Anwendung der Ähnlichkeits- und Nachbarschaftsgesetze, die unsere gedanklichen Assoziationen lenken, auf die äußere Kausalität. Diese Auffassung erklärt selbstverständlich vor allem die Form, welche die Magie annimmt. Sie berücksichtigt weder den Glauben an die Wirksamkeit, der mit dem magischen Akt verbunden ist, noch die Irrationalität der Beziehungen, die dieser Glaube voraussetzt.

Als Erklärung für den Glauben an die Wirksamkeit hat Freud die folgende Theorie vorgeschlagen: Dieser Glaube ist ein Produkt des Wunsches. Jeder Magie liegt eine spezielle Affektivität zugrunde. Das zeigt sich bei den Zwangsphänomenen: Der Zwangsneurotiker glaubt, man müsse nur an etwas denken, damit irgendein Ereignis eintrete oder nicht eintrete. Wie ein Patient zu Freud gesagt hat, liegt einer solchen Haltung der Glaube an die »Allmacht des Denkens« zugrunde. Welche affektive Situation kann nun zu einem solchen Glauben führen? Freud ist durch die Analyse seiner Patienten dazu geführt worden, die Magie als ein Ergebnis des »Narzißmus« zu betrachten. Der Narzißmus ist jenes Stadium der affektiven Entwicklung, wo sich das Kind nur für die eigene Person, seine Wünsche und seine Vorstellungen interessiert. Es ist das Stadium vor jeder Hinwendung des Interesses oder der Wünsche auf die Person der anderen. Der narzißtische Mensch ist gewissermaßen ganz von sich selbst eingenommen, sein eigenes Wollen und seine eigenen Wünsche scheinen ihm einen besonderen Wert zu haben, woraus der Glaube an die notwendige Wirksamkeit jedes seiner Gedanken resultiert.

Diese Theorie Freuds ist zweifellos interessant, und die Beziehung, die sie zwischen der Magie und dem Narzißmus herstellt, scheint uns begründet zu sein. Wie aber Freud diese Beziehung darstellt und auffaßt, überzeugt uns nicht. Das narzißtische Kleinkind wird mit den Zügen eines von sich selbst eingenommenen Erwachsenen ausgestattet, der dies auch weiß, als würde das Kleinkind schon klar einen Unterschied zwischen seinem Ich und den anderen Personen machen. Und andererseits scheint damit gesagt zu werden, daß man einem Wunsch nur einen außergewöhnlichen Wert zusprechen müsse, um an seine notwendige Verwirklichung zu glauben. Wir sehen hier eine zweifache Schwierigkeit.

Was hindert uns denn daran, an die automatische Verwirklichung unserer Wünsche zu glauben? Wir erkennen sie als subjektiv. Wir unterscheiden sie von den Wünschen anderer und von der Wirklichkeit, die die Welt uns anzuerkennen zwingt. Wenn das narzißtische Kleinkind an die Allmacht seines Denkens glaubt, so ist dies offensichtlich darauf zurückzuführen, daß es nicht zwischen seinem eigenen Denken und dem Denken der anderen und ebensowenig zwischen seinem Ich und der Außenwelt unterscheidet. Es ist sich somit seines Ich nicht bewußt. Es ist nicht deshalb ganz von sich selbst eingenommen, weil es sein Ich kennt, sondern weil es alles, was seinem Träumen und seinen Wünschen fremd ist, nicht kennt.

Der Narzißmus, das heißt die absolute Egozentrizität, bringt zwar den magischen Glauben hervor, aber nur weil er das Fehlen eines Ichbewußtseins impliziert. Man hat vom »Solipsismus« des Kleinkindes gesprochen. Ein wirklicher Solipsist spürt nicht, daß er allein ist, und kennt sein Ich nicht; wir fühlen uns nämlich erst allein, nachdem wir die anderen verlassen haben, während derjenige, der nie auf die Idee einer möglichen Pluralität gekommen ist, gar kein Gefühl für seine Individualität hat. Der Solipsist empfindet sich deshalb wahrscheinlich als identisch mit den Bildern, die er wahrnimmt: Er hat keinerlei Bewußtsein seines Ich, *er ist die Welt*. Man kann deshalb von Narzißmus sprechen, man kann durchaus sagen, das Kleinkind sei ganz auf Lustgewinn ausgerichtet, aber man muß sich immer daran erinnern, daß der Narzißmus mit dem totalsten Realismus verbunden ist, insofern das Kleinkind nicht zwischen einem Ich, das befiehlt, und einem Nicht-Ich, das gehorcht, unterscheiden muß. Das Kleinkind unterscheidet höchstens zwischen einem Wunsch, der man weiß nicht woher kommt, und den Ereignissen, die zur Verwirklichung dieses Wunsches führen.

Wenn wir diese Assimilation der Welt an das Ich und des Ich an die Welt annehmen, so werden die Partizipation und die magische Kausalität verständlich. Einerseits müssen die Bewegungen des eigenen Körpers mit jedweder äußeren Bewegung vermengt werden. Andererseits müssen die Wünsche, die Freuden und die Leiden nicht in einem Ich, sondern im Absoluten lokalisiert werden: in einer Welt, die wir, vom Erwachsenen her gesehen, als allen gemeinsam bezeichnen würden, die aber, vom Kleinkind her gesehen, die einzig mögliche Welt ist. Daraus folgt, daß das Kind, wenn es seinem Körper befiehlt, glauben muß, es befehle der Welt. Wenn man Kleinkinder dabei beobachtet, wie sie sich an den Bewegungen ihrer Füße freuen, hat man den Eindruck, sie verspürten dabei die Freude eines Gottes, der auf Distanz die Bewegung der Gestirne lenkt. Wenn das Kleinkind umgekehrt Freude an den Bewegungen empfindet, die es in der äußeren Welt wahrnimmt, etwa an den Bewegungen der Bänder an seiner Wiege, so muß es eine unmittelbare Verbindung zwischen diesen Bewegungen und der Freude, die es daran hat, spüren. Für einen Geist, der nicht oder kaum zwischen dem Ich und der Außenwelt unterscheidet, partizipiert somit, kurz gesagt, alles an allem und kann alles auf alles einwirken. Wenn man so will, resultiert folglich die Partizipation aus einer Nichtunterscheidung zwischen dem Bewußtsein der eigenen Aktion auf sich selbst und dem Bewußtsein der eigenen Aktion auf die Dinge.

Hier kommt nun der zweite wesentliche Faktor hinzu, der die Partizipation und die Magie erklärt. Das ist die Rolle der sozialen Umwelt oder die Rolle der Eltern. Das Leben des Säuglings ist am Anfang faktisch nicht vom Leben seiner Mutter verschieden. Seine Wünsche und seine grundlegendsten Bedürfnisse führen notwendig zu einer Antwort der Mutter und der unmittelbaren Umgebung. Jeder Schrei des Kleinkindes weitert sich zu einer Aktion der Eltern, und auch kaum angetönten Wünschen wird immer nachgekommen. Wenn das Kleinkind somit kaum zwischen seinen eigenen Bewegungen und den äußeren Bewegungen unterscheidet, so muß für es eine vollständige Kontinuität zwischen dem Leben der Eltern und der persönlichen Aktivität bestehen.

Daraus ergeben sich zwei Konsequenzen. Die Partizipationsempfindungen werden zunächst durch diese fortwährende Antwort der Umwelt offensichtlich verstärkt. Die Personen geben andererseits dem Kind allmählich die Gewohnheit des Befehlens. Die Eltern, die Teile des eigenen Körpers wie auch alle Gegenstände, welche die Eltern oder der eigene Körper bewegen können (Nahrung, Spielzeuge usw.), stellen die Klasse der Dinge dar, die den Wünschen gehorchen; da diese Klasse weitaus die interessanteste ist, wird das ganze Universum nach diesem Grundtyp aufgefaßt. Daraus erwächst die magische Gewohnheit, den Dingen zu befehlen.

Doch lassen wir dieses ursprüngliche Stadium sein, dessen Beschreibung naturgemäß ganz schematisch bleiben mußte. Die späteren Stadien, in deren Verlauf der Unterschied zwischen dem Ich und der äußeren Welt allmählich ausgebildet wird, liefern uns zureichende Tatsachen über die Natur der Vorgänge, über deren Entstehung wir eben einige Vermutungen angestellt haben.

Wir haben in den vorausgehenden Kapiteln gesehen, daß die verschiedenen Inhalte des Denkens und der Erfahrungen des Kindes nicht sogleich in der inneren oder psychischen Welt lokalisiert werden. Die Wörter und die Träume beispielsweise werden erst spät dem Denken und dem Ich zugeschrieben. Da somit bestimmte Inhalte in die Dinge projiziert und bestimmte andere Inhalte als innerlich aufgefaßt werden, muß das Kind notwendig alle möglichen Partizipationen zwischen den Dingen und ihm selbst spüren. Der Realismus etwa impliziert das Gefühl einer Partizipation zwischen der Welt und dem Ich: Von dem Augenblick an, da der Realismus darin besteht, das, was in Wirklichkeit aus der eigenen

Aktion hervorgeht, als den Dingen zugehörig und von den Dingen ausgehend zu betrachten, wird umgekehrt die eigene Tätigkeit selbstverständlich als unmittelbar in die Dinge eintauchend und als in bezug auf die Dinge allmächtig aufgefaßt. Diese Verbindung von Realismus und magischer Partizipation äußert sich auf drei verschiedene Weisen.

Die erste, das heißt die am einfachsten zu interpretierende Äußerung ist das Verwachsen des Denkens und seiner Werkzeuge mit den Dingen selbst, ein Verwachsen, das man bei der Magie durch Partizipation des Denkens und der Dinge (die zweite der vier Gruppen, die wir im Abschnitt 2 unterschieden haben) feststellen kann. Sobald das Kind das Denken oder die Namen usw. mit den Dingen vermengt, weil es noch nicht bemerkt hat, was am Denkakt innerlich und subjektiv ist, verwendet es die Namen oder das Denken naturgemäß, um auf die Dinge einzuwirken. Alle Fälle der zweiten Gruppe, die wir im letzten Paragraphen zitiert haben, lassen sich auf diese Weise leicht erklären. Einen Namen verballhornen, um die Folgen einer Tat auszutilgen, um sich gegen einen Lehrer zu wehren usw., das ist ein gewissermaßen selbstverständliches Mittel, wenn man die Namen als mit den Dingen oder den Personen selbst verbunden ansieht. Sich die Hände abreiben, um eine Ansteckung durch Faulheit zu vermeiden, ist ein selbstverständliches Mittel, wenn man das Psychische und das Physische in der Art vermengt, wie es die im Kapitel I untersuchten Kinder tun. Das Gegenteil dessen zu denken, was man wünscht, oder an schreckliche Dinge zu denken, um von ihnen zu träumen, stellt zweifellos ein schwieriger zu interpretierendes Verhalten dar, denn dies setzt voraus, daß man dem Schicksal oder den Träumen Absichten zuschreibt. Hier ist der Realismus mit Animismus verbunden. Diesen Fakten liegt dennoch ein gewisser Realismus zugrunde, ähnlich dem, der die geschilderten Tatsachen charakterisiert: nämlich die Vorstellung, daß das eigene Denken direkt in das Wirkliche eintaucht und einen Einfluß auf das hat, was geschieht.

Die Verbindung zwischen Realismus und Magie zeigt sich zweitens im Verwachsen des Zeichens mit der Wirklichkeit. Dieses Verwachsensein äußert sich in der Magie durch die Geste (die erste der im Abschnitt 2 unterschiedenen Gruppen). Die Gesten sind Symbole oder Zeichen wie die Wörter, die Namen oder die Bilder; sobald für das Kind jedes Zeichen am bezeichneten Gegenstand partizipiert oder jedes Symbol mit den Dingen selbst verwachsen ist, werden solche Gesten als ebenso wirksam wie die Wörter oder die Namen aufgefaßt. Dieser Realismus der Geste ist somit nur ein Spezialfall des Realismus der Zeichen. Wir wollen versuchen, diese Beziehungen zwischen der Magie durch die Geste und dem kindlichen Realismus im allgemeinen zu analysieren. Es können zwei

Fälle vorkommen: die magische Geste ist die symbolische Wiedergabe eines an sich vernünftigen Aktes oder die magische Geste ist schlechterdings symbolisch. In beiden Fällen entsteht die Magie aus einer Vermengung des Zeichens mit der Ursache, aus einem Realismus des Zeichens. Beispiele für den ersten Fall sind eher selten. Man kann immerhin diese Fälle von Magie in Zusammenhang mit der Angst (Abschnitt 2) zitieren. Solche Beispiele von Magie scheinen sich folgendermaßen auszuformen. Das Kind führt anfänglich Aktionen aus, die nichts Magisches an sich haben, sondern die, in ihrem Kontext gesehen, ganz gewöhnliche Handlungen sind, um sich gegen Diebe oder böse Menschen zu schützen: die Vorhänge herunterlassen, um nicht beobachtet werden zu können, sich am sauber gemachten Bett überzeugen, daß sich niemand darin oder darunter versteckt, die Arme eng anschließen, um sich zusammenzukauern und möglichst klein auszusehen. Durch Wiederholung verlieren solche Akte jedoch jede rationale Beziehung zu ihrem früheren Kontext, sie werden reine Rituale. Nicht mehr um festzustellen, ob sich niemand im Zimmer verbirgt, überzeugt sich das kleine Mädchen davon, daß die Leintücher richtig gestreckt sind, sondern weil es eine Gewohnheit gewordene Aktion ist, die höchstens ein Dummkopf nicht peinlichst genau ausführen würde. Gerade wenn wir uns beunruhigt fühlen, beachten wir sorgfältig unsere bedeutungslosesten Gewohnheiten, weil man nie weiß, welche Folgen durch Nachlässigkeit eintreten könnten, und weil wir um so konservativer werden, je mehr uns die Angst einen normalen Gebrauch der Vernunft verunmöglicht (ein Automatismus der Gesten, der an die Stelle der Intelligenz tritt). Für ein rationales Denken – und das heißt in diesem besonderen Fall: für ein seiner selbst bewußtes Subjekt, das mehr oder weniger klar zwischen subjektiven Gewohnheiten einerseits und Kausalketten, die mit den Ereignissen und der äußeren Welt zusammenhängen, andererseits zu unterscheiden vermag – ist das nur ein Konservativismus, der uns Sicherheit geben soll, weil jede einzelne Geste ein Beweis dafür ist, daß wir uns so normal wie üblich verhalten. Für ein realistisches Denken jedoch, das das Innere mit dem Äußeren vermengt, wird jede dieser selben Gesten symbolisch und dann ebensosehr als physische Ursache wie als Zeichen angesehen: das Faktum, daß die Leintücher sauber gestreckt sind, wird nicht mehr nur als Zeichen, sondern als Ursache der Sicherheit aufgefaßt. Oder die Geste ist, noch eher, als Ritual symbolisch geworden, und sie wird Ursache, insofern sie als mit den Ereignissen selbst verbunden aufgefaßt wird. Dieser Vorgang ist bei dem Fall besonders klar, den wir im Abschnitt 2 zitiert haben, wo die Geschwindigkeit, mit der der Vorhang heruntergelassen wird, ein magisches Mittel des Selbstschutzes geworden ist, ein symbolisches Mittel, weil es nicht mehr in seinem ursprünglichen Kontext drin steht, aber wirksam, weil das Symbol mit dem verwachsen bleibt, was es darstellt.

Die Beispiele des zweiten Falls, wo die magische Geste schlechterdings symbolisch ist, lassen sich analog erklären, außer daß die Geste mit dem ursprünglichen Kontext durch bloße Assoziation und nicht mehr durch eine Relation Teil – Ganzes verbunden ist. Nehmen wir den einfachsten Fall der rhythmischen Gesten (Abschnitt 2). Ihr Ausgangspunkt ist ein Spiel oder ein ästhetisches Vergnügen: zum Zeitvertreib auf den Platten eines Gehsteigs gehen, ohne auf die Rillen dazwischen zu treten, aus Zeitvertreib alle Stäbe einer Barriere berühren, ohne einen auszulassen, aus Zeitvertreib und Ordnungsbedürfnis jeden verschobenen Stein wieder an seine richtige Stelle bringen usw. Nehmen wir jetzt an, ein Kind mit solchen Gewohnheiten empfinde eines Tages einen bestimmten Wunsch oder eine bestimmte Angst. Es wird an diesem Tag seine Gewohnheiten mit eben dem Erhaltungsbedürfnis beachten, von dem wir gesprochen haben[14], so daß die Geste und die affektive Situation eine Einheit bilden; die Geste ist mit dem Ganzen durch eine Art bedingten Reflex oder einfach durch Synkretismus verbunden. Für eine zugleich synkretistische und realistische geistige Haltung führt eine solche Verbindung zur Magie, denn die Geste wird symbolisch, und jedes Erfolgssymbol wird Erfolgsursache. Falls es gelingt, auf einem Gehsteig zu gehen, ohne auf die Rillen zwischen den Platten zu treten, wird das ein Zeichen dafür, daß das Gewünschte eintreten wird; dann wird diese symbolische Geste als wirksam empfunden, insofern jedes Zeichen mit den Dingen selbst verbunden ist.

Die Fälle von Magie durch Partizipation der Gesten und der Dinge lassen sich somit, kurz gesagt, gleich wie die Fälle von Partizipation zwischen dem Denken und den Dingen erklären. Sie sind auf die realistische Haltung zurückzuführen, also auf die Projektion der geistigen Verbindungen in die Dinge: Jedes Zeichen wird als mit den Dingen selbst verbunden aufgefaßt und tendiert deshalb dazu, Ursache zu werden.

Es gibt aber noch ein dritte Weise, wie sich der Realismus zu Magie weitert, nämlich der Glaube an die Partizipation der Substanzen selbst (die dritte der im Abschnitt 2 unterschiedenen Gruppen). Hier ist der Sachverhalt komplexer: Das Subjekt wirkt mit Hilfe eines anderen Körpers auf einen bestimmten Körper ein und faßt die beiden Körper als aneinander partizipierend auf. Man

---

[14] Vgl. für die Rolle des Erhaltungsbedürfnisses I. Meyerson, in: Année psychologique. Jg. 23 (1922). S. 214–222. Wir möchten in diesem Zusammenhang festhalten, daß wir das, was im vorliegenden Abschnitt vielleicht richtig ist, I. Meyerson verdanken. Der Rest stammt von uns. Siehe Anhang.

könnte mit Frazer sagen, dies sei eine einfache Assoziation durch Ähnlichkeit oder Nachbarschaft, die als objektiv aufgefaßt werde. Doch diese Lösung ist zu einfach, denn man muß auch zeigen, wie Ideenassoziationen derart objektiviert werden können, daß sie Kausalrelationen werden. Dazu ist einmal zu sagen, daß der Realismus eine Nichtunterscheidung zwischen logischen Relationen und kausalen Relationen impliziert. Für uns Erwachsene gibt es eine äußere Realität, die aus kausalen Konnexionen besteht, und ein inneres Subjekt, das versucht, sich das Wirkliche zuerst durch Analogien und später durch Gesetze vorzustellen. Einem realistischen Denken erscheint alles gleichermaßen wirklich, es lokalisiert alles auf derselben äußeren Ebene. Daraus gehen die Vorkausalität und der Synkretismus hervor, die wir an anderer Stelle (SD, Kapitel IV und V) analysiert haben und die darin bestehen, daß die durch und durch subjektiven Verbindungen, die dem Kind durch seine egozentrische Haltung suggeriert werden, in den Dingen lokalisiert werden. Die Magie durch substantielle Partizipationen ist nur das Ende dieses Prozesses. Sie faßt die individuellen Körper als materiell miteinander verbunden auf, anstatt sie unter durch das Denken konstruierten Gesetzen oder Begriffen zu subsumieren.

Nehmen wir ein Beispiel: Ein Kind, das glaubt, indem es Schatten werfe, ziehe es die Nacht an. Diesem Glauben liegt das Postulat zugrunde, der Schatten sei Nacht, er partizipiere an der Nacht. Für ein nicht-realistisches Denken würde diese Aussage folgendes bedeuten: Der Schatten wird durch den Schirm, den die Hand darstellt, hervorgerufen, so wie die Nacht durch den Schirm, den die Erde darstellt, hervorgerufen wird; der Schatten und die Nacht sind somit analog, insofern sie das Ergebnis ein und derselben Gesetzmäßigkeit sind. Es besteht eine Analogie, weil beide Erscheinungen unter einem allgemeinen Gesetz subsumiert sind. Wir haben zu zeigen versucht (UD, Kapitel IV), daß ein realistischer Geist, der folglich nicht um die Subjektivität seiner Standpunkte weiß, nicht durch logische Relationen und folglich auch nicht durch Verallgemeinerungen und notwendige Ableitungen denkt, sondern durch synkretistische Schemata und durch Transduktion, das heißt durch direkte Identifikation der individuellen Fälle. Wenn ein solcher realistischer Geist den Schatten mit der Nacht identifiziert, so deckt er damit nicht eine Analogie zwischen ihnen auf, die auf einer Gesetzmäßigkeit beruht, sondern er nimmt eine unmittelbare Identität der individuellen Fälle, mit anderen Worten eine materielle Partizipation an; das bedeutet somit, daß der Schatten »von« der Nacht »kommt«. Die Transduktion oder Verschmelzung der individuellen Fälle ist ein realistisches und nicht ein formales Denken. Wenn ein solches Denken mit direkt beobachtbaren Kausalketten arbeitet, so scheint es rational zu sein, weil es zu denselben Schlußfolgerungen wie eine formale Ableitung, die von denselben Voraussetzungen ausgeht, gelangt. Sobald es aber mit individuellen Fällen arbeitet, die in der Zeit oder im Raum voneinander getrennt sind, führt es zum Synkretismus und, in extremen Fällen, zur Partizipation.

Wir sind uns durchaus bewußt, daß diese Erklärung der substantiellen Partizipation durch die Transduktion und den logischen Realismus eine Hypothese ist. Wir kommen im Zusammenhang mit der physikalischen Kausalität beim Kind etwas weniger summarisch auf diese Frage zurück.

Der Realismus, das heißt ursprünglich die Nichtunterscheidung zwischen dem Ich (oder dem Denken) und der äußeren Welt, führt somit, alles in allem, notwendig zu Partizipationen und Magie, und zwar auf dreifache Weise: Durch die Verschmelzung des Denkens mit den Dingen, durch den Realismus des Zeichens, das als mit dem Ding verwachsen und wirksam aufgefaßt wird, und schließlich, noch allgemeiner, durch die synkretistische Verschmelzung der individuellen Substanzen.

Der Realismus genügt aber nicht, um die ganze kindliche Magie zu erklären. Zahlreiche Partizipationen, die das Kind annimmt, setzen den Animismus voraus. Wenn dieser Animismus, wie wir noch sehen werden, eine Konsequenz des egozentrischen Realismus ist, so ist er damit das Ergebnis der Partizipationen, die das Kind von Anfang an zwischen seinen Eltern und sich selbst spürt. Weil das Kind nicht zwischen dem Psychischen und dem Physischen unterscheidet, erscheint ihm jedes physische Phänomen als mit Absichten beladen, und andererseits meint es, die gesamte Natur gehorche den Menschen und seinen Eltern. Die meisten Körper oder Ereignisse, auf die das Kind magisch einzuwirken versucht (da es nicht anders auf sie einwirken kann), erscheinen ihm deshalb als von einem – wohlgesinnten oder feindseligen – Gefühl und Willen durchdrungen. Daraus ergeben sich zweierlei Tatsachen. Einerseits werden mehrere der beschriebenen Rituale durch Verfahren ergänzt, die das Wohlwollen beschwören oder ein übles Schicksal abwenden sollen. Das Kind, das seine Schuhe zweimal anzieht, damit ihm in der Schule keine Fragen gestellt werden, setzt implizit voraus, daß das Schicksal moralisch sei und die lästige Anstrengung berücksichtige, die man auf sich nimmt, indem man zweimal die Schuhe bindet. Ein Kind, welches das Gegenteil dessen denkt, was es wünscht, setzt ebenfalls ein Schicksal voraus, das in seinen Gedanken liest, um seine Wünsche zu vereiteln usw. Andererseits muß es eine ganze Gruppe von im eigentlichen Sinne animistischen Partizipationen geben: das ist die vierte Gruppe (Abschnitt 2) der magischen Aktionen durch Partizipationen in den Absichten. Doch sogar in den Phänomenen dieser vierten Gruppe findet man selbstverständlich auch ein realistisches Element, ohne das es keine Magie gäbe.

Die Fälle der vierten Gruppe lassen sich nämlich leicht durch die Verbindung der beiden folgenden Faktoren erklären. Der erste ist wie immer die fehlende Unterscheidung zwischen dem Ich und der Außenwelt, in diesem speziellen Fall zwischen dem eigenen Standpunkt und den äußeren Bewegungen: Das Kind hat, wenn es geht, den Eindruck, die Gestirne und die Wolken würden mit ihm zusammen gehen. Dazu kommt die animistische Erklärung: Das Kind sagt sich, die Gestirne seien lebendig, weil sie ihm folgen. Als Konsequenz ergibt sich daraus die Magie durch Befehlen: Man muß den Dingen nur befehlen, damit sie, selbst auf Entfernung, gehorchen.

In dieser vierten Gruppe ist die Tendenz der magischen Gesten oder Wörter, symbolisch zu werden, selbstverständlich am schwächsten ausgebildet, denn die Magie dieses Typs äußert sich in einer Art Befehl, der ebenso real ist, wie wenn man einem Lebewesen etwas befiehlt. Diese Partizipationen in den Intentionen weitern sich aber, wie wir gesehen haben, zur Magie durch Gedanken oder Gesten, eine Magie, die immer symbolisch zu werden trachtet.

Die Entwicklung der magischen Akte scheint somit, gleichgültig woher die Partizipationen rühren, auf denen diese beruhen, alles in allem dem Gesetz zu folgen, das Delacroix im Zusammenhang mit der Sprache gründlich analysiert hat. Die Zeichen werden zuerst Teile der Dinge oder werden in Gegenwart der Dinge in der Art einfacher bedingter Reflexe ausgelöst. Am Ende werden sie durch die Intelligenz von den Dingen gelöst und verselbständigt, so daß sie bewegliche und unendlich plastische Werkzeuge werden. Zwischen dem Anfangs- und dem Endpunkt gibt es aber eine Periode, in der die Zeichen mit den Dingen verwachsen sind und an ihnen partizipieren, auch wenn sie sich schon teilweise von ihnen gelöst haben[15].

Jede Magie tendiert jedoch zum Symbolismus, weil, wie Delacroix sehr richtig gezeigt hat, alles Denken symbolisch ist. Das magische Stadium hat im Gegensatz zu den späteren Stadien eben diese Eigenheit, daß die Symbole noch als an den Dingen partizipierend aufgefaßt werden. Die Magie ist folglich das vorsymbolische Stadium des Denkens. So gesehen ist die Magie beim Kinde ein Phänomen genau gleicher Ordnung wie der Realismus des

---

[15] H. Delacroix: Le langage et la pensée. Paris 1924, insbesondere die »Schlußbemerkung«. Delacroix hat im übrigen sehr klar auf die Verwandtschaft zwischen Magie und Realismus hingewiesen (La religion et la foi. Paris 1924. S. 38).

Denkens, der Namen und der Träume, den wir in den ersten Kapiteln untersucht haben. Für uns sind die Begriffe, die Wörter, die Bilder, die wir im Traume sehen, in verschiedenem Grade Symbole der Dinge. Für das Kind sind sie Emanationen der Dinge. Das ist darauf zurückzuführen, daß wir zwischen dem Subjektiven und dem Objektiven unterscheiden, während das Kind das, was auf die Tätigkeit seines Ich zurückzuführen ist, in den Dingen lokalisiert. Ebenso sind die magischen Gesten für den Beobachter Symbole, aber für das Kind sind sie mit Wirksamkeit ausgestattet, weil sie noch nicht symbolisch sind und an den Dingen partizipieren.

4. Gegenbeweis: Die spontanen magischen Haltungen beim Erwachsenen

Bevor wir dieses Kapitel abschließen, wollen wir kurz untersuchen, ob beim normalen und kultivierten Erwachsenen Spuren solcher magischer Haltungen übrigbleiben, wie wir sie eben beim Kind studiert haben, und ob sie auf Vermengungen des Ich mit der äußeren Welt zurückzuführen sind, wie sie bisweilen momentan in der Nachahmung oder bei emotionalen Phänomenen auftreten. Wir sprechen selbstverständlich nur von der rein individuellen Magie, wie man sie bei Intellektuellen antreffen kann, und lassen jeden »Aberglauben«, also jeden Brauch oder jede Überzeugung, die übertragen werden können, beiseite.

Es lassen sich drei Fälle unterscheiden, in denen die Grenze zwischen dem Ich und der äußeren Welt beim Erwachsenen zeitweilig verschwimmt, wobei wir von Phantasievorstellungen und Träumen, wo sich ohne weiteres zahllose Partizipationsempfindungen finden lassen, von vornherein absehen. Es handelt sich um die ungewollte Nachahmung, die Unruhe und den Zustand des monoideistischen Wünschens. Wir möchten zeigen, daß die Depersonalisation in diesen drei Fällen zu einem Realismus und der Realismus zu mehr oder weniger eindeutigen magischen Haltungen führt.

Die ungewollte Nachahmung besteht in einer ideomotorischen Anpassung an die wahrgenommenen Bewegungen, so daß das nachahmende Subjekt das, was zu einem anderen Menschen oder zur materiellen Welt gehört, als zu sich selbst gehörig empfindet. Es handelt sich dabei, wie Janet gesagt hat, um eine Vermengung zwischen Ich und äußerer Welt. Es lassen sich unschwer zahlreiche Beispiele dafür finden, daß die nachahmende Sympathie von einer komplementären Haltung begleitet ist, die darin besteht, daß man auf die äußere Welt einzuwirken versucht, indem man auf den eigenen Körper einwirkt. Diese Haltung ist faktisch mit der kindlichen Magie gleichzustellen. Hier einige solcher Fälle, wobei wir mit den einfachsten beginnen:

Jemand hat eine verstopfte Nase. Man hat sogleich das Bedürfnis, sich selbst zu schneuzen, um die Nasengänge des Gesprächspartners freizulegen.
Der Gesprächspartner hat eine belegte Stimme. Man möchte am liebsten den Schleim in der eigenen Kehle lösen, wieder mit der Absicht, dadurch dem Gesprächspartner Erleichterung zu verschaffen. Jemand ist heiser. Man spricht lauter, nicht um ihn anzuspornen, sondern um ihm gewissermaßen die eigene Stimme zur Verfügung zu stellen.

Die genannten Fälle sind nicht sehr eindeutig, denn die implizite Haltung wird sofort rationalisiert: Es sieht so aus, als möchte man dem anderen nur ein gutes Beispiel geben. Man kann jedoch an sich selbst beobachten, daß man nicht so denkt, wenn man handelt: Man versucht ganz einfach, die Störung zu überwinden, die man selbst verspürt, wenn man den anderen sieht oder ihm zuhört.

Einer unserer Mitarbeiter wartet darauf, bis seine Frau eine Zigarette fertig geraucht hat, bevor er mit ihr ausgeht. Er selbst raucht eine Pfeife. Er ertappt sich dabei, daß er schneller an seiner Pfeife zieht, damit seine Frau schneller mit ihrer Zigarette fertig sei! Die Illusion war für kurze Zeit vollständig, bis er sich der Handlungsweise bewußt wurde.
Oft versucht man auch, auf die Dinge einzuwirken. Beim Boule- oder Billardspiel zum Beispiel beugt man sich ungewollt vor, man spürt die Muskelspannung, wenn man nicht sicher ist, daß die Kugel ihr Ziel erreicht, um sie so in die gewünschte Richtung zu steuern. Man ist sich in keiner Weise bewußt, was man tut, aber man identifiziert sich offensichtlich mit der Kugel, ja man möchte mit dieser Geste auf ihre Bahn einwirken. Die Nachahmung weitert sich so zu einer Partizipationshaltung.
Wenn man auf der Straße zwei Radfahrer erblickt, die beinahe zusammenstoßen, so macht man selbst einen Schritt zurück, um den Zusammenstoß der beiden Radfahrer zu verhindern.

Man könnte somit sagen, daß die Vermengungen durch Nachahmung zu magischen Haltungen führen, die sogleich durch unsere Denkgewohnheiten gestoppt werden, die sich aber bei weniger ichbewußten Menschen spontan entwickeln können. Sicher, man kann durchaus der Meinung sein, solche Tatsachen stünden einer Magie im eigentlichen Sinne des Wortes recht fern. Aber sie stellen zumindest, und eben darum geht es uns, Fälle eines Übergangs vom Realismus durch Vermengung des Ich mit der äußeren Welt zur Magie oder Partizipation dar[16].
Im Zustand der Unruhe stößt man bisweilen beim Erwachsenen auf den gleichen Vorgang, den wir eben beim Kind beschrieben haben: Man hält sich peinlichst an die bedeutungslosesten Ge-

[16] Siehe H. Delacroix: La religion et la foi. Paris 1924. S. 41.

wohnheiten, um das Gleichgewicht der Dinge nicht zu gefährden. Bevor man beispielsweise einen Vortrag hält, macht man seinen gewohnten Spaziergang usw. In besonders ausgeprägten Angstzuständen kann es sogar zur typisch kindlichen Vermengung zwischen der Aktion, mit der man sich selbst beruhigen will, und der Aktion, die das Wirkliche im Gleichgewicht halten soll, kommen. Also wieder eine magische Haltung. Hier ein eindeutiges Beispiel vom gleichen Menschen, der schon die früher erwähnten Verhaltensmuster an sich beobachtet hat:

Vor einem Vortrag, über dessen Ausgang er einige Befürchtungen hegte, machte er den gewohnten Spaziergang. Als er in der Nähe des Ortes ankam, wo er üblicherweise umkehrte, wollte er zuerst etwas früher abbiegen. Er hatte aber plötzlich das Gefühl, er müsse bis ans Ende gehen (50 Meter weiter), *damit der Vortrag ein Erfolg werde,* als könnte ein Mangel an seinem Spaziergang das Schicksal des Vortrages beeinflussen.

In anderen Angstzuständen findet man mit animistischen Haltungen vermischte Partizipationsempfindungen wie bei Wunschzuständen. Wir wollen diese letzteren genauer untersuchen. Im allgemeinen müssen wir nur etwas lebhaft wünschen, das wir nicht aus eigener Macht beeinflussen können (beispielsweise schönes Wetter oder die vom Zufall oder vom Glück abhängigen Dinge), damit wir eine Art feindselige Macht spüren, die sich über uns lustig machen will. Der Wunsch vergegenständlicht sich somit in den Dingen und beeinflußt durch Projektion das Schicksal oder die Ereignisse. Eine solche realistische Tendenz bringt allerlei magische Haltungen zum Vorschein:

Einer unserer Mitarbeiter war nachts mit dem Fahrrad unterwegs. Er war schon mehrere Kilometer weit gefahren und vom Ziel noch weit entfernt. Der Wind und ein sich ankündigendes Gewitter machten ihn nervös. Viele entgegenfahrende Automobilisten blendeten ihn mit ihren Scheinwerfern. Um das Maß voll zu machen, kam er plötzlich auf den Gedanken, die Pneus könnten platzen. Dabei verspürte er deutlich das Bedürfnis, diese Idee zu verdrängen, *damit der Pneu nicht platze,* denn er hatte den ganz klaren Eindruck, die Vorstellung eines geplatzten Pneus genüge schon, um das Ereignis selbst auszulösen!

Es gibt einen Zwischenzustand zwischen dem Realismus des Denkens (der »Allmacht des Gedankens« Freuds) und der Beschwörung animistischer Prägung. Hier Fälle, in denen die letztere vorherrscht:

Derselbe Mitarbeiter sammelte Pilze und hatte bereits einige Pfifferlinge gefunden, die er eben in seinen Rucksack stecken wollte. Er sagte sich, er wolle noch einige weitere Exemplare sammeln, bevor er alle zusammen einräumen würde. Doch dabei verspürte er plötzlich das Bedürfnis, die wenigen Exemplare, die er bereits gefunden hatte, einzuräumen, damit es nicht so aussehe, als würde er mit weiteren Pfifferlingen rechnen, die ihm offensichtlich verweigert würden, falls er seiner Sache zu sicher sei! Ein andermal sagte er sich unterwegs, er würde seine Jacke in den Rucksack stecken, sobald er einige Pilze gefunden habe (um keine Zeit zu verlieren, indem er den Rucksack zweimal aufschnürte). Kurze Zeit später, als er immer noch keine Pilze gefunden hatte, die Wärme aber unangenehm wurde, zog er die Jacke aus. Dabei kam ihm aber plötzlich der Gedanke, es sei besser, die Jacke nicht in den Rucksack zu stecken, weil er sonst vielleicht gar keine Pilze mehr finden würde!

Der genannte Mitarbeiter ist selbstverständlich nie abergläubisch gewesen, und auch seiner religiösen Erziehung (Protestant) fehlte jedes magische Element. Die hier wiedergegebenen Beobachtungen sind mehr oder weniger bewußte Tendenzen, die jedermann an sich selbst feststellen kann.

Ein befreundeter Psychologieprofessor hat die drei folgenden Fakten an sich selbst beobachtet:

Wenn es auf einem Ausflug regnet, so verspürt er nach Aufhören des Regens einen inneren Drang, den Regenschutz nicht in den Rucksack zu packen, damit es nicht wieder zu regnen beginne...

Wenn er Leute besuchen will, von denen er hofft, daß er sie nicht zu Hause antrifft, so hat er den inneren Drang, Kragen und Anzug zu wechseln, damit die Leute nicht daheim seien. Falls er in üblicher Kleidung hingeht, ist er umgekehrt sicher, sie anzutreffen!

Vor einem Gartenfest auf seinem Landsitz verzichtete er darauf, seinen Garten in Ordnung zu bringen, damit es sicher nicht regnen würde. Er war davon überzeugt, es würde den ganzen Tag regnen, falls er mähen und jäten lasse!

Er selbst faßt diese Fälle so zusammen: »Ich habe einen inneren Drang, mich nicht auf das vorzubereiten, was ich mir wünsche, aus Angst, es könnte das eintreten, was ich befürchte.«

Bekannt ist auch die Magie der Spieler[17].

Alle diese Beispiele hängen offensichtlich mit der Vermengung des Ich und der äußeren Welt zusammen, wobei in bestimmten Fällen eine animistische Tendenz als sekundärer Faktor hinzukommt. Diese letzteren Fälle sind das Ergebnis einer Ausweitung von Erfahrungen, die man an sich selbst machen konnte, auf die Außenwelt. Irgendein Gedanke, der zufällig auftaucht, wirkt wie eine Suggestion, so daß man einen inneren Drang verspürt, ihn von sich zu weisen, selbst im Falle eines gewöhnlichen Fahrradpneus. Schon nur der Verzicht auf den üblichen Spaziergang kann eine schlechte Form zur Folge haben: deshalb die Vorstellung, der Spaziergang müsse ganz durchgeführt wer-

---

[17] H. Delacroix: La religion et la foi. Paris 1924. S. 43ff.

den, auch wenn nur noch 50 Meter fehlen, damit die Zuhörer beim Vortrag in guter Stimmung seien usw.

Diese wenigen Tatsachen bestätigen somit, was wir beim Kind vermutet haben: Jeder Realismus führt weiter zu Magie. Beim Erwachsenen bleibt ein Rest von solchem Realismus in der Nachahmung, in der Angst und beim Wünschen übrig. Und dieser Realismus löst, auch wenn er viel weniger weit als beim Kind geht, einige eindeutige Partizipations- und sogar Magiehaltungen aus.

5. Schlußfolgerung: Logische Egozentrizität und ontologische Egozentrizität

In den ersten drei Kapiteln dieses ersten Teils haben wir zu zeigen versucht, daß die Unterscheidung zwischen dem Denken und der Außenwelt nicht angeboren ist, sondern daß das Kind sie langsam elaborieren und konstruieren muß. Daraus ergibt sich eine wichtige Konsequenz für die Untersuchung der Kausalität: Das Denken ist realistisch, und der Fortschritt besteht darin, daß es sich von diesem ursprünglichen Realismus befreit. In den ersten Entwicklungsstadien ist sich das Kind seiner Subjektivität nicht bewußt, das ganze Wirkliche breitet sich auf einer einzigen Ebene aus, da die äußeren und die inneren Beiträge dazu nicht auseinandergehalten werden. Das Wirkliche ist ganz vom Ich durchdrungen, und das Denken wird nach dem Muster der physischen Materie aufgefaßt. Von der Kausalität her gesehen wird das ganze Universum so betrachtet, als bilde es eine Gemeinschaft mit dem Ich und als gehorche es dem Ich. Man stellt Partizipation und Magie fest. Die Wünsche und die Befehle des Ich werden für absolut gehalten, denn der eigene Standpunkt wird als der einzig mögliche betrachtet: eine integrale Egozentrizität mangels Ichbewußtsein. Wir kommen so zu einer Schlußfolgerung, die zu derjenigen, die wir aus unseren Untersuchungen über die kindliche Logik gezogen haben, parallel läuft. Auch in seiner Denkweise überlegt das Kind nur für sich selbst, denn es kennt die Standpunkte der anderen kaum oder nicht. In der Logik führt es alles auf seinen eigenen Standpunkt zurück, weil es glaubt, daß jedermann wie es denke. Es hat die Vielfalt der möglichen Betrachtungsweisen noch nicht entdeckt und bleibt in seiner eigenen Perspektive verhaftet, als ob sie die einzig mögliche wäre. Für seine Aussagen gibt es deshalb keine Beweise, weil es kein Bedürfnis hat, die anderen zu überzeugen. Daraus ergibt sich das Spiel, das Fabulieren, die Tendenz, das unmittelbar Wahrnehmbare zu glauben, das Fehlen eines deduktiven Denkens; daraus erwächst der Synkretismus, dank dem sich alles mit allem verbinden läßt, je nach den subjektiven Vorverbindungen; darauf ist es zurückzuführen, daß die Begriffe noch nicht als relativ erkannt werden; das ist schließlich die Ursache für das transduktive Denken, das vom einzelnen auf das einzelne schließt, durch Synkretismus, ohne zur logischen Notwendigkeit oder zu allgemeinen Gesetzmäßigkeiten vorzustoßen, denn es fehlt noch das Gefühl für die Reziprozität der Relationen.

Es gibt somit zwei Egozentrizitäten, eine logische und eine ontologische Egozentrizität. Gleich wie sich das Kind seine Wahrheit schafft, schafft es sich auch seine Realität: Das Gefühl für den Widerstand der Dinge ist ebensowenig ausgebildet wie dasjenige für die Beweisschwierigkeiten. Es macht Aussagen ohne Beweis und befiehlt ohne Abgrenzung. Die Magie auf der ontologischen Ebene und die unmittelbare Überzeugung auf der logischen Ebene, die Partizipation auf der Ebene des Seins und die Transduktion auf der Ebene des Denkens sind somit nur zwei konvergierende Ergebnisse ein und desselben Phänomens. Die Magie und die unmittelbare Überzeugung wurzeln in derselben egozentrischen Illusion: in der Vermengung des eigenen Denkens mit dem Denken der anderen und in der Vermengung des Ich mit der äußeren Welt.

Die ontologische Egozentrizität ist eine für das Verständnis des kindlichen Universums wichtige Tatsache. So wie uns die logische Egozentrizität den Schlüssel zum kindlichen Urteilen und Denken geliefert hat, liefert uns die ontologische Egozentrizität den Schlüssel zur Realität und zur Kausalität des Kindes. Die Vorkausalität und der Finalismus lassen sich unmittelbar aus dieser Egozentrizität ableiten, denn in ihnen werden die kausalen und physischen Beziehungen mit psychologisch motivierten Verbindungen vermengt, als ob das Universum den Menschen als Zentrum hätte. Der Animismus und der Artifizialismus sind die Äußerungen dieser ursprünglichen Verbindungen. Die integrale Dynamik, von der die kindliche Meteorologie und Physik durchdrungen sind, bildet sich schließlich von den Überresten solcher urspünglicher Überzeugungen her aus.

Zweiter Teil
Der kindliche Animismus

Wenn das Kind nicht zwischen der psychischen und der physischen Welt unterscheidet, wenn es am Anfang seiner Entwicklung keine exakten Grenzen zwischen seinem Ich und der Außenwelt sieht, so muß man darauf gefaßt sein, daß es zahlreiche Körper, die für uns Erwachsene leblos sind, als lebendig und mit Bewußtsein ausgestattet betrachtet. Dieses Phänomen, das wir mit dem üblichen Begriff »Animismus« bezeichnen, wollen wir jetzt beim Kind untersuchen.

Die Einwände, die man gegen die Verwendung dieses Wortes vorbringen kann, sind uns durchaus bekannt, aber auf die beiden wichtigsten gibt es unserer Meinung nach Antworten.

Zum ersten Einwand. Angelsächsische Anthropologen bezeichnen mit dem Begriff Animismus jene Erscheinung, daß Naturvölker die Natur mit »Seelen«, »Geistern« usw. füllen, um für physische Phänomene eine Ursache zu geben. Die Naturvölker wären somit – die Wege dazu hat man sich vorzustellen versucht – zum Begriff der Seele gekommen, und dieser Begriff wäre der Ausgangspunkt für die animistischen Überzeugungen. Heute wissen wir, wie oberflächlich und auf unsere zeitgenössische Mentalität zugeschnitten diese Beschreibung der Denkweise der Naturvölker ist. Die gründliche Kritik von Lévy-Bruhl und die Bemerkungen Baldwins haben bis zur Evidenz gezeigt, daß die Naturvölker genau den entgegengesetzten Weg gegangen sind. Sie machen keinen Unterschied zwischen dem Geist und der Materie. Und weil sie diese Unterscheidung nicht vornehmen, erscheinen ihnen alle Dinge als gleichzeitig mit materiellen und intentionellen Eigenschaften ausgestattet. Und durch dieses zugleich moralische und physische *Kontinuum* lassen sich die okkulten Partizipationen erklären, von denen ihre Magie überquillt und die zu diesem Trugbild geführt haben, sie glauben an den »Geist« im gleichen Sinne wie wir. Lévy-Bruhl ächtet deshalb den Begriff Animismus, da er seiner Meinung nach mit den falschen Interpretationen verquickt bleibt, die er ausgelöst hat.

Wir wollen jedoch in dieses Wort nicht mehr hineinlegen, als darin ist: Wir bezeichnen damit die Tendenz, die Körper als lebendig und mit Absichten ausgestattet zu betrachten. Diese Tendenz ist ein Faktum, und der Name präjudiziert in keiner Weise die Interpretation, die man dafür geben kann. Ob der kindliche Animismus darauf zurückzuführen sei, daß es den Begriff »Geist« für das Kind gibt oder im Gegenteil nicht gibt, ist noch zu untersuchen, gleichgültig für welchen Terminus wir uns entscheiden.

Die zweite Kritik, die man an diesem Wort üben kann, hat sicher mehr Gewicht. Der Begriff »Animismus« bezeichnet eine für Naturvölker charakteristische Überzeugung. Wir wählen ihn hier für eine kindliche Eigenschaft. Es sieht so aus, als würden wir dadurch der Frage vorgreifen, ob analoge Überzeugungen bei Naturvölkern und beim Kind identisch seien. Darum geht es nicht. Wir verwenden das Wort »Animismus« als gattungsmäßigen Terminus; das Problem, ob die verschiedenen Formen des Animismus ein und dieselben oder verschiedene psychologische Ursprünge haben, wird davon nicht betroffen.

Nach dieser Klarstellung wollen wir bei der Untersuchung des kindlichen Animismus drei Hauptprobleme unterscheiden. Als erstes das Problem der Intentionalität: Schreibt das Kind den Gegenständen seiner Umgebung ein Bewußtsein zu und in welchem Maße? Das zweite Problem ist für die Kausalität bedeutungsvoller: Welchen Sinn hat der Begriff »Leben« für das Kind? Deckt sich das Leben mit dem Bewußtsein oder nicht? Usw. Und schließlich das dritte Problem: Welche Art von Notwendigkeit spricht das Kind den Naturgesetzen zu, eine moralische Notwendigkeit oder einen physikalischen Determinismus? Usw.

Jedem dieser Probleme wollen wir ein besonderes Kapitel widmen. Zusammen mit dem Problem der Notwendigkeit wollen wir die Frage zu lösen versuchen, wie der kindliche Animismus entstanden sei.

Kapitel V
Das den Dingen zugesprochene Bewußtsein

Wir bedienen uns in den beiden folgenden Kapiteln einer diskutablen Technik, deren Ergebnisse aber dennoch einige Hinweise geben können, sofern man die Vorbehalte respektiert, die wir anbringen.

Wir haben mit folgender Frage begonnen: »Wenn ich dich mit einer Nadel steche, dann spürst du etwas. Und wenn ich diesen Tisch steche, spürt er dann auch etwas?« Dieselbe Frage wird anschließend auf die Steine, die Blumen, Metalle, das Wasser usw. angewandt. Man fragt, was geschehen würde, wenn man die Sonne, den Mond, die Wolken stechen könnte. Selbstverständlich muß man, und das ist der wichtigste Teil der Befragung, bei jeder Antwort des Kindes fragen: »Warum ja?« oder »Warum nein?«. Wesentlich ist nämlich, ob das Kind willkürlich oder mit System antwortet und, im zweiten Falle, herauszufinden, von welcher latenten Auffassung das Kind ausgeht.

Man sieht unschwer ein, daß die Suggestion die große Gefahr dieser Technik ist, und zwar die einfache Suggestion wie die Suggestion durch Beharrlichkeit. Um die einfache Suggestion zu vermeiden, muß man die Fragen in einer nicht-tendenziösen Form stellen, nicht: »Spürt der Tisch etwas?«, sondern: »Spürt er etwas oder spürt er gar nichts?«. Wir haben jedoch beobachten können, daß nicht die einfache Suggestion die eigentliche Gefahr darstellt, sondern das beharrliche Fragen. Wenn das Kind einmal »Ja« sagt (zum Beispiel eine Blume spüre den Stich), so wird es dadurch dazu gebracht, auch später zu allem »Ja« zu sagen. Wenn es zuerst »Nein« gesagt hat, bleibt es ebenfalls tendenziell bei diesem »Nein«. Es drängen sich deshalb zwei Vorsichtsmaßnahmen auf. Man muß erstens fortwährend von einem Extrem zum anderen übergehen; nachdem man gefragt hat, ob ein Hund etwas spüre, muß man sogleich zu einem Stein oder einem Nagel (denen im allgemeinen kein Bewußtsein zugeschrieben wird) wechseln, dann auf eine Blume zurückkommen und anschließend zu einer Mauer oder einem Felsen übergehen usw. Erst wenn man festgestellt hat, daß das Kind jede Beharrlichkeit vermeidet, kann man umstrittenere Gegenstände wie die Gestirne, die Wolken usw. angehen. Doch auch dann darf man sich nicht an eine bestimmte Ordnung halten, sondern muß man jede Kontinuität vermeiden. Als zweite Vorsichtsmaßnahme muß man ständig die implizite Systematisierung des Kindes beachten. Das ist nicht leicht, denn die jüngeren Kinder können weder ihre Aussagen begründen (UD, Kapitel I,

Abschnitt 4), noch sind sie sich ihres eigenen Denkens oder ihrer Definitionen bewußt (UD, Kapitel IV, Abschnitte 1 und 2). Mehr noch, das Kind kann seine Aussagen weder multiplizieren noch addieren, es kommt auch um Widersprüche nicht herum (UD, Kapitel IV, Abschnitte 2 und 3), was den Experimentator zwingt, die Aussagen sogleich zu interpretieren, was immer sehr heikel ist. Durch Erfahrung lassen sich aber recht schnell die Kinder, die nach zufälligen Kriterien antworten, ausscheiden und diejenigen herausfinden, die wirklich von einer latenten Systematisierung ausgehen. Zwischen den beiden Reaktionsweisen läßt sich bisweilen schon am Anfang des Gesprächs ein Unterschied feststellen. Es ist im übrigen nützlich, dieselben Kinder einige Wochen später noch einmal zu befragen, um sich davon zu überzeugen, daß ihre Systematisierungen erhalten geblieben sind.

Wir haben jedoch rasch einsehen müssen, daß die Frage nach dem Stechen zu restriktiv war. So animistisch die Kinder auch sein mögen, sie sind dennoch nicht so anthromorphistisch, wie man annehmen könnte. Anders gesagt, sie verneinen bald einmal, daß die Sonne einen Stich spüre, aber sie glauben dennoch, die Sonne wisse, daß sie sich bewege, oder wisse, wann Tag und wann Nacht sei. Sie sprechen der Sonne zwar kein Schmerzempfinden zu, aber sie belassen ihr ein Bewußtsein als Sonne. Die Fragen müssen deshalb bei jedem Gegenstand je nach der Aktivität dieses Gegenstandes abgewandelt werden. Man fragt zum Beispiel im Zusammenhang mit den Wolken: »Spüren sie die Kälte, wenn es kalt ist, oder spüren sie gar nichts?«, »Wissen sie, daß sie sich bewegen, wenn sie sich bewegen, oder wissen sie es nicht?« usw. Es kann zudem nützlich sein, das Gespräch mit einigen Fragen zum Verb »spüren« zu beginnen und anschließend, zur Kontrolle, ähnliche Fragen zum Verb »wissen« zu stellen.

Wenn man die verschiedenen Fragen mit der erwünschten Vorsicht variiert, so läßt sich unserer Meinung nach die Beharrlichkeit vermeiden. Die Kritik, die man an dieser Technik üben kann, geht jedoch tiefer. Seit Binets Untersuchungen über das Zeugnis bei Kindern ist zureichend bekannt, daß Fragen in Alternativform gefährlich sind, denn sie zwingen dazu, ein Problem zu lösen, das sich spontan vielleicht gar nicht in gleicher Weise stellen würde. Deshalb dürfen wir aus unseren Ergebnissen nur mit kluger Vorsicht Rückschlüsse ziehen. Wir möchten den Leser schon jetzt auf diesen Punkt aufmerksam machen, damit man uns beim Lesen der Protokolle nicht voreilige Interpretationen vorwerfen kann.

Innerhalb der erhaltenen Antworten können wir ohne allzu große Willkür vier Gruppen unterscheiden, die *grosso modo* vier aufeinanderfolgenden Stadien entsprechen. Für die Kinder des ersten Stadiums hat alles, was irgendeine Aktivität aufweist, ein Bewußtsein, sogar wenn es unbeweglich ist. Die Kinder des zweiten Stadiums behalten das Bewußtsein den bewegten Körpern vor. Die Sonne und ein Fahrrad sind mit Bewußtsein ausgestattet, ein Tisch und ein Stein nicht. In einem dritten Stadium bildet sich eine wesentliche Unterscheidung zwischen der Eigenbewegung und der von außen erhaltenen Bewegung aus. Nur die Objekte mit Eigenbewegung, etwa die Gestirne, der Wind usw., werden von jetzt ab für bewußt gehalten, während Gegenstände, die ihre Bewegung von außen erhalten, etwa Fahrräder usw., nicht mehr als bewußt gelten. In einem vierten Stadium schließlich wird nur noch den Tieren ein Bewußtsein zugesprochen.

Wir wollen schon jetzt sagen, daß wir bei der kritischen Prüfung unseres Materials dieses Schema als gültig, das heißt als tatsächlich für die Entwicklung des spontanen Animismus beim Kind charakteristisch ansehen werden. Angesichts der Mängel unseres Befragungsverfahrens ist es jedoch schwierig, gewisse Kinder in einem bestimmten Stadium einzuordnen. Es sind hier, wie man noch sehen wird, zwei verschiedene Probleme zu lösen. Das erste ist gewissermaßen statistisch, es kann trotz Ungenauigkeiten in Einzelheiten gelöst werden; das zweite hängt mit der individuellen Diagnose zusammen und setzt, damit es gelöst werden kann, eine sehr viel subtilere Technik voraus.

Noch zwei Bemerkungen. Das skizzierte Schema läßt gewisse Einzelheiten unberücksichtigt. Es kommt vor, daß Kinder mit ihrer Auffassung vom Bewußtsein bestimmte Attribute verbinden, daß der fragliche Körper beispielsweise Blut enthalten muß, daß er sprechen kann, daß er sichtbar ist (der Wind beispielsweise) usw. Das sind jedoch individuelle Ansichten, die nicht allgemein verbreitet sind, so daß wir sie hier vernachlässigen können.

Im übrigen unterscheiden wir nicht zwischen kindlichen Auffassungen, die einerseits auf dem Verb »spüren« (sentir) und andererseits auf dem Verb »wissen« (savoir) beruhen. Die Nuancen, die wir feststellen konnten, scheinen vor allem verbaler Natur zu sein. Möglicherweise wird das »Spüren« den Dingen länger als das »Wissen« zugeschrieben. Wir haben aber gar nicht versucht, diesen Eindruck zu überprüfen, weil er uns in diesem Zusammenhang bedeutungslos zu sein scheint.

1. Das erste Stadium: Alles ist mit Bewußtsein ausgestattet

Das Kind dieses Stadiums erklärt keineswegs, alles habe das Bewußtsein von allem. Es sagt nur, jeder Gegenstand könne zu einem gegebenen Zeitpunkt Sitz von Bewußtsein sein, nämlich sobald dieser Gegenstand in irgendeinem Grade aktiv sei, oder jeder Gegenstand könne Sitz einer Aktion sein. Ein Stein etwa kann nichts spüren, aber wenn man ihn verschiebt, naß macht, zertrümmert usw., dann spürt er es. Hier einige Beispiele, die wir unter den ältesten Kindern dieses Stadiums ausgesucht haben:

Vel (8;6) erklärt, nur die Tiere könnten einen Stich spüren, was zeigt, daß er seine Antworten nuancieren kann. Er will damit sagen, daß nur die Tiere imstande sind, Schmerzen zu empfinden. Die Wolken zum Beispiel würden den Stich nicht spüren. »Warum nicht? – *Weil es Luft ist.* – Spüren sie den Wind oder spüren sie ihn nicht? – *Ja, das stößt sie voran.* – Spüren sie die Wärme? – *Ja.*« Was aber das einfache Bewußtsein betrifft, so kann jeder Körper zeitweilig bewußt sein: »Spürt die Bank etwas? – *Nein.* – Spürt sie es, wenn man sie verbrennt? – *Ja.* – Warum? – *Weil sie kleiner wird.* – Spürt eine Mauer etwas? – *Nein.* – Und wenn man sie umstürzt, spürt sie es? – *Ja.* – Warum? – *Weil es zerbricht.*« Einen Augenblick später: »Wenn ich diesen Knopf (einer Jacke) abreiße, spürt er es dann? – *Ja.* – Warum? – *Weil der Faden zerreißt.* – Tut es ihm weh? – *Nein, aber er spürt, daß es reißt.*« »Weiß der Mond, daß er sich bewegt, oder weiß er es nicht? – *Ja.* – Weiß diese Bank, daß sie hier ist? – *Ja.* – Glaubst du das? Bist du sicher oder nicht sicher? – *Nicht sicher.* – Warum glaubst du ein wenig, daß die Bank es nicht weiß? – *Weil es aus Holz ist.* – Und warum glaubst du ein wenig, daß sie es weiß? – *Weil sie hier ist.*« »Wenn der Wind gegen den Salève bläst, spürt er den, daß dort ein Berg ist, oder spürt er es nicht? – *Ja.* – Warum? – *Weil er darüber hinweg geht.*« »Weiß ein Fahrrad, daß es rollt? – *Ja.* – Warum? – *Weil es rollt.* – Weiß es, wann es stillsteht? – *Ja.* – Womit weiß es das? – *Mit seinen Pedalen.* – Warum? – *Weil sie sich nicht mehr drehen.* – Glaubst du das? – *Ja.* – (Wir lachen.) Meinst du, daß ich es glaube? – *Nein.* – Aber du glaubst es? – ... – Kann die Sonne uns sehen? – *Ja.* – Hast du schon darüber nachgedacht? – *Ja.* – Womit sieht sie uns? – *Mit ihren Strahlen.* – Hat sie Augen? – *Ich weiß es nicht.*«

Dieser Fall ist interessant, weil Vel nuancierte Antworten gibt. Trotz unserer Gegensuggestion am Ende spricht Vel der Sonne ein Sehen zu. Vel traut einem Knopf kein Schmerzempfinden zu, aber doch das Bewußtsein, abgerissen zu werden usw. Vel hat sich die Fragen, die wir ihm stellen, ganz sicher selbst nie gestellt, aber aus dem Gesagten scheint hervorzugehen, daß er sie sich deshalb nie gestellt hat, weil er noch »handeln« mit »wissen, daß man handelt« oder »sein« mit »wissen, daß man ist« verwechselt. Man mag sogar diese vorsichtige Interpretation anzweifeln. Bei Vel verfügen wir jedoch über einen Gegenbeweis. Mehr als ein Jahr nach diesem Gespräch haben wir Vel Fragen zu kleinen physikalischen Problemen vorlegen können. Selbstverständlich haben wir ihn nicht an das mehr als ein Jahr zurückliegende Gespräch erinnert und hatte er selbst dieses Gespräch völlig vergessen. Hier eine der spontanen Reaktionen bei diesem zweiten Gespräch:

Vel (9;6): Eine Büchse aus Metall wird an einer doppelten Schnur aufgehängt; die Schnur wird so, daß Vel es sieht, um die eigene Achse gedreht, worauf die Büchse, sobald man sie losläßt, durch die sich auseinanderwickelnde Schnur in eine Drehbewegung versetzt wird. »Weshalb dreht es sich? – *Weil die Schnur eingerollt ist.* – Warum dreht es sich dann? – *Weil der Faden* (die Schnur) *sich auseinanderrollen will.* – Warum will er das? – *Weil er auseinandergerollt war* (= er will seine ursprüngliche Stellung wieder einnehmen, wo er ›entrollt‹, das heißt nicht zusammengedreht war). – Weiß der Faden, daß er eingerollt ist? – *Er weiß es.* – Warum? – *Weil er sich entrollen will, er weiß, daß er eingerollt ist!* – Weiß er wirklich, daß er eingerollt ist? – *Ja..., ich bin nicht sicher.* – Wie weiß er es, was glaubst du? – *Weil er spürt, daß er aufgewickelt ist.*«

Dieses Gespräch stammt weder von einem suggerierten, noch von einem fabulierenden Kind. Einige andere Fälle:

Ken (7;6): »Wenn man diesen Stein sticht, spürt er das? – *Nein.* – Warum nicht? – *Weil er hart ist.*« »Wenn man ihn ins Feuer legt, spürt er es? – *Ja.* – Warum? – *Weil es ihn brennt.* – Spürt er die Kälte oder nicht? – *Ja.*« »Spürt ein Schiff, daß es auf dem Wasser ist? – *Ja.* – Warum? – *Weil es schwer ist, wenn man darauf ist* (= es spürt den Druck der Leute, die auf ihm sind). – Spürt das Wasser etwas, wenn man es sticht? – *Nein.* – Warum nicht? – *Weil es winzig* (= nicht fest) *ist.* – Spürt es die Wärme auf dem Feuer, oder spürt es nichts? – *Ja* (es spürt sie). – Würde die Sonne etwas spüren, wenn man sie stechen könnte? – *Ja, weil sie groß ist.*« »Spürt ein Kraut, wenn man es ausreißt? – *Ja, weil man an ihm zieht.*« »Wenn man diesen Tisch zum anderen Ende des Zimmers tragen würde, würde er etwas spüren? – *Nein, denn er ist leicht* (= er leistet keinen Widerstand, weil er kein Gewicht hat). – Wenn man ihn zertrümmert? – *Dann spürt er es.*«

Ken hat offensichtlich die Tendenz, den Bewußtseinsgrad an der Mühe zu messen, welche die Dinge bereiten: Ein Schiff spürt seine Passagiere, aber ein leichter Tisch spürt nicht, daß man ihn trägt; ein Kraut spürt, wenn man an ihm reißt usw.

Juill (7;6): Ein Stein spürt weder die Wärme noch die Kälte. »Wenn er zu Boden fällt, spürt er das? – *Ja.* – Warum? – *Weil er zerbrochen ist.*« »Kann ein Tisch etwas spüren? – *Nein.* – Spürt er es, wenn man ihn zertrümmert? – *Oh, ja!*« »Spürt der Wind etwas, wenn er gegen ein Haus bläst? – *Ja.* – Spürt er es, oder spürt er es nicht? – *Er spürt es.* – Warum? – *Weil es ihn behindert. Er kommt nicht hindurch. Er kann nicht weitergehen.*« »Nenne mir Dinge, die nichts spüren können. – ... – Können die Mauern etwas spüren? – *Nein.* – Warum nicht? – *Weil sie nicht gehen können* (diese Antwort kündigt das zweite Stadium an). – Spüren sie es, wenn man sie umstürzt? – *Ja.*« »Weiß die Mauer, daß sie in einem Haus ist? – *Nein.* – Weiß sie, daß sie hoch ist? – *Ja.* – Warum? – *Weil sie ganz oben ist, sie weiß, daß sie oben ist!*«

Reyb (8;7): »Spürt das Wasser etwas? – *Nein.* – Warum nicht? – *Weil das Wasser auseinandergeht* (= weil es flüssig ist). – Wenn man es auf den Ofen stellt, spürt es dann die Wärme? – *Ja.* – Warum? – *Weil das Wasser kalt ist, und das Feuer ist wärmer.* – Spürt das Holz etwas? – *Nein.* – Wenn es brennt, spürt es dann etwas, oder spürt es nichts? – *Ja, denn das Holz kann sich nicht verteidigen* (!). – Spürt es also etwas oder nichts? – *Es spürt etwas.*«

Alle diese Fälle sind analog, so daß man die Hypothese einer bloßen Suggerierung ausschließen kann. Sie sind im einzelnen recht nuanciert. Das Kind schreibt zwar allem Bewußtsein zu, aber es schreibt nicht allem das Bewußtsein von allem und jedem zu. Es ist zum Beispiel nicht bereit zu akzeptieren, daß ein Stein einen Stich spürt, daß die Sonne weiß, wieviele Menschen in einem Zimmer sind, daß Knöpfe oder Brillen wissen, wo sie sind usw. Sobald hingegen irgendeine Aktivität und insbesondere ein Widerstand festzustellen ist, gibt es Bewußtsein: Für Ken weiß ein Schiff, daß es eine Ladung trägt, aber ein Tisch weiß nicht, daß man ihn trägt, für Juill spürt der Wind ein Hindernis, aber ein Tisch weiß nichts, außer wenn man ihn zertrümmert, für Reyb spürt das Holz, daß man es verbrennt, »weil es sich nicht verteidigen kann« usw. Solche Fakten sind leicht zu interpretieren. Man darf nicht sagen, das Kind spreche den Dingen »Bewußtsein« zu; zumindest ist das ein völlig metaphorischer Ausdruck. Faktisch hat es sich nie oder nur selten die Frage gestellt, ob die Gegenstände bewußt seien oder nicht (es kommt freilich vor: siehe SD, S. 226). Da es aber keinerlei Begriff von einer möglichen Unterscheidung zwischen dem Denken und den physischen Gegenständen hat, weiß es auch nicht, daß es nicht mit Bewußtsein verbundene Aktionen geben kann. Tätigkeit ist für das Kind notwendig beabsichtigte und bewußte Tätigkeit. Eine Mauer kann nicht umgestürzt werden, ohne daß sie es spürt, ein Stein kann nicht zerbrochen werden, ohne daß er es weiß, ein Schiff kann nicht eine Last tragen, ohne sich anstrengen zu müssen usw. Es handelt sich dabei um eine ganz ursprüngliche Nichtunterscheidung zwischen der Aktion und der bewußten Anstrengung. Die eigentliche Frage ist somit die, wie das Kind dazu kommt, eine unbewußte Aktion zu begreifen, indem es zwischen dem Begriff des Aktes und dem Begriff des Bewußtseins des Aktes unterscheiden lernt, und nicht die, weshalb beim Kind die Aktion und das Bewußtsein notwendig miteinander verbunden zu sein scheinen.

Wollte man eine Analogie zwischen diesen Antworten und den Überzeugungen der Naturvölker suchen, so müßte man sich folglich nicht an den mit Affektivität beladenen Animismus halten, der in den sozialen Riten zum Ausdruck kommt, sondern an die wenigen Tatsachen aus der Physik der Naturvölker, die wir kennen. Mach erinnert in diesem Zusammenhang an die Geschichte des Indianerhäuptlings Chuar, der eine Erklärung dafür gab, weshalb es seinen Männern nicht gelang, einen Stein auf die andere Seite eines Abgrundes zu werfen: Das kommt daher, sagte er, daß der Stein von der Leere angezogen wird, gleich wie wir, wenn wir vom Schwindel ergriffen werden, und er verliert so die Kräfte, die notwendig wären, um die andere Seite zu erreichen.[1] Mach bemerkt dazu, das Denken der Naturvölker habe die unüberwindbare Tendenz, jede subjektive Empfindung als universell anzusehen.

Eine Schwierigkeit bleibt bei unserer Interpretation. Man kann sich fragen, ob die eben analysierten Antworten wirklich ursprünglich und das erste Stadium des kindlichen Animismus seien. Wir haben nämlich 5–6jährige Kinder gefunden, die spätere Stadien erreicht hatten. Und wir haben insbesondere 4–5jährige angetroffen, die allem Anschein nach sehr wenig animistisch waren.

Gont (4 Jahre) beispielsweise sagt: »Weiß die Sonne, daß du da bist? – *Ja.* – Weiß sie, daß du in diesem Zimmer bist? – *Sie weiß gar nichts.*« »Weiß sie es, wann sie untergeht? – *Oh, ja!* – Weiß sie es, wann es Nacht ist? – *Oh, nein!*« usw.

Analysiert man jedoch diese Antworten, indem man die Befragungsschwierigkeiten in diesem Alter (und sie sind bei der vorliegenden Technik beträchtlich) berücksichtigt, so bemerkt man, daß die Widerstände des Kindes vor allem verbaler Ordnung sind. Die jüngeren Kinder haben Mühe mit den Ausdrücken »wissen« und »spüren«, die von ihnen viel restriktiver als von den größeren Kindern verwendet werden. »Wissen« bedeutet etwas wie »gelernt haben« oder »in der Art der großen Leute wissen«. Gont spricht der Bank ein Wissen ab, weil »die Bank kein Mann ist«. Ebenso bedeutet »spüren«: »Schmerzen haben«, »schreien« usw. Die jüngeren Kinder haben somit wahrscheinlich kein Wort für »das Bewußtsein von etwas haben«. Daraus ergeben sich die Abweichungen, die die Befragung auf dieser Altersstufe enthüllt.

Wir dürfen deshalb annehmen, die Antworten der beschriebenen Art seien für ein erstes Stadium charakteristisch. In diesem ersten Stadium können alle Körper bewußt sein, auch die unbeweglichen Gegenstände, aber das Bewußtsein ist an irgendeine Aktivität gebunden, ob diese Aktivität von den Gegenständen selbst ausgehe oder ob sie von außen erfahren werde. Im Durchschnitt ist dieses Stadium bis in ein Alter von 6 bis 7 Jahren anzutreffen.

---

[1] E. Mach: La connaissance et l'erreur. Übersetzt von Dufour. S. 126. (Deutsch: Erkenntnis und Irrtum. Leipzig 1926).

2. Das zweite Stadium: Alle beweglichen Gegenstände sind bewußt

Schon im ersten Stadium war das Bewußtsein für das Kind mit einer gewissen Bewegung verbunden, zumindest insofern eine Aktivität Bewegung nach sich zieht. Doch jeder beliebige Körper konnte bewußt sein: eine Mauer, ein Berg usw. Das zweite Stadium hingegen ist dadurch gekennzeichnet, daß das Bewußtsein von jetzt ab den beweglichen Gegenständen vorbehalten ist, das heißt nicht mehr den Gegenständen, die bei einer bestimmten Gelegenheit Sitz einer Bewegung sein können, sondern den Körpern, die gewöhnlich in Bewegung sind oder deren Eigenaktivität es ist, in Bewegung zu sein. Für bewußt werden deshalb die Sterne, die Wolken, die Flüsse, der Wind, die Fahrzeuge, das Feuer usw. gehalten.

Mont (7;0): »Weiß die Sonne, daß sie scheint? – *Ja.* – Warum? – *Weil es Feuer ist.*« »Weiß sie, daß wir hier sind? – *Nein.* – Weiß sie, ob das Wetter schön ist? – *Ja.*« Ebenso sind der Wind, die Wolken, die Bäche, der Regen bewußt. »Spürt der Wind etwas, wenn er gegen ein Haus weht? – *Ja, er spürt, daß er nicht weiter kann*«. »Weiß ein Fahrrad, daß es fährt? – *Ja.* – Weiß es, daß es rasch fährt? – *Ja.* – Kann es allein wegfahren? – *Nein.*« Usw. Die Bänke, die Mauern, die Steine, die Blumen usw. hingegen wissen und spüren nichts. »Weiß diese Bank, daß sie in diesem Zimmer ist? – *Nein.* – Warum nicht? – *Weil sie nicht sprechen kann.* – Weiß sie, daß du auf ihr bist? – *Nein.* – Warum nicht? – ...* – Weiß sie, daß du ihr einen Schlag gibst, wenn du sie zertrümmerst? – *Nein.*« Usw.

Die Auswahl, die Mont trifft, ist klar, auch wenn er nicht selbst die Gründe dafür angibt. In den folgenden Fällen sind die Kinder expliziter:

Kae (11 Jahre) verbindet das Bewußtsein spontan mit der Bewegung: »Weiß die Sonne etwas? – *Ja, sie wärmt.* – Weiß sie, daß sie sich am Abend versteckt? – *Ja, denn sie sieht Wolken vor sich ... nein, sie weiß es nicht, denn es ist nicht sie, die sich versteckt. Es sind die Wolken, die vor ihr vorbeiziehen.*« Wenn also die Sonne sich versteckte, so würde sie es wissen, da sie aber versteckt wird, ohne selbst etwas dazu beitragen zu müssen, weiß sie nicht, daß sie versteckt ist. »Weiß das Fahrrad, daß es fährt? – *Ja, es spürt den Boden.*« »Weiß ein Auto, daß es sich bewegt? – *Ja, es spürt, daß es nicht mehr am gleichen Platz ist.*«

Vog (8;6): »Weiß der Mond, daß er leuchtet? – *Ja.* – Warum? – *Weil er uns am Abend führt* (der Mond folgt uns, vgl. Kapitel VII, Abschnitt 2). – Weiß der Wind, daß er bläst? – *Ja, denn es windet stark.* – Weiß das Fahrrad, daß es fährt? – *Ja.* – Warum? – *Weil es schnell fahren kann.*« Doch die Steine usw. wissen und spüren nichts.

Pug (7;2): »Weiß die Sonne, daß sie untergeht? – *Ja.* – Weiß sie, daß sie hell gibt? – *Nein.* – Warum nicht? – *Weil sie keine Augen hat, sie kann es nicht spüren.*« »Weiß ein Fahrrad etwas? – *Nein.* – Warum nicht? – *Ich wollte sagen, es weiß, wenn es schnell und wenn es langsam geht.* – Warum, glaubst du, weiß es das? – *Ich weiß es nicht. Ich glaube, es weiß das.* – Weiß ein Auto, daß es fährt? – *Ja.* – Ist es lebendig? – *Nein, aber es weiß das.* – Weiß es der Mann darin, oder weiß es das Auto? – *Es ist der Mann.* – Und das Auto? – *Auch.*« Die Bänke, die Tische, die Steine, die Mauern usw. spüren und wissen hingegen nichts.

Sart (12;6): »Kann das Wasser etwas spüren? – *Ja.* – Was? – *Wenn es windet, gibt es Wellen.*« »*Weil der Wind die Wellen macht, so spürt das Wasser etwas.*« Die Steine, die Mauern, die Tische usw. spüren gar nichts. »Weiß eine Uhr etwas? – *Ja, denn sie zeigt uns die Zeit an.* – Warum weiß sie es? – *Weil die Zeiger uns die Zeit anzeigen*« usw.

Weitere Beispiele erübrigen sich, weil alle ähnlich sind, vor allem aber weil dieses Stadium grundsätzlich ein Übergangsstadium ist. Entweder schreiben die Kinder allen Dingen ein Bewußtsein zu, oder sie schränken dieses auf die Bewegung ein, als ob jede Bewegung die Äußerung einer willentlichen Anstrengung wäre. Doch sie entdecken bald einmal, daß die Bewegung bestimmter Körper, etwa eines Fahrrades, eine Bewegung ist, die ganz von außen kommt, zum Beispiel vom Mann, der die Pedale tritt. Sobald diese Unterscheidung vorgenommen wird, behält das Kind das Bewußtsein den Körpern mit Eigenbewegung vor, womit es in das dritte Stadium übergeht.

Zwischen dem zweiten und dem dritten Stadium besteht somit nur ein gradueller Unterschied. Wenn man diesen Unterschied formulieren will, sollte man, allem Anschein zum Trotz, nicht sagen, das Kind schreibe zuerst das Bewußtsein allen in Bewegung befindlichen Körpern zu (2. Stadium), behalte es aber später den Körpern mit Eigenbewegung vor (3. Stadium). In Wirklichkeit betrachte das Kind das Bewußtsein in beiden Stadien als mit der Eigenbewegung verbunden; wenn es im zweiten Stadium den Fahrrädern ein Bewußtsein zuschreibt, so ist das in den meisten Fällen darauf zurückzuführen, daß es sich die Fahrräder als mit einer gewissen intentionellen, vom Radfahrer unabhängigen Kraft ausgestattet vorstellt.[2] Der Unterschied zwischen dem zweiten und dem dritten Stadium rührt also einfach von der Entdeckung her, daß es Körper gibt, deren Bewegung nicht autonom ist. Diese Entdeckung veranlaßt das Kind, zwei Sorten Körper zu unterscheiden und so die Zahl der Körper mit Eigenbewegung fortlaufend zu verkleinern. Als erste Gegenstände werden die Maschinen von den lebendigen und bewußten Körpern abgesondert. Dann folgen im allgemeinen die Wolken, die Bäche usw.

Was wir aufgrund der mit der vorliegenden Technik erhaltenen

---

[2] Auf das »Weshalb« kommen wir in einer besonderen Untersuchung über die Erklärungen für das Fahrrad zurück (PK, Teil IV).

Ergebnisse sagen, wird durch eine viel sicherere Methode bestätigt, mit der wir die Ursache der Bewegung studiert haben (siehe unser Buch über die physikalische Kausalität beim Kinde[3]). In den ersten Stadien faßt das Kind jede Bewegung als zum Teil auf einen äußeren Antrieb, das heißt auf eine spontane und intentionelle Kraft zurückzuführen auf. Erst recht spät (mit 7 bis 8 Jahren) wird diese animistische Dynamik durch eine mechanische Erklärung der Bewegung abgelöst, auch bei den Maschinen. Diese Untersuchung über die Bewegung, die wir mit anderen Kindern durchgeführt haben, stellt den besten Gegenbeweis für die Gültigkeit der vorliegenden Ergebnisse dar, den wir haben finden können.

Abschließend sei noch festgehalten, daß das zweite Stadium bei durchschnittlich 6½ bis 8½ und das dritte Stadium bei im Mittel 8½ bis 11½ Jahre alten Kindern zu finden ist.

3. Das dritte Stadium: Bewußt sind die mit Eigenbewegung ausgestatteten Körper

Dieses Stadium ist das systematischste und interessanteste, das wir gefunden haben. Die meisten Kinder, die hierher gehören, weisen sich über einen reflektierteren und motivierteren Animismus als die Kinder der beiden ersten Stadien aus. Deren Antworten zeigen eher eine geistige Haltung als systematische Überzeugungen. In unserer Terminologie wären es eher »ausgelöste Überzeugungen« als »spontane Überzeugungen«. Mehrere Kinder des dritten Stadiums hingegen (nicht die Mehrheit, aber mehrere) zeigen reflektiertere Meinungen, man findet bei ihnen neben vielen ausgelösten auch einige spontane Überzeugungen.

Ross (9;9) spricht zuerst den Tieren ein Bewußtsein zu, nicht aber dem Tisch: »Würde ein Tisch etwas spüren, wenn ich ihn steche? – *Nein.* – Warum nicht? – *Weil das keine Person ist.*« »Spürt das Feuer etwas? – *Nein.* – Und wenn man Wasser darübergießt, spürt es etwas? – *Nein.* – Warum nicht? – *Weil es keine Person ist.* – Spürt der Wind etwas, wenn die Sonne scheint? – *Ja.* – Weiß er, daß er bläst? – *Ja.* – Spürt die Sonne etwas? – *Ja.* – Was spürt sie? – *Sie spürt, daß sie warm gibt*« usw. Ross spricht auch den Sternen, dem Mond, dem Regen und den Bächen ein Bewußtsein zu, lehnt es aber ab für die Fahrräder, die Autos und die Schiffe ab. »Bist du sicher oder nicht sicher, daß alles wirklich so ist? – *Nicht sehr.* – Hast du schon einmal darüber nachgedacht? – *Nein.* – Warum bist du nicht sicher? – *Ich habe es nicht gelernt.* – Du sagst mir, der Wind spüre etwas, aber du bist nicht sicher. Sag mir doch, was du meinst, warum glaubst du ein wenig, der Wind spüre nicht, daß er bläst? – *Weil er keine Person ist.* – Und warum glaubst du ein wenig, daß er etwas spürt? – *Weil er (!) es ist, der bläst.*« – Man vergleiche damit die Antwort von Mart

---

[3] Jean Piaget: La causalité physique chez l'enfant. Paris 1927.

(8;10) (siehe Kapitel II, Abschnitt 2): »Kennt der See seinen Namen? – *Ja, denn er geht.* – Weiß er, daß er geht? – *Ja, denn er ist es, der geht.*« Das ganze Gespräch mit Mart ist in dieser Hinsicht interessant.

In diesen Wörtern »er ist es, der bläst« oder »er ist es, der geht« ist das ganze dritte Stadium und folglich der ganze kindliche Animismus in seiner reinsten Form erhalten. Der erste Ausdruck ist um so wertvoller, als er von einem Suchenden stammt, der sich dessen, was er sagt, »nicht sehr« sicher ist und der weiß, daß der Wind »keine Person« ist. Aber keine äußere Ursache bestimmt den Wind, also bläst der Wind von selbst und muß er sich seiner Bewegung bewußt sein. »Kann der Wind tun, was er will?«, fragten wir Ross anschließend. »Kann er aufhören zu blasen, wenn er will? – *Ja.* – Kann er blasen, wann er will? – *Ja.*« Weshalb also dem Wind keine Seele zuschreiben? Ross ist unentschieden, gewiß aber gerade diese Unentschiedenheit ist für uns wertvoll, denn sie deckt die Beweggründe seines Denkens auf.

Card (9;6) spricht den Gestirnen und den Wolken wie den Tieren Bewußtsein zu, nicht aber den Steinen usw. und auch nicht dem Wind: »Spürt der Wind, daß er bläst? – *Nein.* – Warum nicht? – *Weil es die Wolke ist, die ihn blasen läßt.*« Das ist der spontane Ausdruck für eine der zahlreichen Erklärungen, die Kinder für den Ursprung des Windes geben: der Wind wird durch die Bewegungen der Wolken ausgelöst (siehe PK). Der Inhalt dieser Theorie spielt hier keine Rolle. Wichtig ist nur, daß für Card der Wind kein Bewußtsein hat, weil seine Bewegung nicht spontan ist.

Schi (6 Jahre, frühreif): »Spüren die Wolken, daß sie sich bewegen? – *Weil sie selbst den Wind machen, können sie spüren.*« Wieder die Theorie, die wir bei Card kennengelernt haben, und dieselbe Argumentation. Schi sagt auch im Zusammenhang mit den Blumen: »Spürt sie, wenn man darauf tritt? – *Sie muß es spüren*«, und präzisiert: »*Das ist lebendig, denn es wächst.*«

Ratt (8;10) widersteht allen Suggestionen in bezug auf die Steine, die Mauern, die Tische, die Berge, die Maschinen usw., aber er spricht den Gestirnen usw. Bewußtsein zu: »Spürt die Sonne die Wärme? – *Ja.* – Warum? – *Weil es ist, die warm gibt.* – Spüren die Wolken irgend etwas? – *Sie spüren den Himmel.* – Warum? – *Weil sie den Himmel berühren.*« »Spürt der Wind die Kälte? – *Ja, denn er ist es, der die Kälte macht.*« Ratt unterscheidet somit zwischen der spontanen Aktivität der Sonne oder des Windes und der nichtspontanen Bewegung der Maschinen.

Tacc (10;6) unterscheidet sehr schön zwischen »warm sein« und »warm haben«: »Spürt das Feuer die Wärme? – *Nein.* – Warum nicht? – *Weil es schon warm ist.* – Kann es die Wärme spüren? – *Nein.* – Warum nicht? – *Weil es nicht lebt.* – Kann es warm haben? – *Nein, denn es ist schon warm.*« Sobald es aber um die Sonne, die Wolken, die Bäche, den Wind usw. geht, faßt Tacc das Bewußtsein als mit der Bewegung verbunden auf: »Sind die Wolken warm? – *Wenn die Sonne scheint.* – Haben sie warm oder sind sie warm? – *Sie haben warm.*« Tacc antwortet, nachdem wir ihm einen Irrtum klargemacht haben: »*Ich habe geglaubt, sie würden leben, weil sie sich bewegen.*« Bewußtsein und

Leben fallen im übrigen für Tacc nicht vollständig zusammen: »Haben die Bäche warm oder sind sie warm, wenn die Sonne auf sie scheint? – *Sie haben warm ... sie spüren nicht viel, weil das nicht lebt.* – Warum? – Sie spüren ein ganz wenig, weil sie fließen.«

Klarer als Tacc kann man die Verbindung zwischen dem Bewußtsein und der Eigenbewegung gar nicht schildern. Der zehneinhalb Jahre alte Knabe kann den Bewußtseinsgrad, der jedem Seienden zukommt, sehr wohl dosieren und seine Gründe dafür formulieren. Er spricht den fabrizierten Gegenständen, dem Feuer, dem Regen das Bewußtsein ab, den Gestirnen, dem Wind, den Wolken und den Bächen zu.

Imh (6 Jahre, frühreif) spricht den Gestirnen, den Wolken usw. Bewußtsein zu, dem Wasser ab, und zwar weil es keine Eigenbewegung hat: »*Es kann rascher fließen, aber wenn der Boden stärker geneigt ist.*« Ihm gehört somit, was die Erklärung für die Bewegung der Gewässer betrifft, in ein höheres Stadium (das dritte, siehe PK).
   Wirt (8;4): »Würde das Feuer etwas spüren, wenn man es sticht? – *Ja.* – Warum? – *Weil es lebendig ist.* – Warum ist es lebendig? – *Weil es sich bewegt.* – Würde eine Wolke etwas spüren, wenn man sie sticht? – *Ja.* – Warum? – *Weil sie lebendig ist, weil sie in der Luft bleibt und weil sie weggeht, wenn der Wind bläst* (der Wind schließt die Eigenbewegung der Wolke nicht immer aus, siehe PK). – Spürt der Wind etwas? – *Ja.* – Warum? – *Weil er bläst.* – Spürt das Wasser etwas? – *Ja.* – Warum? – *Weil es fließt.*« Dasselbe gilt für die Sonne und den Mond. »Spürt eine Pflanze etwas, wenn man sie sticht? – *Ja.* – Warum? – *Weil sie lebendig ist, denn sie wächst.*« Doch die Maschinen wissen und spüren nichts: »Weiß ein Fahrrad, daß es fährt? – *Nein.* – Warum nicht? – *Es ist nicht lebendig.* – Warum nicht? – *Weil man es zum Fahren bringen muß.*« Dasselbe gilt für die Autos, die Eisenbahnzüge, die Karren usw.

Alle diese Fälle gleichen sich, obwohl die einen in Genf und die anderen im Berner Jura und an anderen Orten beobachtet worden sind. Die Kinder unterscheiden sich zwar voneinander in bezug auf ihre Meinungen, was als eine spontane Bewegung anzusehen sei. Für die einen hat das Feuer eine Eigenbewegung, weil es von alleine brennt, nachdem man es entzündet hat; für die anderen kommt diese Bewegung von außen, weil man anzünden muß. Für die einen bewegen sich die Bäche von selbst; für die anderen ist die Geländeneigung die mechanische Ursache dafür usw. Bei der Untersuchung der Ursachen für die Bewegung werden wir noch sehen, daß jede Bewegung ein oder mehrere Stadien auslöst, in denen diese Bewegung für spontan gehalten wird, und ebenso mehrere Stadien, in denen sie als von außen kommend angesehen wird. An diesen divergierenden Meinungen unserer Kinder gibt es nicht viel zu erklären. Interessant ist dennoch, daß sich alle diese Kinder darin einig sind, daß das Bewußtsein nur Körpern mit Eigenbewegung zuzusprechen sei. Dies ist um so bemerkenswerter, als wir im Zusammenhang mit dem Begriff »Leben« und unabhängig von den eben dargestellten Gesprächen genau das gleiche Ergebnis finden werden.

4. Das Bewußtsein wird den Tieren vorbehalten

Der beste Beweis dafür, daß unsere Befragungstechnik richtig ist und nicht nur suggerierte oder fabulierte Antworten auslöst, ist eben dieses vierte Stadium. Daß Kinder von 9;8 und sogar 7 Jahren auf alle unsere Fragen mit Nein antworten und das Bewußtsein allein den Tieren vorbehalten, oder den Tieren und den Pflanzen, beweist, daß unsere Befragung nicht suggestiv ist. Zudem werden wir noch sehen, daß die Antworten des vierten Stadiums bruchlos aus den Antworten der früheren Stadien hervorgehen, was ein weiterer Hinweis auf die Richtigkeit der gewählten Methode ist (siehe Einleitung, Abschnitt 3).

Das Stadium läßt sich durchschnittlich erst ab 11 bis 12 Jahren beobachten, man findet aber auch schon 6-bis 7jährige Kinder, die hierher gehören.

Zuerst wollen wir die Kontinuität zwischen dem dritten und dem vierten Stadium aufzeigen. Einige Fälle des Übergangsstadiums sind in dieser Hinsicht signifikant: Die Kinder sprechen allen Körpern unterhalb des Mondes, die Tiere ausgenommen, jedes Bewußtsein ab, der Sonne und dem Mond aber noch zu, weil sie sich von alleine bewegen:

Pig (9 Jahre) spricht den Wolken, dem Feuer, einer Blume, »*weil sie nicht lebendig ist*«, das Bewußtsein ab. Doch die Sonne spürt etwas: »Warum? – *Weil sie lebendig ist.*« Die Sterne spüren nichts, »*denn das sind Funken*. – Und die Sonne ist kein Funken? – *Nein, das ist ein Licht.*« Der Mond ist ebenfalls bewußt, nicht aber die Wolken, denn »*das ist Rauch*«, und der Rauch »*geht nicht*«. »Bewegen sich die Wolken ganz von allein? – *Nein*. – Und der Mond? – *Ja.*« Das Feuer spürt nichts, »*weil man es machen muß*«. Ein Bach ebenfalls nichts, weil »*es die Luft ist, die ihn bewegt.*«

Gol (6 Jahre, sehr frühreif) behält das Bewußtsein den Tieren und dem Mond vor, »*denn am Abend geht er immer an den gleichen Ort.*« Das Feuer hingegen ist nicht bewußt, »*denn es bleibt immer am gleichen Ort*«, die Wolken ebensowenig, denn »*der Wind stößt sie vorwärts*«.

Reh (6;6) widersteht allen unseren Suggestionen in bezug auf die Wolken, den Wind, das Wasser usw. Er sagt auch, die Sonne spüre nichts: »Spürt die Sonne etwas? – *Nein.* – Warum nicht? – *Weil sie nicht lebendig ist*«. Sobald man aber etwas genauer auf die Aktivität der Sonne eingeht, zeigt sich sogleich ein latenter Animismus: »Warum geht die Sonne auf? – *Damit es Sonnenschein gibt. – Warum? – Ich weiß nicht. –* Was macht die Sonne, wenn es Wolken hat und wenn es regnet? – *Sie geht weg, weil das Wetter schlecht ist.* – Warum? – *Weil sie nicht in den Regen kommen will«* usw.

Man stellt interessanterweise fast immer fest, daß die Sonne und der Mond am längsten beseelt bleiben. Sie sind tatsächlich die einzigen Körper, deren Bewegung ebenso spontan wie diejenige der Tiere zu sein scheint. Reh zeigt uns, daß der Animismus, selbst wenn er fast am Verschwinden ist, im Finalismus eine Fortsetzung erleben kann. Aus dieser Tatsache ergibt sich, wie heikel ein Gesamturteil über den kindlichen Animismus ist. Dieser Animismus ist alles andere als einfach, er steht einem groben Anthropomorphismus so fern wie dem Mechanismus der Erwachsenen.

Abschließend seien einige eindeutige Fälle des vierten Stadiums wiedergegeben:

Cel (10;7) spricht auch der Sonne und dem Mond jedes Bewußtsein ab, *»weil es nicht lebendig ist.«* »Gibt es Dinge, die wissen oder etwas spüren? – *Die Pflanzen, die Tiere, die Menschen, die Insekten.* – Ist das alles? – *Ja.* – Kann der Wind etwas spüren? – *Nein«* usw.

Visc (11;1) begründet dieselben Aussagen, indem er jeweils sagt: »*Nein* (es spürt nichts), *denn es ist ein Ding, es hat kein Leben.«*

Falq (7;3) erwähnt als Beweis jedesmal das Material, aus dem der betreffende Gegenstand besteht: Das Feuer spürt nichts, *»denn es ist verbranntes Holz«*, die Wolken spüren nichts, *»denn das ist Regen«*, die Sonne spürt nichts, *»denn das ist Feuer«*, der Mond spürt nichts, *»denn das ist eine kleine Wolke«* (ein spontaner Ausdruck für eine Überzeugung, die wir im Kapitel IX, Abschnitt 3, untersuchen wollen), der Wind spürt nichts, *»weil er keinen Kopf hat«* usw.

Der Begriff »Ding«, wie er von Visc im Sinne eines Gegenstandes ohne Leben verwendet wird, ist vor 11 Jahren selten anzutreffen. Sobald er auftritt, geht der kindliche Animismus seinem Ende entgegen.

5. Schlußfolgerungen

Bevor wir unsere Untersuchung des kindlichen Animismus mit einer Analyse des Begriffs »Leben« und der moralischen Notwendigkeit der Naturgesetze fortführen, müssen wir die dargelegten Ergebnisse etwas genauer zu interpretieren versuchen.

Wir haben die Antworten bis jetzt auf vier verschiedene Stadien verteilt. Jetzt müssen wir uns fragen, ob diese Systematisierung im spontanen Denken des Kindes wirklich existiert und ob die vier Antworttypen, die wir unterschieden haben, tatsächlich Stadien, das heißt aufeinanderfolgende Antworttypen, darstellen.

Zum ersten Punkt. Der Systematisierungsgrad der animistischen Überzeugung ist offensichtlich beträchtlich geringer, als man meinen könnte, wenn man dieses Kapitel gelesen hat. Der Animismus ist im Denken des Kindes vor allem als eine geistige Ausrichtung, als ein Erklärungsschema, nicht so sehr als eine bewußt systematische Überzeugung vorhanden. Zwei wesentliche Gründe zwingen uns, die von uns vorgenommene Systematisierung auf ihre wirklichen Ausmaße zurückzunehmen.

Der erste Grund hängt mit der logischen Struktur des kindlichen Denkens zusammen. Das Denken des Kindes ist weniger seiner selbst bewußt als das unsere, derart daß sogar implizite Systematisierungen wie diejenige, die wir in den Antworten des zweiten Stadiums gefunden haben, vom Kind selbst kaum wahrgenommen werden: Sie sind eher auf eine Sparsamkeit in den Reaktionen (eine Sparsamkeit, die eine Uniformität zur Folge hat) als auf ein gewolltes Suchen von Kohärenz zurückzuführen. Deshalb ist das Kind nicht imstande, seine Urteile zu begründen, jede einzelne Aussage zu rechtfertigen. Ein Kind des zweiten Stadiums (Leben = Bewegung) hat keine eigentliche Kenntnis der beweglichen Gegenstände, die auf unsere verschiedenen Fragen ein »Ja« oder »Nein« auslösen. Dieses Bewußtsein und diese Fähigkeit zur Begründung erscheinen im dritten Stadium, aber in einem noch rudimentären Zustand. Erst im vierten Stadium folgt auf die implizite eine reflektierte Systematisierung, und eben in dieser Periode wird der Animismus aus dem kindlichen Denken ausgemerzt.

Wir müssen nicht auf die Widersprüche und die Schwierigkeiten im Umgang mit den elementaren logischen Operationen (Addition und Multiplikation der Klassen und Aussagen) zurückkommen, die mit der fehlenden reflektierten Systematisierung verbunden sind. Wir haben sie an anderer Stelle (UD, Kapitel II, Abschnitte 2–4) ausführlich behandelt. Wir wollen nur sagen, daß schon allein diese Tatsachen erklären, weshalb wir keine Garantie für den Wert der vorliegenden Technik als Diagnosemittel übernehmen können. Es kommt nämlich durchaus vor, daß ein Kind, das eben einem bestimmten Gegenstand Bewußtsein zugesprochen hat, ihm kurz danach dieses Bewußtsein wieder abspricht: Es muß nur ein neuer Faktor die früheren überlagern, damit das Kind alles Gesagte vergißt, sich in Widersprüche verwickelt, seine Überzeugung wechselt usw. Deshalb muß man sich davor hüten, irgendeine unserer Befragungen als Ausdruck einer soliden individuellen Diagnose anzusehen. Dennoch hat die Methode durchaus einen statistischen Wert. Wenn man nur untersuchen will, wie das Denken des Kindes sich ganz allgemein entwickelt, so kompensieren die individuellen Schwankungen sich gegenseitig, so daß man dennoch den Entwicklungsprozeß in den groben Umrissen herausarbeiten kann.

Zu diesen Überlegungen aufgrund der Struktur des kindlichen Denkens kommt ein zweiter Grund, der ebenfalls zeigt, wie weit die vorliegenden Ergebnisse vom spontanen Denken des Kindes entfernt sind. Um sich über den Systematisierungsgrad einer Überzeugung Klarheit zu verschaffen, muß man sich im allgemeinen nur fragen, welche Funktion sie hat. Welche Bedürfnisse zwingen das Kind, sich seines impliziten Animismus bewußt zu werden? Es gibt zweifellos nur deren zwei.

Wenn das Kind zunächst versucht, sich den unvorhergesehenen Widerstand eines Gegenstandes, bei dem die Aktion keinen Ansatzpunkt findet, zu erklären, so ist es gezwungen, diesen Gegenstand zu beseelen. Noch allgemeiner, sobald irgendein Phänomen kontingent, seltsam und vor allem erschreckend aussieht, setzt das Kind Intentionen an den Ursprung dieses Phänomens. Dieses Bedürfnis nach Erklärungen, das zum Animismus führt, besteht aber nur zeitweilig. Der explizite Animismus ist deshalb ebenfalls nur zeitweilig. Wie Delacroix sagt: »Die Sonne und der Mond existieren nur bei einer Finsternis. Das Universelle gibt es für den Primitiven nicht.«[4]

Andererseits glaubt das Kind an die Allmacht des Menschen gegenüber den Dingen, und der Animismus dient ihm als Erklärung dafür, weshalb die Dinge gehorchen. Dabei kann es sich aber nur um eine implizite Haltung und nicht um eine reflektierte Überzeugung handeln. Nur Fälle eines außergewöhnlichen Gehorsams (wie beispielsweise des Mondes, von dem Gol sagt, er gehe »immer an den gleichen Ort«) oder eines außergewöhnlichen Ungehorsams können das Kind zu einer Reflexion im eigentlichen Sinne des Wortes bewegen.

Entweder implizite Haltung oder Reflexion über außergewöhnliche Fälle, das sind die Proportionen, die für den kindlichen Animismus gelten. Man kann sich deshalb fragen, was aus unseren Stadien wird und ob die Reihenfolge, die wir aufstellen zu können glaubten, nicht ebenfalls künstlich wie die Systematisierungen sei, die alle diese Stadien kennzeichnen.

Unser Schema, wonach der kindliche Animismus ziemlich regelmäßig und logisch vom ersten bis zum vierten Stadium abnehme, ist tatsächlich zu einfach, als daß es uns nicht mißtrauisch machen müßte. Weshalb sollte es nicht Rückfälle in den Animismus geben, die die Entwicklung zu einer Sinuskurve machen, weshalb sollte es nicht sogar ein voranimistisches Stadium geben? Man findet tatsächlich rund 5 Jahre alte Kinder, die weniger animistisch als ihre

---

[4] H. Delacroix: La religion et la foi. Paris 1924. S. 40.

älteren Kameraden zu sein scheinen. Wenn man ein Kind über mehrere Monate hinweg beobachten kann, stößt man auf dieselben Widersprüche. Zim zum Beispiel befindet sich im März im ersten und im Juni desselben Jahres im zweiten Stadium. Vel hingegen befindet sich im Dezember 1922 im dritten und im Juni 1923 im ersten Stadium! Mehr noch, beobachtet man ein und dasselbe Kind längere Zeit, indem man seine Fragen aufschreibt und es über Themen befragt, für die es sich interessiert, so zeigt sich, daß der Animismus bald in der einen, bald in der anderen Richtung ausschlägt.

Solche Widersprüche sind für den Analytiker ebenso interessant, wie sie den Statistiker zur Verzweiflung treiben. Man darf nämlich deswegen nicht einfach auf die Wertlosigkeit der dargelegten Ergebnisse schließen, denn ihre innere Konvergenz und die Tatsache, daß sie mit allen Fakten, die wir im folgenden noch darlegen wollen, im Einklang stehen, zwingen uns im Gegenteil, an einigem festzuhalten. Die recht häufigen Unregelmäßigkeiten, die wir eben kennengelernt haben, müssen erklärt werden. Dreierlei Faktoren haben tatsächlich die Tendenz, die aufgestellte Reihenfolge der Stadien teilweise umzukehren: die Systematisierung, die Bewußtwerdung und das Vokabular.

Folgendes ist dem Einfluß des Faktors Systematisierung zuzuschreiben. Zu dem Zeitpunkt, da eine implizite Überzeugung erstmals erschüttert wird, wird sie im allgemeinen auch erstmals bewußt formuliert. John Burnet hat es im Zusammenhang mit dem vorsokratischen Denken sehr fein ausgedrückt: Eine Aussage wird selten bejaht, bevor sie negiert worden ist[5]. Die jüngsten Kinder sind folglich Animisten, ohne daß sie imstande wären, ihre Haltung bewußt zu begründen. Sobald aber diese Haltung auf eine neue Hypothese stößt, durch die sie erschüttert werden kann, sobald sich das Kind zum Beispiel das erste Mal fragt, ob eine Kugel sich intentionell oder mechanisch bewegt (SD, S. 226), ist es durchaus möglich, daß es mangels einer besseren Lösung bei der animistischen Erklärung bleibt und diese dann durch Reflexion und systematisch auf eine Weise ausweitet, die angesichts der neuen latenten Tendenzen des Kindes eigentlich nicht mehr berechtigt wäre. Das Denken geht deshalb nie geradlinig, sondern gewissermaßen spiralig vor: Auf die implizite und nicht begründete Überzeugung folgt der Zweifel und auf den Zweifel die reflektierte Reaktion, aber die Reflexion wird ihrerseits durch neue implizite Tendenzen untergraben, und so fort. So läßt sich erklären, weshalb zahlreiche ältere Kinder animistischer zu denken scheinen als ihre jüngeren Kameraden. Solche Kinder brauchen

---

[5] J. Burnet: L'aurore de la philosophie grecque. Paris 1919. S. 15.

zeitweilig diesen Animismus, weil ihr Denken auf irgendein Problem gestoßen ist, das sich mechanisch nicht erklären läßt; doch es ist eine sekundäre Systematisierung, die sie zu solchen Ansichten geführt hat, und deshalb ist dieser Animismus mit dem ursprünglichen Animismus der kleineren Kinder nicht identisch, sondern nur vergleichbar.

Der zweite Faktor, der solche Sinnesänderungen möglich macht, ist die Bewußtwerdung. Da sich das Kind der impliziten Systematisierungen seines Denkens nicht klar bewußt ist, wird es, sobald es durch unsere Befragung oder durch ein spontanes Überdenken auf seine animistischen Überzeugungen hingelenkt wird, den Anwendungsbereich dieser Überzeugungen notwendig übertreten. Es entdeckt, die Wolken wüßten, daß sie sich bewegen, und so schreibt es das Bewußtsein allen bewegten Körpern zu, ohne selbst zu bemerken, daß es in Wirklichkeit das Bewußtsein den Körpern mit Eigenbewegung vorbehält. Das ist die Schwierigkeit mit der Exklusion oder der logischen Multiplikation, deren Abhängigkeit vom Faktor Bewußtsein wir an anderer Stelle aufgezeigt haben (UD, Kapitel IV, Abschnitt 2). Das bedeutet, einfacher ausgedrückt, daß es dem Kind beim Sprechen ebensowenig wie uns Erwachsenen gelingt, sein Denken genügend klar zu formulieren. Es tut diesem Denken fortwährend Zwang an, weil es sich nicht an die Nuancen erinnert. Dieser beständige Mangel an Koordination zwischen dem formulierten und dem impliziten Denken hat zur Folge, daß ein Kind bei der Befragung einmal animistischer, ein anders Mal weniger animistisch erscheint, als es wirklich ist. Das Kind läßt sich von sich selbst hinters Licht führen. Das ist ein zweiter Faktor für die Unregelmäßigkeiten in der Abfolge unserer Stadien.

Das Vokabular spielt schließlich auch eine wichtige Rolle. Das Wort »wissen« zum Beispiel hat mit 5 Jahren sicher einen engeren Sinn als mit 10 Jahren. Für ein jüngeres Kind bedeutet »wissen« eben »wie die großen Leute wissen«, für ein größeres Kind bedeutet es einfach »sich bewußt sein«. Weil sich der Sinn solcher Wörter verändert, wird das Kind wiederum dazu gebracht, seinen Animismus auszuweiten oder einzuschränken.

Diese drei Faktoren können somit Richtungsumkehrungen in der allgemeinen Entwicklung des kindlichen Animismus auslösen. Ist daraus zu schließen, daß unsere vier Antworttypen keine Stadien darstellen und daß man nur in groben Umrissen sagen könne, das Kind bilde einen anfänglich integralen Animismus immer stärker zurück? Offensichtlich nicht. Jedes einzelne unserer Kinder weist vielleicht, für sich allein genommen, eine implizite Systematisierung auf, die mit der durch unsere Befragung aufgedeckten allgemeinen Systematisierung nicht übereinstimmt, jedes kann auch in der Reihe unserer Stadien partiell zurückfallen, anstatt geradlinige Fortschritte zu machen; doch im Mittel stellen diese vier Antworttypen Typen einer Systematisierung dar, zwischen denen das Denken des Kindes wirklich schwankt, und diese vier Typen sind durchaus charakteristisch für vier Stadien.

Kapitel VI
Der Begriff »Leben«

Es kann interessant sein, die dargestellten Ergebnisse durch eine korrelative Untersuchung über den Begriff zu ergänzen, den die Kinder mit dem Wort »Leben« bezeichnen. Nichts weist nämlich darauf hin, daß sich die beiden Begriffe »Leben« und »Bewußtsein« vollständig decken, was übrigens auch für den Erwachsenen gilt. Vor allem aber ist der Begriff »Leben« dem Kind in gewisser Hinsicht vertrauter als die Begriffe, die durch die Verben »wissen« und »spüren« oder »fühlen« ausgedrückt werden. Man darf deshalb damit rechnen, durch eine Untersuchung dieses Begriffs eindeutigere Systematisierungen als im letzten Kapitel und bei allen Antworten des Kindes eine reichere logische Argumentation und Begründung zu finden. Falls die Ergebnisse der beiden Kapitel miteinander in Einklang stehen, so bedeutet diese Konvergenz eine nicht zu vernachlässigende zusätzliche Sicherheit. Deshalb bitten wir den Leser, die unvermeidlichen Wiederholungen zu entschuldigen, die sich bei dieser Untersuchung des Lebensbegriffs ergeben werden.

Die Technik, deren wir uns bedienen, unterscheidet sich nicht stark von der bisher angewandten. Man fragt, ob bestimmte Gegenstände, die man nacheinander aufzählt, lebendig seien und weshalb. Um die einfache Suggestion und das beharrliche Wiederholen zu vermeiden, sind deshalb Vorsichtsmaßregeln zu treffen.

In den Ergebnissen findet man eindeutig die vier Stadien wieder, die wir schon im Zusammenhang mit dem den Dingen zugesprochenen Bewußtsein kennengelernt haben. In einem ersten Stadium wird all das als lebendig betrachtet, was irgendeine Aktivität aufweist oder irgendwie nützlich ist. In einem zweiten Stadium wird das Leben durch die Bewegung definiert, wobei von jeder Bewegung angenommen wird, sie enthalte einen Anteil an Spontaneität. In einem dritten Stadium unterscheidet das Kind zwischen eigener und erhaltener Bewegung; das Leben wird mit der Eigenbewegung identifiziert. In einem vierten Stadium schließlich gelten nur noch die Tiere, oder die Tiere und die Pflanzen, als lebendig. Selbstverständlich gehören die gleichen Kinder in dieser Serie nicht notwendig zum gleichen Stadium wie in der Reihe über den Bewußtseinsbegriff (einige Kinder des zweiten Stadiums ausgenommen, die nicht zwischen der Eigenbewegung und der Bewegung im allgemeinen unterscheiden). Im Gegenteil, man stellt bei jedem Kind beträchtliche Unterschiede zwischen den Extensionen fest, die den beiden Begriffen Leben und Bewußtsein zugesprochen werden. Es geht hier somit nicht um eine Korrelation zwischen individuellen Fällen, sondern um eine Parallelität in der Entwicklung der beiden Begriffe »Leben« und »Bewußtsein«. Das ist im übrigen viel interessanter, weil die Hypothese des beharrlichen Wiederholens dadurch wegfällt, so daß diese Parallelität einen besonderen Wert erhält. Sie zeigt, wie konstant und spontan das Denken des Kindes trotz der Suggestionen der Erwachsenen seiner Umwelt und den Ungeschicklichkeiten unserer Befragung bleibt.

Da aber der Begriff Leben vom Kind stärker systematisiert wird als der Begriff Bewußtsein, ergeben sich daraus für unsere Untersuchung gewisse unvermeidliche Nachteile. Das Kind verbindet mit seinen spontanen Vorstellungen verschiedene zufällige Definitionen (leben ist gleichbedeutend mit sprechen oder warm sein oder Blut haben usw.). Bei allen Kindern mit solchen sekundären Definitionen haben wir aber auch, vermischt mit den anderen, die üblichen Antworten gefunden, so daß wir diese wenigen sekundären Begriffe vernachlässigen können. Ihr durch und durch individueller Charakter zeigt, daß es sich um Kinder handelt, die durch zufällig mitgehörte Gespräche usw. beeinflußt sind.

Im gleichen Maße, wie die Systematisierung des Begriffs Fortschritte macht, kommt es zu Richtungsumkehrungen, die durchaus vergleichbar mit denjenigen sind, die wir im Zusammenhang mit dem Bewußtseinsbegriff beschrieben haben. Gewisse Fälle sind deshalb schwierig einzuordnen. Von diesen beiden Nachteilen abgesehen, bereitete aber diese Untersuchung weniger Mühe als diejenige über das Bewußtsein.

1. Das erste Stadium: Das Leben ist mit der Aktivität im allgemeinen verbunden

Trotz gewisser Unterschiede haben die Antworten dieses ersten Stadiums alle einen gemeinsamen Hintergrund, daß nämlich das Leben durch die Aktivität definiert wird, und zwar, was besonders interessant ist, durch eine im allgemeinen für den Menschen nützliche und jedenfalls eindeutig anthropozentrische Aktivität.

Vel (8;6): »Ist die Sonne lebendig? – *Ja.* – Warum? – *Sie gibt hell.* – Ist eine Kerze lebendig? – *Nein.* – Warum nicht? – (Ja), *weil sie hell gibt. Sie ist lebendig, wenn sie hell gibt, und sie ist nicht lebendig, wenn sie nicht hell gibt.* – Ist ein Fahrrad lebendig? – *Nein, wenn es nicht fährt, ist es nicht lebendig. Wenn es fährt, ist es lebendig.* – Ist ein Berg lebendig? – *Nein.* – Warum nicht? – *Weil er nichts tut*(!). – Ist ein Baum lebendig? – *Nein; wenn er Früchte hat, lebt er. Wenn er keine hat, lebt er nicht.*« »Ist die Uhr lebendig? – *Ja.* – Warum? – *Weil sie geht.* – Ist eine Bank lebendig? – *Nein, sie ist nur dazu da, sich darauf zu setzen.* – Ist ein Herd lebendig? – *Ja, er ist dazu da, um das Mittag-*

essen, das Vesperbrot, das Nachtessen zu machen. – Ist eine Kanone lebendig? – *Ja, sie schießt.*« »Ist die Pausenglocke lebendig? – *Ja, sie tönt.*« Vel geht so weit zu sagen, das Gift sei lebendig, »*weil es uns tötet*«.

Tann (8 Jahre): »Ist eine Fensterscheibe lebendig? – *Es ist wie lebendig, aber es ist nicht wie wir. Die Scheibe hindert die Luft hereinzukommen,* (aber) *sie bleibt unbeweglich.* – Ist sie lebendig oder nicht? – *Sie lebt...*« »Ist ein Stein lebendig? – (Er ist lebendig,) *wenn man ihn wirft, wenn man ihn schlägt, damit er geht.*« »Ist eine Wolke lebendig? – *Ja, das lebt, und wenn es als Regen heruntergefallen ist, steigt es wieder auf.*« Um Tanns Denken klarer herauszuarbeiten, verwenden wir das folgende, eher künstliche Verfahren, das sich aber ausgezeichnet dazu eignet, um der geistigen Haltung des Kindes auf die Spur zu kommen: »Was ist lebendiger, ein Stein oder eine Eidechse? – *Eine Eidechse, denn der Stein kann sich nicht bewegen.*« »Die Sonne oder ein Stein? – *Die Sonne, denn sie ist für etwas gut, und der Stein ist kaum für etwas gut.*« »Eine Fliege oder eine Wolke? – *Eine Fliege, denn sie ist ein Tier; eine Wolke ist ein Ding.*« »Was ist ein Tier? – *Etwas, das nicht wie wir ist. Es ist nützlich. Ein Pferd ist nützlich. Es kann nicht in die Schule gehen. Es ist nicht wie wir.* – Was ist lebendiger, der Regen oder das Feuer? – *Der Regen.* – Warum? – *Der Regen ist stärker als das Feuer, denn er kann das Feuer auslöschen, und das Feuer kann nicht den Regen anzünden.*«

Reyb (8;7): »Bist du lebendig? – *Ja, denn man ist nicht tot.* – Ist eine Fliege lebendig? – *Ja, denn sie ist nicht tot.*« »Ist die Sonne lebendig? – *Ja, denn sie macht, daß es Tag ist.* – Ist die Kerze lebendig? – *Ja, denn man kann sie anzünden.*« »Ist der Wind lebendig? – *Ja, denn er macht kalt, er bewirkt die Kälte.* – Sind die Wolken lebendig? – *Ja, denn sie machen, daß es regnet*« usw.

Per (11;7): »Ist der Donner lebendig? – *Ich glaube nicht.* – Warum nicht? – *Er ist nicht wie die anderen Sachen, die Lebewesen, die Bäume, alle diese Sachen.* – Ist ein Blitz lebendig? – *Nein.* – Warum nicht? – *Man macht nichts aus ihm*(!). – Was ist denn ein Lebewesen? – *Ein Mensch, der lebt.* – Ist die Sonne lebendig? – *Ja.* – Warum? – *Sie gibt uns hell.* – Ist das Feuer lebendig? – *Ja, man kann damit vieles machen*« usw.

Man ersieht daraus, was das Wort »leben« für diese Kinder bedeutet. Leben heißt »etwas tun«, insbesondere »in Bewegung sein« (Vel, Tann: ein Berg tut nichts, eine Bank ist »nur dazu da, sich darauf zu setzen«), es heißt aber auch etwas tun, ohne sich von der Stelle zu rühren: der Herd, die Kerze usw. sind lebendig. Sogar Begriffe wie das Tier werden nach ihrem Nutzen definiert (Tann). Im Handkehrum ist das Leben einfach eine Kraft: das Gift, der Regen usw. sind lebendig.

Einige dieser Kinder schreiben dem Leben dieselbe Extension wie dem Bewußtsein zu (etwa Vel und Reyb, die sich auch in bezug auf das Bewußtsein, das den Dingen zugesprochen wird, im ersten Stadium befinden). Andere geben dem Leben eine sehr viel größere Extension (Tann, Per: 3. Stadium).

Trotz aller dieser Divergenzen haben die Antworten dieses ersten Stadiums einen gemeinsamen Hintergrund: Sie bringen eine grundlegende Finalität der Natur und ein Kontinuum von Kräften zum Ausdruck, die dazu bestimmt sind, die Zwecke zu verwirklichen. Dieser Begriff ist nicht etwa eine Besonderheit der Antworten, die man mit der vorliegenden Technik erhält, sondern er scheint einer der Grundbegriffe des kindlichen Denkens zu sein. Dieses erste Stadium dauert bis in ein Alter von 6 bis 7 Jahren. Bis zu diesem Zeitpunkt weisen bekanntlich die kindlichen Definitionen Merkmale auf, die völlig mit dem vergleichbar sind, was wir eben gefunden haben. Laut Binet und vielen anderen Autoren definieren die Kinder um 6 Jahre »nach dem Gebrauch« und nicht nach Gattung und artbildendem Unterschied. Ein Berg etwa »ist dazu da, um hinaufzusteigen« oder »ist dazu da, um etwas zu umgeben« (den Horizont abzugrenzen), ein Land »ist dazu da, um zu reisen«, die Sonne »ist dazu da, um uns warm zu geben« oder »ist dazu da, um uns hell zu geben« usw. (siehe UD, Kapitel IV, Abschnitt 2). Daß dieser Finalismus einen Hersteller voraussetzt, der jedes Ding zu einem bestimmten Zweck geschaffen hat, wird sich in der Folge noch zeigen, steht aber hier nicht zur Diskussion. Dieser integrale Finalismus setzt aber zusätzlich voraus, daß jeder Körper eine Aktivität, eine Kraft hat, die es ihm ermöglichen soll, seine Rolle auszufüllen. Falls zum Beispiel bestimmte Hindernisse (der Wind, die Wolken, die Nacht usw.), dem Gang der Sonne entgegenwirken, so muß die Sonne alles das haben, was sie benötigt, um zu kämpfen und ihre Aufgabe dennoch innerhalb der festgesetzten Zeit erfüllen zu können. Die finale Kausalität setzt eine effiziente Kausalität in Form einer dem Gegenstand immanenten Kraft voraus, die in Richtung des Zieles strebt. Der Begriff »Leben« erfüllt beim Kind diese Funktion.

Wir kommen hier in neuer Form wieder zu einer Folgerung, die wir schon im Zusammenhang mit der Untersuchung des kindlichen »Warum« gezogen haben (SD, Kapitel V). In der Art, wie das Kind seine Fragen stellt, zeigt sich schon, daß es noch nicht zwischen der physikalischen Kausalität und der psychologischen und intentionellen Konnexion unterscheidet. Es geht um eine »Vorkausalität«. Diesem Konzept steht der Begriff »Leben« nahe, den wir hier herausarbeiten und der eine zugleich materielle und mit Absichten durchdrungene Kraft charakterisiert. Das kindliche »Warum« sucht deshalb im Grunde eine biologische Erklärung: »Warum geht die Rhone so schnell« ist alles in allem vergleichbar mit »Warum geht diese Ameise so schnell«, da doch jedes Tier, obwohl es sich selbst bewegt, wie Tann uns gesagt hat, für den Menschen »nützlich« ist.

Ist ein solcher Begriff ursprünglich oder abgeleitet? Anders gesagt, gibt es ihn schon bei 3- bis 4jährigen Kindern, also bei Kindern, die noch zu jung sind, als daß wir unsere Fragen stellen könnten, weil sie das Wort »Leben« noch nicht kennen? Es sieht so aus. Die Untersuchung der Sprache und des Verhaltens von Kindern dieses Alters scheint dies zumindest zu zeigen. Sobald jedenfalls das Wort »Leben« auftritt und dadurch eine Systematisierung des entsprechenden Begriffs ermöglicht, hat dieser auf Anhieb die Form, wie sie sich im eben untersuchten Stadium präsentiert.

2. Das zweite Stadium: Das Leben wird mit der Bewegung verbunden

Gleich wie das entsprechende Stadium in der Untersuchungsreihe über das den Dingen zugesprochene Bewußtsein ist auch dieses Stadium vor allem ein Übergangsstadium. Wir haben dennoch genügend eindeutige Beispiele zusammentragen können.

Zimm (7;9 und 8;1) ist im März und Juni desselben Jahres befragt worden. Im März befand er sich zwischen dem ersten und dem zweiten Stadium. Im Juni hat er das Leben eindeutig durch die Bewegung im allgemeinen definiert.
März: »Weißt du, was ein ›Lebewesen‹ ist? – *Das ist, wenn man etwas machen kann* (diese Definition scheint auf das erste Stadium hinzuweisen; es zeigt sich aber in der Folge, daß Zimm vor allem an die Bewegung denkt). – Ist eine Katze lebendig? – *Ja.* – Eine Schnecke? – *Ja.* – Ein Tisch? – *Nein.* – Warum nicht? – *Er bewegt sich nicht.* – Ist ein Fahrrad lebendig? – *Ja.* – Warum? – *Es rollt.* – Ist eine Wolke lebendig? – *Ja.* – Warum? – *Sie bewegt sich manchmal.* – Ist das Wasser lebendig? – *Ja, es bewegt sich.* – Ist es lebendig, wenn es sich nicht bewegt? – *Ja.* – Ist ein Fahrrad lebendig, wenn es sich nicht bewegt? – *Ja, es ist lebendig, auch wenn es sich nicht bewegt.*« »Ist eine Lampe lebendig? – *Ja, sie zündet* (= gibt hell). – Ist der Mond lebendig? – *Ja, manchmal versteckt er sich hinter dem Berg.*«
Juni: »Ist ein Stein lebendig? – *Ja.* – Warum? – *Er geht.* – Wann geht er? – *Manchmal, an gewissen Tagen.* – Wie geht er? – *Indem er rollt.* – Ist der Tisch lebendig? – *Nein, er bewegt sich nicht.* – Ist der Salève lebendig? – *Nein, er bewegt sich nicht.* – Ist die Rhone lebendig? – *Ja.* – Warum? – *Sie bewegt sich.* – Ist der See lebendig? – *Ja.* – Ist ein Fahrrad lebendig? – *Ja.* – Warum? – *Es geht*« usw.
Juill (7 ½): »Ist eine Eidechse lebendig? – *Ja.* – Ein Nagel? – *Nein.* – Eine Blume? – *Nein.* – Ein Baum? – *Nein.* – Ist die Sonne lebendig? – *Ja.* – Warum? – *Wenn es nötig ist (!), geht sie.* – Die Wolken, ist das lebendig? – *Ja, wenn sie gehen, dann klopfen sie.* – Was klopfen sie? – *Sie lassen es tönen, wenn es regnet.* – Ist der Mond lebendig? – *Ja, denn er geht.* – Das Feuer? – *Ja, denn es knistert.* – Ist der Wind lebendig? – *Ja, denn wenn die Bise bläst, ist es kalt; es ist lebendig, weil es sich bewegt.* – Ein Bach? – *Ja, denn er geht immer schneller.* – Ein Berg? – *Nein, denn er bleibt immer aufrecht da stehen.* – Ein Auto? – *Ja, denn es bewegt sich*« usw.
Kenn (7;6): »Ist das Wasser lebendig? – *Ja.* – Warum? – *Es bewegt sich.* – Ist das Feuer lebendig? – *Ja, es bewegt sich.* – Ist die Sonne lebendig? – *Ja, sie geht vorwärts*« usw.
Vog (8;6): »Bist du lebendig? – *Ja.* – Warum? – *Ich kann gehen, ich gehe*

spielen. – Ist ein Fisch lebendig? – Ja, denn er schwimmt. – Ist ein Fahrrad lebendig? – Ja. – Warum? – Es kann gehen.« »Ist eine Wolke lebendig? – *Ja.* – Warum? – *Weil sie gehen kann.* – Ist der Mond lebendig? – *Ja.* – Warum? – *Er führt uns am Abend.«*

Cess (8 Jahre): »Ist ein Pferd lebendig? – *Ja.* – Ist ein Tisch lebendig? – *Nein.* – Warum nicht? – *Weil man ihn fabriziert hat.«* »Ist der Mond lebendig? – *Nein, denn er bleibt die ganze Zeit am gleichen Ort.* – Bewegt er sich nie? – *Manchmal* – Wann? – *Wenn man geht.* – Ist er lebendig oder nicht? – *Er ist lebendig.* – Warum? – *Wenn man geht.«* »Ist der Wind lebendig? – *Ja.* – Warum? – *Weil er geht, und dann rennt er«* usw.

Keut (9;3) sagt auf Anhieb: »Weißt du, was ein Lebewesen ist? – *Ja, daß man sich bewegt*(!).«

Gries (9;1), schon am Anfang des Gesprächs: »Weißt du, was ein Lebewesen ist? – *Das ist, wenn man sich bewegen kann.«* »Ist der See lebendig? – *Nicht immer.* – Warum? – *Manchmal hat es Wellen, manchmal hat es keine.«* »Ist eine Wolke lebendig? – *Ja, es ist wie wenn sie gehen würde.* – Ist ein Fahrrad lebendig? – *Ja, es rollt.«*

Kaen (11 Jahre): »Ist ein Bach lebendig? – *Ja, er rollt.* – Ist der See lebendig? – *Ja, da bewegt sich immer irgend etwas.* – Ist eine Wolke lebendig? – *Ja, man sieht, wie sie geht.* – Ein Gras? – *Ja, es kann wachsen.«*

Diese Kinder erwecken offensichtlich den Eindruck, diese Assimilation des Lebens an die Bewegung sei rein verbal. Mit anderen Worten, das Wort »Leben« würde ganz einfach Bewegung bedeuten, aber diese Bewegung hat keines der Merkmale, die für uns das Leben definieren, also Selbstbeweglichkeit, Absichten usw. Das Kind würde somit sagen, ein Bach sei lebendig, so wie ein Physiker sagt, er sei auf eine bestimmte Geschwindigkeit beschleunigt usw. Wir glauben, daß mehr dahintersteckt und daß die Bewegung im allgemeinen für das Kind durchaus die Merkmale des Lebens hat. Drei gute Gründe legen uns diese Interpretation nahe. Als erstes findet man in den spontanen Fragen der Kinder den Beweis dafür, daß das Problem der Definition des Lebens ihren Geist wirklich beschäftigt und daß die Assimilation des Lebens an die Bewegung in ihren Augen tatsächlich eine Bedeutung hat. So fragt etwa der 6 ½ Jahre alte Del (siehe, SD, S. 268): »*Sind sie tot* (diese Blätter)? – Ja. – *Aber sie bewegen sich doch im Wind.*« Der zweite Grund ist der, daß unmittelbar anschließend das dritte Stadium folgt, wo das Kind zwischen der Eigenbewegung und der von außen erhaltenen Bewegung unterscheidet. Das mittlere Alter der Kinder des zweiten Stadiums beträgt 6 bis 8 Jahre, während das dritte Stadium im Mittel von 8 ½ bis 11 ½ Jahre dauert. Erst in diesem Stadium bildet sich, von wenigen Ausnahmen abgesehen, der genannte Unterschied zwischen der Eigenbewegung und der passiven Bewegung aus; vorher ist jede Bewegung eine Eigenbewegung, und in diesem Sinne ist die Assimilation des Lebens an die Bewegung nicht rein verbal. Der dritte Grund ist schließlich der, daß die ganze Untersuchung der kindlichen Physik (siehe PK) diese Vermengung des Mechanischen mit dem Biologischen als Tatsache bestätigt.

3. Das dritte und das vierte Stadium: Das Leben wird mit der Eigenbewegung verbunden und dann den Tieren und Pflanzen vorbehalten

Die Echtheit der Überzeugungen des ersten und des zweiten Stadiums wird dadurch bewiesen, daß die gleichen Begriffe im dritten Stadium erhalten bleiben und systematisiert werden. Die Assimilation des Lebens an die Eigenbewegung ist tatsächlich die wichtigste und an Anwendungen reichste Periode des kindlichen Animismus. Vor dieser Systematisierung muß das Kind lange tastend suchen und das Leben zuerst entweder an die Aktivität im allgemeinen oder an irgendeine Bewegung assimilieren.

Wir geben einige Beispiele dafür. Sie stammen von Kindern, die sehr intensiv über die Fragen nachgedacht haben:

Sart (12;6): »Weißt du, was ein Lebewesen ist? – *Ja.* – Ist eine Fliege lebendig? – *Ja.* – Warum? – *Wenn sie nicht lebendig wäre, könnte sie nicht fliegen.*« »Ist ein Fahrrad lebendig? – *Nein.* – Warum nicht? – *Weil wir machen, daß es rollt.* – Ist ein Pferd lebendig? – *Ja.* – Warum? – *Es hilft dem Menschen.*« »Sind die Wolken lebendig? – *Ja.* – Warum? – *Nein, nein.* – Warum nicht? – *Die Wolken sind nicht lebendig. Wenn sie lebendig wären, so wären sie auf der Reise* (würden sie weggehen, wann es ihnen beliebt). *Es ist der Wind, der sie vorwärtstreibt*(!). – Ist der Wind lebendig? – *Ja.* – Warum? – *Er ist lebendig, denn es ist der Wind, der die Wolken vorwärtstreibt.* – Sind die Bäche lebendig? – *Ja, denn es ist das Wasser, das den ganzen Weg hinunter fließt.* – Ein Auto? – *Nein, es ist der Motor, der es antreibt.* – Ist der Motor lebendig? – *Nein, es ist der Mensch, der ihn zum Laufen bringt.* – Ist die Sonne lebendig? – *Ja, es ist die Sonne, die Licht gibt, die den Tag hell macht.*« »Ist der See lebendig? – *Nein, denn der See bleibt ganz allein und bewegt sich nie* (er bewegt sich nicht von selbst).«

Fran (15;5): »Ist ein Regenwurm lebendig? – *Ja, er kann gehen.* – Ist eine Wolke lebendig? – *Nein, denn der Wind stößt sie.* – Ist ein Fahrrad lebendig? – *Nein, es wird von uns bewegt.* – Ist der Wind lebendig? – *Nein, er geht zwar, aber es ist etwas anderes, das ihn stößt*(!).« »Ist das Feuer lebendig? – *Ja, es bewegt sich selbst.* – Ein Bach? – *Ja, er fließt ganz allein.* – Ist der Wind lebendig? – *Ja.* – Vorher hast du Nein gesagt. Was glaubst du? – *Er ist lebendig.* – Warum? – *Er stößt sich selbst*(!). – Ist eine Wolke lebendig? – *Nein, sie wird vom Wind gestoßen.*«

Barb (6 Jahre) ist trotz seines Alters sehr explizit: »Was ist lebendig? – *Die Schmetterlinge, die Elefanten, die Personen, die Sonne.* – Der Mond? – *Auch.* – Sind die Steine lebendig? – *Nein.* – Warum nicht? – *Ich weiß nicht.* – Warum? – *Sie sind eben nicht lebendig.* – Sind die Autos lebendig? – *Nein.* – Warum nicht? – *Ich weiß nicht.* – Was ist denn ein Lebewesen? – *Es ist, wenn es sich ganz allein bewegt*(!). – Ist das Wasser lebendig? – *Nein.* –Bewegt es sich ganz von allein? – *Dann ist es lebendig*(!). – *Ist der Wind lebendig? – Ja.*« Später fällt Barb in das altersgemäße zweite Stadium zurück: »Sind die Steine lebendig? – *Nein.* – Und wenn sie rollen? – *Ja, wenn sie rollen, sind sie lebendig. Wenn sie ruhig da liegen, sind sie nicht lebendig.*«

Eug (8;6): »Sind die Wolken lebendig? – *Nein, es ist der Wind, der sie stößt.* – Ist das Wasser lebendig? – *Nein, es ist der Wind, der es stößt.*« »Ein Fahrrad? – *Nein, wenn man darauf steigt, so wird es dadurch bewegt.* – Was ist lebendiger, der Wind oder ein Fahrrad? – *Der Wind; er geht solange er will. Das Fahrrad hält man manchmal an.*«

Pois (7;2): »Sind die Wolken lebendig? – *Nein, denn das bewegt sich nicht. Es ist der Wind, der sie stößt.*« Der Wind, die Sonne und die Erde sind lebendig, »*weil es sich bewegt.*«

Nic (10;3): Eine Wolke ist nicht lebendig, »*weil sie nicht gehen kann. Sie ist nicht lebendig. Es ist der Wind, der sie stößt.*« Der Wind ist hingegen lebendig, »*weil er die anderen Dinge vorwärtsstößt und selbst vorwärtsgeht.*«

Chant (8;11) spricht den Gestirnen, den Wolken, dem Wind und dem Wasser Leben zu, »*weil sie gehen können, wohin sie wollen*«, er spricht es aber dem See ab, »*weil der See nicht von einem See zum anderen gehen kann*« usw.

Mos (11;6) spricht den Maschinen, dem Wasser usw. das Leben ab, »*weil es sich nicht bewegen kann*«, aber er schreibt es dem Feuer, den Gestirnen, den Wolken zu, »*weil sie sich bewegen*«. Er denkt somit offensichtlich an die Eigenbewegung.

Da die Kinder Mühe haben, sich ihres eigenen Denkens bewußt zu werden, sind selbstverständlich die meisten dieser Fälle nicht so eindeutig wie die früheren. Wir haben an anderer Stelle (UD, Kapitel IV, Abschnitt 2) die Fälle von Grand, Schnei, Horn diskutiert, die zu diesem Stadium gehören, ohne daß sie eine Definition des Lebens finden können, die den von ihnen aufgezählten Beispielen entspricht.

Auf das vierte Stadium müssen wir nicht näher eingehen. Hier wird das Leben nur den Tieren oder den Tieren und den Pflanzen zugesprochen. Dieses Stadium scheint erst mit 11 bis 12 Jahren von drei Vierteln der Kinder erreicht zu werden. Vorher werden die Gestirne und der Wind systematisch mit Leben und Bewußtsein ausgestattet.

Die meisten Kinder dieser beiden letzten Stadien sprechen dem Leben und dem Bewußtsein dieselbe Extension zu, aber man trifft auch solche wie Sart an, die dem Bewußtsein einen größeren Bereich einräumen. Wir werden gleich den Grund für diese Tatsache kennenlernen.

4. Schlußfolgerung: Der Begriff »Leben« beim Kind

Die bemerkenswerte Konkordanz zwischen den eben analysierten vier Stadien und den vier entsprechenden Stadien beim Bewußtsein, das den Dingen zugeschrieben wird, ist verblüffend. Obwohl nur zwei Fünftel der Kinder in beiden Reihen dem gleichen Stadium angehören, entwickeln sich die beiden Begriffe nach der gleichen Gesetzmäßigkeit und in derselben Richtung. Gewiß, wir haben schon einmal darauf hingewiesen, etliche zufällige Vorstellungen werden bei bestimmten Kindern als störendes Element wirksam. Während wir jedoch mehrere Kinder gefunden haben, die auf das Sprechen oder die Tatsache, daß man Blut haben müsse, zurückgreifen, um das Leben zu definieren, haben wir kein einziges (unter denen selbstverständlich, die das Wort kannten) angetroffen, das nicht die Aktivität und die Bewegung in seine Überlegungen einbezogen hätte. Wir dürfen deshalb unser Schema als allgemein verbreitet ansehen. Jetzt stehen wir vor demselben Problem wie vorhin, als den Dingen Bewußtsein zugesprochen wurde: ist ein linearer Fortschritt von einem Stadium zum nächsten festzustellen, oder gibt es Richtungsumkehrungen, die bestimmte Kinder vorübergehend in frühere Stadien zurückfallen lassen? Offensichtlich verhält es sich in beiden Fällen gleich. Die drei für solche Regressionen verantwortlichen Faktoren, die wir im Zusammenhang mit dem Bewußtsein der Dinge unterschieden haben, gelten ebensosehr für die Entwicklung des Lebensbegriffs.

Interessanter ist es, die genauen Beziehungen zwischen den beiden Begriffen Leben und Bewußtsein herauszuarbeiten. In bezug auf die jeweilige Extension der beiden Konzepte haben wir ein ziemlich eindeutiges Ergebnis erhalten. Zwei Fünftel der untersuchten Kinder befinden sich in den beiden parallelen Untersuchungsreihen im gleichen Stadium. Weitere zwei Fünftel weisen beim Begriff Leben einen Fortschritt auf, das heißt sie sprechen das Leben nicht so vielen Gegenständen wie das Bewußtsein zu. Nur ein Fünftel der Kinder zeigt das umgekehrte Verhältnis, betrachtet also gewisse Körper, denen das Bewußtsein abgesprochen wurde, als lebendig. Der Begriff Leben scheint somit alles in allem für das Kind weniger weit zu gehen als der Begriff Bewußtsein.

Dieses Ergebnis ist bei den jüngeren Kindern besonders auffällig. Anders gesagt, die Kinder, die in bezug auf das Bewußtsein im ersten oder zweiten Stadium sind, befinden sich im allgemeinen in bezug auf das Leben in einem fortgeschritteneren Stadium. Die größeren Kinder hingegen, also die Kinder des dritten und vierten Stadiums, befinden sich im allgemeinen in beiden Reihen im gleichen Stadium.

Beim Aufstellen dieser Statistik haben wir selbstverständlich die notwendigen Vorsichtsmaßnahmen getroffen, das heißt, wir haben nicht alle Kinder in der gleichen Reihenfolge befragt. Einige wurden zuerst über das Leben und dann über das Bewußtsein befragt, bei anderen sind wir umgekehrt vorgegangen. Einige wurden zuerst über das Wissen, dann über das Leben und schließlich über das Fühlen usw. befragt. Wir haben alle diese Fälle auf mögliche beharrliche Wiederholungen geprüft. Das vorgelegte Ergebnis scheint uns keine »systematischen Irrtümer« zu enthalten.

Was soll man aus diesen Tatsachen folgern? Es scheint, man sei zur Annahme berechtigt, daß die Entwicklung des Lebensbegriffs für die Entwicklung des den Dingen zugesprochenen Bewußtseins bestimmend ist. Anders gesagt, erst nach der Klassifizierung in Lebewesen und Nichtlebewesen befindet das Kind über die Verteilung des Bewußtseins. Damit sind sicher, zumindest bei den jüngeren Kindern, keine bewußten Gedankengänge und keinerlei Absicht verbunden. Und eben deshalb klaffen die beiden Entwicklungen etwas auseinander. Doch die Reflexion über das »Leben« würde das Kind daran gewöhnen, die Bewegungen der Natur in verschiedene Typen zu unterteilen, und der Einbezug dieser Typen (Eigenbewegung) würde sich allmählich auf das den Dingen zugesprochene Bewußtsein auswirken.

Daraus ersieht man, welch große Bedeutung die Erklärung der Bewegung für das Denken des Kindes haben muß. Die Analyse dieser Erklärung gehört zu den Themen des Folgebandes (PK). Für den Augenblick wollen wir nur sagen, daß die Extension des »Lebens«begriffs darauf hinzuweisen scheint, daß es im kindlichen Universum ein Kontinuum von freien Kräften, Aktivitäten, Absichten gibt. Der Begriff Leben stellt ein Bindeglied zwischen der magischen Kausalität, für die sich alles um das Ich dreht, und der Dynamik der substantiellen Kraft her: der Lebensbegriff, der aus der Vorstellung hervorgegangen ist, daß die Dinge einen Zweck haben und daß dieser Zweck, damit er erreicht werden kann, eine freie Aktivität voraussetzt, wird Schritt für Schritt zu einer Kraft oder zur Ursache der Eigenbewegung reduziert.

Kapitel VII
Die Ursprünge des kindlichen Animismus:
Moralische Notwendigkeit und physikalischer Determinismus

Bevor wir die Ursprünge des kindlichen Animismus diskutieren können, müssen drei andere Fragen erörtert werden. Zunächst ist genauer darzustellen, welche Form die spontanen Äußerungen des kindlichen Animismus aufweisen. In einem ersten Paragraphen wollen wir deshalb die wenigen Tatsachen zusammenstellen, die wir durch reine Beobachtung (im Gegensatz zu den Tatsachen, die durch die Befragungen geliefert wurden) gesammelt haben. Anschließend müssen wir die einzige zugleich systematische und völlig spontane Überzeugung analysieren, die durch unsere Befragungen aufgedeckt worden ist: die Überzeugung der Kinder, die Sonne und der Mond würden ihnen folgen. Als drittes müssen wir prüfen, welche Art von Notwendigkeit (moralische Notwendigkeit oder physikalischer Determinismus) das Kind den regulären Bewegungen, den Naturgesetzen zuschreibt. Die Untersuchung über die »Folgsamkeit« der Sonne und des Mondes leitet zu dieser allgemeineren Überlegung über, die für eine Analyse der Wurzeln des Animismus unerläßlich ist. Ein Essay über den Ursprung des kindlichen Animismus bildet den Abschluß.

1. Der spontane Animismus beim Kind

Die psychologische und pädagogische Literatur berichtet von einer Überfülle von spontan animistischen Zügen, die man beim Kind gefunden haben will. Wir wollen nicht alles aufzählen, weil das langweilig wäre und vor allem weil nicht alle diese Züge von gleichem Wert sind. Der Animismus im Spiel (die Personalisierung der Puppen) insbesondere stellt ein Problem für sich dar, auf das wir hier nicht eingehen wollen.

Wir beginnen mit einigen Erinnerungen von Erwachsenen. Die Erinnerungen von Taubstummen sind besonders wichtig, weil sie uns zeigen, welche affektive Tönung der Animismus bei Kindern erhalten kann, die nicht die geringste religiöse Erziehung erhalten haben.

James[1] zitiert den Fall eines Taubstummen, der Professor geworden ist (Th. d'Estrella) und seine eigenen Erinnerungen (in der dritten Person) aufgezeich-

---

[1] W. James: Thought before language. In: Philosophical Review. Vol 1 (1892). S. 613–624. Bovet hat uns freundlicherweise auf diese Stelle hingewiesen. (Die Fortsetzung dieses Abschnittes haben wir in Kapitel IV, Abschnitt 2, zitiert.)

net hat: »Nichts stachelte seine Neugier so wie der Mond auf. Er hatte Angst vor ihm, aber er beobachtete ihn jederzeit gerne. Er bemerkte das verwischte Gesicht, das der Vollmond zeigt. Daraufhin nahm er an, der Mond müsse ein Lebewesen sein. Nun versuchte er, den Beweis dafür zu erbringen, ob er lebendig sei oder nicht. Diese Untersuchung führte er nach vier verschiedenen Methoden durch. Zuerst bewegte er den Kopf von rechts nach links, den Mond mit den Augen fixierend. Es sah aus, als würde dieser den Bewegungen seines Kopfes folgen, hinauf und hinunter, vorwärts und rückwärts. Er glaubte, auch die Lichter seien lebendig, denn er machte mit ihnen ähnliche Erfahrungen. Als zweites beobachtete er, wenn er draußen spazierenging, ob der Mond ihm folge. Die Scheibe schien ihm überallhin nachzufolgen ...«

Ein anderer, ebenfalls von James[2] untersuchter Taubstummer sagte von der Sonne und vom Mond: »Ich empfand für diese Gestirne eine Art Ehrfurcht wegen ihrer Fähigkeit, der Erde Helligkeit und Wärme zu geben«. Und etwas später: »Meine Mutter erzählte mir von einem Wesen dort oben, mit dem Finger auf den Himmel zeigend, mit feierlichem Blick. Begierig mehr zu wissen, überschüttete ich sie mit Fragen, ob die Sonne, der Mond oder die Sterne dieses Wesen seien.«[3]

In Erinnerungen normaler Kinder hat der Animismus aus verständlichen Gründen eine ganz andere affektive Tönung. Häufig findet man zum Beispiel Erinnerungen folgender Art:

Eine unserer Mitarbeiterinnen erinnert sich daran, daß sie sich als Kind die folgenden Verpflichtungen auferlegt hat. Wenn sie zufällig einen Stein wegstieß, der halb im Boden steckte, so legte sie ihn an den früheren Ort zurück, damit er nicht darunter leide, daß er verschoben worden sei. Wenn sie eine Blume oder einen Stein nach Hause brachte, so nahm sie immer mehrere Blumen oder mehrere Steine, damit sich diese nicht langweilten und in der gewohnten Gesellschaft leben könnten.

Eine andere unserer Mitarbeiterinnen hingegen legte von Zeit zu Zeit die Steine auf dem Weg jeweils anders hin, damit sie nicht immer dieselbe Landschaft vor sich hätten. Diese letztere Erinnerung deckt sich völlig mit der von Miß Ingelow, die Sully[4] publiziert hat.

Doch lassen wir die Erinnerungen und gehen wir zu direkt beobachteten Aussagen oder Fragen über. Es ist bekannt, daß hinter Kinderfragen oft eine animistische Haltung zu erkennen ist und

[2] W. James: Principles of Psychology New York 1890. Band 1. S. 266.
[3] Siehe auch J. B. Pratt: Psychology of Religious Belief. London 1907. Bei Ch. F. Sintenis: Pistevon oder über das Daseyn Gottes. Leipzig 1800, findet man den seltsamen Bericht über die Ausbildung einer animistischen Überzeugung in bezug auf die Sonne. Siehe dazu die Zusammenfassung bei P. Bovet: Le sentiment religieux et la psychologie de l'enfant. Neuchâtel und Paris 1925.
[4] J. Sully: Etudes sur l'enfance. Paris 1898. (Deutsch: Untersuchungen über die Kindheit. Leipzig 1897.) Vgl. auch die Seiten 135–137, wo Sully von Beobachtungen an Kindern berichtet, die dem Rauch und dem Feuer, dem Wind und sogar den Maschinen Leben zusprechen.

daß es im allgemeinen beobachtete Bewegungen sind, die das Kind veranlassen, solche animistischen Fragen zu stellen. Stanley Hall hat insbesondere Sullys Bemerkung bestätigt, wonach für das fragende Kind das Leben mit der Bewegung verbunden sei[5]. Er hat auch festgestellt, daß die Kinder, sogar solche mit einer Gottesvorstellung, den Dingen eine intensive Organisationskraft zusprechen[6]. Stanley Hall hat zum Beispiel im Zusammenhang mit dem Wind die folgenden Fragen gefunden:

6 Jahre alter Knabe: »Was macht, daß der Wind bläst? Stößt ihn jemand vorwärts? Ich habe gemeint, er würde zum Stillstand kommen, wenn er gegen ein Haus oder einen hohen Baum geht?« Und schließlich: »Weiß er, daß er unsere (Papier-)Blätter umdreht?«[7]

Dieselbe Frage findet man bei gleichaltrigen Kindern zu anderen bewegten Gegenständen:

Del (6;6) sieht, wie eine Murmel auf einem abschüssigen Terrain in Richtung von Fräulein V. rollt: »*Was läßt sie rollen? – Das kommt daher, daß der Boden nicht flach ist, sondern ein bißchen Gefälle hat, es geht abwärts. – Weiß sie* (die Murmel), *daß Sie da sind?«* (SD, S. 226).

Bei anderen gleichaltrigen Kindern haben wir auch Gespräche wie das folgende mitanhören können:

Lev (6 Jahre) schaut zu, was Hei (6 Jahre) tut. *»Zwei Monde. – Nein, zwei Sonnen. – Die Sonnen, die sehen nicht so aus, die haben keinen Mund. Die Sonnen da oben, die sind so. – Sie sind rund. – Sie sind ganz rund, aber sie haben keine Augen und keinen Mund. – Doch, die können sehen. – Nein, nur der liebe Gott kann sehen.«*

Rasmussen[8] hat bei seiner vierjährigen Tochter die Überzeugung festgestellt, daß der Mond uns folge, eine Überzeugung, die uns schon oft begegnet ist und die wir im nächsten Paragraphen systematisch untersuchen wollen:

R., 4 Jahre alt, sieht den Mond: »Es ist der Mond, er ist rund ... Er geht, wenn wir gehen.« Etwas später, als eine Wolke den Mond verdeckte: »Jetzt hat man ihn getötet.« Man sagt R., der Mond bewege sich nicht, es sehe nur so aus, als würde er sich bewegen. R. sagt dennoch Tage später: »Von Zeit zu Zeit verschwindet der Mond; vielleicht ist er hingegangen, um sich den Regen in den Wolken anzusehen, oder vielleicht friert er?«

[5] S. Hall, in: Pedogogical Seminary. Vol. 10 (1903). S. 335.
[6] Ebenda, S. 333.
[7] Ebenda, S. 336.
[8] V. Rasmussen: Psychologie de l'enfant. L'enfant entre quatre et sept ans. Paris 1924. S. 25 f. (Deutsch: Psychologie des Kindes zwischen vier und sieben Jahren. Leipzig 1923.)

Die Fragen der 5- bis 7jährigen Kinder beziehen sich sehr oft auch auf den Tod und zeugen dadurch dafür, daß eine Definition für das Leben gesucht wird. Wir haben im Kapitel VI (Abschnitt 2) die Frage von Del erwähnt (»*Sind diese Blätter tot. – Ja. – Aber sie bewegen sich doch im Wind.*«), die die Assimilation des Lebens an die Bewegung zeigt.

Der Animismus der jüngeren Kinder ist viel impliziter und nicht formulierbar. Diese Kinder fragen sich weder, ob die Dinge wüßten, was sie tun, noch was lebendig und was tot sei, denn ihr Animismus ist noch in keinem speziellen Punkt je in Frage gestellt worden. Sie sprechen einfach von Dingen in einer vermenschlichenden Sprache, sie schreiben ihnen einen Willen, Wünsche, eine bewußte Aktivität zu. In jedem einzelnen Fall stellt sich dabei das wichtige Problem, in welchem Grade solche Formulierungen von Überzeugungen begleitet oder ganz einfach verbal sind. Die Kinder selbst kann man dazu überhaupt nicht befragen. Das einzige Mittel, das Aufschluß geben kann, ist die aufmerksame Beobachtung, und zwar sowohl ihres Verhaltens als auch ihrer Wörter. Ein kleines Mädchen findet zum Beispiel eines Morgens seine Puppe mit eingedrückten Augen (diese sind in den Kopf hinein gefallen): Verzweiflung, Weinen. Man verspricht der Kleinen, man werde die Puppe zum Händler bringen, damit er sie flicke. Drei Tage lang fragte das Mädchen alle paar Minuten, und man sieht ihm an, daß es ehrlich beunruhigt ist, ob die Puppe nicht Schmerzen habe, ob es ihr nicht weh tue, wenn man sie flicke.

In den meisten Fällen gibt freilich das Verhalten nicht so eindeutige Aufschlüsse. Falls sich ein verbaler Ausdruck animistisch anhört, besteht das beste Verfahren darin, daß man sich durch Vergleichen verschiedener Aussagen desselben Kindes vergewissert, in welchem besonderen Sinn das Kind diesen Ausdruck verwendet. Hier ein Beispiel für diese Methode, angewandt auf den Gebrauch der Fragewörter »Wer« und »Was«. Es ist nämlich eine Besonderheit der Sprache der 2- bis 3jährigen Kinder, daß sie für die Dinge das »Wer« verwenden, als ob diese Personen wären: »Wer ist dieser Zug dort?«. Ist das Animismus oder einfach sprachliche Sparsamkeit?

Nel (2;9) kennt das Wort »Was«, wie die folgenden Fragen beweisen: »*Was ist das dort*« (ein Mülleimer), »*Was ist das dort hinten, Schachteln, oder?*« (Kartonschachteln), »*Was tust du dort?*«, »*Was ist das?*« (ein in einer Ecke liegen gebliebenes und umgestürztes Wägelchen). Dieselbe Frage für Tellerscherben, einen Stein, einen Vogelbeerbaum, eine Wiese, einen ausgetrockneten Brunnen, einen Baumstamm, Moos, Brombeeren, eine Zeichnung. Mit dem »Was« werden somit ausschließlich unbewegliche Gegenstände bezeichnet. Das »Wer« wird von Nel folgendermaßen angewandt: 1. Auf Personen: »*Wer macht dort Musik?*«, »*Wer hat* (diesen Bleistift) *geliehen?*«; 2. Auf die Tiere:

Kühe, Hund usw.; die Frage »*Wer ruft?*« wird für Hühner, Amseln, Stare, Krähen, Eulen usw. verwendet, die Nel vor Augen hatte, zum Teil aber nicht sehen konnte; angesichts einer Heuschrecke sagt Nel: »*Heuschrecke? Oder? Wer ist das?* (= ist das eine Heuschrecke?)«; 3. Auf die Eisenbahnzüge: »*Wer ist dort* (Zuglärm)?«, »*Wer ist dieser Zug dort?*« (Nel will damit zweifellos nur sagen: »Ist es ein Eisenbahnzug?«, aber das »Wer« ist nichtsdestoweniger eindeutig); 4. Auf die Schiffe: »*Wer ist dort?*« (eine große Barke auf dem See, die ganz anders aussieht als die Dampfschiffe, die Nel üblicherweise zu sehen bekommt); 5. Auf mechanische Geräusche: »*Wer tönt dort?*« (ein Auto), »*Wer knallt?*« (ein Gewehr), »*Wer macht bumm?*« (ebenfalls ein Gewehr); vielleicht will Nel in diesem fünften Fall fragen, wer der Schütze sei oder wer das Auto lenke usw., aber es ist kaum anzunehmen, daß diese Erklärung für alle Fälle dieser Art gültig sei; 6. Auf das Wasser: »*Wer hat dort dreckig gemacht? Es ist der Regen,* (der) *den Kamin* (schmutzig gemacht hat)?«; 7. Auf die runden und glatten Steine: »*Wer ist das?* (ein Stein, auf den Nel eben gespuckt hat), *wer ist das, ich habe darauf gespuckt!*«

Es sieht so aus, als würde Nel das »Wer« allen beweglichen Gegenständen zuordnen und dadurch diese Gegenstände beseelen. Wir haben im übrigen noch bei 7jährigen Kindern auf Gewässer (die Rhone, den See) angewandte »Wer« gefunden. Dieser Gebrauch des »Wer« beweist natürlich für sich allein nichts. Doch, und daran müssen wir jetzt noch erinnern, dieselben beweglichen Körper veranlassen bei jüngeren Kindern zahllose animistische Ausdrücke, deren Häufung ein Hinweis auf eine geistige Ausrichtung zu sein scheint und nicht nur auf ein Sprechen in Metaphern:

Cli (3;9): »*Es schläft, das Auto* (in einer Garage). *Es geht nicht hinaus wegen des Regens.*«

Bad (3 Jahre): »*Die Glocken sind erwacht, nicht?*«

Nel (2;9) beim Anblick eines hohlen Kastanienbaums: »*Hat nicht geweint, das Loch* (als man es aushöhlte)?« Von einem Stein sprechend: »*Nicht meinen Garten dort berühren! ... Er würde weinen, mein Garten.*«

Nel wirft einen Stein auf eine abschüssige Wiese. Der Stein rollt die Böschung herunter: »*Siehst du den Stein! Hat Angst vor dem Gras, der Stein.*«

Nel hat sich die Hand an einer Mauer aufgeschürft. Sie betrachtet ihre Hand. »*Wer hat das berührt? ... Es tut mir da weh. Die Mauer hat mich geschlagen.*«

Dar (1;8 bis 2;5) bringt sein Spielzeugauto zum Fenster und sagt: »*Auto Schnee sehen*«. Eines Abends fällt ein Bild (die Personen darauf sind ihm bekannt) zu Boden. Dar richtet sich in seinem Bett auf und ruft weinend: »*Mamas* (die Damen) *auf dem Boden, weh!*« – Dar betrachtet die grauen Wolken. Man sagt ihm, es werde regnen: »*Eh! Da der Wind. Böser Wind, dem Wind Patsch geben* (den Wind schlagen). – Glaubst du, das macht dem Wind Weh? – Ja.*« Einige Tage später: »*Böser Wind. Nein, nicht bös. Der Regen ist bös. Der Wind lieb. – Warum ist der Regen böse? – Weil Mama Wagen stoßen und Wagen ganz naß.*« Dar kann nicht einschlafen. Man läßt auf seine Bitte hin das Licht brennen: »*Das Licht ist lieb.*« An einem Morgen im Winter, die ersten Sonnenstrahlen fallen in das Zimmer: »*Oh, das ist fein. Die Sonne kommt, um den Ofen zu heizen.*«

Man erkennt in diesen letzten Aussagen die schon von Sully festgestellte Tendenz des Kindes, die Gegenstände in der Natur je nach ihrer Aktivität als liebe oder böse große Kinder anzusehen.

Jeder einzelne dieser Fälle ist selbstverständlich diskutabel. Doch die Konstanz dieses Stils beweist zumindest, wie wenig sich die jüngeren Kinder um eine Unterscheidung zwischen Dingen und Lebewesen kümmern. Jedes bewegliche Ding wird mit Ausdrücken aus dem Bereich des Bewußtseins beschrieben, jedes Ereignis als beabsichtigte Aktion. »Die Mauer hat mich geschlagen« ist durchaus signifikant für diese Tendenz des Kindes, jeden Widerstand als gewollt aufzufassen. Wir sehen ohne weiteres ein, wie schwierig eine direkte Analyse solcher Ausdrücke ist. Doch diese müssen, und das scheint uns das solideste Argument zu sein, von einem latenten Animismus herrühren, denn erst mit 5 bis 7 Jahren beginnen die Kinder Fragen über das Leben und das Bewußtsein der Dinge zu stellen, während das kindliche Denken vorher in keiner Weise durch solche Fragen beunruhigt wurde, als ob die Lösung selbstverständlich sei und sich gar kein Problem stelle.

Im spontanen Animismus der Kinder kann man somit alles in allem zwei Perioden unterscheiden. Die erste, die bis in ein Alter von 4 oder 5 Jahren dauert, ist durch einen integralen und impliziten Animismus gekennzeichnet: Jedes Ding kann zeitweilig Sitz einer Absicht oder einer bewußten Aktivität sein, je nach den zufälligen Widerständen oder Anstößen, die dem kindlichen Geist auffallen (ein Stein, der sich nicht auf einen Abhang werfen lassen will, eine Mauer, die weh tut usw.). Doch dieser Animismus ist für das Kind völlig unproblematisch, er ist selbstverständlich. Von 4 bis 6 Jahren an tauchen hingegen Fragen zu diesem Thema auf, woran man erkennt, daß dieser implizite Animismus zum Teil am Verschwinden ist und folglich einer intellektuellen Systematisierung unterzogen wird. Von diesem Zeitpunkt an kann man das Kind befragen. Jetzt setzen die Stadien ein, deren Abfolge wir in den beiden letzten Kapiteln untersucht haben.

2. Die Sonne und der Mond folgen uns

Der Animismus, der in den Fragen und Aussagen der 5 bis 7 Jahre alten Kinder zum Ausdruck kommt, ist hauptsächlich im Zusammenhang mit zufälligen Phänomenen entstanden, die das Kind nicht begriffen hat, weil sie eben zufällig sind. Weil nur gerade diese Phänomene die Aufmerksamkeit des Kindes auf sich ziehen, könnte man zum Schluß kommen, der spontane Animismus gehe nicht sehr weit. Diese Vermutung wäre falsch. Im nächsten Abschnitt werden wir sehen, daß sich das Kind die Welt als eine

Gesellschaft von Lebewesen vorstellt, die moralischen und sozialen Gesetzen gehorchen. Es ist deshalb nicht einzusehen, weshalb die animistischen Fragen zahlreich sein sollten: Wie wir immer wieder gesehen haben (SD, Kapitel V), ist die Ausnahme auffällig und folglich stellt sie ein Problem dar.

Falls das zutreffen sollte, muß man beim Kind unausgesprochene animistische Überzeugungen finden, die jedoch deshalb nicht weniger systematisch sind. Diesem Thema wollen wir uns jetzt zuwenden, wobei wir eine Überzeugung analysieren, deren Untersuchung den Übergang zwischen dem Studium des spontanen Animismus und der Analyse des Notwendigkeitstyps, den das Kind den Naturgesetzen zuspricht, bildet. Wir meinen diese Meinung des Kindes, daß die Sonne und der Mond ihm ständig folgen. Soweit wir es aufgrund der zahlreichen Kinder beurteilen können, die wir in Genf, Paris und an anderen Orten untersucht haben, scheint diese Überzeugung ganz allgemein verbreitet und folglich sehr spontan zu sein. Im letzten Paragraphen haben wir daran erinnert, daß auch Rasmussens Tochter (4 Jahre alt) und der Taubstumme von James davon überzeugt waren. Wir haben im Zusammenhang mit unseren Befragungen über den Animismus schon zahlreiche spontane Äußerungen dieser Vorstellung kennengelernt. Die Kinder, deren Antworten wir hier wiedergeben, sind von uns nicht über den Animismus befragt worden. Es handelt sich um eine andere Gruppe, die insbesondere über die Gestirne, die Ursache der Bewegungen usw. untersucht wurde.

Die Technik, an die man sich halten muß, um dem Kind nichts zu suggerieren, ist äußerst einfach. Man fragt das Kind: »Was macht die Sonne, wenn du spazierengehst?« Falls das Kind davon überzeugt ist, daß die Sonne ihm folgt, antwortet es auf Anhieb: »Sie folgt uns.« Falls es diese Überzeugung nicht hat, ist die Frage zu vage gestellt, als daß sie irgend etwas suggerieren könnte. Das Kind antwortet dann: »Sie gibt uns hell, sie gibt uns warm«. Man kann auch ohne Umschweife fragen: »Bewegt sich die Sonne?« Das reicht oft, damit das Kind spontan zu sprechen beginnt.

Wir haben drei Stadien gefunden. Im ersten glaubt das Kind, die Sonne und der Mond folgten ihm, etwa wie ein Vogel auf Dachhöhe. Dieses Stadium dauert im Mittel bis etwa 8 Jahre, man findet es aber auch noch bei 12jährigen. In einem zweiten Stadium nimmt das Kind gleichzeitig beides an, daß die Sonne uns folge und daß sie uns nicht folge. Das ist ein Widerspruch, der dem Kind durchaus bewußt ist und den es so gut wie möglich aufzuheben versucht: Die Sonne ist unbeweglich, aber ihre Strahlen folgen uns nach, oder die Sonne bleibt an Ort und Stelle, aber sie dreht sich so, daß sie uns immer sieht usw. Das Durchschnittsalter der Kinder dieses Stadiums beträgt 8 bis 10 Jahre. Von durchschnittlich 10 bis 11 Jahren an weiß das Kind schließlich, daß es nur so aussieht, als ob die Sonne und der Mond uns folgen würden und daß diese Täuschung auf die große Entfernung der Gestirne zurückzuführen sei. Vom Animismus her gesehen sind die beiden ersten Stadien animistisch, während im dritten der auf die Gestirne bezogene Animismus im allgemeinen verschwindet. Im ersten Stadium spricht das Kind der Sonne und dem Mond offen und frei Bewußtsein und Willen zu. Hier einige Beispiele zu diesen Auffassungen:

Jac (6 Jahre): »Bewegt sich die Sonne? (Mit diesen Worten beginnt das Gespräch: vorher wurden Jac keine Fragen gestellt, außer nach seinem Namen und Alter.) – *Ja, wenn man geht, folgt sie uns. Wenn man abbiegt, biegt sie auch ab. Folgt sie Ihnen nie?* – Warum bewegt sie sich? – *Weil sie eben auch geht, wenn man geht.* – Warum geht sie? – *Um zu hören, was wir sagen.* – Ist sie lebendig? – *Oh! Sicher! Sonst könnte sie uns nicht folgen, sie könnte nicht scheinen.*« Kurze Zeit später: »Bewegt sich der Mond? – *Auch wenn man geht, noch mehr als die Sonne, denn wenn man läuft, läuft er auch, und dann die Sonne, die geht, wenn man läuft. Denn der Mond ist stärker als die Sonne, er geht schneller. Die Sonne kommt ihm nie hintennach.* (Die Illusion ist tatsächlich beim Mond viel eindeutiger als bei der Sonne.) – Wenn man nicht geht? – *Der Mond hält an. Aber wenn ich anhalte, dann rennt ein anderer.* – Wenn du rennst, und einer deiner Kameraden läuft in der entgegengesetzten Richtung, was geschieht dann? – *Er geht mit dem anderen.*« Am Ende des Gesprächs, das sich anschließend mit der Ursache für die Bewegungen im allgemeinen befaßt, fragen wir: »Wie bewegt sich die Sonne heute? – *Sie bewegt sich nicht, weil wir nicht gehen. Oh! Sie muß sich doch bewegen, man hört einen Lastwagen.*«

Bov (6;5): »Was macht die Sonne, wenn du spazierst? – *Sie kommt mit mir.* – Und wenn du dann nach Hause zurückgehst? – *Sie geht mit einer anderen Person.* – In der Richtung, in der sie vorher ging? – *Oder in der anderen Richtung.* – Kann sie in alle Richtungen gehen? – *Ja.* – Kann sie gehen, wohin sie will? – *Ja.* – Und wenn zwei Personen in entgegengesetzter Richtung gehen? – *Es gibt viele Sonnen.* – Hast du sie gesehen, die Sonnen? – *Ja, je mehr es hat, um so mehr spaziere ich und um so mehr sehe ich.*« Etwas später: »Bewegt sich der Mond? – *Ja, wenn ich am Abend an das Seeufer gehen will, wenn ich draußen bin, kommt der Mond mit mir, am Abend. Wenn ich das Schiff nehmen will, kommt der Mond auch mit mir, wie die Sonne, er kommt auch, wenn er noch nicht untergegangen ist.*«

Cam (6 Jahre) sagt von der Sonne: »*Sie kommt mit uns, weil sie uns zuschaut.* – Warum schaut sie uns zu? – *Sie schaut, ob man brav ist.*« Der Mond kommt in der Nacht, »*weil es Leute gibt, die arbeiten wollen.* – Warum bewegt sich der Mond? – *Es ist Zeit, um arbeiten zu gehen. Dann kommt der Mond.* – Warum bewegt er sich? – *Weil er mit den Männern an die Arbeit geht.* – Glaubst du das? – *Ja.* – Arbeitet er auch? – *Er schaut zu, ob sie gut arbeiten.*«

Hub (6;6): »Was tut die Sonne, wenn du spazierengehst? – *Sie bewegt sich.* – Wie? – *Sie geht mit mir.* – Warum? – *Weil ich sie ansehe.* – Was macht, daß sie sich bewegt, wenn sie mit dir geht? – *Der Wind.* – Weiß der Wind, wohin du gehst? – *Ja.*« »Wohin geht die Sonne, wenn ich spazierengehe? – *Sie geht mit Ihnen.* – (Wir zeigen Hub zwei Spaziergänger, die sich in entgegengesetzter Richtung bewegen.) Schau her, wenn du dorthin gehst und ich hierher, was macht dann die Sonne? – *Die Sonne geht mit Ihnen.* – Warum? – *Mit mir. . . .*«

Jac (6;): »Was tut der Mond, wenn man spaziert? – *Er rollt mit uns.* – Warum? – *Weil der Wind ihn antreibt.* – Weiß der Wind, wohin man geht? – *Ja.* – Und der Mond? – *Ja.* – Kommt er von sich aus mit uns oder muß er das tun? – *Er kommt mit, um uns hell zu geben.*« »Wo bist du spaziergegangen? – *Auf der Plaine* (der Plaine de Plainpalais, einer öffentlichen Anlage in Genf). *Der Mond rollte.*« »Sieht er dich? – *Ja.* – Weiß er es, wenn du auf der Plaine spazierengehst? – *Ja.* – Interessiert ihn das? – *Ja, das interessiert ihn.* – Kennt er deinen Namen? – *Nein.* – Und meinen Namen? – *Nein.* – Weiß er, daß es hier Häuser hat? – *Ja.* – Weiß er, daß ich eine Brille trage? – *Nein.*«

Sar (7 Jahre): »Was tut die Sonne, wenn du spazierengehst? – *Sie bewegt sich. Wenn ich mich nicht bewege, bewegt sie sich auch nicht. Und der Mond ebenfalls.* – Und wenn du rückwärts gehst? – *Dann kehrt sie um.*«

Kenn (7 Jahre): »Hast du den Mond schon gesehen? – *Ja.* – Was geschieht dabei? – *Er folgt uns.* – Folgt er uns wirklich? – *Ja.* – Geht er nicht vorwärts? – *Nein.* – Also folgt er uns nicht wirklich? – *Er folgt uns.* – Warum folgt er uns? – *Um uns den Weg zu zeigen.* – Kennt er den Weg? – *Ja.* – Welche Wege? – . . . – Kennt er die Wege in Genf? – *Ja.* – Die Wege auf dem Salève? – *Nein.* – Die in Frankreich? – *Nein.* – Und die Leute in Frankreich? Was tut der Mond bei ihnen? – *Er folgt ihnen.* – Hat es den Mond dort auch? – *Ja.* – Ist es der gleiche wie hier? – *Nein, ein anderer.*«

Wir haben Giamb als 7jährigen schon im Zusammenhang mit der Magie kennengelernt (Kapitel IV, Abschnitt 2). Wir konnten das Kind im Alter von 8 ½ Jahren noch einmal befragen: Es glaubte noch immer, die Gestirne würden ihm folgen: »Wenn du spazieren gehst, was tut dann die Sonne? – *Sie folgt uns.*« »Und der Mond? – *Ja, wie die Sonne.* – Wenn jemand dir entgegenkommt, welchem von beiden folgt er dann? – *Er folgt dem einen, und wenn der heimkehrt, folgt er dem anderen.*«

Blond (8 Jahre): Der Mond »*geht mit uns, er folgt uns.* – Folgt er uns wirklich, oder sagt man nur er folge uns? – *Er folgt uns wirklich.*«

Sart (12;6!): »Kann der Mond tun, was er will? – *Ja, wenn man geht, folgt er uns.*« »Folgt er dir, oder bewegt er sich nicht? – *Er folgt mir. Er steht still, wenn ich stillstehe.* – Und wenn ich auch spaziere, wem folgt er dann? – *Mir.* – Wem? – *Ihnen.* – Glaubst du, er folgt jedermann? – *Ja.* – Kann er überall gleichzeitig sein? – . . .«

Man sieht, wie spontan diese Kinderantworten sind. Gegensuggestionen nützen nichts. Die Frage, ob die Gestirne uns wirklich oder nur scheinbar folgen, wird nicht begriffen. Die Frage mit den beiden Spaziergängern, die in entgegengesetzter Richtung gehen, verwirrt das Kind, bringt es aber nicht von seinem Irrtum ab. Die folgenden Antworten des zweiten und dritten Stadiums zeigen im Vergleich noch einmal, wie fest verankert und systematisch die Überzeugungen sind, die aus den zitierten Antworten sprechen.

Zuerst drei Fälle des zweiten Stadiums: die Gestirne folgen uns, obwohl sie sich nicht bewegen.

Sart (11;5): »Bewegt sich der Mond? – *Ja.* – Was geschieht, wenn man spazieren geht? – *Man sieht ihn die ganze Zeit vor sich her gehen.* Folgt er uns oder folgt er uns nicht? – *Er folgt uns, weil er dick ist.* – Geht er vor uns her oder nicht? – *Ja.* – Wenn der Mond uns folgt, bewegt er sich dann oder bewegt er sich nicht? – ... *Ich weiß nicht.*« Sart kommt offensichtlich nicht mehr mit: Einerseits hat er den Eindruck, der Mond folge uns nach, andererseits aber auch, daß er sich nicht bewege. Eine Synthese gelingt ihm nicht.

Lug (12;3) begnügt sich nicht wie Sart mit zwei widersprüchlichen Überzeugungen, er versucht eine Übereinstimmung herzustellen. »Was tut der Mond, wenn man spazieren geht? – *Er folgt uns nach.* – Warum? – *Seine Strahlen folgen uns nach.* – Bewegt er sich? – *Er bewegt sich, er folgt uns nach.* – Sag mal ... (Beispiel der beiden Spaziergänger, die in entgegengesetzter Richtung gehen). *Er bleibt, er kann nicht beiden folgen.* – Ist es schon vorgekommen, daß er dir nicht gefolgt ist? – *Manchmal, wenn man rennt.* – Warum? – *Man geht zu rasch.* – Warum folgt er uns? – *Damit er sieht, wohin man geht.* – Sieht er uns? – *Ja.* – Wenn es viele Leute in der Stadt hat, was macht er dann? – *Er folgt einem anderen.* – Wem? – *Mehreren.* – Wie macht er das? – *Mit seinen Strahlen.* – Folgt er ihnen wirklich? – *Man könnte sagen, wir seien es, und man könnte sagen, der Mond sei es.* – Bewegt er sich? – *Er bewegt sich.* – Wie macht er es? – *Er bleibt stehen, und die Strahlen folgen uns*(!).«

Brul (8 Jahre): »Was macht die Sonne, wenn man spazierengeht? – *Sie folgt uns.* – Warum? – *Um uns hell zu geben.* – Sieht sie uns? – *Ja.* – Bewegt sie sich denn? – *Nein, würde man sagen.* – Was folgt uns also nach? – *Sie folgt uns, aber sie bleibt an Ort und Stelle*(!). – Wie ist das möglich? – *Wenn man geht und sich dreht, ist sie immer noch über unserem Kopf.* – Wie ist das möglich? – *Wenn die Leute sie anschauen wollen, sehen sie sie alle über sich.*« Anschließend erklärt Brul, daß sie »an Ort und Stelle bleibt«, aber »ihre Strahlen« schickt.

Man ersieht daraus, worin diese Überzeugungen bestehen. Das Kind glaubt noch immer, die Sonne folge uns. Aber es hat herausgefunden (wie wir bei Mart sehen werden, der eine Erfahrung gemacht hat) oder gelernt, daß die Sonne sich nicht bewegt. Es begreift nicht, wie diese beiden Tatsachen nebeneinander möglich sind. Folglich akzeptiert es wie Sart die beiden widersprüchlichen Thesen, ohne sie miteinander in Einklang zu bringen. Man sieht übrigens auch, daß Sart gelernt haben muß, die Gestirne seien »dick«, aber er hat die Bedeutung dieser Tatsache nicht begriffen, wie die Schlußfolgerungen zeigen, die er daraus zieht. Oder das Kind (Lug und Brul) sucht selbst eine Lösung und kommt dann darauf, das Gestirn sei zwar unbeweglich, aber seine Strahlen würden uns folgen!

Jetzt wollen wir uns zwei Fälle zwischen dem zweiten und dritten Stadium ansehen:

Mart (9;5): »Was macht der Mond, wenn du spazierengehst? – *Er folgt uns, dann steht er still. Wir sind es, die uns bewegen, und dann kommt uns der Mond näher, wenn man vorwärts geht.* – Wie folgt er uns? – *Er steht still, und dann sind wir es, die sich ihm nähern.* – Wie hast du das herausgefunden? – *Wenn man vor den Häusern vorbeigeht, sah man ihn nicht mehr, man sah die Mauer.* –

Und was hast du dir dann gesagt? – *Daß er sich nicht bewegt hatte.* – Warum hattest du geglaubt, er würde dir folgen? – *Ich habe mich getäuscht: als es keine Häuser hatte, sah man ihn die ganze Zeit vor sich.* – Warum bewegt er sich vorwärts? – *Niemand bewegt ihn vorwärts! Er bleibt immer am gleichen Ort.*«

Falq (8 Jahre) sagt vom Mond ebenfalls: »*Er folgt uns.* – Warum? – *Weil er hoch oben ist, und die ganze Welt sieht ihn.* – Wenn du spazierengehst und ich auch, aber in der anderen Richtung, wem folgt er dann? – *Er folgt Ihnen, weil er näher bei Ihnen ist.* – Warum? – *Weil Sie vorne sind.* – Warum ist er dann näher? – *Er bleibt immer an der gleichen Stelle.*«

Mart und Falq befinden sich insofern noch im zweiten Stadium, als sie glauben, wir würden uns dem Mond nähern, wenn wir vorwärtsgehen. So ist die Täuschung irgendwie begründet. Sie sind aber umgekehrt insofern schon im dritten Stadium, als sie nicht mehr annehmen, daß sich der Mond irgendwie verschiebt (auch seine Strahlen folgen uns nicht mehr).

Und nun geben wir noch einige Beispiele für das dritte Stadium. Jetzt wird die Täuschung vollständig durchschaut.

Pec (7;3): »Bewegt sich der Mond, wenn du am Abend spazierengehst? – *Er ist weit weg, dann würde man sagen, daß er sich vorwärts bewegt, aber es ist nicht wahr.*«

Kuf (10;9): »Wenn man geht, würde man sagen, daß der Mond uns folgt, denn er ist groß. – Und, folgt er uns? – *Nein. Früher glaubte ich, er folge uns nach und laufe hinter uns her.*«

Dug (7;6): »Was macht die Sonne, wenn du spazierengehst? – *Sie leuchtet.* – Folgt sie dir nach? – *Nein, aber man sieht sie überall.* – Warum? – *Weil sie sehr groß ist.*«

So entwickelt sich der Glaube an die absichtliche Bewegung der Gestirne. Die vollkommene Kontinuität in den Antworten und die reichen Ausschmückungen der jüngeren Kinder zeigen hinreichend, daß es sich um eine spontane Überzeugung handelt, die aus direkter Beobachtung hervorgegangen ist und vom Kind schon lange vor unserer Befragung formuliert wurde. Die weite Verbreitung dieser Überzeugung ist unter drei Gesichtspunkten interessant. Die eben aufgezählten Fakten zeigen zunächst mit aller Deutlichkeit, daß es einen kindlichen Animismus gibt, und zwar einen nicht theoretischen (der die Phänomene erklären sollte), sondern einen affektiven Animismus. Die Gestirne interessieren sich für uns:

»*Manchmal schaut sie uns an*«, sagt Fran (9 Jahre) von der Sonne, »*sie schaut manchmal, wie hübsch man ist.* – Hältst du dich für hübsch? – *Ja, am Sonntag, wenn ich wie ein Mann angezogen bin.*«

»*Er schaut und dann überwacht er uns*«, sagt Ga (8½) vom Mond.

»Wenn ich gehe, geht er; wenn ich stillstehe, steht sie still. Sie sind wie Papageien. – Warum? – Er will das gleiche tun wie wir. – Warum? – Weil er neugierig ist (Pur 8;8).« Die Sonne bewegt sich, »*um zu hören, was man sagt* (Jac, 6 Jahre).«

»*Sie schaut, ob man brav ist*«, und der Mond »*schaut, ob sie* (die Männer) *richtig arbeiten* (Cam, 6 Jahre).«

Solche Überzeugungen sind auch von den Beziehungen zwischen der Magie und dem Animismus her gesehen von großer Bedeutung. Man erinnert sich, gewisse Kinder (4. Kapitel, Abschnitt 2) glauben, sie selbst seien die Ursache für die Bewegung der Gestirne: »*Ja, ich* (setze sie in Bewegung), *wenn ich gehe*«, sagt der 4jährige Nain; »*Wir*«, sagt der 7jährige Giamb zum gleichen Phänomen. Die Kinder, die wir eben kennengelernt haben, haben im Gegenteil den Eindruck, spontane Wesen, die auch anderswohin gehen könnten, falls sie wollten, würden ihnen folgen. Je nachdem ob die Kausalität vorwiegend beim Ich oder beim bewegten Gegenstand gesehen wird, handelt es sich somit um Magie oder um Animismus. Wie soll man sich diese Beziehung vorstellen? Offensichtlich besteht in einem solchen Fall eine vollständige gegenseitige Abhängigkeit zwischen der Magie und dem Animismus. Ausgangspunkt ist ein Partizipationsgefühl, das auf die Egozentrizität, also die Vermengung des Ich mit der Welt, zurückzuführen ist: Das Kind, das die Gestirne immer über oder neben sich sieht, nimmt dank diesen affektiven Vorverbindungen, die die kindliche Egozentrizität bewirkt, sofort an, zwischen der Bewegung der Gestirne und seiner eigenen Bewegung bestehe eine dynamische Partizipation oder eine Gemeinsamkeit in den Absichten. Insofern das Kind nicht über diese Gemeinsamkeit in den Absichten nachdenkt und sich folglich nicht fragt, ob die Gestirne imstande seien, dieser Verpflichtung, uns zu folgen, zu widerstehen, ist die Haltung magisch: Das Kind hat den Eindruck, es selbst setze die Gestirne in Bewegung. Insofern sich das Kind hingegen über die »Folgsamkeit« der Gestirne wundert und ihnen eine Widerstandsfähigkeit zuschreibt, beseelt es sie und schreibt es ihnen den Willen und den Wunsch, ihm zu folgen, zu. Der Unterschied zwischen der Magie und dem Animismus ist somit, kurz gesagt, nur ein Unterschied in der Egozentrizität. Die absolute Egozentrizität zieht die Magie nach sich; das Gefühl für die Eigenexistenz der anderen Lebewesen schwächt hingegen diese ursprünglichen Partizipationen ab und betont dafür um so mehr die besondere Intentionalität dieser Lebewesen.

Die in diesem Paragraphen analysierten Überzeugungen sind schließlich von großer Bedeutung für das Verständnis der kindlichen Dynamik, und wir werden ihnen deshalb im Zusammenhang mit der Erklärung der natürlichen Bewegungen wieder begegnen. 7 bis 8 Jahre alte Kinder nehmen im allgemeinen an, die Gestirne würden durch die Luft, den Wind, die Wolken usw. vorwärts bewegt. Das scheint eine mechanische Erklärung zu sein. Doch gleichzeitig folgen uns die Gestirne. Zu den mechanischen Kräften kommt somit ein magisch-animistischer Faktor, der die eigentliche Bedeutung dieser kindlichen Mechanik hervorhebt: Wenn man sagt, die Gestirne würden uns dank dem Wind usw. nachfolgen, so sagt man gleichzeitig damit auch, der Wind, die Wolken usw. seien Komplizen der Gestirne, sie würden sich ebenfalls um uns kümmern, alles drehe sich um den Menschen.

Damit sind wir beim Notwendigkeitstyp, den das Kind den Naturgesetzen aufzwingt. Wir wollen noch diesen Punkt prüfen, dann können wir uns dem Problem der Ursprünge des kindlichen Animismus zuwenden.

3. Physikalischer Determinismus und moralische Notwendigkeit

Wie wir im Kapitel V gesehen haben, erwartet das Kind von einer animistischen Konzeption der Natur zweierlei: daß sie das Zufällige und daß sie die Regelmäßigkeit der Dinge erklärt. Das Zufällige erklären, das bedeutet aber, es unterdrücken, das ist der Versuch, alles auf Regeln zurückzuführen. Auf welche Regeln aber? Sully hat es schon gezeigt, und wir haben es bestätigen können (SD, Kapitel V), daß es nicht so sehr physikalische Gesetze, sondern eher moralische oder soziale Regeln sind, nämlich ein *decus est*. Das ist der Nerv des kindlichen Animismus: Die natürlichen Wesen sind in dem Maße bewußt, als sie in der Ökonomie der Dinge eine Funktion zu erfüllen haben.

Dieser Grundzug erklärt uns gleichzeitig die Rolle und die Grenzen des kindlichen Animismus. Wir haben immer wieder festgestellt, daß das Kind nicht so anthropomorphistisch ist, wie man meint. Das ist darauf zurückzuführen, daß es den Dingen nur das Allernotwendigste an Bewußtsein zuschreibt, damit sie ihre jeweiligen Funktionen erfüllen können. Ein 7 Jahre altes Kind wird nicht annehmen, die Sonne sehe uns in einem Zimmer oder kenne unseren Namen, aber es vermutet, die Sonne finde jeden Tag heraus, wo wir gehen, denn sie muß uns begleiten, »um uns warm zu geben« usw. Das Wasser in den Flüssen sieht die Ufer nicht, es empfindet weder Schmerz noch Freude, aber es weiß, daß es fließt und wann es einen Anlauf nehmen muß, um ein Hindernis zu überwinden. Denn der Fluß fließt, »um uns Wasser zu geben« usw.

Das folgende Gespräch ist in dieser Hinsicht bedeutsam:

Vern (6 Jahre) ist ein Kind, das wir nie über den Animismus befragt haben. Wir sehen ihn zum erstenmal. Wir fragen ihn, weshalb ein Schiff auf dem Wasser bleibt, während ein kleiner Stein, der viel leichter ist, sogleich versinkt. Vern denkt nach und antwortet: »*Das Schiff ist gescheiter als der Stein.* – Was heißt das, es sei ›gescheit‹? – *Es tut das, was man nicht tun darf, nicht.*« Man sieht die Vermengung von Physikalischem mit Moralischem. »Ist der Tisch auch gescheit? – *Er ist zerschnitten* (= er ist zugesägtes Holz), *er kann nicht sprechen, er kann nichts sagen.* – Und die Sonne, ist sie gescheit? – *Ja, denn sie kann warm geben.* – Und das Haus? – *Nein, denn es ist aus Stein. Alle Steine sind geschlossen* (sie können weder sprechen noch sehen, sie sind materiell). – Sind die Wolken gescheit? – *Nein, denn sie wollen die Sonne schlagen* (= sie tun das Gegenteil der Sonne). – Ist der Mond gescheit? – *Ja, denn er gibt hell in der Nacht. Er gibt hell in den Straßen und ich glaube auch den Jägern in den Wäldern.* – Ist das Wasser in den Bächen gescheit? – *Es ist auch ein wenig brav.*«

Die Bedeutung dieser Aussagen liegt auf der Hand. Analysiert man diese Klassifizierung, so muß man unwiderstehlich an das denken, was Aristoteles die »Natur« und was er die »Gewalt« genannt hat. Für Vern ist die Wärme der Sonne »natürlich«, insofern die Sonne durch eine innere Kraft auf ein für das Leben nützliches Ziel hin gelenkt wird, während die Tätigkeit der Wolken »gewaltsam« ist, insofern sie im Gegensatz zu der der Sonne steht. Wollte man diese etwas gewagte Parallele weiter entwickeln, so müßte man hinzufügen, daß die natürliche Tätigkeit für Vern »gescheit« ist, das heißt sie wird nicht durch die physikalische »Notwendigkeit« (die »Notwendigkeit« ist ein Hindernis gegen die Tätigkeit der »Natur«), sondern durch die moralische Verpflichtung erzwungen: nicht das tun, »was man nicht tun darf«.

Schon das erste Gespräch konfrontiert uns somit mit einem Problem, das sich im Zusammenhang mit dem kindlichen Animismus unabwendbar stellt: was ist für das Kind die »Natur«? Eine Gesamtheit physikalischer Gesetze? Eine durchreglementierte Gesellschaft? Ein Kompromiß zwischen diesen beiden Zuständen? Aufgrund der in den letzten Kapiteln zusammengetragenen Fakten stellen wir die Hypothese auf, das Kind schreibe den Dingen ein Bewußtsein zu, das vor allem ihre Hierarchie und ihre Folgsamkeit erklären soll. Das Kind spricht den Dingen eine Moral und nicht so sehr eine Psychologie zu. Wie läßt sich diese Hypothese überprüfen? Die ganze Untersuchung der kindlichen Dynamik und Physik, die wir an anderer Stelle darlegen wollen, bringt uns dazu, uns für sie zu entscheiden. Inzwischen können wir das Kind nur fragen, ob die Dinge tun, was sie wollen, und, falls nicht, weshalb.

Mit diesem Verfahren haben wir ein recht eindeutiges Ergebnis erhalten. Bis in ein Alter von 7 oder 8 Jahren sind die Kinder nicht bereit anzunehmen, die Dinge könnten tun, was sie wollen, und zwar nicht weil diese Dinge keinen Willen hätten, sondern weil ihr Willen einem moralischen Gesetz verpflichtet ist, dessen Prinzip man mit »alles für das höhere Wohl des Menschen« umschreiben könnte. Die wenigen Ausnahmen, die wir gefunden haben, bestätigen diese Interpretation: Wenn ein Kind dieses Alters irgendeinen Gegenstand als von jeder moralischen Verpflichtung entbunden betrachtet, so hält es diesen Körper auch für frei, das zu tun, was er will; frei ist er aber, weil niemand ihm etwas befiehlt. In den Dingen ist somit durchaus ein Wille, aber dieser Wille steht in den meisten Fällen unter dem Zwang einer Pflicht.

Mit 7 bis 8 Jahren wird erstmals ein physikalischer Determinismus sichtbar: Bestimmte Bewegungen, beispielsweise der Flug der Wolken oder das Fließen der Bäche, werden immer weniger auf eine moralische Verpflichtung oder einen Gesetzeszwang zurückgeführt, sondern durch eine ausschließlich physikalische Notwendigkeit erklärt. Dieser neue Begriff wird jedoch erst langsam systematisiert, er wird nur auf gewisse Phänomene angewandt, und erst mit 11 bis 12 Jahren kann er die Vorstellung einer sittlichen Regel in der kindlichen Physik vollständig verdrängen. In den Altersklassen zwischen etwa 7½ und 11½ Jahren finden wir deshalb verschiedene Kombinationen von moralischer Notwendigkeit und physikalischem Determinismus, ohne daß man diese Periode in Stadien im eigentlichen Sinne des Wortes unterteilen kann. Schließlich wollen wir noch festhalten, daß es schon vor 7 bis 8 Jahren ein Element von physikalischem Zwang in den kindlichen Vorstellungen von der Welt gibt, aber dieser Zwang unterscheidet sich noch stark vom Determinismus, der nach 7 bis 8 Jahren sichtbar wird: Es ist der gewissermaßen körperliche Zwang, der in den Augen des Kindes notwendig mit der moralischen Notwendigkeit verbunden ist.

Wir wollen jetzt in buntem Durcheinander einige Beispiele zitieren und in jedem Fall die jeweiligen Anteile der moralischen Notwendigkeit und des physikalischen Determinismus herausarbeiten.

Reyb (8;7): »Tun die Wolken, was sie wollen? – *Nein* ... – Können sie schneller gehen, wenn sie wollen? – *Nein.* – Warum nicht? – *Weil sie die ganze Zeit gehen.* – Warum tun sie das? – *Um den Regen anzukündigen.*« »Kann die Sonne tun, was sie will? – *Ja.* – Kann sie aufhören zu gehen, wenn sie will? – *Nein, denn wenn sie anhalten würde, würde sie nicht mehr hell geben.* – Tut der Mond, was er will? – *Nein.* – Kann er stillstehen, wenn er will? – *Ja.* – Warum? – *Denn wenn er will, kann er nicht gehen.* – Kann er untergehen, wenn er will? – *Nein, denn er gibt in der Nacht hell.*« Vergleicht man diese mit den folgenden Aussagen, so zeigt sich, daß der regelmäßige Flug der Wolken und der regelmäßige Lauf der Gestirne durch ihre Funktion bestimmt ist, während die Regelmäßigkeit der Flüsse durch den Determinismus erklärt wird: »Tun die Flüsse, was sie wollen? – *Nein.* – Warum nicht? – *Weil sie ganze Zeit fließen. –* Warum? *– Weil sie nicht stillstehen können. –* Warum können sie das nicht? *– Weil sie die ganze Zeit fließen. –* Warum? *– Weil der Wind sie stößt. Er bringt die Wellen herbei, und sie fließen.«*

Zim (8;1) ist der Meinung, der Mond tue, was er wolle. Seiner Macht sind jedoch Grenzen gesetzt: »Kann er, wenn er will, am Abend nicht kommen? *– Nein. –* Warum nicht? *– Weil nicht er es ist, der befiehlt(!).«* Die Sonne macht was sie will, aber das läuft am Ende auf dasselbe hinaus: »Weiß sie, daß sie hinter dem Berg ist? *– Ja. –* Hat sie es so gewollt, oder ist sie dazu gezwungen? *– Sie hat es gewollt. –* Warum? *– Damit es schönes Wetter gibt.«*

Rat (8;10): »Können die Wolken schneller gehen, wenn sie wollen? *– Ja. –* Warum? *– Weil sie ganz von allein gehen. –* Können sie weggehen, wenn sie wollen? *– Ja. –* Heute (Regentag) könnten sie es auch? *– Ja. –* Warum tun sie es nicht? *– Weil sie es nicht tun. –* Warum? *– Weil es regnet. –* Haben sie das gewollt? *– Nein. –* Wer denn? *– Der liebe Gott.«* »Kann die Sonne aufhören, hell zu geben, wenn sie es will? *– Ja. –* Könnte sie mitten in der Nacht kommen, wenn sie wollte? *– Sie will nicht. Es ist Nacht. Sie geht ins Bett. –* Könnte sie, wenn sie wollte? *– Ja. –* Hat sie es schon einmal gemacht? *– Nein. –* Warum nicht? *– Sie geht lieber ins Bett. –* Glaubst du das? *– Ja. –* Warum kommt sie nicht mitten in der Nacht? *– Sie kann nicht. –* Warum nicht? *– Wenn sie nicht kommt, gibt sie nicht hell. Wenn sie kommt, gibt sie hell. –* Warum kommt sie dann nicht in der Nacht, um hell zu geben? *– Der Mond gibt ein wenig hell. –* Kann sie nicht auch kommen? *– Sie will nicht kommen. –* Könnte sie kommen? *– Ja. –* Warum tut sie es nicht? *– Die Leute würden meinen, es sei Morgen. –* Und warum tut sie es also nicht? *– Sie will es nicht tun.«* Der Mond gehorcht analogen Gründen: »Könnte der Mond mitten in der Nacht stillstehen, wenn er wollte? *– Nein, denn das würde ein wenig heller geben.«*

Ross (9;9): »Tut die Sonne, was sie will? *– Ja. –* Kann sie schneller gehen, wenn sie will? *– Ja. –* Kann sie stillstehen? *– Nein.«* »Warum nicht? *– Weil sie ein wenig lange scheinen muß. –* Warum? *– Um uns warm zu geben.«*

Imh (6 Jahre): »Tun die Wolken, was sie wollen? *– Nein, denn sie zeigen uns nichts als den Weg* (= nur den Weg).« Hier wird die Notwendigkeit, uns zu folgen, den andere Kinder nur den Gestirnen zuschreiben, den Wolken zugesprochen. Diese Antwort ist um so bedeutsamer, als Imh den Anteil des Determinismus beispielsweise bei den Bächen durchaus kennt: »Kann das Wasser in den Bächen tun, was es will? *– Nein, es kann schneller fließen, aber nur wenn es abschüssig ist.«*

Juill (7;6): »Kann die Sonne tun, was sie will? *– Ja. –* Kann sie mitten im Tag weggehen? *– Nein. –* Warum nicht? *– Weil es schon hell ist. –* Und dann? *– Sie kann nicht. –* Kann sie um die Mittagszeit weggehen? *– Nein. –* Warum nicht? *– Weil schon Tag ist. –* Wer macht, daß es Tag ist? *– Der liebe Gott. –* Könnte er machen, daß es ohne Sonne Tag ist? *– Ja. –* Muß die Sonne da sein, wenn es Tag ist? *– Ja, sonst regnet es.«*

Schi (6 Jahre): »Könnte die Sonne um die Mittagszeit weggehen, wenn sie wollte? *– Nein. –* Warum nicht? *– Weil sie den ganzen Tag lang hell geben muß.*

Kent (9;3): Die Sonne tut nicht, was sie will, »*weil sie immer dafür sorgen muß, daß Tag ist, wohin sie alle Tage geht.«* Das Gesetz, das ihren Gang bestimmt, ist somit moralischer Ordnung. Dasselbe gilt für die Wolken und den Wind: »*Er muß immer an die gleiche Stelle gehen.«* Die Sterne: »*Er muß in der Nacht dorthin gehen, wo er die andere Nacht war.«* Die Bäche: *»Er muß immer dorthin gehen, wo er den Weg vor sich hat.«*

Wir lassen jetzt zwei Ausnahmen folgen, zuerst ein Kind, das allen Körpern Freiheit zuspricht, weil sie »allein« sind, das heißt weil niemand ihnen befiehlt und sie genauer überwacht:

Had (6 Jahre): »Kann die Sonne tun, was sie will? – *Ja, denn sie ist allein mit dem Mond.* – Die Wolken? – *Ja, denn sie ist allein mit den anderen Wolken«* usw. Der Sinn dieser Worte geht aus der folgenden Reaktion recht schön hervor: »Und du, kannst du tun, was du willst? – *Ja, denn meine Mama erlaubt es mir manchmal.«*

Man sieht daraus, die Ausnahme ist nur scheinbar eine Ausnahme. In anderen Fällen schreibt das Kind allen Dingen Freiheit zu, aber gleichzeitig auch »guten Willen«, was wiederum im Vergleich zu den früheren Aussagen nur eine scheinbare Ausnahme darstellt:

Mont (7 Jahre): »Kann die Sonne tun, was sie will? – *Ja.* – Kann sie aufhören, hell zu geben? – *Ja.* – Warum tut sie es nicht? – *Weil sie schönes Wetter machen will.«* »Machen die Bäche, was sie wollen? – *Ja.* – Können sie schneller gehen, wenn sie wollen? – *Ja.* – Kann die Rhone aufhören zu fließen? – *Ja.* – Warum tut sie es nicht? – *Sie will, daß es Wasser hat«* usw.

Es sei noch festgehalten, daß der Wille die widerstandsfähige Form der animistischen Kräfte ist, die das Kind den Dingen zuspricht. Man findet 10 bis 12 Jahre alte Kinder, die der Natur kein Bewußtsein und kein Leben mehr, aber immer noch Willen und Bemühen zusprechen:

Kuf (10;1): »Sind die Bäche lebendig? – *Nein.* – Wissen sie, daß sie fließen? – *Nein.* – Können sie Wünsche haben? – *Nein.* – Können sie schneller fließen wollen? – *Ja.«* Dasselbe gilt für die Sonne: »Würde die Sonne manchmal lieber schneller gehen? – *Ja.* – Spürt sie es, daß sie schneller gehen möchte? – *Nein.«* Für Kuf kann aber die Sonne tatsächlich ganz nach Belieben schneller oder langsamer gehen.

Man erkennt ohne weiteres die Bedeutung dieser Tatsachen für die Entwicklung des Begriffs »Kraft«. Wir wollen diese Kontinuität von der Kraft zum Animismus vormerken, die über dieses Konzept eines »Willens ohne Bewußtsein« zustande kommt, und später auf diese Frage zurückkommen.

Für den Augenblick wollen wir mit der Folgerung schließen, daß das Kind die Regelmäßigkeiten in der Natur mehr durch moralische Regeln als durch Naturgesetzlichkeiten erklärt. Die Körper sind mit Willen ausgestattet. Sie könnten nach freiem Belieben diesem Willen folgen, und nichts ist ihnen unmöglich. Doch einerseits kümmern sie sich um uns, und ihr Wille ist vor allem ein guter Wille, das heißt ein Wille, der auf das Wohl der Menschen ausgerichtet ist. Andererseits gibt es Regeln. Die natürlichen Körper sind nicht souverän: »nicht er ist es, der befiehlt«, sagt Zim vom Mond. Von 7 bis 8 Jahren an werden zwar bestimmte Bewegungen wie die der Bäche oder der Wolken zunehmend durch einen physikalischen Determinismus erklärt, doch es bleiben bis in ein Alter von 11 oder 12 Jahren zahlreiche Körper übrig, vor allem die Gestirne und der Wind, die den ursprünglichen moralischen Regeln unterworfen sind.

Es wäre recht interessant, für jede Altersstufe den jeweiligen genauen Anteil der moralischen Notwendigkeit und des Determinismus herauszuarbeiten. Die bis jetzt angewandte Methode eignet sich aber kaum zu diesem Zweck: Besser wäre eine nicht so verbale und künstliche Methode, durch die man das Kind dazu brächte, das »Wie« jeder natürlichen Bewegung und jedes natürlichen Phänomens zu erklären. Wir wollen es mit dieser Methode etwas später versuchen. Was wir hier gesagt haben, wollen wir als eine einfache Einführung in die Dynamik des Kindes betrachten, die vor allem den Sinn des kindlichen Animismus festhalten und die Beziehungen zwischen diesem Animismus und den umfassenderen Problemen, die sich im Zusammenhang mit der Vorstellung der Bewegung stellen, aufzeigen soll.

4. Schlußfolgerungen: Der Aussagewert der Befragung über den kindlichen Animismus und die Natur des »diffusen Animismus«

Man kann bei der Interpretation der Ergebnisse, die wir nach den in Kapitel V und VI beschriebenen Methoden erhalten haben, nicht vorsichtig genug sein. Diese Verfahren haben nämlich alle den gleichen Nachteil: Sie sind verbal. Die Kinder haben uns ihre Antworten nicht anhand konkreter Gegenstände gegeben, mit denen man umgeht, um ihre Mechanik zu verstehen, sondern über Dinge, die nur besprochen wurden. Was wir erhalten haben, ist somit nicht ein Animismus im Zustand des Funktionierens, wenn man so sagen darf, sondern eine Definition der Wörter »leben«, »wissen«, »spüren« usw. Diese Definitionen haben zwar durchaus konstante Elemente erbracht; falls unser Ehrgeiz nur auf eine Untersuchung der verbalen Intelligenz angelegt ist, können wir Vertrauen zu unseren Verfahren haben. Was soll man aber von der Wahrnehmungsintelligenz her gesehen aus diesen Ergebnissen schließen?

Um auch zu diesem Punkt etwas Genaueres sagen zu können,

wollen wir von den gesammelten Antworten gewissermaßen nur das negative Element, nicht den positiven Inhalt jeder Aussage, nehmen. Unter diesem Gesichtspunkt sind zwei Folgerungen festzuhalten.

Als erstes, daß das Denken des Kindes am Anfang nicht zwischen lebendigen und toten Körpern unterscheidet, weil es kein Kriterium für diese Unterscheidung zur Verfügung hat. Für uns, genauer gesagt: für den gesunden Menschenverstand des Erwachsenen gibt es zweierlei Kriterien für diese Unterscheidung. Zunächst die Tatsache, daß die lebendigen Körper geboren werden, sich entwickeln und sterben. Die von uns befragten Kinder haben sich auffallenderweise nie auf dieses Kriterium berufen. Einige Kinder haben zwar gesagt, die Pflanzen würden »wachsen«, aber damit wollten sie nur zum Ausdruck bringen, daß diese mit einer Eigenbewegung beseelt seien, womit die Wachstumsbewegung auf dieselbe Ebene wie die Bewegung der Wolken oder der Gestirne gestellt wird. Bei der Untersuchung des kindlichen Artifizialismus werden wir zudem noch sehen, daß nach Meinung des Kindes fast alle Körper geboren werden und wachsen: Die Gestirne »entstehen« und »wachsen«, die Berge, die Steine, das Eisen »wachsen« usw. Aus diesen Tatsachen geht ohne weiteres hervor, daß die Entstehungsweise und das Wachstum der Körper dem Kind nicht als Kriterium dienen können, um zwischen dem Lebendigen und dem Toten zu unterscheiden. Unter diesem Gesichtspunkt besteht zwischen allen natürlichen Wesen eine vollkommene Kontinuität.

Der gesunde Menschenverstand des Erwachsenen bedient sich andererseits auch des Trägheitsprinzips, um zwischen Leben und anorganischer Materie zu unterscheiden, denn dieses Prinzip ist seit dem Aufschwung der Industrie immer mehr in unsere intellektuellen Gewohnheiten eingegangen. Ein physikalischer Körper verfügt nur über die Bewegung, die er erhalten hat; ein Lebewesen schafft (für den gesunden Menschenverstand) Bewegung. Doch diese Unterscheidung ist offensichtlich ein verhältnismäßig junges Kriterium. Es ist deshab nicht verwunderlich, daß unsere Kinder des dritten Stadiums (die das Leben durch die Eigenbewegung definieren) noch keinen Unterschied zwischen der scheinbar spontanen Bewegung der Gestirne, des Windes usw. und der Eigenbewegung der Tiere sehen.

So vorsichtig man auch sein mag und so sehr man sich auch davor hütet, die Antworten unserer Kinder wörtlich zu nehmen, es ist dennoch nicht zu bestreiten, daß das kindliche Denken von der Idee eines universellen Lebens als einer primären Idee ausgeht. So gesehen ist deshalb der Animismus keineswegs das Ergebnis einer reflektierten Konstruktion des kindlichen Denkens. Er ist eine von allem Anfang an gegebene Tatsache, und die leblose Materie hebt sich erst durch fortschreitende Differenzierungen vom Leben ab. Aktivität und Passivität, Eigenbewegung und erworbene Bewegung sind Begriffspaare, die das Denken schrittweise aus einem ursprünglichen Kontinuum herausarbeitet, in dem alles lebendig zu sein scheint.

Zweite Folgerung. Ursprünglich wird also kein Unterschied zwischen dem Leben und dem Leblosen gemacht. Diese Nichtunterscheidung gilt *a fortiori* auch für die bewußten Aktionen und die unbewußten Bewegungen oder, wollen wir vielleicht eher sagen, für die absichtlichen oder intentionellen Aktionen und die mechanischen Bewegungen. Man kann sich fragen, ob die Aussagen unserer Kinder über das Bewußtsein der Dinge reflektiert seien, worum man aber nicht herumkommt, ist das, daß die Unterscheidung zwischen intentionellen Aktionen und mechanischen Bewegungen nicht nur nicht angeboren ist, sondern sogar eine bereits recht hoch entwickelte geistige Haltung voraussetzt. Keine einzige positive Erfahrung kann nämlich unseren Geist zwingen einzusehen, daß die Dinge weder für uns noch gegen uns sind und daß in der Natur der Zufall und die Trägheit regieren. Damit man zu einer solchen objektiven Schau der Dinge kommt, muß der Geist sich entsubjektivieren, muß er seine angeborene Egozentrizität überwinden. Wir haben, so glauben wir, gezeigt, daß das eine Operation ist, die dem Kind alles andere als leichtfällt.

Kurzum, der kindliche Animismus ist, insofern er den Dingen Bewußtsein zuspricht, nicht das Ergebnis einer reflektierten Konstruktion, sondern einer von Anfang an gegebenen Tatsache, nämlich einer vollständigen Nichtdifferenzierung zwischen der bewußten Aktion und der materiellen Bewegung. Der kindliche Animismus setzt als ursprüngliche Haltung die Überzeugung von einem Bewußtseinskontinuum voraus. Besser gesagt, das Kind spricht den Dingen nicht eigentlich ein Wissen oder ein Fühlen zu, sondern eine Art Willen und elementarer Einsicht, das notwendige Minimum, damit die Funktionen, welche die Natur ausübt, erfüllt werden können. Dieser Willen und diese Einsicht bedeuten nicht, daß das Kind die Dinge als Personen ansieht – das Kind selbst fühlt sich offensichtlich nicht so personal wie wir –, sondern daß es Intentionalität und Aktivität miteinander vermengt. Eine jiddische Anekdote erzählt von zwei Ungebildeten, die eines Tages das Problem des siedenden Wassers erörterten. Der eine sagte, Wasser siede bei hundert Grad. »Wie weiß es aber«, warf der andere ein, »daß es bei hundert Grad angekommen ist?« Diese Anekdote zeigt sehr schön, welchen Sinn der kindliche Animismus eigentlich hat: Insofern die Körper eine geregelte und für den Menschen nützliche Tätigkeit entfalten, müssen sie offensichtlich mit psychischem Leben ausgestattet sein!

Wenn man den kindlichen Animismus derart in seinen richtigen Proportionen sieht, so wird er eine Funktion vieler wesentlicher Besonderheiten des kindlichen Denkens, was ihn für den Psychologen eher akzeptierbar macht, als wenn er das Aussehen einer theoretischen und unbeteiligten Systematisierung hätte. Dreierlei Phänomene sprechen zugunsten einer universellen Intentionalität, die das Kind den Körpern zuspricht.

Als erstes wäre der kindliche Finalismus zu erwähnen, der bekanntlich sehr umfassend ist. Wir haben beim ersten Stadium des Lebensbegriffs (Kapitel VI) an die Definitionen »durch den Gebrauch« erinnert, die für die geistige Haltung der 5- bis 8jährigen charakteristisch sind. In bezug auf die physikalische Bewegung hat die Untersuchung im Abschnitt 2 deutlich gezeigt, daß die Regelmäßigkeiten der Natur durch Finalismus erklärt werden. Unsere weiteren Untersuchungen werden zeigen, daß derselbe Finalismus die gesamte Physik durchdringt: das Schwimmen von Körpern, die Luftbewegungen in einer Pumpe, die Bewegungen des Feuers und des Dampfes in einem Motor usw. Eine solche geistige Ausrichtung unterstreicht mit aller Deutlichkeit, wie sehr das kindliche Universum in den großen Umrissen wie im kleinsten Detail von Intentionalität durchdrungen ist.

Eine zweite Gruppe von gleichgerichteten Phänomenen liefert uns die Entwicklung der »Warum« zwischen 3 und 7 Jahren. Wie wir früher gesehen haben (SD, Kapitel V), sind diese »Warum« weder im eigentlichen Sinne kausal, noch im eigentlichen Sinne finalistisch. Sie stehen zwischen diesen beiden Ordnungen, das heißt der wirkliche Grund, den das Kind den Phänomenen zu unterstellen versucht, ist eben eine *Absicht*, die gleichzeitig Wirkursache und Seinsgrund des zu erklärenden Effekts ist. Mit anderen Worten, die Absicht ist schöpferisch; die physikalische Kausalität und der logisch-moralische Grund werden noch in einer Art universeller psychologischer Motivation vermengt. Dadurch wird erklärt – und das ist die dritte Gruppe von Phänomenen –, daß das Kind am Anfang die physikalische Notwendigkeit und die moralische Notwendigkeit miteinander vermengt. Die Fakten, auf die wir im letzten Abschnitt hingewiesen haben und denen wir in einer viel spontaneren Form immer wieder begegnen werden, sind in dieser Hinsicht wenn auch nicht ein Beweis für einen systematischen und expliziten Animismus, so doch zumindest ein sehr eindeutiges Anzeichen zugunsten der universellen Intentionalität, die das Kind der Natur zuspricht.

Man kann nun freilich behaupten, die drei Gruppen von Tatsachen, die wir verwendet haben, würden nicht beweisen, daß die Intentionen, die das Kind sich im Zusammenhang mit den Dingen vorstellt, von ihm auch in den Dingen selbst lokalisiert werden.

Diese Absichten könnten auch durchaus die des Schöpfers oder der Schöpfer sein, beispielsweise der »Männer«, die alles gemacht haben. Wir werden in den nächsten Kapiteln sehen, daß es einen kindlichen Artifizialismus gibt, der ebenso systematisch wie der Animismus ist, wonach die Natur durch die Menschen »fabriziert« worden sei. Die Frage ist aber die, ob das Kind zuerst eine Herstellung der Dinge durch den Menschen annimmt und erst dann die Absichten sucht, die jedem Ding zugrunde liegen könnten, oder ob es nicht im Gegenteil dazu gebracht wird, in allem Absichten zu suchen und erst dann diese Intentionen nach Absichten der Schöpfer (Artifizialismus) und Absichten der Dinge selbst (Animismus) zu klassieren. Die »Warum«, deren Auftreten mit diesem Bedürfnis, Absichten in allen Dingen zu suchen, zusammenfällt, setzen zwischen 2 und 3 Jahren ein, also zu einem Zeitpunkt, da der Artifizialismus offensichtlich noch nicht sehr systematisch ist. Der kindliche Geist geht deshalb wahrscheinlich den Weg, daß er zuerst Intentionen sucht und erst dann die Subjekte klassiert, zu denen diese Absichten in Beziehung gesetzt werden müssen. Derart daß die drei Gruppen von Tatsachen, die wir zugunsten des Animismus oder kindlichen Intentionalismus, wie man ihn ebenfalls nennen könnte, aufgeführt haben, ebensosehr für den Animismus wie für den Artifizialismus sprechen.

Mehr noch, wir werden sehen, daß es zwischen dem Artifizialismus und dem Animismus ursprünglich keine Konflikte gibt, was man eigentlich annehmen müßte: Wenn das Kind einen Körper, zum Beispiel die Sonne, als vom Menschen gemacht ansieht, so ist das für ihn noch kein Grund, diesen Körper nicht als lebendig anzusehen, und zwar so lebendig wie ein Kind, das von seinen Eltern abstammt.

Wir können die Struktur des kindlichen Animismus oder, wollen wir zumindest sagen, des diffusen Animismus im Gegensatz zu den systematischeren Überzeugungen, die sich auf die Gestirne usw. beziehen (Abschnitt 2), abschließend folgendermaßen charakterisieren.

Die Natur stellt ein Lebenskontinuum dar, so daß alle Körper mehr oder weniger Aktivität und Einsicht aufweisen. Dieses Kontinuum ist ein Netz von intentionellen Bewegungen, die mehr oder weniger miteinander verbunden sind und alle um die Menschheit, im Hinblick auf ihr Wohl, kreisen. Das Kind arbeitet aus diesem Kontinuum schrittweise bestimmte Kraftzentren, wenn man so sagen darf, heraus, die von einer spontaneren Aktivität als die übrigen Dinge beseelt sind. Die Auswahl dieser Zentren bleibt aber sehr lange schwankend. Das Kind spricht zum Beispiel eine selbständige Aktivität zuerst seiner eigenen Person zu, die imstande ist, die Sonne und die Wolken zu bewegen, dann der Sonne und den Wolken selbst, die sich aus eigener Kraft bewegen, dann dem Wind, der die Gestirne und die Wolken bewegt usw. Das Kraftzentrum verschiebt sich so von Stufe zu Stufe. Das erklärt den unscharfen und wenig systematischen Charakter der Antworten, die wir gesammelt haben. Doch die Auswahl dieser Zentren kann schwankend sein, ohne daß die Gründe, die für diese Auswahl verantwortlich sind, selbst schwanken. Eben das haben wir gefunden: Aktivität im allgemeinen, Bewegung im allgemeinen, Eigenbewegung im Gegensatz zur erhaltenen Bewegung, das sind die drei Themen, um die das Denken der von uns beobachteten Kinder ständig gekreist ist und die eine fortschreitende Differenzierung in das ursprüngliche Lebens- und Intentionalitätskontinuum einführen.

5. Schlußfolgerungen (Fortsetzung): Die Ursprünge des kindlichen Animismus

Ribot hat kürzlich gesagt[9]: »Aufgrund einer bekannten, wenn auch noch nicht erklärten instinktiven Tendenz unterstellt der Mensch dem, was um ihn herum agiert oder reagiert, Intentionen, einen Willen, eine Kausalität analog der seinen: den Mitmenschen, den Tieren und den Körpern, die durch ihre Bewegungen das Leben nachahmen (den Wolken, den Flüssen usw.).« Dieses Phänomen läßt sich »bei den Kindern, den Naturvölkern, den Tieren (etwa einem Hund, der einen Stein, von dem er getroffen wurde, beißt) und sogar beim reflektierten Erwachsenen beobachten, wenn dieser für kurze Zeit wieder zu einem instinktiven Wesen und wütend über einen Tisch wird, an dem er sich gestoßen hat.« Und Freud[10] erklärt den Animismus durch eine »Projektion«, von der er sagt: »Die Projektion innerer Wahrnehmungen nach außen ist ein primitiver Mechanismus, dem zum Beispiel auch unsere Sinneswahrnehmungen unterliegen, der also an der Gestaltung unserer Außenwelt normalerweise den größten Anteil hat.« Ist diese »noch nicht erklärte Tendenz«, von der Ribot spricht, oder dieser »primitive Mechanismus«, den Freud annimmt, unerklärlich? Wäre es nicht möglich, daß das Problem unlösbar ist, weil es schlecht gestellt ist, und daß es schlecht gestellt ist, weil nur bestimmte implizite Postulate in bezug auf die Grenzen zwischen dem Ich und der Außenwelt eine »Projektion« der inneren Inhalte notwendig machen würden? Für eine gewisse Psychologie ist das Ichbewußtsein tatsächlich vor allem auf die direkte Wahrnehmung von

---

[9] Th. Ribot: L'évolution des idées générales. 1. Aufl. Paris 1897. 4. Aufl. S. 206.
[10] S. Freud: Totem und Tabu. Studienausgabe. Band 9. Frankfurt a. M. 1974. S. 354.

irgend etwas Innerlichem zurückzuführen: für Maine de Biran das Gefühl der Anstrengung, für Ribot die Summe der kinästhetischen Empfindungen usw. Das Ichbewußtsein würde sich somit unabhängig von der Erkenntnis der Außenwelt entwickeln. Um erklären zu können, daß das Denken den Dingen ein Leben, Intentionen, Kräfte zuspricht, muß man folglich von einer »Projektion« sprechen. Stellt man die Frage in dieser Form, so wird sie mit Bestimmtheit unlösbar. Weshalb sollte man projizieren, anstatt die Dinge so zu sehen, wie sie sind? Und falls man einer trügerischen Analogie zwischen den Dingen und dem Ich zum Opfer fällt, weshalb ist dann die Analogie so dauerhaft, daß weder die Erfahrung noch die Zeit den so ausgerichteten Geist von seinem Irrtum abbringen können?

Wir wollen hingegen auf die Hypothesen zurückgreifen, auf die wir gekommen sind, als wir die Beziehungen zwischen dem Ich und der Außenwelt studierten. Am Ausgangspunkt des Denkens finden wir ein protoplasmatisches Bewußtsein, das keinen Unterschied zwischen dem Ich und den Dingen macht. An der Ausformung dieses Bewußtseins sind zweierlei Faktoren beteiligt. Zuerst wären die biologischen oder individuellen Faktoren zu erwähnen, die die Beziehungen zwischen dem Organismus und seiner Umwelt regulieren. Bei irgendeiner biologischen Reaktion kann man offensichtlich unmöglich die jeweiligen Anteile des Organismus und der Umwelt auseinanderhalten. Die Adaptation durch Einsicht und die motorische Adaptation, aus der sie sich ableiten läßt, stellen keine Ausnahme dieses Gesetzes dar. Das Wirkliche ist ein Komplex von Austauschprozessen, von komplementären Strömungen, von denen die einen durch die Assimilation der Dinge an den Organismus und die anderen durch die Adaptation des Organismus an die Gegebenheiten der Umwelt bestimmt sind. Das ist der solide Teil von *Materie und Gedächtnis*, wo Bergson zeigt, daß die Wahrnehmung ebenso in ihrem Objekt wie im Gehirn lokalisiert ist, weil eine lückenlose Kontinuität die Reizung des Gehirns mit den Bewegungen des Gegenstandes verbindet. Am Ausgangspunkt gibt es somit weder ein »Ich« noch eine Außenwelt, sondern ein Kontinuum. Die sozialen Faktoren tragen zum gleichen Ergebnis bei: Das Kleinkind wächst schon von seinen ersten Aktivitäten an in einer sozialen Atmosphäre auf, insofern seine Eltern und insbesondere seine Mutter an allen seinen Akten (Ernährung, Saugen, Ergreifen der Gegenstände, Sprache) und allen seinen Affektionen beteiligt sind. Auch unter diesem Gesichtspunkt ist folglich jede Aktion in einen Kontext eingefügt, so daß das Ichbewußtsein keineswegs angeborenerweise mit den ersten Verhaltensweisen verbunden ist; es entwickelt sich erst schrittweise und aufgrund der Widerstände, die das Verhalten der anderen entgegensetzt. Die sozialen und die biologischen Faktoren tragen somit gemeinsam am Anfang des Lebens und des Denkens zu einer Nichtunterscheidung zwischen der Welt und dem Ich bei, von der die Partizipationsempfindungen und die magische Haltung herrühren.

Wenn das der Ausgangspunkt des kindlichen Bewußtseins ist, so werden die Ursprünge des Animismus besser verständlich. Vier Gruppen von Ursachen konvergieren nämlich in der Entstehung des Animismus. Zwei von ihnen gehören der individuellen, die beiden anderen der sozialen Ordnung an.

Die individuellen Faktoren sind die folgenden. Einerseits werden die Inhalte des ursprünglichen Bewußtseins *nicht auseinandergehalten:* Die Begriffe Aktion und Intention usw. sind notwendig miteinander verbunden, bevor das Kind durch fortschreitende Trennung der Begriffe so weit ist, daß es zwischen intentionellen und nicht-intentionellen Aktionen unterscheidet; die Welt wird vom ursprünglichen Bewußtsein deshalb als ein zugleich psychisches und physisches Kontinuum aufgefaßt. Dazu kommt die *Introjektion,* dank der das Kind den Dingen gewisse Empfindungen zuschreibt, die zu denen, die es selbst ihnen gegenüber empfindet, reziprok sind.

Bevor wir diese beiden Faktoren genauer analysieren, wollen wir an zwei unterschiedliche animistische Haltungen erinnern, die wir bei unseren Kindern angetroffen haben. Als *diffusen Animismus* bezeichnen wir die allgemeine Tendenz des Kindes, das Lebende und das Leblose miteinander zu vermengen; das ist die Haltung, die wir im Abschnitt 4 dieses Kapitels beschrieben haben. Als *systematischen Animismus* bezeichnen wir die Gesamtheit der expliziten animistischen Überzeugungen, die das Kind äußert; das eindeutigste Beispiel dafür ist die Meinung, daß die Gestirne ihm nachfolgen (Abschnitt 2). Wir werden noch sehen, daß der Faktor »fehlendes Auseinanderhalten« eher den diffusen Animismus des Kindes erklärt, während der Faktor »Introjektion« eher den systematischen Animismus begründet. Selbstverständlich wird dieses zu einfache Schema durch zahlreiche Überlappungen kompliziert.

Nun wollen wir uns der Rolle des Faktors »fehlendes Auseinanderhalten« zuwenden. Die Untersuchung des kindlichen Realismus (Kapitel I bis IV) hat uns gezeigt, daß gewisse Elemente, das eine davon subjektiv und das andere objektiv, vom kindlichen Denken nicht auseinandergehalten werden können, obwohl sie für das Denken des Erwachsenen voneinander unabhängig sind. Dazu gehören verhältnismäßig lang die Namen und die benannten Dinge, das Denken und die Dinge, an die man denkt usw. Dasselbe gilt für die Bewegung und das Leben: Jede äußere Bewegung wird als notwendig absichtlich aufgefaßt. Das gilt auch für die Aktivität im allgemeinen und das Bewußtsein: Jede Aktivität gilt als notwendig bewußt. Das gilt schließlich, zumindest am Anfang, auch für den Zustand und das Wissen: Von jedem Körper wird angenommen, er wisse, was er sei, wo er sei, welche Attribute er habe usw. Daß es den kindlichen Realismus gibt, ist bereits ein Hinweis darauf, daß der Geist vom Nichtauseinanderhalten zum Auseinanderhalten vorgeht und daß die geistige Entwicklung in keiner Weise aus aufeinanderfolgenden Assoziationen besteht. Der diffuse Animismus ist somit primäre Tatsache des kindlichen Bewußtseins. Zwischen dem Realismus im eigentlichen Sinne des Wortes (dem Realismus der Namen usw.) und dem Nichtauseinanderhalten, das dem Animismus zugrunde liegt, gibt es freilich den folgenden Unterschied. Der Realismus stellt ein *primäres Nichtauseinanderhalten* dar, wenn man so sagen darf, ein Nichtauseinanderhalten, das einfach darin besteht, daß Eigenschaften, die in Wirklichkeit zum Denken gehören, von denen aber das Denken noch nicht weiß, daß sie zu ihm gehören (die Namen zum Beispiel), in den Dingen lokalisiert werden. Das für den Animismus charakteristische Nichtauseinanderhalten hingegen ist ein *sekundäres Nichtauseinanderhalten*, das darin besteht, daß den Dingen Eigenschaften zugesprochen werden, die zu denen analog sind, die der Geist sich selbst zuschreibt: Bewußtsein, Willen usw. Handelt es sich dabei um eine »Projektion«? In keiner Weise. Das sekundäre Nichtauseinanderhalten fügt zum primären Nichtauseinanderhalten nur das hinzu, was für die Konstruktion des Objektbegriffs charakteristisch ist: Die Eigenschaften werden zu individuellen Bündeln gruppiert und nicht mehr der gesamten Wirklichkeit zugesprochen. Für die Konstruktion der Objekte bedient sich aber der realistische Geist – und darin besteht das Nichtauseinanderhalten – eben solcher Begriffe und Kategorien, die je einen objektiven und subjektiven Term vereinigen und als notwendig miteinander verbunden betrachten: Anstatt sich die Sonne als ein leuchtendes, warmes, sich bewegendes Objekt vorzustellen, faßt der realistische Geist sie als einen bewußt leuchtenden Gegenstand auf, der uns absichtlich warm gibt und sich dank einem Eigenleben bewegt.

Das implizite Postulat, wonach jede Aktivität bewußt und jede Bewegung spontan seien, zieht sich als roter Faden durch alle Antworten hindurch, die wir über das den Dingen zugesprochene Bewußtsein und im Zusammenhang mit dem Lebensbegriff gesammelt haben. Wenn Schi sagt, die Wolken wüßten, daß sie sich bewegen, »weil sie selbst den Wind machen«, und wenn Ross sagt, der Wind sei bewußt, »weil er es ist, der bläst« usw., so wird damit das »Tun« implizit mit dem »Wissen, daß man tut« identifiziert. Weil die Dinge nicht auseinandergehalten werden, kommt es zum Animismus.

Weshalb werden jedoch die Begriffe so lange nicht auseinandergehalten? Man muß sich nur überlegen, wie die Trennung vollzogen wird, und dann sieht man ein, daß dieser Vorgang weder einfach noch spontan ist. Es gibt keine unmittelbare Erfahrung, die es dem Kind ermöglichen würde herauszufinden, daß eine Bewegung nicht von Absicht getragen oder eine Tätigkeit nicht bewußt sei. Die Voraussetzung für eine solche Trennung ist weder eine Bereicherung des Wissens noch die Entwicklung der Kontroll- oder Experimentierfähigkeiten, sondern ein radikaler Wechsel in den geistigen Gewohnheiten. Erst eine qualitative Entwicklung der kindlichen Mentalität führt zum Verzicht auf den Animismus.

Worauf kann diese Transformation in der geistigen Haltung des Kindes zurückzuführen sein? Daß das Kind die Begriffe auseinanderzuhalten beginnt, kann nur das Ergebnis der fortschreitenden Bewußtwerdung seines Ich und seines eigenen Denkens sein. Schon beim Realismus der Namen usw. haben wir darzulegen versucht, daß das Kind durch die Entdeckung des symbolischen und folglich menschlichen Charakters der Namen dazu geführt wird, das Zeichen vom bezeichneten Gegenstand zu lösen, denn zwischen dem Innen und dem Außen zu unterscheiden und schließlich das Psychische vom Physischen zu differenzieren. Die schrittweise Rückbildung des Animismus verläuft ähnlich. Im gleichen Maße, wie sich das Kind seiner Persönlichkeit klar bewußt wird, spricht es den Dingen eine derartige Persönlichkeit ab. Im gleichen Maße, wie es seine eigene subjektive Tätigkeit entdeckt und spürt, wie schwierig es ist, deren Inhalt erschöpfend zu verstehen, spricht es den Dingen das Selbstbewußtsein ab. Nicht die Entdeckung, daß es das Denken gibt, löst den Animismus aus, wie Tylor im Zusammenhang mit den Naturvölkern wahrhaben wollte, weit davon entfernt, sondern das Nichtwissen um den Psychismus ermöglicht es dem Kind, die Dinge zu beseelen, und die Entdeckung des denkenden Subjekts zwingt es, diesen Animismus aufzugeben. Kurzum, das Auseinanderhalten der Begriffe ist das Ergebnis der Fortschritte des Selbstbewußtseins.

Nicht nur die im Zusammenhang mit dem kindlichen Realismus zusammengetragenen Fakten lassen sich dazu verwenden, diese Interpretation zu begründen. Noch im Alter von 11 bis 12 Jahren stößt man auf ein verzögertes Phänomen, das uns Vermutungen über das nahelegt, was in den ersten Jahren geschehen muß: Wir meinen die Schwierigkeit einzusehen, daß man sich – wenn auch noch so geringfügig – über sich selbst täuschen kann. Und tatsächlich, je weniger ein Geist zur Introspektion neigt, um so eher erliegt er dem Trugschluß, daß er sich selbst vollkommen kenne. Hier die Fakten:

Unter den von Ballard als Tests[11] vorgeschlagenen absurden Sätzen findet sich eine folgendermaßen formulierte Aussage: »Ich bin nicht stolz, denn ich halte mich für nicht halb so intelligent, wie ich in Wirklichkeit bin«. Wir haben diesen Satz gut begabten Kindern im Alter zwischen 11 und 13 Jahren vorgelegt. Die Antwort fällt immer gleich aus, falls die Kinder die Aussage begreifen: absurd ist, daß man sich für weniger intelligent hält, als man ist. Wenn man intelligent ist, sagt das Kind, so weiß man, daß man es ist; wenn man sich nur für halb so intelligent hält, wie man in Wirklichkeit ist, so heißt das, daß man tatsächlich nur halb so intelligent ist usw. Man weiß, was man ist, man kennt notwendig sich selbst usw. Der gemeinschaftliche Nenner dieser Antworten ist alles in allem der, daß man unmöglich falsche Vorstellungen von sich selbst haben kann.

Das ist nur ein Anzeichen, aber ein signifikantes Anzeichen. Wir alle wissen, daß wir uns falsche Vorstellungen von uns selbst machen und daß die Selbsterkenntnis die schwierigste aller Erkenntnisse ist. Der noch ungebildete Geist, wie der des Kindes, weiß noch nichts davon. Er glaubt sich zu kennen, und er glaubt dies umgekehrt proportional zu seinem tatsächlichen Wissen über sich selbst. Wenn es sich noch mit 11 bis 12 Jahren so verhält, so kann man daran ermessen, wie es in den ersten Lebensjahren um das Selbstbewußtsein bestellt sein muß: Das Kind muß von sich selbst annehmen, es sei sich alles dessen, was mit ihm geschehe, bewußt, und jede Vorstellung einer unbewußten oder ungewollten Tätigkeit, welcher Art diese auch immer sei, muß ihm fremd sein. Erst durch eine Reihe von Erfahrungen sozialer und interindividueller Ordnung, die zeigen, daß nicht alles, was die anderen tun, intelligent oder auch nur gewollt ist und daß man selbst merkwürdigen Trugschlüssen über sich selbst zum Opfer fallen kann, kommt der Geist auf so unnatürliche Vorstellungen wie unbewußte Bewegungen oder ihrer selbst nicht bewußte Zustände. Wir behaupten selbstverständlich nicht, das Verschwinden des Animismus hänge mit dem Begriff eines psychologischen Unbewußten zusammen. Wir glauben nur, das Auseinanderhalten der ursprünglich halbpsychischen, halbphysischen Begriffe, mit anderen Worten: die Entpersönlichung des Wirklichen, sei mit den Fortschritten des Selbstbewußtseins verbunden. Solange das Kind nichts von Introspektion weiß, glaubt es sich vollständig zu kennen und hält es jedes Sein für seiner selbst bewußt. Im gleichen Maße, wie es sich selbst entdeckt, stellt es umgekehrt eine feine Skala der Aktivitäten auf, von der bewußten und reflektierten Aktion bis zur ungewollten und unbewußten Aktion.

Der Animismus, zumindest der diffuse Animismus, ist somit das Ergebnis einer Nichtunterscheidung der ursprünglichen Begriffe,

[11] Siehe British Journal of Psychology vom Oktober 1921.

und nur die Fortschritte bei der Selbsterkenntnis (eine Selbsterkenntnis, die aus dem sozialen Leben und dem Vergleichen mit anderen erwächst) können zu einer Aufspaltung dieser Begriffe führen. Wenn man jedoch den Animismus so erklärt, so ersetzt man anscheinend den Begriff der »Projektion«, der zumindest wie eine Erklärung aussieht, durch die bloße Feststellung eines Tatbestandes. Wenn man die Psychologie von der Biologie abtrennt und eine vollständig unabhängige Welt des Geistes annimmt, dann ist das offensichtlich so. Wenn man aber die biologische Wurzel der geistigen Operationen sucht und von den Beziehungen des Organismus zu seiner Umwelt ausgeht, um das Denken in seinen wirklichen Kontext zu stellen, so bemerkt man, daß der unscharfe Begriff einer »Projektion«, das heißt einer Transposition der inneren Inhalte des Bewußtseins in die Außenwelt, von einer unstatthaften und ontologischen Verwendung der Begriffe »innen« und »außen« herrührt. Die biologische Wirklichkeit ist die Assimilation der Umwelt durch den Organismus und die Transformation des Organismus in Funktion der Umwelt: ein kontinuierlicher Austausch. Dieser Austausch setzt selbstverständlich einen inneren Pol und einen äußeren Pol voraus, aber diese beiden Terme sind durch eine Beziehung in Form eines ständigen Gleichgewichts und einer gegenseitigen Abhängigkeit miteinander verbunden. Das ist das Wirkliche, aus dem die Intelligenz schrittweise ein Ich und eine Außenwelt herausschneidet. Wenn man sagt, am Anfang sei das Ich mit der Welt vermengt, so ersetzt man folglich eine unerklärbare »Projektion« des Ich in die Dinge durch den Begriff einer Assimilation der Außenwelt durch das Ich, eine Assimilation, die zweifellos mit der biologischen Assimilation kontinuierlich zusammenhängt. Unsere späteren Darlegungen, insbesondere die Untersuchung über den Ursprung des Kraftbegriffs (in unserem Buch über die physikalische Kausalität), versuchen den Inhalt dieses Begriffs herauszuarbeiten, so daß wir hier nicht näher darauf eingehen müssen.

Doch die Nichtunterscheidung zwischen den Begriffen allein erklärt den diffusen Animismus nicht. Gewisse systematische Überzeugungen wie diejenige, daß die Wolken oder die Gestirne uns nachfolgen, sich um uns kümmern usw., scheinen auf ein Mitwirken anderer Faktoren hinzuweisen. Hier muß die *Introjektion* genannt werden, das heißt diese Tendenz, das Reziproke der Gefühle, die man für sie empfindet, in die anderen Menschen oder in die Dinge zu verlegen.

Das Schema der Introjektion ist klar: Was dem Ich Widerstand leistet oder gehorcht, muß, so wird angenommen, eine mit der des Ich, das befiehlt oder den Widerstand zu überwinden versucht, identische Aktivität aufweisen. Das Bewußtsein einer Anstrengung setzt voraus, daß dem Widerstand leistenden Gegenstand eine Kraft zugesprochen wird; das Bewußtsein eines Verlangens setzt voraus, daß dem Hindernis eine Intentionalität zugesprochen wird; das Bewußtsein des Schmerzes setzt voraus, daß dem Gegenstand, der den Schmerz verursacht, Böswilligkeit zugesprochen wird usw.

Die Ursache der Introjektion ist offensichtlich die Egozentrizität, das heißt jene Tendenz, anzunehmen, alles drehe sich um das eigene Ich. Die Überwindung der Egozentrizität, also die Verwirklichung einer nicht persönlich gefärbten Schau der Dinge, bedeutet gleichzeitig eine Überwindung der Introjektion. Die folgenden Tatsachen sollen diesen Mechanismus aufzeigen:

»*Wer hat das* (die eigene Hand) *berührt?*«, fragt Nel. »*Es tut mir da weh. Die Mauer hat mich geschlagen*« (Nel im Alter von 2;9 Jahren).

Oder diese Kindheitserinnerung von Michelet: »Fast wäre mir der Kopf durch ein Hebefenster abgetrennt worden. Ich war auf einen Stuhl geklettert und schaute in den Hof hinunter. Meine Großmutter wollte mich wegziehen, als das Fenster mit Getöse herunterfiel. Uns beiden verschlug es für kurze Zeit die Sprache. Meine ganze Aufmerksamkeit galt diesem Fenster, das sich ganz von alleine wie eine Person und sogar noch viel schneller bewegt hatte. Ich war davon überzeugt, daß es mir etwas hatte antun wollen, und ich hatte noch lange ein Gefühl von Angst und Wut, wenn ich in seine Nähe kam.«[12]

Das ist der einfachste Fall: Die Körper, die einen Schmerz oder Angst auslösen, werden als mit einer Absicht ausgestattet empfunden, weil das Ich noch egozentrisch ist und deshalb nicht unbeteiligt oder unpersönlich urteilen kann. Solche Fälle kommen oft vor, wir müssen hier nicht alle aufzählen.

Ein Spezialfall muß hingegen erwähnt werden, wenn nämlich das Kind den Dingen eine Bewegung, eine anthropozentrische Bewegung, zuschreibt, ohne seiner Täuschung innezuwerden. Das ist der Fall der Gestirne oder der Wolken, die uns nachzufolgen scheinen. Das Kind hält in diesen Fällen die scheinbare Bewegung nicht nur für wirklich, weil es nicht zwischen dem eigenen und dem objektiven Standpunkt unterscheidet, sondern es stellt sich auch sofort vor, die Gestirne würden ihm mit Absicht folgen. Durch Introjektion spricht es dann der Sonne und dem Mond allerlei menschliche Empfindungen zu.

In diesen Bereich gehören zweifellos die beiden folgenden Beobachtungen:

---

[12] J. Michelet: Ma jeunesse. Paris. S. 17.

Einer unserer Mitarbeiter erinnert sich deutlich des merkwürdigen Experiments, daß er sich oft blitzschnell umdrehte, um zu prüfen, ob die Dinge, an denen er vorbeigegangen war, noch da oder verschwunden seien.

Dieses Experiment hat viel Ähnlichkeit mit folgenden Fragen. Bohn[13] hat dieses Gespräch mit einem Knaben von 5;1 Jahren publiziert: »*Papa, ist das alles hier?* – Was, das alles? – *Alle diese Sachen. Sehe ich alle diese Sachen richtig?* – Du kannst sie sehen und spüren. Sie sind immer da. – *Nein, sie sind nicht immer da. Wenn ich an ihnen vorbei gehe, sind sie nicht da.* – Wenn du dich umdrehst, sind sie immer am gleichen Platz. – *Sie sind ganz lebendig. Sie gehen und kommen immer. Wenn ich ganz nahe zu ihnen gehe, kommen sie ganz nahe zu mir.* – Ja, sind sie denn nicht immer am gleichen Platz? – *Nein; ich träume sie nur, und sie kommen und gehen in meinem Traum.*« Daraufhin geht das Kind langsam durch das Zimmer, es berührt die Gegenstände und sagt: »*Schau sie an, wie sie kommen und gehen.*«

Diese beiden Beobachtungen sind höchst bedeutsam. In beiden Fällen fragt sich das Kind, ob die Veränderungen, die es in seinem Gesichtsfeld wahrnimmt, auf seine eigenen Bewegungen, also auf seine eigene Aktivität, oder auf die Dinge selbst zurückzuführen seien. In dem Maße, wie es der zweiten Lösung zuneigt, ist es animistisch. In dem Maße, wie es sich für die erste Lösung entscheidet, wie es sich somit seiner eigenen Rolle in der fortwährenden Veränderung der Perspektive, in der es die Dinge sieht, bewußt ist, ist es nicht mehr animistisch. Die beiden Beobachtungen stammen aus einer Zeit, da das seiner selbst halb bewußt gewordene Ich ein Gefühl der Seltsamkeit empfinden mußte, als es sich Gedanken über den Anteil der Dinge und den Anteil seiner Aktivität an der Struktur der Welt machte. Das zweite Kind befindet sich übrigens noch in einer quasi-magischen Partizipationshaltung den Dingen gegenüber: sie »gehen in meinem Traum«.

In diesen beiden und vielen gleichartigen Fällen ist somit der Animismus ein Ergebnis der Egozentrizität. Das Ich ist sich seiner Grenzen zureichend bewußt, um zu wissen, daß die Gestirne oder die Dinge nicht direkt vom eigenen Wunsch oder Willen abhängig sind (deshalb ist in diesen Fakten fast keine Magie mehr zu finden), aber noch nicht bewußt genug, um einzusehen, daß die scheinbaren Bewegungen der Dinge auf eine durch die eigene Perspektive bedingte Täuschung zurückzuführen sind.

Die Introjektion ergibt sich somit, kurz gesagt, aus der egozentrischen Tendenz anzunehmen, daß sich alles um uns drehe, und sie besteht darin, daß den Dingen ein eigenes Vermögen, uns zu gehorchen oder aber Widerstand zu leisten, zugesprochen wird.

Es sieht so aus, als würden wir hier wieder stärker der von Ribot oder von Freud vorgeschlagenen Lösung zuneigen, wonach der

---

[13] Bohn: A childs Question. In: Pedagogical Seminary (1916).

Animismus auf eine einfache Projektion zurückzuführen sei. Es muß deshalb noch einmal betont werden, daß die Introjektion nicht ohne die Nichtunterscheidung möglich ist, von der wir eben gesprochen haben. Sie ist, wenn man so will, eine tertiäre Nichtunterscheidung (im Gegensatz zur sekundären von weiter oben), die den Dingen nicht nur das zuspricht, was für uns eigentümlich ist (Leben, Bewußtsein, die nach Meinung des Kindes nicht von der Aktivität oder der Bewegung im allgemeinen getrennt werden können), sondern auch das Reziproke unserer Eigenschaften: Bösartigkeit, wenn wir Angst haben, Gehorsam, wenn wir befehlen, willentlicher Widerstand, wenn wir uns mit unseren Befehlen nicht durchsetzen können usw. Die Introjektion ist bei einem nicht-realistischen Geist unmöglich: Der Stein, an den das Kind stößt, kann nur als bösartig aufgefaßt werden, wenn jede Aktivität als von einer Absicht getragen aufgefaßt wird usw.

Die gegenseitige Abhängigkeit von Introjektion und Nichtunterscheidung wird durch die folgenden Umstände eindeutig bestätigt. Das ursprüngliche Nichtauseinanderhalten der Begriffe rührt, wie wir gesehen haben, mehr vom kindlichen Realismus her, als vom fehlenden Selbstbewußtsein oder von der Unfähigkeit, zwischen der Tätigkeit und dem denkenden Subjekt zu unterscheiden. Die Introjektion ist andererseits mit der Egozentrizität verbunden, aus der sie hervorgeht und die sie umgekehrt wiederum fördert. Und eben auf die Egozentrizität ist auch der Realismus zurückzuführen: daß man die Rolle der eigenen Perspektive, die den Geist realistisch und eine Unterscheidung zwischen dem Subjektiven und dem Objektiven unmöglich macht, nicht sieht.

Das frühe Bewußtsein ist somit in einer Art Zirkel eingeschlossen: Um die unscharfen Begriffe zu trennen, in denen Objektives mit Subjektivem vermischt ist, müßte das Denken seiner selbst bewußt werden und sich von den Dingen lösen; um sich aber von den Dingen zu lösen, dürfte es nicht die trügerischen Eigenschaften in sie introjizieren, die auf die egozentrische Perspektive zurückzuführen sind. Im gleichen Maße, wie das Ich durch Gedankenaustausch und Diskussionen zwischen Individuen seiner selbst bewußt wird und sich von seiner Egozentrizität löst, hört es umgekehrt auf, Gefühle in die Dinge zu introjizieren, und vermag es sich, indem es die unscharfen ursprünglichen Begriffe auseinanderhält, vom Animismus auch in seiner diffusen Form zu befreien.

Jetzt wollen wir zu den sozialen Faktoren übergehen, die dem kindlichen Animismus Dauerhaftigkeit geben. Wir unterscheiden auch hier zwei komplementäre Gruppen: einerseits die Partizipationsgefühle, die das Kind seiner sozialen Umwelt gegenüber empfinden muß, und andererseits die moralische Notwendigkeit, der das Kind durch die Erziehung unterworfen ist.

Der erste dieser Faktoren ist sehr wichtig. Wie wir im Zusammenhang mit der Magie gesehen haben, muß das Kind, dessen ganze Aktivität von der Wiege an mit einer komplementären Aktivität seiner Eltern verbunden ist, in seinen ersten Lebensjahren mit dem Eindruck leben, es sei fortwährend von wohlwollenden Gedanken und Aktionen umgeben. Es muß ihm so vorkommen, als wäre jede seiner Intentionen seinen Angehörigen bekannt und als würde sie von diesen geteilt. Es muß sich fortwährend für beobachtet, verstanden und behütet halten. Später, beim ersten Gedankenaustausch mit Geschwistern oder Freunden, bleibt diese Tendenz, sich schon auf bloße Andeutungen hin immer verstanden zu fühlen, bestehen, und in dieser Tatsache, haben wir gesehen (SD, Kapitel I, III), wurzelt die egozentrische Sprache des Kindes: das Kind glaubt, alle Menschen würden wie es denken, weil es nie versucht hat, über seinen eigenen Standpunkt hinauszugelangen.

Falls es sich tatsächlich so verhält, muß dieses Gemeinschaftsgefühl seine ganze Weltschau durchdringen. Die Natur muß voller wohlwollender oder beunruhigender Wesen sein. Die Tiere, darauf wurde oft hingewiesen, lösen gleichartige Beziehungen aus, und das Kind hat sicher bisweilen den Eindruck, von ihnen verstanden zu werden oder sich ihnen verständlich machen zu können:

Nel (2;9), deren Aussagen wir schon im § 1 zitiert haben, führt beispielsweise oft Gespräche mit Tieren »*Lebwohl, Kuh*«, sagt sie zu einer Kuh, die sie ein Stück weit begleitet hat: »*Komm, komm, komm, Kuh. Komm, Kuh.*« Zu einer Heuschrecke: »*Du siehst, das Fräulein Récri* (= die Heuschrecke) ... (Die Heuschrecke hüpft weg.) *Was willst du dort, Heuschrecke?*«

Pie (6 Jahre) vor einem Aquarium: »*Oh, wie er* (ein Salamander) *über diesen großen Riesen* (einen Fisch) *staunt. Salamander, mußt die Fische essen!*«

Das scheint reines Fabulieren zu sein. Wir wollen uns aber daran erinnern (vgl. 2. Kapitel, Abschnitt 2), daß noch 8jährige Kinder nicht daran zweifeln, die Tiere würden ihren Namen kennen: »Weiß ein Fisch, daß er Fisch heißt? – *Sicher*!« (Mart, 8;10).

Bekannt sind die von Freud unter der Bezeichnung »infantile Wiederkehr des Totemismus«[14] zitierten Fälle. Gleichgültig wie man diese Fakten interpretiert, sie zeigen uns zwei Dinge. Einerseits vermengt das Kind bestimmte Tiere mit seinem sittlichen Leben. Andererseits spricht es eben deswegen Tieren bestimmte Gefühle zu, die es im Umgang mit seinen Eltern erfahren hat: Wenn es sich beispielsweise schuldig fühlt, glaubt es, dem Tier sei diese Schuld bekannt usw. Bei den Beispielen, die Freud zitiert, kann man sich zweifellos fragen, welchen Anteil den Erziehern an

---

[14] Freud: Totem und Tabu, Studienausgabe. Band 9. Frankfurt a. M. 1974. S. 387 ff.

der Entstehung der kindlichen Überzeugung zukommen könnte: Es gibt ja immer wieder Menschen, die so dumm sind, ihren Kindern, wenn diese nicht »brav« sind usw., mit »bösen« Hunden oder Pferden zu drohen. Die spontane Neigung des Kindes, das ganze Universum als Zeugen seiner Schuld zu betrachten, wenn es Angst oder Gewissensbisse empfindet, ist jedoch so verbreitet, daß die von Freud, Wulf, Ferenczi u.a. zitierten Fakten sehr wahrscheinlich zum Teil spontane Überzeugungen sind. Daß solche Partizipationsempfindungen schließlich auf die Dinge selbst übertragen werden können und daß diese Tatsache einer der Faktoren des kindlichen Animismus ist, daran läßt sich kaum zweifeln. Eine Spur dieser Neigung der Kinder, sich beobachtet und sogar überwacht zu fühlen, glauben wir zumindest in gewissen Antworten zur Sonne und zum Mond zu finden, die wir im § 2 zitiert haben. Der Mond »überwacht uns«, sagt Ga (8 ½), die Sonne bewegt sich, »um zu hören, was man sagt« (Jac, 6 Jahre). Der »Mond ist neugierig« (Pur, 8;8), die Sonne »schaut uns zu« (Fran, 9 Jahre) usw. Bekannt ist andererseits, daß Kinder erschrecken, wenn sie vom Bett aus den Mond sehen. Der Mond schickt uns die Träume, sagt Ban mit 4 ½ Jahren. Wir haben aber vor allem auch den von James zitierten Fall des Taubstummen (Abschnitt 2 im ersten Kapitel) kennengelernt, der den Mond zu seinem moralischen Leben in Beziehung brachte, ihn für die Strafen verantwortlich hielt, die er erleiden mußte, und ihn schließlich mit seiner seit einiger Zeit toten Mutter identifizierte.

Von dieser geistigen Haltung der Kinder muß man als wichtigen Faktor für den Animismus das Gefühl der sittlichen Verpflichtung unterscheiden, welches das Kind während seiner Erziehung erwirbt. Wie Bovet in einer bemerkenswerten Untersuchung[15] gezeigt hat, geht das Pflichtgefühl aus der Achtung für die Weisungen und diese Achtung selbst wieder aus dem Respekt hervor, den das Kind vor demjenigen empfindet, der die Weisungen gegeben hat. Aus der Untersuchung der Fragen eines Kindes ergibt sich (SD, Kapitel V), daß ein 6jähriges Kind sehr viele Fragen zu den Verhaltensregeln stellen kann. Auch bei 2- bis 5jährigen Kindern stößt man fortwährend auf derartige Fragen: »Warum muß man das tun?«, »Muß man es so tun?«, »Macht man es so?« usw. Eine solche Sorge um die Phänomene, die lange vor dem Bedürfnis nach einer Erklärung für das »Wie« festzustellen ist, durchdringt die ganze geistige Haltung des Kindes. Dabei wird die physische mit der moralischen Notwendigkeit vermengt: Die Regelmäßigkeiten in der Natur haben einen moralischen Ursprung, und die physi-

---

[15] Bovet: Les conditions de l'obligation de conscience. In: Année psychologique. Band 18 (1912).

sche Kraft wird in der Art des Zwangs aufgefaßt, den die Führer auf die gehorchenden Untertanen oder die Großen auf die Kleinen ausüben. Daß das ein besonderer Faktor für den Animismus ist, davon haben wir uns im Abschnitt 3 dieses Kapitels hinreichend überzeugt: Nicht weil das Kind die Dinge für lebendig hält, hält es sie für gehorsam, sondern weil es sie für gehorsam hält, hält es sie für lebendig.

Faktoren individueller und sozialer Ordnung (die letzteren sind im übrigen nur eine Weiterung der ersteren, worauf wir aber nicht näher eingehen wollen) greifen also, kurz gesagt, bei der Ausformung und Entwicklung des kindlichen Animismus ineinander über. Um der Vollständigkeit willen müssen wir noch einen Faktor erwähnen, der für sich allein zwar keine Ursache des Animismus ist, der aber für die Systematisierung des Animismus von großer Bedeutung ist: die Sprache der Umgebung.

Die Sprache ist aus zwei Gründen wichtig. Laut einer Feststellung von Bally ist die Ausdrucksfähigkeit einer Sprache immer regressiv, das heißt für bildhafte Ausdrücke greift man jeweils auf nicht mehr gültige Denkformen zurück. Man sagt beispielsweise bildhaft, »die Sonne versucht den Nebel zu vertreiben«, was eine animistische und dynamische Sprechweise ist, die sich überhaupt nicht um den tatsächlichen Abstand zwischen der Sonne und den Nebelschwaden kümmert, sondern so tut, als würden sich die beiden Elemente unmittelbar gegenüberstehen. Man darf sich deshalb nicht wundern, wenn das Kind Personifizierungen der Sprache (»die Sonne geht unter«), finalistische Formulierungen (»der Bach fließt, damit er zum See kommt«), anthropomorphistische und artifizialistische Ausdrücke (»die Wärme bringt das Wasser zum Kochen«, »der Dampf versucht zu entweichen«) und quasi-magische Vorstellungen (»die Wolken künden Regen an«) wortwörtlich nimmt. In der Sprache der Erwachsenen finden sich viele Elemente, die den kindlichen Animismus fördern, und dies um so mehr, als das Kind ganz allgemein alle Metaphern buchstabengetreu auffaßt: Ein »gebrochener Arm« ist für es ein Arm, der zu Boden gefallen ist, und »zum Teufel gehen« ist für ein 9jähriges Kind, das wir untersucht haben, der Beweis dafür, daß der Teufel nicht weit von uns weg wohnt.

Offensichtlich ist jedoch die Sprache in allen diesen Fällen nicht die Ursache als solche des kindlichen Animismus. Sie ist nur der Grund dafür, daß dieser Animismus einen vorgezeichneten, und nicht irgendeinen anderen, Verlauf nimmt. Es besteht, wie Stern[16] sagt, bloß eine »Konvergenz« zwischen den regressi-

---

[16] C. Stern: Die Kindersprache, Leipzig 1907.

ven Tendenzen der Sprache und der geistigen Haltung des Kindes. Die Sprache ist kindlich: nicht das Kind wird durch die Sprache geformt.

Dazu kommt noch etwas. W. Jerusalem[17] hat festgestellt, daß die Sprache selbst, abgesehen von ihren außergewöhnlichen Bildern, die einfachsten Urteile »dramatisiert«: die Trennung des Subjekts vom Verb und vom Prädikat bringt das Denken dazu, das Subjekt zu substantialisieren, diesem eine Eigenaktivität und unterscheidende Eigenschaften zuzusprechen, als ob das Subjekt etwas anderes als die Summe seiner Aktionen und die Summe seiner Eigenschaften wäre. Wenn zum Beispiel Ross (9;9) sagt, der Wind wisse vielleicht nicht, was er tue, »weil das keine Person ist«, müsse aber dennoch wissen, daß er blase, *»weil er es ist, der bläst«*, so weist er auf höchst interessante Weise gerade auf das Problem hin, das uns hier beschäftigt. Vom Winde sagen, »er ist es, der bläst«, bedeutet doch eben gerade, daß man aus ihm ein aktives, substantielles und permanentes Wesen macht. Damit fällt man dreimal der Sprache zum Opfer. Wenn diese Sprache sagt »der Wind bläst« oder ganz einfach vom »Wind« wie von einem Wesen spricht, so begeht sie die dreifache Absurdität, daß sie annimmt, der Wind sei unabhängig vom Akt des Blasens, es könnte einen Wind geben, der nicht bläst, und der Wind subsistiere unabhängig von seinen äußeren Manifestationen. Für uns ist es derart natürlich, so zu sprechen, daß wir diese Formulierung fast für richtig halten. Wenn wir sagen, »zu kaltem Fisch gehört Mayonnaise«, so wissen wir, daß es nicht etwa der Fisch ist, der eine solche Forderung stellt, wenn wir aber sagen »der Wind bläst«, so meinen wir tatsächlich, »er« blase. So wird der Gedankengang von Ross verständlich: Ross ist Substantialist, ohne es zu wissen, wie der »gesunde Menschenverstand« und die Sprache selbst.

Solche Fakten sprechen sicher für die Meinung von Max Müller, wonach der Animismus der Naturvölker wie übrigens jede Religion eine »Krankheit der Sprache« sei. Selbstverständlich besteht aber auch hier wieder nur eine Konvergenz zwischen der Sprache und der Mentalität der Naturvölker oder der Kinder. Das Denken schafft die Sprache und übersteigt sie dann, aber die Sprache wirkt auf das Denken zurück und will es in sich einschließen.

Man ersieht daraus, wie komplex alles in allem die Entstehung des Animismus ist. Man dürfte aber auch festgestellt haben, daß, vom verbalen Faktor abgesehen, grundsätzlich dieselben Faktoren, die die Ausformung der Partizipationsgefühle und der magischen Kausalität bewirken, auch für die Entstehung des kindlichen Animismus verantwortlich sind. Der Animismus und die Partizipation

---

[17] W. Jerusalem: Die Urtheilsfunction. Wien und Leipzig 1895. S. 109 ff.

sind komplementäre Phänomene oder, besser gesagt, interdependente Phasen in ein und demselben Prozeß, durch den das Wirkliche gefestigt wird. Man kann in diesem Prozeß drei Etappen unterscheiden. In der ersten Etappe wird das Ich vollständig mit den Dingen vermengt: eine Partizipation von allem mit allem, wobei der Wunsch eine magische Wirkung auf die Wirklichkeit hat. In der zweiten Etappe differenziert sich das Ich von den Dingen, aber die Dinge bleiben mit dem Subjekt verwachsen. Das Ich empfindet sich deshalb als teilweise an den Dingen partizipierend und hält sich für fähig, aus Distanz auf die Dinge einzuwirken, weil es die verschiedenen Werkzeuge, mit deren Hilfe es die Dinge denkt (Wörter, die Bilder, die Gesten usw.), als mit diesen verbunden ansieht. Andererseits sind die Dinge notwendig beseelt, denn das Psychische und das Physische werden noch nicht auseinandergehalten, weil sich das Ich noch nicht von den Dingen gelöst hat. In dieser zweiten Etappe sind somit die Magie und der Animismus komplementär. In dieser Phase kann das Kind, das glaubt, die Sonne und der Mond folgten ihm nach, diese Tatsache sowohl magisch (»ich setze sie in Bewegung«) als auch animistisch (»sie sind es, die mir nachfolgen«) interpretieren. In einer dritten Etappe schließlich hat sich das Ich derart von den Dingen gelöst, daß die Denkwerkzeuge nicht mehr als mit den Dingen verwachsen aufgefaßt werden. Die Wörter sind nicht mehr in den Dingen, die Bilder und das Denken werden im Kopf lokalisiert. Die Gesten haben keine Wirksamkeit mehr. Die Magie ist zu Ende. Wie wir aber (Kapitel II, Abschnitt 4) gesehen haben, wird die Unterscheidung zwischen dem Zeichen und dem bezeichneten Gegenstand vor der zwischen dem Innen und dem Außen und insbesondere der zwischen dem Psychischen und dem Physischen vorgenommen. Mit anderen Worten, die Unterscheidung zwischen dem Ich und den Dingen kann schon weit fortgeschritten sein, ohne daß die objektiven und die subjektiven Begriffe bereits derart auseinandergehalten werden, daß der Animismus verschwindet. In dieser dritten Etappe kann somit der Animismus noch fortbestehen, während die Magie bereits am Verschwinden ist. Die Partizipationsgefühle verblassen ebenfalls oder nehmen die ganz animistische Form einer einfachen geistigen Verbindung an: Das Kind hält die Sonne vielleicht immer noch für lebendig, während es bereits von der Vorstellung abgekommen ist, sie folge ihm nach; es kann immer noch der Meinung sein, die Sonne kümmere sich um uns und wolle unser Bestes, doch das sind Beziehungen, die nur von Person zu Person einsichtig sind. Es handelt sich nicht mehr um eine Partizipation im eigentlichen Sinne des Wortes, insofern keine substantiellen Partizipationen mehr möglich sind. Daß der Animismus die Magie überlebt und auch ursprüngliche Partizipationen einschließt, die freilich rationalisiert werden, das werden uns die Fakten zeigen, die wir bei der Untersuchung des Artifizialismus vorlegen werden. Für den Augenblick begnügen wir uns mit der Schlußfolgerung, daß Magie und Animismus in den frühen Stadien miteinander verwandt und zueinander reziprok sind.

Dritter Teil
Der kindliche Artifizialismus und die späteren Stadien der Kausalität

Wir übernehmen den Ausdruck »Artifizialismus« aus einer Studie von Brunschvicg über die aristotelische Physik[1]. Nach Brunschvicg konvergieren im peripatetischen System zwei Tendenzen, deren Antagonismus sich in der stoischen und mittelalterlichen Physik äußert: die eine bringt den Stagiriten dazu, jedes Ding als das Produkt einer Kunstfertigkeit, einer zur menschlichen Technik analogen Kunstfertigkeit, zu betrachten; die andere veranlaßt ihn, alle Körper mit inneren Kräften und Trieben, analog denen der Lebewesen, zu beseelen. »Aristoteles«, sagt Brunschvicg, »spricht bald als *Bildhauer,* bald als *Biologe.*[2] Die erstere dieser Tendenzen, die dazu führt, daß man die Dinge als das Ergebnis einer transzendenten »Fabrikation« betrachtet, bezeichnet der genannte Autor als »Artifizialismus«. Der Artifizialismus des Aristoteles ist selbstverständlich reflektiert und steht zur gesamten peripatetischen Philosophie in Beziehung, insbesondere mit dem Substantialismus der Klassenlogik. Dieser Artifizialismus ist zudem ebenso immanent wie transzendent: Die fabrikatorische Tätigkeit wird sowohl der Natur (die freilich als dämonisch aufgefaßt wird) als auch dem göttlichen Beweger zugesprochen. Der kindliche Artifizialismus hingegen ist eher implizit als systematisch und transzendent als immanent: Die Dinge werden eher als das Ergebnis einer menschlichen Fabrikation angesehen, ohne daß ihnen selbst eine fabrikatorische Tätigkeit zugesprochen wird. Doch hier wie beim Animismus sind die Wörter Nebensache. Falls man die Unterschiede zwischen dem kindlichen und dem griechischen Artifizialismus klar hervorhebt, läßt sich dieses Wort mit Vorteil in beiden Fällen zur Bezeichnung dieser gleichen Tendenz verwenden, die materielle Kausalität mit der menschlichen Fabrikation zu vermengen.

Mehr noch, der Konflikt, den Brunschvicg zwischen der immanenten Dynamik des Biologismus und der transzendenten Dynamik des Artifizialismus in der aristotelischen Physik aufzeigt, entspricht möglicherweise, wenn selbstverständlich auch auf einer viel weniger reflektierten Ebene, dem Dualismus, den wir beim Kind finden werden und der folglich etwas sehr Allgemeines in der Geschichte des menschlichen Denkens darstellen muß, nämlich

---

[1] L. Brunschvicg: L'expérience humaine et la causalité physique. Bücher V–VII. Paris 1922.
[2] Ebenda S. 140.

diesem Dualismus von Animismus und Artifizialismus: einerseits sind die Dinge lebendig, aber andererseits sind sie hergestellt. Ist dieser Dualismus ein ursprüngliches oder bloß ein abgeleitetes Element des kindlichen Denkens? Bewirkt er einen Konflikt oder gibt es ein Stadium, in dem sich der Animismus und der Artifizialismus gegenseitig implizieren? Das werden wir untersuchen müssen.

Doch der kindliche Artifizialismus ist ein viel zu üppig wucherndes Phänomen – wuchernd in seinen Äußerungen wie in den psychologischen Komponenten an seiner Wurzel –, als daß wir unsere Darlegungen in eine systematische Form bringen könnten. Wir kommen nicht darum herum, eher analytisch als synthetisch vorzugehen, das heißt wir studieren nacheinander die Erklärungen, welche die Kinder für den Ursprung der Gestirne, des Himmels, der Wasserläufe, der Rohstoffe, der Berge usw. geben, und beschreiben nicht so sehr die verschiedenen Stadien, die dieser Artifizialismus aufweist, wenn man ihn in seiner ganzen Breite untersucht. Diese Methode weist übrigens einige Vorteile auf, denn sie präjudiziert nichts im Hinblick auf die Homogenität und Synchronizität der artifizialistischen Auffassungen des Kindes.

Im weiteren wollen wir festhalten, daß wir hier nur von den kindlichen Vorstellungen über den Ursprung der Dinge sprechen, nicht aber über die Tätigkeit der Körper oder über die Ursache ihrer Bewegungen. Diese Fragen werden in unserem Buch über die physikalische Kausalität (PK) behandelt.

Schließlich soll Sully die verdiente Ehrung widerfahren. Er hat darauf hingewiesen, daß es den kindlichen Artifizialismus gebe und daß dieser ein bedeutungsvolles Phänomen sei: »Die einzige Herkunftsart, mit der der kleine Denker wirklich und unmittelbar vertraut ist«, hat er gesagt, »ist die Fabrikation der Dinge.«[3]

---

[3] Siehe J. Sully: Etudes sur l'enfance. Paris 1898. S. 113f. und 179. (Deutsch: Untersuchungen über die Kindheit. Leipzig 1897.)

Kapitel VIII
Der Ursprung der Gestirne

Kinder zu fragen, woher die Sonne, der Mond und die Gestirne kämen, mag merkwürdig klingen. Wir selbst sind während Jahren nicht auf diese Idee gekommen, und als wir darauf kamen, zögerten wir lange, bis wir sie in die Tat umsetzten, weil wir befürchteten, die Kinder würden meinen, wir wollten uns über sie lustig machen. Doch für Kinder gibt es keine absurden Fragen. Sich auszumalen, woraus die Sonne hervorgegangen sei, bringt sie kaum mehr in Verlegenheit, als sich vorzustellen, woher die Flüsse, die Wolken oder der Rauch kommen. Sollte das ein Beweis dafür sein, daß die Kinder die Psychologen nur zum besten halten und daß die Antworten, die sie geben, keinen spontanen Hintergrund in ihrem wirklichen Denken haben? Nicht in dem Maße, wie man meinen könnte. Wir sind der Meinung, mehrere der Phänomene, die die folgende Untersuchung aufdecken wird, würden spontanen Haltungen des Kindes entsprechen. Kindliche Fragen zeigen zum Beispiel, wie sehr sich die Kinder für die mit den Gestirnen zusammenhängenden Fragen interessieren, und die Art, wie diese Fragen gestellt werden, zeigt auch an, welche Antwort sie sich selbst zu geben geneigt wären. Wir wollen diesen Punkt kurz untersuchen, denn es ist außerordentlich wichtig, daß man die eigenen Tendenzen des Kindes nicht durch ungeschickte Fragestellungen verfälscht.

Unter den Fragen von 3- bis 5jährigen Kindern findet man folgende Beispiele: Fran (2;5) fragt: »*Wer macht die Sonne?*« Schon die Form dieser Frage ist artifizialistisch. Stanley Hall zitiert folgende Fragen. Ein 5jähriges Kind: »*Warum gibt es einen Mond?*«, ein 3 ½ Jahre altes Kind: »*Wer macht, daß die Sonne scheint?*« und »*Wer bringt die Sterne in der Nacht an den Himmel?*«, oder ein 5jähriges Kind: »*Wer macht, daß die Sterne leuchten?*«
Es läßt sich auch ein spontanes Interesse für die Mondphasen feststellen, auf deren Beziehungen zum Artifizialismus wir noch zu sprechen kommen werden. Ein 5jähriges Kind: »*Warum ist der Mond nicht rund? Warum kann er manchmal rund sein?*« Ein 9jähriges Kind: »*Warum hat der Mond nicht immer die gleiche Form? Warum ist er manchmal groß und dann klein?*« und »*Woraus ist der Mond gemacht?*«

Man erkennt in diesen Fragen die Tendenz, die Gestirne als fabriziert zu betrachten und einen vorkausalen Grund für alle ihre Manifestationen anzugeben. Dasselbe gilt für das folgende Beispiel:

D'Estrella, einer der von W. James zitierten Taubstummen (siehe Kapitel VII, Abschnitt 1) berichtet von sich selbst (in der dritten Person) folgendes: »Er glaubte, die Sonne sei ein Feuerball. Zuerst glaubte er, es gebe mehrere Sonnen, eine für jeden Tag. Er verstand nicht, wie sie aufgehen und untergehen konnten. Eines Abends sah er zufällig Knaben, die mit Öl getränkte und angezündete Schnurknäuel in die Luft warfen und wieder auffingen. Er dachte wieder an die Sonne und sagte sich, sie werde wohl auf die gleiche Weise in die Luft geworfen und wieder eingefangen. Durch welche Kraft aber? Er nahm deshalb an, es müsse hinter den Hügeln (die Stadt San Francisco ist ganz von Hügeln eingefaßt) einen großen und irgendwo gut versteckten Mann geben. Die Sonne war der Feuerball, der ihm als Spielzeug diente, und er vergnügte sich damit, ihn jeden Morgen ganz hoch in den Himmel hinauf zu werfen und ihn am Abend wieder einzufangen. ... Er stellte sich vor, der Gott [= der große und starke Mann] zünde die Sterne für seinen persönlichen Gebrauch an, so wie wir es mit den Gashähnen tun.«

Sieht man von der logischen Form ab, in die d'Estrella seine Erinnerungen kleidet, so entsprechen sie den Antworten, die wir analysieren wollen, zu sehr, als daß diese Konvergenz nicht auffallen müßte.

Die Fragen, die wir unseren Kindern stellen, sind somit, kurz gesagt, nicht ohne Zusammenhang mit gewissen spontanen Fragen. Es braucht aber mehr, damit wir der anzuwendenden Methode volles Vertrauen schenken können. Die Antworten der verschiedenen Altersstufen müssen eine gewisse Kontinuität aufweisen, und diese Kontinuität ihrerseits muß mit einer gewissen Abstufung verbunden sein. Die Fakten werden das zeigen.

Man kann in der Entwicklung der Vorstellungen über den Ursprung der Gestirne drei mehr oder weniger klar gegeneinander abgegrenzte Stadien unterscheiden. Im ersten Stadium führt das Kind diesen Ursprung auf eine menschliche (oder göttliche, aber wir werden sehen, daß das auf dasselbe hinausläuft) Fabrikation zurück. Im zweiten Stadium ist die Herkunft der Gestirne halbnatürlich, halb-künstlich: Sie sind zum Beispiel durch die Kondensation von Wolken entstanden, aber die Wolken selbst sind aus Rauch aus den Kaminen oder aus durch Menschen fabriziertem Rauch hervorgegangen. Im dritten Stadium schließlich kommt das Kind zur Vorstellung, daß der Ursprung der Sonne nichts mit menschlicher Tätigkeit zu tun habe. Das Kind erfindet einen natürlichen Ursprung (Kondensation der Luft, der Wolken usw.) oder lehnt es, seltener, ab, auf diese Frage nach dem Ursprung eine Antwort zu geben, weil sie zu schwierig sei.

1. Ein ursprünglicher Fall des ersten Stadiums

Einer der signifikantesten Fälle, die wir erhalten haben, ist Roy, bei dem gewisse ursprüngliche Züge auf eine anfängliche Verbindung zwischen dem Animismus und dem Artifizialismus hinweisen. Wir zitieren sein Protokoll fast vollständig.

Roy (6 Jahre): »Wie hat die Sonne angefangen? – *Das war, als das Leben angefangen hat.* – Ist die Sonne immer dagewesen? – *Nein.* – Wie hat sie angefangen? – *Weil sie wußte, daß das Leben begonnen hatte.* – Wie ist das geschehen? – *Mit Feuer.* – Wie denn? – *Weil es Feuer dort oben hatte.* – Woher kam dieses Feuer? – *Vom Himmel.* – Wie ist es im Himmel entstanden? – *Weil es ein Zündholz hatte, das sich entzündet hat.* – Woher kam es? – *Der liebe Gott hatte es hingeworfen.*« Etwas später: »Was ist das Leben? – *Das ist, wenn man lebendig ist.* – Was hat gemacht, daß das Leben angefangen hat? – *Das waren wir, als man gelebt hat.*«
Etwas später, im Zusammenhang mit den Mondphasen, sagt Roy: »Er (der Mond) *ist ganz geworden.* – Wie denn? – *Weil er wächst.*« »Wie wächst der Mond? – *Weil er größer wird.* – Wie geschieht das? – *Weil wir größer werden.* – Wer macht, daß er größer wird? – *Es sind die Wolken* (Roy hat wenig früher gesagt, es seien die Wolken, die den Mond in Halbmonde zerschneiden: »*Es sind die Wolken, die ihn zerschnitten haben*«.) – Wie machen sie das? – *Sie helfen ihm, größer zu werden.*« »Wie hat der Mond angefangen? – *Weil wir angefangen haben, lebendig zu sein.* – Was hat das bewirkt? – *Das hat den Mond größer gemacht.* – Ist der Mond lebendig? – *Nein ... ja.* – Warum? – *Weil wir lebendig sind.* – Wie wurde der Mond gemacht? – *Weil wir gemacht worden sind.* – Und das hat bewirkt, daß der Mond größer geworden ist? – *Ja.* – Wie? – *...* – Warum? – *Die Wolken haben ihn größer gemacht.*« »Ist die Sonne lebendig? – *Ja.* – Warum? – *Weil wir lebendig sind.* – Weiß sie, wenn es Tag ist? – *Ja.* – Wie? – *Sie sieht, daß es Tag ist.*«
Drei Wochen später kommt Roy noch einmal zu uns. Wir stellen fest, daß er vergessen hat, worüber wir das erstemal gesprochen hatten. »Wie hat die Sonne angefangen? – *Mit Feuer.* – Woher kam dieses Feuer? – *Von einem Zündholz.* – Wie ist die Sonne groß geworden? – *Weil wir gewachsen sind.* – Wer macht, daß die Sonne wächst? – *Die Wolken.* – Und wir? – *Weil man ißt.* – Ißt auch die Sonne? – *Nein.* – Wie machen es die Wolken, daß die Sonne wächst? – *Weil die Wolken auch wachsen.*«[1]
Und wie hat der Mond angefangen? – *Auch aus Feuer.* – Wie ist er größer geworden? – *Weil wir größer werden.* – Warum ist er größer geworden? – *Weil die Wolken ihn größer machen.* – Wie denn? – *Weil sie auch größer werden.* – Wenn es keine Wolken hätte, würde der Mond dann auch größer werden? – *Nein ... ja, er könnte trotzdem, weil wir größer werden.*«

---

[1] Damit man diese Aussagen von Roy versteht, muß man wissen, daß er in anderen Gesprächen folgendes gesagt hat. 1. Die Wolken machen den Wind und umgekehrt (Kapitel XI, Abschnitt 7 und PK, Kapitel I); 2. Wir selbst sind voll von Wind, und zwar von Wind, der an den Wolken partizipiert; dieser Wind ist dazu da, daß wir wachsen (siehe PK, Kapitel II); 3. Ursprünglich ist der Wind aus den Menschen hervorgegangen, denn *»jemand hat geblasen«* (siehe PK, Kapitel II). Man sieht, daß es sich um eine Systematisierung der Partizipationen handelt.

Dieser Fall lohnt eine genauere Untersuchung, denn er zeigt sehr klar, wie der Artifizialismus und der Animismus gleichzeitig aus den ursprünglichen Partizipationen hervorgehen, die das Kind zwischen den Dingen und dem Menschen herstellt.

In Roys Denken findet man drei Tendenzen: 1. Eine artifizialistische Tendenz: die Gestirne sind durch den Menschen fabriziert worden; das Feuer eines Streichholzes steht am Ursprung der Sonne und des Mondes; 2. Eine animistische Tendenz, die Sonne und der Mond sind lebendig, sie wissen, wann es Tag ist, sie wissen, was wir tun usw.; 3. Eine Tendenz, Partizipationen zwischen den Gestirnen und uns herzustellen: die Gestirne werden größer, weil wir größer werden, sie haben angefangen zu leben, »weil wir gemacht worden sind« usw. Wir wollen deshalb etwas genauer untersuchen, welche dieser drei Tendenzen ursprünglich sind und in welcher Beziehung sie zueinander stehen.

Es ist zunächst klar, daß die artifizialistische Fabel, wonach die Gestirne aus dem Feuer eines Streichholzes hervorgegangen seien, in bezug auf das Gefühl einer Partizipation zwischen den Gestirnen und uns nicht ursprünglich ist: Dieser Mythos rührt von diesen Gefühlen her und nicht umgekehrt. Diese Geschichte ist mehr oder weniger fabuliert. Wenn man Roy auffordert, etwas Genaueres über die Ursprünge zu sagen, erfindet er eine Fabel; in seinem spontanen Denken ist aber die Verbindung, die die Gestirne mit dem Menschen vereinigt, viel unbestimmter. Diese Verbindung läuft darauf hinaus, daß die Menschen dadurch, daß sie selbst zu leben begonnen haben, auch das Auftreten der Gestirne ausgelöst haben. Also nicht eine eigentliche »Fabrikation« der Gestirne durch die Menschen, sondern einfach Partizipation zwischen den Gestirnen und den Menschen; erst wenn man von Roy genauere Aussagen zu dieser Partizipation verlangt, nimmt er den offenen Artifizialismus, das heißt den Fabrikationsmythos zu Hilfe.

Dasselbe gilt für den Animismus. Für Roy »wachsen« die Gestirne, sie sind bewußt, lebendig usw. Es gibt jedoch keinen Grund für die Annahme, dieser Animismus werde früher als die Partizipationsempfindungen Roys ausgebildet: Die Gestirne wachsen, weil wir größer werden, sie sind lebendig, weil wir lebendig sind usw. Wir haben die Beziehungen zwischen dem Animismus und der Partizipation in den vorausgehenden Kapiteln gründlich diskutiert, so daß wir hier nicht darauf zurückkommen müssen: Die Partizipationen ziehen den Animismus nach sich, sie sind genetisch früher, auch wenn der Animismus auf sie zurückwirkt und sie festigt.

Es bleiben somit die Partizipationsgefühle, die Roy spürt und die den anderen Äußerungen seines Denkens zugrunde zu liegen scheinen. Was sind jedoch diese Partizipationen? Wenn man sagt, der Mond werde größer, »weil wir größer werden«, der Mond sei lebendig, »weil wir lebendig sind«, so benützt man damit Formeln, die auf den ersten Blick den Eindruck einfacher Bilder oder einfacher Vergleiche erwecken, ohne daß man um eine kausale Erklärung bemüht wäre. Es handelt sich im übrigen um die Floskel, die Roy auch im Zusammenhang mit anderen Fragen immer wieder gebraucht hat: der Wind bewegt sich, sagt Roy, »*weil wir uns auch bewegen*«, und die Sonne versucht nicht wegzugehen, »*weil wir manchmal auch nicht weggehen*«. Bei der Untersuchung der Meinungen über den Lauf der Gestirne, die uns nachfolgen (Kapitel VII, Abschnitt 2), haben wir aber klar gesehen, daß ein Himmelskörper, der sich bewegt, »weil wir uns bewegen«, sich eben wegen unserer eigenen Bewegungen bewegt. Mehr noch, wenn Roy behauptet, der Mond sei erschienen, »weil wir angefangen haben, lebendig zu sein« und »das macht den Mond größer«; oder wenn er präzisiert, der Mond wäre auch ohne die Hilfe der Wolken wegen uns größer geworden, so scheint er damit mehr als nur eine Analogie, nämlich eine Kausalität im eigentlichen Sinne des Wortes im Auge zu haben. Im Gedankengang von Roy gibt es vielleicht Analogien, aber insofern er die Analogie mit der Ursache vermengt, wie die Kinder des »vorkausalen« Stadiums die Logik oder die Moral mit dem Physischen vermengen.

Es ist möglich, daß die Partizipationsgefühle in bezug auf die Entstehung der Gestirne die folgende Wurzel haben. Wenn Roy sagt, die Gestirne hätten zu existieren begonnen, »als das Leben angefangen hat« und »weil wir angefangen haben, lebendig zu sein«, so scheint er mehr oder weniger an die Herkunft der Kinder zu denken, so daß seine Vorstellungen über den Ursprung der Dinge mit seinen Vorstellungen über die Entstehung des Menschen zusammenhängen würden. Roy hat sich vielleicht zuerst wie viele Kinder für den Ursprung der Menschenwesen interessiert und sich von da aus allerlei Fragen über die Herkunft der Dinge gestellt, mit der impliziten Tendenz, die Entstehung der Dinge als mit der Entstehung des Menschen verbunden zu betrachten. Wir werden in der Folge Beispiele für diese Genealogie der artifizialistischen Interessen kennenlernen. Und welche Vorstellungen haben nun Kinder über die Herkunft der Säuglinge? Sie haben zunächst das Gefühl einer Verbindung zwischen den Neugeborenen und den Eltern: Sie spüren, daß diese einen wesentlichen Anteil am Kommen eines Kleinkindes haben, sei es daß sie etwas bestellt haben, sei es, daß sie etwas gesucht oder konstruiert haben. Dann erfindet das Kind Fabeln, um sich dieses Gefühl zu erklären: Die Eltern haben das Kleinkind fabriziert. In diesem Fall geht das Gefühl für eine Verbindung dem Mythos voraus, und es bringt diesen hervor.

Die anschließenden Untersuchungen werden zeigen, ob diese Bezugsetzung begründet ist oder nicht. Wir verstehen aber schon jetzt die tatsächlichen Beziehungen zwischen den Partizipationsempfindungen, dem Animismus und dem Artifizialismus von Roy: Die Partizipationsempfindungen stehen am Ausgangspunkt; sobald das Kind sie zu systematisieren versucht, nimmt es gleichzeitig animistische und artifizialistische Fabeln zu Hilfe.

Wenn man versucht, von Roy etwas genauere Auskünfte über den Inhalt seiner Partizipationen zu erhalten, die gleichzeitig Analogie und Kausalität zu sein scheinen, so beruft er sich einerseits auf animistische Erklärungen. Im Zusammenhang mit den Wolken sagt er beispielsweise folgendes:

»Können wir die Wolken größer werden lassen? – *Nein.* – Warum werden sie denn größer? – *Weil wir größer werden* (Roy räumt somit ein, was er eben abgelehnt hat). – Du wirst größer: warum wirst du größer? – *Weil ich esse.* – Werden die Wolken dadurch größer? – *Nein, sie werden größer, weil sie wissen, daß wir größer werden.*« Und etwas später: »Wie haben die Wolken angefangen? – *Weil wir größer werden.* – Machen wir sie denn größer? – *Nein, das sind wir nicht, aber die Wolken wußten, daß man größer wurde.*«

Die Welt ist, mit anderen Worten, eine Gesellschaft von Lebewesen, die einem System von wohlgeordneten Regeln folgen; jede Analogie ist gleichzeitig Kausalrelation, denn die Analogie ist ein Zeichen von Gemeinsamkeit oder Interaktion in den Absichten, und jede Absicht ist Ursache. Man hat sogar den Eindruck, daß die Lebewesen notwendig einander nachahmen: Wenn wir größer werden, so sind die Gestirne und die Wolken gezwungen, uns nachzuahmen. Die Partizipationen, die Roy fühlt, entwickeln sich somit zu animistischen Erklärungen, sobald man ihn zwingt, sein Denken genauer zu formulieren.

In dieser Gesellschaft von Lebewesen, aus denen die Welt besteht, stellt Roy andererseits die Menschen (oder den lieben Gott, was aber auf dasselbe hinausläuft, denn Roy faßt ihn als einen »Mann« auf, der Streichhölzer anzündet und wegwirft) auf die erste Ebene. Das Auftreten der Menschen hat dasjenige der Gestirne, der Wolken usw. ausgelöst. Das Wachstum der Menschen zieht dasjenige der Körper usw. nach sich. Genau hier beginnt die Unterscheidung zwischen den Partizipationen vom artifizialistischen Typ und den Partizipationen vom animistischen Typ, ohne daß sie sich auch nur im geringsten widersprechen würden, denn die beiden Typen sind zueinander komplementär. Der Artifizialismus ist somit am Anfang bloß diese Tendenz anzunehmen, die Menschenwesen würden den anderen Wesen befehlen oder deren Auftreten nach sich ziehen, wobei diese anderen Wesen als mehr oder weniger lebendig und bewußt aufgefaßt werden. Auch hier, wie im Falle des Animismus, erfindet das Kind wieder einen Mythos, wenn man es zwingt, sein Denken genauer zu formulieren. Im Falle des Artifizialismus besteht die Fabel darin, daß erzählt wird, wie der Mensch das Ding fabriziert hat. Die Fabel vom Streichholz, das die Sonne hervorbringt, markiert somit einen Fortschritt im Artifizialismus, insofern sich Roy genauer zum »Wie« einer Fabrikation äußert, von der er vorher nur fühlte, daß es sie geben mußte. Doch am Ausgangspunkt vermengt sich der Artifizialismus mit diesem Gefühl, das heißt mit den Partizipationen, die das Kind nicht so sehr zwischen seinem Ich und den Dingen, sondern zwischen seinen Eltern oder den Erwachsenen im allgemeinen und der Welt herstellt. Roys Artifizialismus geht also alles in allem aus seinen Partizipationsgefühlen hervor, auf die gleiche Weise wie der Animismus und ohne jeden Widerspruch zu diesem Animismus. Animismus und Artifizialismus sind am Anfang die beiden komplementären Systematisierungen derselben Partizipationsempfindungen.

2. Das erste Stadium: Die Gestirne sind fabriziert worden

Der Fall von Roy hat uns einige Hypothesen nahegelegt, die uns bei unserer Untersuchung als Leitfaden dienen sollen. Jetzt wollen wir zu einigen weiter entwickelten Fällen übergehen, bei denen sich die artifizialistischen Fabeln besser von den ursprünglichen Partizipationen abheben.

Purr (8;8): »Was ist ein Halbmond? – *Er (der Mond) hat sich geteilt.* – Wie? Hat er sich geteilt, oder ist es etwas anderes, das ihn geteilt hat? – *Es ist der Mond.* – Hat er es absichtlich gemacht? – *Nein, wenn er geboren wird, ist er ganz klein.* – Warum? – *Er kann nicht groß sein. Wie wir, wenn wir kleine Kinder sind. Deshalb macht er das auch so.* – Ist es immer der gleiche Mond, wenn wieder Halbmond ist? – *Manchmal ist es der gleiche, manchmal ein anderer.* – Wieviele gibt es denn? – *Viele. Man kann sie nicht alle Tage zählen. Der Mond ist auch aus Feuer.* – Warum ist er geteilt? – *Wenn er nur an einer Stelle hell geben will...* (= er teilt sich, um gleichzeitig an verschiedenen Orten leuchten zu können). – Woher kommt er? – *Vom Himmel.* – Wie hat er angefangen? – *Aus dem Himmel. Es ist der liebe Gott, der ihn geboren* (sic!) *hat.* – Und die Sonne? – *Der liebe Gott hat auch sie geboren.*«

Jacot (6;6) glaubt, die Sonne sei aus Feuer. »Wie hat sie angefangen? – *Ganz klein.* – Woher kam sie? – *Vom Himmel.* – Wie hat sie im Himmel angefangen? – *Immer größer.*« Die Sonne, sagt Jacot, ist bewußt und lebendig. Sie ist wie ein Lebewesen gewachsen. Die Menschen haben sie gemacht.

Gaud (6;8): »Wie ist der Mond? – *Rund. Manchmal hat es nur die Hälfte...* – Warum hat es nur die Hälfte? – *Weil er anfängt.* – Wie fängt er an? – *Ganz klein.* – Warum? – *Weil er anfängt.* – Warum? – *Weil es sehr hell ist* (= der

Mond bleibt während des Tages klein und wächst nur in der Nacht). – Wo ist die andere Hälfte? – *Weil er nicht ganz gemacht, nicht ganz rund ist.* – Wie entsteht er? – *Rund.* – Wie fängt er an? – *Ganz klein, dann wird er immer dicker.* – Woher kommt er? – *Vom Himmel.*« »Wie ist er entstanden? *Ganz klein.* – Ist er ganz von selbst entstanden? – *Nein, durch den lieben Gott.* – Wie denn? – *Mit seinen Händen.*« Gaud fügt hinzu, der Mond sei lebendig und bewußt. Er folgt uns mit Absicht usw. Die Sonne ist ebenfalls lebendig und fabriziert worden.

Moc (10;2, in seiner Entwicklung retardiert) ist wegen seiner affektiven Reaktionen ein recht merkwürdiger Fall. Er sagt von der Sonne: »*Sie war ganz klein, dann ist sie groß gekommen* (= geworden).« Er spricht ihr Bewußtsein und Leben zu. Bei der Frage »Woher kommt sie?« wird Moc plötzlich ganz verlegen, er wird rot, schaut weg und sagt schließlich, ganz geniert, die Sonne komme »*von dem, der sie hat kommen lassen.* – Was meinst du damit? – *Von dem, der sie gemacht hat.* – Wer? Ein Mann oder nicht? – *Ein Mann.* – Ein Mann oder der liebe Gott? – *Der liebe Gott, ein Mann, gleich wer.*« Was war der Grund für diese Verlegenheit? Sicher nicht die Schwierigkeiten des Problems, denn man konnte ohne weiteres sehen, daß Moc die Lösung schon kannte, sie aber nicht äußern wollte. Ein Schamgefühl religiösen Ursprungs? Auch das ist unwahrscheinlich. Während des ganzen Gesprächs wechselte Moc ohne irgendein System und ohne Überlegung zwischen dem lieben Gott und den Menschen ab, wenn der Verursacher irgendeines Phänomens gefragt war. Es gibt folglich nur eine Interpretation für diese Verlegenheit: Moc fühlt sich geniert, weil man mit ihm über die Geburt eines Lebewesens spricht. Moc muß irgendeinmal erfahren haben, daß alles, was mit der Geburt zusammenhängt, ein Tabu ist, so daß ihm unsere Frage zur Sonne schockierend vorkommen mußte. Man ersieht aus einem solchen Beispiel, wie innig die Verbindung zwischen dem Animismus und dem Artifizialismus unter Umständen sein kann.

Die genannten Kinder stellen, wie man ohne weiteres sieht, eine Verbindung zwischen dem Auftreten von Sonne und Mond und der Geburt eines Lebewesens her, wobei selbstverständlich die Geburt vom Kind selbst als eine Art »Fabrikation« aufgefaßt wird, über deren »Wie« man nicht viel Genaues aussagen kann, die aber jedenfalls darin besteht, daß etwas Lebendiges aufgebaut wird. Die Kinder, deren Antworten wir eben kennengelernt haben, sprechen zumindest vom Wachstum der Gestirne so, als wären die Sonne und der Mond zuerst »klein« wie Neugeborene.

Die folgenden Kinder hingegen versuchen, über das »Wie« der Fabrikation von Sonne und Mond etwas Genaueres zu sagen, wobei diese Fabrikation manchmal noch immer an eine Geburt assimiliert wird. Diese Kinder betrachten, wie wir sehen werden, jedenfalls die Sonne und den Mond noch immer als beseelt und bewußt; die animistischen und artifizialistischen Tendenzen sind noch zueinander komplementär:

Caud (9;4): »Wie hat die Sonne angefangen? – *Durch die Wärme.* – Welche Wärme? – *Feuer.* – Wo war dieses Feuer? – *Im Himmel.* – Wie hat es angefangen? – *Der liebe Gott hat es mit Holz und Kohle angezündet.* – Wo hat er dieses Holz und diese Kohle hergenommen? – *Er hat es gemacht.* – Wie hat dieses Feuer die Sonne gemacht? – *Das Feuer ist die Sonne.*« Es sieht so aus, als wäre Caud nicht mehr Animist, doch darin täuscht man sich: »Sieht uns die Sonne? – *Nein.* – Spürt sie die Wärme? – *Ja.* – Sieht sie in der Nacht etwas? – *Nein.* – Sieht sie, wenn es Tag ist? – *Ja, sicher! Sie sieht, denn sie gibt ja hell!*«

Fran (9 Jahre): »Wie hat die Sonne angefangen? – *Eine dicke Kugel.* – Wie hat diese angefangen? – *Sie ist immer dicker, immer dicker geworden, und dann hat man ihr gesagt, sie solle in die Luft gehen. Es ist wie ein Ballon.* – Woher kam diese Kugel? – *Ich denke mir, es ist ein großer Stein. Ich glaube nicht, daß es Kies ist, eine große Kugel* (aus Kies). – Bist du all dessen sicher? – *Sicher.* – Wie ist das vor sich gegangen? – *Sie haben sie zu einer großen Kugel geformt.* – Wer? – *Männer.*« Fran nimmt dennoch an, die Sonne sehe uns und folge uns willentlich nach. Die Identifizierung der Sonne mit einem Stein steht im übrigen nicht im Widerspruch zur Aussage, die Sonne sei größer geworden, denn wir werden noch zahlreiche Kinder kennenlernen, die glauben, die Steine seien im Boden gewachsen. Auch hier wieder sind der Artifizialismus und der Animismus innig miteinander verbunden.

Beim Mond glaubt Fran, wie mehrere andere Kinder, er sei die Sonne, die aber wegen der Nacht ihre Strahlen verloren habe: Der Mond, »*das ist die Sonne. Das ist deswegen, daß wenn es Nacht ist, sie keine Strahlen mehr hat.*« Der Mond ist zwar dicker, das ist aber so, »*weil er die Nacht hell macht. Er muß dicker sein, weil er oftmals Leute hat, die* (nach Hause) *zurückkehren. Dann gibt die Sonne* (= der Mond) *hell.*«

Deb (9 Jahre): »Wie hat die Sonne angefangen? – *Mit Zündhölzern.*« »Wie hat das die Sonne gegeben? – *Mit Strahlen.* – Woher kamen diese Zündhölzer? – *Von daheim.*« Die Sonne ist dennoch lebendig und bewußt.

Gall (5 Jahre) wurde 1918 geboren, was in bezug auf seine Kosmogonie nicht bedeutungslos ist: »Woher ist die Sonne gekommen? – *Während des Krieges.* – Wie hat sie angefangen? – *Als der Krieg fertig war.* – Ist die Sonne immer dagewesen? – *Nein.* – Wie hat sie angefangen? – *Es ist eine kleine Kugel gekommen.* – Und dann? – *Dann ist sie dick geworden.* – Woher kam diese kleine Kugel? – *Aus dem Feuer.*«

Der nächste Fall steht zwischen diesen Kindern und dem zweiten Stadium, insofern das Kind bereits die Möglichkeit sieht, daß die Gestirne aus Wolken entstanden seien. In diesem speziellen Fall steht diese Vorstellung jedoch in einem analogen Kontext wie bei den oben zitierten Kindern.

Hub (6;6): »War die Sonne immer da? – *Nein, sie hat angefangen.* – Wie? – *Durch Feuer ...* – Wie hat dieses begonnen? – *Mit einem Zündholz.* – Wie? – *Es hat sich entzündet.* – Wie denn? – *Indem ein Zündholz angezündet wurde.* – Wer hat es angezündet? – *Ein Mann.* – Wie heißt dieser Mann? – *Ich weiß nicht.*« Was den Mond betrifft, so ist er »*aus Himmel*« gemacht, das heißt »*aus Wolken.* – Wie haben die Wolken den Mond machen können? – *Weil es hell geworden ist* (= angezündet wurde). – Wer? – *Die Wolke.* – Wie? – *Mit Feuer.* –

Woher kommt dieses Feuer? – *Vom Zündholz.*« »Wer hat ihn angezündet? – *Ein Stück Holz, dann ein rotes Ding am Ende.*« Hub denkt hier somit an Raketen, die man für ein Feuerwerk kaufen kann: Der Mond ist eine Wolke, die durch vom Menschen abgeschossene Raketen Feuer gefangen hat. Der Ursprung der Wolken ist ebenfalls artifiziell: »Woher kommen die Wolken? – *Vom Himmel.* – Wie haben sie angefangen? – *Im Rauch.* – Woher ist dieser Rauch gekommen? – *Aus den Öfen.* – Kann der Rauch Monde geben? – *Ja.*«

Für den Ursprung der Sterne hat das erste Stadium dieselben Erklärungen bereit, wie wir sie eben für die Sonne und den Mond kennengelernt haben:

Jac (6;6) glaubt, die Sterne seien aus Feuer und die Menschen hätten sie gemacht.

Giamb (8 ½): Die Sterne dienen dazu, um das Wetter anzuzeigen: »*Wenn es welche* (Sterne) *hat, so wird es schön, wenn sie nicht da sind, wird es regnen.*« Sie sind aus »*Licht*«. »Woher kommt dieses Licht? – *Es sind die Lichter draußen* (die Straßenbeleuchtung), *die sie anleuchten und die sie kommen lassen* (= die sie hervorbringen).« »Wie haben sie angefangen? – *Ein Mann fabriziert sie.* – Wissen sie, daß sie leuchten? – *Ja.*«

Fran (9 Jahre): *Männer haben kleine Steine genommen und daraus kleine Sterne gemacht.*«

Grang (7;6): »Was sind die Sterne? – *Kreise.* – Woraus bestehen sie? – *Aus Feuer.*« Der liebe Gott hat sie gemacht.

Der Grund für diesen Artifizialismus ist offensichtlich in der finalistischen Haltung zu suchen, die zur Folge hat, daß alle diese Kinder die Sterne als Wetteranzeiger betrachten: Sie dienen dazu, »*um anzuzeigen, ob es morgen schön ist*« (Caud, 9;4). »Was sind die Sterne? – *Um anzuzeigen, ob es am nächsten Tag schön sein wird*« (Cercs, 9 Jahre).

Weitere Beispiele erübrigen sich. Wir wollen jedoch kurz die Tragweite dieser Fakten prüfen, bevor wir das zweite und dritte Stadium beschreiben. Die Einzelheiten, das heißt die Aussagen, in denen sich die einzelnen Kinder voneinander unterscheiden, können, das liegt auf der Hand, als fabuliert angesehen werden. Doch die zentrale Vorstellung, also die Überzeugung, daß die Gestirne fabriziert worden seien, darf als eine spontane geistige Haltung des Kindes betrachtet werden. In bezug auf die Homogenität dieses ersten Stadiums stellen sich jedoch zwei Fragen.

Als erstes haben wir festgestellt, daß es zwei Gruppen von Kindern gibt: diejenigen, die von einer »Geburt« der Sonne sprechen, ohne sich über das »Wie« dieser Geburt näher auszulassen, und diejenigen, die mehr oder weniger direkt von einer »Fabrikation« der Sonne sprechen. Man könnte zunächst annehmen, es handle sich um zwei Stadien. Es läßt sich aber einerseits zwischen diesen beiden Kindergruppen kein Altersunterschied erkennen, und andererseits sagen die Kinder beider Gruppen eindeutig aus, die Sonne und der Mond seien lebendig und bewußt. Beim gegenwärtigen Stand unserer Dokumentierung muß man sie folglich als zwei gleichzeitig nebeneinanderbestehende Antworttypen ansehen, die im Grunde genommen denselben Sinn haben, denn die Fabrikation der Sonne mit einem Streichholz und einem Stein oder aus Rauch steht zweifellos nicht in Widerspruch zu der Vorstellung, die Kinder dieses Alters von der Geburt der Lebewesen haben. Wir können leider nur gerade diese Hypothese aufstellen, ohne sie direkt an unseren Kindern zu überprüfen. Es wäre völlig verfehlt und pädagogisch gefährlich, diesen Kindern grundlos Fragen über das Problem der Geburt der Menschen oder der Tiere zu stellen.

Eine zweite Frage drängt sich ebenfalls auf. Bald nennen unsere Kinder als »Hersteller« der Gestirne den Gott des Katechismus, bald einfache »Männer«. Sind das zwei Typen oder zwei Stadien? Weiter unten wollen wir die Idee Bovets über die Entstehung der religiösen Gefühle diskutieren. Dabei werden wir sehen, daß man in den großen Linien folgende Entwicklung annehmen kann. Das Kind spricht zuerst die besonderen Attribute der Gottheit – insbesondere die Allwissenheit und die Allmacht – seinen Eltern und später den Menschen im allgemeinen zu. Im gleichen Maße, wie es die Grenzen der menschlichen Vollkommenheit entdeckt, überträgt es anschließend diese Attribute, die es jetzt dem Menschen abspricht, auf Gott, den es im Religionsunterricht kennengelernt hat. Man könnte somit *grosso modo* im Artifizialismus zwei Perioden unterscheiden, eine menschliche und eine göttliche. Wir glauben jedoch nicht, daß eine solche Unterscheidung im jetzigen Zeitpunkt und insbesondere für diesen speziellen Fall des Ursprungs der Gestirne irgendwelchen Nutzen erbringt. Zuviele Einflüsse aus der Welt der Erwachsenen bringen die spontanen Vorstellungen des Kindes durcheinander, als daß sich eine klare altersabhängige Abstufung beobachten ließe.

Daraus ergibt sich jedoch eine sehr folgenreiche Frage, die alles andere präjudiziert, denn von der Antwort darauf hängt die ganze Bedeutung des kindlichen Artifizialismus ab: Ist dieser Artifizialismus spontan, oder sind alle kindlichen Vorstellungen über den Ursprung der Gestirne der religiösen Unterweisung zuzuschreiben?

Bei den Phänomenen, die wir anschließend studieren (Ursprung der Wolken, der Wasserläufe, der Berge, der Steine usw.), stellt sich diese Frage nicht oder ganz anders, denn hier weist der menschliche Artifizialismus derart spontane Formen auf, daß die religiöse Unterweisung nur wenig dazu beigetragen haben kann. In bezug auf die Sonne, den Mond und die Sterne kann jedoch der

Religionsunterricht die Kinder stark beeinflußt haben[2], denn die Gestirne sind viel näher bei einem Gott, der im Himmel wohnt, als die auf der Erde befindlichen Gegenstände. Wir glauben dennoch, daß der Religionsunterricht nur einen Teil unserer Kinder beeinflußt hat und daß auch bei denjenigen, deren Artifizialismus auf diese Weise beeinflußt wurde, der Religionsunterricht nur gerade eine beim Kind bereits vorhandene und folglich nicht von ihm ausgelöste Neigung zum Artifizialismus gefördert hat.

Nach unserer Statistik sprechen jeweils gleich viele Kinder des ersten Stadiums die Fabrikation der Gestirne den Menschen oder Gott zu. Man mag dagegen einwenden, die religiöse Unterweisung sei vielleicht nicht richtig begriffen worden, das Kind habe das, was man ihm von Gott gesagt habe, auf die Menschen übertragen, oder dieser Unterricht habe die Phantasie derart beflügelt, daß er durch sie weit überholt wurde. Nun findet man aber schon bei 2– bis 3jährigen Kindern, lange vor jedem Religionsunterricht, artifizialistische Fragen wie »Wer macht die Sonne?« (Fran, 2;9). Wenn der Religionsunterricht für den menschlichen Artifizialismus der 4– bis 6jährigen Kinder verantwortlich sein soll, so muß man andererseits einräumen, daß das Kind eine starke eigene Neigung haben muß, die Herstellung der natürlichen Körper den Menschen zuzuschreiben, damit diese Belehrung derart abgewandelt werden kann: die Vorstellung eines Wachstums und einer »Geburt« der Gestirne, die Vorstellung, daß die Mondviertel nach jedem Neumond neu fabriziert werden oder durch eine künstliche Spaltung des Mondes entstehen, die Vorstellung der Streichhölzer, der entzündeten Steine, der Raketen, die die Wolken anzünden, usw. sind durchwegs Äußerungen dieser Neigung, die man mit Sicherheit als spontan ansehen muß. Und die von W. James zitierten Fakten, etwa die Kindheitserinnerungen des Taubstummen D'Estrella, zeigen schließlich recht deutlich, daß beim Kind unabhängig von jeder religiösen Unterweisung ein spontaner Artifizialismus vorkommen kann.

Sogar dort, wo der Einfluß des Religionsunterrichts unverkennbar ist, sieht man, daß er nicht passiv vom Kind aufgenommen, sondern eigenständig assimiliert wird. Folglich muß offensichtlich schon vor diesem Unterricht eine spontane Neigung zum Artifizialismus bestanden haben, und nur diese Neigung kann es erklären, weshalb das Gelernte derart umgestaltet worden ist. Wir lassen ein schönes Beispiel für eine durch den Religionsunterricht ausgelöste artifizialistische Überzeugung folgen, mit der aber so viel eigener Artifizialismus des Kindes vermischt ist, daß das beigebrachte Wissen erheblich umgeformt worden ist:

---

[2] Vgl. Genesis (I, 14–18).

Gava (8;6): Die Sonne ist lebendig, weil sie »*wiederkommt.* – Weiß sie, ob schönes Wetter ist?. – *Ja, denn sie kann sehen.* – Hat sie Augen? – *Oh, sicher! An gewissen Tagen, wenn sie aufgeht, sieht sie, daß das Wetter schlecht ist, dann geht sie dorthin, wo es schön ist.* – Weiß sie, daß sie Sonne heißt? – *Ja, sie weiß, daß man sie gern hat. Sie ist so lieb, daß sie macht, daß wir warm haben.* – Kennt sie ihren Namen? – *Weiß ich nicht. Manchmal hört sie uns plaudern, und sie hört, wie wir Namen sagen; dann weiß sie* (ihren Namen).« Das alles scheint reines Fabulieren zu sein, aber Gava verwechselt, wie wir gleich sehen werden, die Sonne fast mit dem lieben Gott: »Als dein Papa noch klein war, gab es da die Sonne schon? – *Ja, denn die Sonne ist vor den Menschen geboren, damit die Leute leben können.* – Wie hat sie angefangen? – *Der Himmel hat sich gebildet. Ein Mann ist gestorben, dann ist er in den Himmel aufgestiegen. Das nennt man in der Sonntagsschule den lieben Gott.* – Woher ist dieser Mann gekommen? – *Aus der Erde drin.* – Woher kam er? – *Ich weiß nicht, wie er entstanden sein kann.* – Wie wurde die Sonne gemacht? – *Der Mann ist ganz rot gewesen, dann hat das hell gegeben. Denn am Morgen, wenn die Sonne noch nicht scheint, hat es dennoch schon Licht.*« Mit anderen Worten, der Mann (= Jesus) hat den Himmel erhellt, und dieses Licht hat die Sonne hervorgebracht. Gava denkt hier zweifellos an die Aureole der Jesusbilder: er hat anschließend von einem Bild gesprochen, auf dem der liebe Gott wie eine Sonne aussehe, aber mit Armen und Beinen! »Woraus besteht die Sonne? – *Eine dicke rote Kugel.* – Woraus besteht sie? – *Aus Wolken ... ich weiß nicht.* – Hat sie vor langer Zeit angefangen? – *Seit es Leute gegeben hat.* – Nicht vorher? – *Nein, denn es wäre nichts dagewesen, das erhellt werden mußte.* – Hat sie gleichzeitig mit den Menschen angefangen oder später? – *Seit es kleine Kinder gegeben hat.* – Warum? – *Damit die Kinder Luft haben.* – Wenn man mit der Sonne redet, hört sie uns dann? – *Ja, wenn man zu ihr betet.* – Betest du zu ihr? – *Ja.* – Wo hat man dich gelehrt, zur Sonne zu beten? – *In der Sonntagsschule, man hat mir gesagt, man müsse immer zur Sonne beten.*«

Dieser bemerkenswerte Fall macht auch die drei folgenden Aussagen verständlich:

Kuf (10;1) sagt, die Sonne bewege sich vorwärts, weil etwas sie stoße. »Ist dieses Etwas in ihr oder außerhalb? – *Es ist in ihr.* – Was ist es? – *Der liebe Gott.*«

Eine unserer Mitarbeiterinnen erinnert sich deutlich daran, daß sie die Sonne während Jahren mit dem lieben Gott verbunden hat, sei es daß Gott in oder hinter der Sonne wohnte, sei es daß beide als aneinander partizipierend aufgefaßt wurden. Wenn sie jeweils ihr Nachtgebet sprach, dachte sie an die Sonne und insbesondere an eine bestimmte Stelle zwischen zwei Gipfeln der Berner Alpen, die sie von ihrem Zimmer aus sehen konnte und wo im Winter die Sonne aufging.

Ein Mitarbeiter erinnert sich an einen Spaziergang mit seinem Vater, bei dem er mit diesem zusammen die untergehende Sonne beobachtete. Der Vater sagte etwas darüber, daß die Sonne die Grundlage unseres Lebens sei. Dabei hatte das Kind etwas wie eine plötzliche Offenbarung, die Sonne müsse etwas mit Gott zu tun haben. Es schloß daraus insbesondere, sein Vater gehe deshalb nicht in die Kirche usw., weil er offensichtlich die Sonne anbete oder jedenfalls mit der Sonne durch ein stärkeres Band verbunden sei als mit Gott.

Solche Fakten sind sehr aufschlußreich. Sie zeigen zunächst, in welchem Maße Belehrungen der Erwachsenen durch eine eigenständige Assimilation des Kindes verformt werden können. Sie zeigen uns vor allem auch die Gesetzmäßigkeiten dieser Assimilation. Drei Tendenzen, drei zueinander komplementäre Tendenzen liegen solchen Verformungen zugrunde. Als erstes die Tendenz, die Gestirne als an den Menschen oder den Absichten der Menschen partizipierend zu betrachten, und zwar in Form von Partizipationen in den Intentionen oder dynamischer Partizipationen: Nach Meinung von Gava ist der Ursprung der Sonne mit der Verpflichtung verbunden, den Leuten hell oder den kleinen Kindern Luft zu geben, und unser Mitarbeiter hat eine enge Verbindung zwischen der Sonne und seinem Vater angenommen (Unterwerfung, Befehlen, Schutz?); im weiteren aber auch substantielle Partizipationen: Die drei zitierten Kinder halten die Sonne für mehr oder weniger mit dem lieben Gott identisch, obwohl sie gleichzeitig einen Unterschied machen, so wie der von James zitierte Taubstumme (Kapitel IV, Abschnitt 2) den Mond mit seiner eigenen Mutter identifizierte. Aus diesen Partizipationen gehen dann zunächst artifizialistische Fabeln hervor: Gava hält die Sonne für aus der Aureole Jesu hervorgegangen. Und diese Partizipationen weitern sich anschließend zum Animismus: Die Sonne ist lebendig, bewußt und mit Absichten ausgestattet. Der Religionsunterricht wird somit vom Kind nicht passiv aufgenommen, sondern entsprechend den drei Tendenzen, die vor dem Unterricht bereits vorhanden sind, verformt und assimiliert: durch die Tendenz, Partizipationen zu schaffen, die artifizialistische und die animistische Tendenz, deren Bedeutung für das kindliche Denken wir bereits aufgezeigt haben.

Wir wollen unsere Analyse des ersten Stadiums mit der Feststellung abschließen, daß der integrale Arifizialismus, der sich darin zeigt, in seinen Wurzeln spontan ist, daß er aber auch in gewissen Fällen, was die Einzelheiten der Vorstellungen betrifft, durch die erhaltenen Belehrungen beeinflußt werden kann. Doch in beiden Fällen steht dieser Arifizialismus in keinerlei Gegensatz zum Animismus.

3. Das zweite und das dritte Stadium: Die Gestirne haben einen zuerst teilweise, dann ganz natürlichen Ursprung

Der beste Beweis für die Spontaneität der artifizialistischen Vorstellungen des Kindes ist ihre Kontinuität und ihr unmerkliches Verschwinden. Die 10 bis 11 Jahre alten Kinder kommen von selbst auf die Idee, daß der Ursprung der Gestirne natürlich sei. Zwischen diesem dritten Stadium und dem ersten gibt es alle möglichen Zwischenstadien.

Diese Zwischenstadien weisen wir dem zweiten Stadium zu: Hierher gehören die Kinder, die den Gestirnen einen halb-künstlichen, halb-natürlichen Ursprung zusprechen. In den meisten (das heißt spontanen) Fällen wird angenommen, die Gestirne seien durch einen natürlichen Vorgang entstanden, aber aus einem Material künstlichen Ursprungs: Die Gestirne sind beispielsweise ganz von alleine aus Wolken hervorgegangen, aber die Wolken ihrerseits sind aus dem Rauch der Kamine und der Öfen in den Häusern entstanden. In anderen, mehr oder weniger durch Belehrungen der Erwachsenen beeinflußten Fällen fassen die Kinder die Gestirne als aus Vulkanen oder Bergwerken usw. hervorgegangenes Feuer auf, wobei der Mensch an dieser Bildung Anteil hat.

Beginnen wir mit diesen letztgenannten Erklärungen, die am wenigsten interessant sind, weil die Belehrung durch die Erwachsenen eine zumindest mittelbare Rolle bei ihrer Ausbildung spielt:

Font (6;9): Die Sonne ist bewußt. Sie besteht aus Feuer, sie kommt »*vom Berg.* – Woher? – *Aus Minen.* – Was ist das? – *Die Männer suchen Kohle im Boden drin.*« Zum Mond: »*Die Sonne hat ihn gemacht.* – Wie? – *Mit ihrem Feuer vom Berge.* – Woher kommt der Mond? – *Aus dem Berg.* – Was hatte es im Berg drin? – *Sonne.* – Woher kam diese Sonne? – *Vom Berg.* – Wie hatte sie angefangen? – *Mit Feuer.* – Und wie hat dieses Feuer angefangen?. – *Mit Zündhölzern.* – Und der Berg? – *Mit Erde . . . Es sind Leute, die ihn machen.*« Font illustriert seine Erklärung mit einer Zeichnung, auf der eine Mondhälfte aus einem Berg herauskommt.

Marsal (debil): »*Ich habe gedacht, die Sonne komme vielleicht aus den Vulkanen heraus.*« Es kam zu einer Eruption, und dadurch ist eine »*Feuerkugel*« entstanden. Originell ist bei Marsal aber die Überzeugung, daß Menschen notwendig waren, um die Sonne in die Luft zu schleudern; es sind »die Ahnen«, die die Sonne »*wie einen Ballon*« in die Luft geworfen haben.

Der Mechanismus hinter diesen Erklärungen ist klar. Das Kind geht von zwei Beobachtungstatsachen aus: Die Gestirne kommen hinter den Bergen hervor, und sie bestehen aus Feuer. Wie lassen sich diese beiden Fakten synthetisieren, derart daß das Feuer aus den Bergen herauskommt? Sobald das Kind einige Kenntnisse hat, denkt es sogleich an die Kohlenbergwerke oder an die Vulkane. Dazu kommt (und insofern gehören unsere Beispiele zum zweiten und nicht zum dritten Stadium) die Vorstellung, daß die Menschen bei dieser Entstehung der Gestirne eine notwendige Rolle gespielt haben: Die Menschen haben die Schächte in den Boden gegraben oder die Sonne in die Luft geschleudert.

Jetzt lassen wir Beispiele für den üblichsten und im übrigen auch interessantesten Antworttyp folgen, in dem kein Einfluß von gelernten Dingen spürbar ist:

Giamb (8;6) gehört in bezug auf die Sterne noch zum ersten, in bezug auf die Sonne und den Mond aber zum zweiten Stadium. »Wie hat die Sonne angefangen? – *Eine große Wolke hat sie gemacht.* – Woher kam diese Wolke? – *Aus dem Rauch.* – Und dieser Rauch? – *Aus den Häusern.* – Wie hat diese Wolke die Sonne hervorgebracht? – *Sie* (die Wolken) *haben sich aneinander geklebt, bis sie rund geworden sind.* – Machen die Wolken auch jetzt noch Sonnen? – *Nein, denn es hat schon eine.* – Wie haben die Wolken die Sonne zum Leuchten gebracht? – *Ein Licht macht, daß etwas leuchtet.* – Welches Licht? – *Ein großes Licht. Es ist jemand im Himmel, der es anzündet.* (Giamb beruft sich auf eine artifizialistische Fabel, sobald er nicht mehr weiter weiß. Wie der weitere Verlauf des Gesprächs zeigt, ist er gerade so weit, daß er diese Fabel durch eine Erklärung ersetzt, wonach der Rauch sich entzünden kann, um die Sonne zum Leuchten zu bringen.) – Woraus besteht die Sonne? – *Aus Stein.* – Und die Wolken? – *Auch.* – Warum fällt dieser Stein nicht herunter? – *Nein, es ist der Rauch aus den Häusern.* – Ist die Sonne gleichzeitig Stein und Rauch? – *Nein, nur Rauch.* (Man hat den Eindruck, Giamb stelle zwei Erklärungen nebeneinander: die eine, an deren Überwindung er gerade ist, wonach die Sonne ein Stein sei, den jemand angezündet hat, und die andere, zu der er sich gerade durchringen will, wonach die Sonne eine Wolke aus brennendem Rauch sei.) – Wie machen es die Wolken, daß die Sonne leuchtet? – *Es ist der Rauch, der sie zum Leuchten bringt, denn es hat Feuer im Rauch.*« Die Sonne ist bewußt und folgt uns mit Absicht nach (vgl. die Aussagen desselben Kindes im Kapitel VII, Abschnitt 2). Etwas später: »Wie ist der Mond? – *Gelb.* – Woraus besteht er? – *Aus Wolken.* – Woher kommen diese Wolken? – *Aus dem Rauch, sobald er einmal gelb ist.* – Woher kommt dieser Rauch? – *Aus der Heizung. Manchmal, wenn es kalt ist, wird der Rauch gelb* (eine richtige Beobachtung: im Winter nimmt der Rauch aus den Häusern eine gelbe Farbe mit einem Grünstich an). – Wie macht der Rauch den Mond? – *Der Kamin raucht, manchmal gelb, manchmal weiß.*«

Gava (8;6), der sich in bezug auf die Sonne im ersten Stadium befindet, gehört mit seiner Erklärung für die Mondsicheln in das zweite Stadium: »*Die Luft hat ihn geformt.* – Wie ist das vor sich gegangen? – *Es sind vielleicht Wolken, die nicht regnen konnten, und das hat eine große Kugel gegeben.*« Die Luft und die Wolken sind, wie man sieht, für Gava fast das gleiche. Etwas später: »Woraus besteht der Mond? – *Es sind vielleicht Wolken. Die Wolken waren klein, sie haben sich zusammengeballt, bis zu einer Kugel geworden.* – Gibt es den Mond schon lange? – *Seit das Leben angefangen hat* (vgl. Roy im Abschnitt 1). – Wie hat der Mond angefangen? – *Zuerst ist er ganz klein gewesen, dann ist er größer geworden: es sind andere Wolken gekommen.* – Woher kamen diese Wolken? – *Das ist Dampf, der zum Himmel steigt, wenn man die Dinge* (= das Essen) *kocht.* – Ist der Mond lebendig? – *Das muß man wohl annehmen, da er jeden Abend* (wieder-)*kommt!*«

Brul (8 ½): »Woraus besteht die Sonne? – *Aus Wolken.* – Wie hat sie angefangen? – *Sie hat zuerst die Kugel gemacht.* – Woher kam diese Kugel? – *Von den Wolken.* – Woraus bestehen die Wolken? – *Aus Rauch.* – Und woher kommt dieser Rauch? – *Aus den Häusern.*«

Lug (12;3): »Wie hat die Sonne angefangen? – *Das ist Feuer.* – Was für Feuer? – *Feuer, das im Ofen ist.* – Was hat es im Ofen? – *Rauch.* – Wie denn? – *Der Rauch ist aufgestiegen, und dann hat es angefangen. Es hat Feuer gefangen.* – Warum hat es Feuer gefangen? – *Es war heiß.*« Etwas später: »Bist du sicher, daß alles so ist? – *Nicht sicher.* – Wie ist die Sonne gemacht? – *Eine große Feuerkugel.* – Wie hat das angefangen? – (Er denkt lange nach.) *Durch den Rauch.* – Rauch von woher? – *Aus den Häusern.*« Für den Mond wird dieselbe Erklärung gegeben.

Solche Erklärungen sind wegen ihrer Spontaneität besonders interessant. Sie gehen von einer richtig beobachteten Tatsache aus: daß der Mond tagsüber, wenn er weißlich und von kleinen Schattenflecken überdeckt ist, einer kleinen Wolke gleicht. Die Ähnlichkeit ist besonders auffällig bei Halbmond, also wenn der Mond, in den Augen des Kindes, gerade dabei ist, sich zu »formen«. Da die Kinder dieses Stadiums (8 bis 9 Jahre im Durchschnitt) annehmen, die Wolken seien aus dem Rauch entstanden, ist der Ursprung der Gestirne für sie klar.

Die Sterne werden von den Kindern dieses zweiten Stadiums gleich erklärt oder gehen aus der Sonne oder dem Mond hervor, was auch die Kinder des dritten Stadiums annehmen.

Das zweite und das dritte Stadium gehen ganz kontinuierlich ineinander über: Man muß aus den Aussagen, die wir eben kennengelernt haben, nur die Vorstellung streichen, die Wolken seien aus den Häusern gekommen, und schon hat man eine völlig natürliche Erklärung für den Ursprung der Gestirne, also eine Erklärung des dritten Stadiums. Man findet diese Aussagen von durchschnittlich 9 bis 11 Jahren an, bisweilen schon früher. Hier einige typische Beispiele: Die Gestirne sind aus den Wolken hervorgegangen, und die Wolken ihrerseits sind zusammengepreßte Luft oder Wasserdampf.

Not (10 Jahre): »Woraus besteht die Sonne? – *Aus Flammen.* – Woher kommen diese Flammen? – *Von der Sonne.* – Wie haben sie angefangen. Sind sie durch irgend etwas gemacht worden? – *Sie entstehen ganz von allein.* – Wie? – *Weil es heiß ist.* – Wie hat es angefangen? – *Sie* (die Sonne) *ist aus Flammen, aus Feuer entstanden.* – Wie? – *Weil es heiß war.* – Wo? – *Im Himmel.* – Warum war es heiß? – *Das war die Luft.*« Die Sonne ist somit das Ergebnis einer Entflammung der Luft. Der Mond besteht ebenfalls »aus Luft«.

Re (8;6): »Wie hat die Sonne angefangen? – *Es kam.* – Wie? – *Weil es sich bewegte.* – Woher kam es? – *Aus dem Jura.* – Woraus ist die Sonne gemacht? – *Es hat viele kleine Wolken.* – Woraus sind diese Wolken gemacht? – *Sie sind zusammengeballt.* – Woher sind diese Wolken gekommen, als die Sonne anfing? – *Vom Himmel.* – Woraus sind diese Wolken? – *Wenn es viele rote Sachen hat* (= die vielen kleinen roten Wolken beim Sonnenuntergang). – Wo? – *Auf dem Jura.*« Re behauptet, er habe diese Wolken am Abend gesehen. Von Genf aus sieht man sie tatsächlich im Jura. Zum Mond: »Wie hat er angefangen? – *Ein Kreis.* – Woraus war dieser Kreis? – *Aus kleinen roten Wolken.* – Woher kamen diese Wolken? – *Aus dem Jura.* – Und vorher? – *Vom Berge.*« Für Re haben die Wolken nichts mit dem Rauch zu tun. Sie entstehen von selbst, am Himmel, der im übrigen aus »*blauen Wolken*« besteht. Die Gestirne sind lebendig und bewußt, obwohl sie auf solch ganz natürliche Weise gebildet werden.

Chal (9;5): »Wie hat die Sonne angefangen? – (Er denkt nach.) *Zuerst war sie klein, und dann ist sie groß geworden.* – Woher kam diese kleine Sonne? – *Es müssen die Wolken sein, die sie gebildet haben.* – Woraus besteht die Sonne? – *Aus Luft.*« Was die Wolken betrifft, so kommen sie auch aus der Luft.

Aud (9;8): »Woraus besteht die Sonne? – *Aus Wolken.* – Wie hat die Sonne angefangen? – *Am Anfang war es eine Kugel, und nachher hat sich die Kugel entzündet.*« Die Wolken, aus denen die Sonne hervorgegangen ist, kommen vom Himmel; die Sonne besteht deshalb »*aus Himmelswolken*«.

Ant (8;6): »Wie hat der Mond angefangen? – *Das sind Sterne, die zueinander gekommen sind, und das hat den Mond gemacht.* – Und woher kamen die Sterne? – *Das sind Flammen, die schon am Anfang dagewesen sind.*«

Gerv (11;0): »*Die Sonne und der Mond sind das gleiche. Wenn sie* (die Sonne) *untergeht, bildet sie den Mond, der in der Nacht erscheint.*« Der Mond sieht für Gerv größer als die Sonne aus: »*Wenn die Sonne untergeht, habe ich gesehen, wurde sie viel größer* (um sich in den Mond zu verwandeln).« Wir fragen Gerv, ob er die Sonne und den Mond nie gleichzeitig am Tag gesehen habe. Er antwortet mit Ja, doch das sei ein Trugbild: Was wie der Mond aussehe, sei eine weiße Form, die nur »*ein Widerschein*« der Sonne am Himmel ist. Über den Ursprung der Sonne sagt Gerv: »*Der Mond* (= die Sonne), *das sind Blitze, die sich aufgehäuft haben, die den Mond gebildet haben. Je nach Monat ist er größer, kleiner, zerstückelt. Es muß aus Feuer sein.*«

Aus allen diesen Fällen spricht ein bemerkenswertes Bemühen, die Gestirne durch eine Verdichtung von Luft oder Wolken und durch die spontane Entzündung dieser kondensierten Körper zu erklären. Man sieht die Analogie zwischen diesen Vorstellungen und den Auffassungen der Vorsokratiker.

Die zitierten Fälle scheinen sich nur auf Erkenntnisse zu stützen, die das Kind selbst erworben hat. Die nächsten Fälle hingegen verwenden auch Kenntnisse, die auf den Kontakt mit Erwachsenen zurückzuführen sind. Mart und Schm haben gelernt, daß die Elektrizität ein »Strom« ist und daß es in den Wolken elektrische Ladungen gibt. Jean, Ant usw. haben gelernt, daß es in der Erde drin Feuer hat und daß dieses Feuer durch die Vulkane usw. entweicht. Aus diesen Kenntnissen leiten die Kinder Erklärungen für den Ursprung der Gestirne ab. Diese Erklärungen sind somit teilweise oder mittelbar durch die Erwachsenen beeinflußt. Es lohnt sich dennoch, sie zu zitieren, denn sie enthalten ein Element von eigenständiger Überlegung, das auf derselben Linie wie die Erklärungen durch die Verdichtung von Luft oder Wolken liegt.

Mart (9;5): »Wie hat die Sonne angefangen? – *Ich weiß nicht. Man weiß es nicht.* – Das ist richtig, du hast recht. Aber man kann es erraten. Ist die Sonne immer dagewesen? – *Nein, es ist die Elektrizität, die immer dicker geworden ist.* – Woher kam diese Elektrizität? – *Von unterhalb des Bodens. Aus dem*

Wasser.« »Was ist die Elektrizität? – *Das ist der Strom.«* »Kann ein Wasserlauf Elektrizität erzeugen? – *Ja.«* »Woraus besteht der Strom? – *Aus Dampf* (Dampf, Elektrizität und Strom scheinen eine Einheit zu bilden). – Wie hat die Elektrizität die Sonne gemacht? – *Das ist Strom, der entwichen ist.* – Wie ist sie größer geworden? – *Luft hat sie aufgeblasen.«* »*Sie* (die Elektrizität) *ist durch Luft aufgeblasen worden.«*

Schm (8;8): »Wie hat die Sonne angefangen? – *Mit Feuer. Es ist eine Feuerkugel, dann gibt es hell.* – Woher kommt dieses Feuer? – *Von den Wolken.* – Wie genau? – *Es ist die Elektrizität in den Wolken.«* »Glaubst du, es sei jemand gewesen, der die Sonne gemacht hat? – *Nein, sie ist von allein gekommen.«*[3] Die Sonne ist lebendig und bewußt.

Vom Wortschatz abgesehen gibt es doch recht viele Ähnlichkeiten mit den zuerst zitierten Fällen: Für Mart ist die Sonne entflammte Luft, für Schm eine feurige Wolke. Hier nun zwei Kinder, die der Meinung sind, die Sonne komme aus den Vulkanen oder aus dem Boden:

Jean (8;6): »Wie hat die Sonne angefangen? – *Durch eine Feuerkugel.* – Woher kam sie? – *Aus der Erde.* – Wie? – *Sie ist weggedampft.* – Wo kam sie heraus? – *Aus der Erde* (= aus dem Boden).«

Ant (8;6): »*Sie* (die Sonne) *ist aus der Erde gekommen.* – Wie? – *Es ist eine Flamme, die aus der Erde hervorgekommen ist, und das hat die Sonne gegeben.* – Hat es Flammen in der Erde? – *Ja.* – Wo denn? – *In den Vulkanen.«*

Der Anklang an erworbene Kenntnisse ist unüberhörbar, aber diese Kenntnisse werden eigenständig verarbeitet. Aus den Antworten ersieht man zumindest die Tendenz der Kinder dieses Stadiums, den Ursprung der Gestirne durch einen vollständig natürlichen Vorgang zu erklären.

Jetzt wollen wir zu den Erklärungen für den Ursprung der Sterne übergehen. Die Kinder des dritten Stadiums bemühen sich selbstverständlich auch für die Sterne um eine natürliche Erklärung. Die Sterne werden deshalb zu Emanationen des Mondes, zu Blitzen usw.

Tacc (9;7): »Was sind die Sterne? – *Sie sind Feuer.* – Wie? – *Es sind kleine Funken, die zusammengekommen sind und den Stern gemacht haben.«* Diese Funken stammen von einem Feuer im Himmel, und dieses Feuer ist »*ganz von allein gekommen*«.

Deb (9 Jahre): »Was sind die Sterne? – *Ein kleiner Blitz.* – Und die Blitze? – *Wenn es donnert.* – Wer macht die Blitze? – *Wenn zwei Wolken aufeinanderstoßen.«*

Stoeck (11 Jahre): »Wie haben die Sterne angefangen? – *Durch die Sonne.«*

---

[3] Das Verb »kommen« (venir) hat oft den Sinn von »werden« (devenir) (Anmerkung des Übersetzers).

Selbstverständlich befinden sich diese Kinder nicht notwendig für die Sonne, den Mond und die Sterne im gleichen dritten Stadium. Die natürliche Erklärung für die Sterne erscheint im allgemeinen zuerst.

Je weiter entwickelt im übrigen die Kinder sind, um so weniger leicht formulieren sie eine Hypothese über den Ursprung der Gestirne. Nur für die Kleinen ist alles einfach. Ein Kind im Alter von 11 bis 12 Jahren antwortet sehr oft »das weiß man nicht« oder »ich habe keine Ahnung« usw. Der Artifizialismus – auch wenn er immanent geworden ist, was für das dritte Stadium gilt, denn die fabrikatorische Aktivität wird vom Menschen in die Natur selbst verlegt – führt so zu einer Krise: Ein Agnostizismus nimmt vorübergehend die Stelle allzu waghalsiger Kosmogonien ein.

Halten wir fest, daß das Schicksal des Animismus bis ans Ende mit dem des Artifizialismus verknüpft bleibt. Die Kinder dieses dritten Stadiums sind in dieser Hinsicht hoch interessant. Etwa die Hälfte von ihnen ist überhaupt nicht mehr animistisch, während mehr als drei Viertel der Kinder des zweiten Stadiums es noch gewesen waren. Die natürliche Erklärung hat dem Glauben an das Bewußtsein der Gestirne den Todesstoß versetzt. Die andere Hälfte der Kinder bleibt zwar animistisch, aber ihr Animismus ist gewissermaßen immanent. Die Gestirne kümmern sich nicht mehr um uns, sie folgen uns nicht mehr nach usw., aber sie sind sich noch ihres eigenen Laufs bewußt. In gewissen Fällen zeigt sich schließlich, daß der Animismus explizit mit dem Artifizialismus zusammen verschwindet:

Bouch (11;10) zum Beispiel ist ein skeptisches Kind, das sich darüber beklagt, daß es von seinen älteren Geschwistern getäuscht worden sei. »*Man hat mich beschummelt*«, sagt er immer wieder. Deshalb gibt er nur sehr umsichtige Antworten. Wir fragen ihn, ob die Sonne wisse, daß sie sich bewegt: »*Wenn es einen lieben Gott gibt*«, antwortet Bouch, »*so weiß sie* (daß sie sich bewegt). *Wenn es keinen gibt, weiß sie es nicht.*«

Eine merkwürdige Antwort. Sie zeigt, daß das den Dingen zugesprochene Bewußtsein mit dem Glauben an eine allgemeine Ordnung der Welt verbunden ist: Wenn Gott den Dingen befiehlt, dann sind die Dinge bewußt, wenn nicht, dann bewegen sie sich von selbst.

4. Die Mondsicheln

Wir wollen nun noch auf das Problem der Mondviertel zurückkommen, das wir im Zusammenhang mit der Entstehung der Gestirne nur kurz gestreift haben. Es dient uns im übrigen auch als Gegenbeweis, denn hier zeigt sich, ob die Antworten der Kinder in der gleichen Reihenfolge wie bei den anderen Fragen aufeinander folgen. Das muß nicht notwendig so sein, so daß wir das neue Problem als teilweise von den früheren Fragen unabhängig betrachten können, womit es sich als Gegenbeweis eignet.

Nun, die Stadien sind den früheren durchaus analog: integraler Artifizialismus, gemilderter Artifizialismus und natürliche Erklärung.

Im ersten Stadium werden die Mondsicheln als Monde angesehen, die entweder in Bildung begriffen oder von Menschen zerschnitten worden sind. Das sind zwei Formen eines integralen Artifizialismus:

Zuerst sei an Roy (6 Jahre), Gaud (6;6) und Purr (8;8) erinnert (vgl. Abschnitte 1 und 2), die die Mondviertel als »beginnende« Monde betrachten, also als Monde, die eben fabriziert worden sind und nun in der Art von Kleinkindern wachsen. Wir brauchen nicht auf diese Fälle zurückzukommen.

Hier drei Beispiele für den Glauben, die Mondsicheln seien Monde, die von den Menschen zerteilt worden seien:

Fran (9 Jahre): »Wie ist der Mond? – *Ganz rund.* – Immer? – *Nein, manchmal ist er nur die Hälfte.* – Warum die Hälfte? – *Weil man ihn manchmal zerschnitten hat.* – Glaubst du das? – *Ich glaube es.* – Warum hat man ihn zerschnitten? – *Damit er noch schöner ist.* – Und wer hat ihn zerschnitten? – *Männer.*« »Kann der Mond wieder rund werden? – *Nein. Nachher suchen sie die anderen Monde, die nur Hälften waren, und dann machen sie einen ganzen Mond daraus.*«

Bul (7;6): »*Männer haben sie zerschnitten, um den Halbmond zu machen.*«
Dou (5 Jahre): »*Man muß ihn in zwei Teile schneiden.*«

Das zweite Stadium ist wieder durch eine Mischung von Artifizialismus und natürlicher Erklärung gekennzeichnet:

Hub (6;6): »Ist der Mond immer rund? – *Nein.* – Wie ist er denn? – *Wie ein Hörnchen. Er ist stark abgenutzt.* – Warum? – *Weil er hell gegeben hat.* – Wie wird er wieder rund? – *Weil man ihn neu macht.* – Wie? – *Mit Himmel.*«

Caud (9;6): »Sieht dich der Mond? – *Ja. Manchmal ist er rund. Manchmal nur die Hälfte oder ein Viertel da.* – Warum? – *Der liebe Gott läßt ihn rund oder nur halb so groß werden, um die Tage zu markieren* (man beachte, wie das Kind eine Erklärung verformt, die offensichtlich ganz anders gegeben worden war). Zerschneidet man ihn? – *Nein, er selbst wird rund und nachher dann halb so groß.*«

In beiden Fällen ist ein natürlicher Abnützungs- oder Teilungsprozeß mit einem Befehl oder einer Fabrikation menschlicher Ordnung verbunden, was für das Kind keineswegs widersprüchlich ist. Das dritte Stadium eliminiert diesen zweiten Faktor und gibt eine vollständig natürliche Erklärung für das Phänomen. Diese Erklärung kann zwei Formen annehmen, die für zwei aufeinanderfolgende Unterstadien charakteristisch sind. Vom Mond kann erstens angenommen werden, er teile sich selbst oder er werde durch den Wind geteilt; in dieser Dynamik wirken ein Artifizialismus und ein Animismus zusammen, die beide völlig immanent geworden sind:

Mart (9;5): »Warum gibt es den Halbmond? – *Es ist nur die Hälfte da, der Wind hat ihn geteilt.* – Warum? – *Ich weiß nicht.* – Wo ist die andere Hälfte? – *Auf die Erde gefallen.* – Kann man sie sehen? – *Nein, das gibt den Regen* (da der Mond eine Wolke ist, kann er sich ohne weiteres in Regen verwandeln, ohne daß man hier etwas Geheimnisvolles vermuten müßte).« »Ist es der gleiche Mond, der rund wird, oder ein anderer? – *Ja* (der gleiche). *Er wird wieder groß.* – Wie? – *Der Wind läßt ihn wieder groß werden.*«

Ack (8;7): »*Manchmal ist Vollmond, manchmal Halbmond.* – Wie kommt es dazu? – *Es teilt sich von selbst.* – Und der Rest des Mondes? – *Er ist hinter den Wolken versteckt.* – Und wenn es keine Wolken hat? – *Im Himmel, beim lieben Gott.* – Warum teilt er sich? – *Weil er schlechtes Wetter machen will, der Vollmond will schönes Wetter machen.*«

Re (8 Jahre): »Wie kommt es, daß es nur einen Halbmond gibt? – *Es ist nur noch ein kleines Stück da.* – Wo ist der Rest? – *Auf dem Jura.* – Wie geschieht das? – *Es ist zerbrochen.* – Wie? – *Es ist zerfallen.* – Ist es von selbst zerfallen, oder hat das jemand getan? – *Ganz allein.* – Wie wird er nachher größer? – *Es fügt sich wieder daran.* – Wie? – *Es geht zum anderen Stück.* – Weiß es, daß es zum anderen Stück geht? – *Ja.*« »Warum ist er nicht immer rund? – *Weil er sich klein gemacht hat.* – Warum? – *Weil er sich nicht die ganze Zeit groß macht.* – Warum? – *Weil es kalt ist.* – Warum? – *Weil es nachher regnet.*«

Nor (10 Jahre): »*Eine Hälfte geht auf die eine Seite, die andere auf die andere.* – Wozu? – *Um das Wetter anzuzeigen.*« »Wie geschieht das? – *Weil es wärmer ist. Das bedeutet, daß das Wetter schlecht oder gut sein wird.*« Der Mond handelt ganz allein und im übrigen bewußt so.

Diese Fälle sind in verschiedener Hinsicht interessant. Sie sind selbstverständlich durch Aussagen von Erwachsenen beeinflußt, insbesondere wenn das Kind weiß, daß die Mondphasen Wetteranzeichen sind. Doch diese Aussagen der Erwachsenen sind auf eigenständige Weise assimiliert worden. Unter diesem Gesichtspunkt sind zwei merkwürdige Reaktionen festzuhalten. Als erstens die Vermengung des Zeichens mit der Ursache: Der Mond erzeugt das Wetter, indem er es ankündet und weil er es ankündet; als zweites die finalistische Dynamik, die das Kind dem Mond zuspricht. Der Mond, der Wind, der Himmel, die Wolken werden jeweils durch eine innere Kraft bewegt, die auf ein Ziel gerichtet ist. Falls sie aufeinander einwirken, geschieht das in der Art einer intelligenten Zusammenarbeit und nicht eines mechanischen Systems.

Der zweite Erklärungstyp für die Mondsichel, der sich im dritten Stadium finden läßt, ist positiver. Das Phänomen Halbmond ergibt sich entweder aus einer Drehbewegung des Mondes, die eine Teilung vorspiegelt, oder aus der Behinderung durch eine Wolke. Der Mond teilt sich also nicht mehr.

Lug (12;3): »Wie ist der Mond? – *Rund.* – Immer? – *Nein.* – Wie auch noch? – *Er ist mitten entzweigeschnitten. Gegen Abend zu ist er rund, und am Tag ist er mitten entzweigeschnitten.* – Warum? – *Weil es hell ist.* – Wo ist die andere Hälfte? – *Sie ist weggegangen.* – Wohin? – *In ein anderes Land, wo Nacht ist.* – Wie geschieht das? – *Sie muß in ein anderes Land gehen.* – Wie geschieht das? – *Eine Hälfte ist in ein anderes Land gegangen.* – Wie geschieht das? – *Sie geht, wenn es hier Tag ist.* – Teilt er sich? – *Nein.* – Was geschieht also? – *Er gibt hell in den Ländern, wenn* (dort) *Nacht ist und wenn hier Tag ist.* – Ist er immer ganz? – *Ja.* – Nie nur eine Hälfte? – *Ja, am Tag, weil er sich gedreht hat* (!). – Warum sieht man ihn am Tag nicht rund? – *Weil man ihn von vorne sieht* (Lug will sagen: im Profil). – Was meinst du damit? – *In der Nacht leuchtet er, am Tag dreht er sich ab und gibt er in einem anderen Land hell.*« »Ist der Mond rund wie eine Kugel? – *Nein, wie ein Kuchen.*« Lug, der zuerst gezögert hat, die Hypothese anzunehmen, wonach der Mond sich teile, kommt also zu dieser bemerkenswerten Erklärung, die sehr spontan zu sein scheint, daß der Mond ein Kuchen sei, der je nach der Richtung, in die er sich dreht, seine Form verändere.

Schm (8;8): »Was ist bisweilen am Mond merkwürdig? – *Er ist rund, dann wird er ein Halbmond.* – Wie kommt das? – *Wenn er groß wird, ist es kalt.* – Wo ist die andere Hälfte? – *Man sieht sie nicht. Sie ist von den Wolken verdeckt, aber sie bleibt immer.* – Und wenn es keine Wolken hat? – *Es hat trotzdem welche.* – Wie wird der Mond wieder dick? – *Die Wolken gehen weg.* – Wissen sie, wann sie weggehen müssen? – *Der andere Teil* (des Mondes) *gibt hell, dann dringt das durch die Wolken hindurch.*«

Carp (8;7): »*Es sind die Wolken, die ihn verbergen.* – Und die andere Hälfte? – *Hinter den Wolken.* – Ist er geteilt? – *Nein, hinter den Wolken.*«

Wir wissen nicht, ob diese letzteren Fälle (für die wir zahlreiche Beispiele gefunden haben) spontan sind oder nicht. Sie scheinen mindestens teilweise spontan zu sein. Lug ist mit den Beispielen zu vergleichen, die wir im Abschnitt 2 des Kapitels VII gefunden haben: Der Mond folgt uns nach, ohne sich zu bewegen, er dreht sich, und seine Strahlen folgen uns nach usw. (Sart, Lug und Brul).

Wir dürfen alles in allem den Schluß ziehen, daß die Erklärungen für die Mondviertel das Schema bestätigen, das wir uns bei den Erklärungen für den Ursprung der Gestirne zurechtgelegt haben.

Der integrale Artifizialismus, der aus ursprünglichen Partizipationen hervorgegangen ist, wird schrittweise von einem gemilderten Artifizialismus abgelöst, und dieser wird am Ende durch natürliche, zuerst dynamische und finalistische (immanenter Artifizialismus), dann immer stärker mechanische Erklärungen ersetzt.

Kapitel IX
Die Meteorologie und der Ursprung der Gewässer

Für das Kind unterscheidet sich selbstverständlich die Astronomie so wenig von der Meteorologie wie für die Naturvölker. Die Gestirne stehen auf derselben Ebene wie die Wolken, die Blitze und der Wind. Als nächstes untersuchen wir deshalb die Erklärungen für den Ursprung der anderen Himmelskörper und analysieren wir ergänzend die Erklärungen für den Ursprung der Gewässer. Wie bei den Gestirnen zeigen auch hier zahlreiche spontane Fragen der Kinder, daß die Probleme, die wir unseren Schülern vorlegen, durchaus in den Interessenkreis des Kindes gehören. Dazu die Beweise:

Von den Fragen, die Stanley Hall[1] gesammelt hat, seien beispielsweise erwähnt: »*Warum fällt der Regen? Woher kommt er?* (5 Jahre), *Was ist der Nebel? Wer hat ihn gemacht?* (6 Jahre), »*Woher kommt der Schnee? Wer macht, daß es donnert und blitzt? Was ist der Donner? Wozu ist er da? Wer läßt es donnern?*« usw. (7 Jahre), »*Wer macht den Schnee?*« (8 Jahre). Ein 11jähriger fragt beim Anblick eines Flusses: »*Ich frage mich, was ihn so groß macht. Es hat nicht viel geregnet.*«

Aus dem noch unveröffentlichten Material von Klingebiel sei ein Kind von 3;7 Jahren zitiert: »*Sag, Mama, ist es der liebe Gott, der im Himmel den Hahnen öffnet, damit das Wasser durch die Löcherbretter fließt, die den Himmel abschließen?*« Ein Kind von 3;8 Jahren: »*Sag, Mama, hat der liebe Gott das X-Meer und auch das Z-Meer gemacht? Da mußte er aber eine große Gießkanne haben?*«

Aus den Fragen von Del (SD, Kapitel V), 6;6 Jahre alt: »*Warum* (geht der See nicht bis nach Bern)«, »*Warum gibt es keine Quelle in unserem Garten?*« (S. 201), »*Wie wird das gebaut* (eine Quelle)?«, »*Braucht man eine Schaufel, um eine Quelle zu machen?*«, »*Aber wie entsteht der Regen im Himmel? Gibt es da Rohre oder fließende Bergbäche?*« (S. 226). »*Warum* (entwickelt sich der Blitz von selbst)? *Stimmt das? Aber gibt es im Himmel nicht alles, was man braucht, um Feuer zu machen?*«, »*Warum sieht man den Blitz in der Nacht besser?*« (S. 200f.), »*Wer läßt die Rhone so schnell fließen?*« (S. 226) usw. usw.

Der bereits im Kapitel VII (Abschnitt 1) und Kapitel VIII (Einleitung) zitierte Taubstumme von James, d'Estrella, liefert ebenfalls einige interessante Erinnerungen:

»Wenn es Wolken hatte, nahm er (d'Estrella spricht von sich in der dritten Person) an, sie kämen aus der großen Tabakpfeife Gottes (als Gott bezeichnet d'Estrella den ›großen und gut versteckten Mann ... hinter den Bergen‹, der täglich die Sonne in die Luft schleudert: siehe Kapitel VII, Einleitung). War-

[1] S. Hall, in: Pedagogical Seminary. Vol. 10 (1903).

um? Er hatte oft mit kindlicher Bewunderung beobachtet, wie der Rauch der Pfeifen und Zigarren spiralig aufstieg. Die fantastischen Formen der Wolken, die in der Luft schwebten, erfüllten ihn oft mit Hochachtung. Welche mächtigen Lungen Gott hatte! Wenn es Nebel hatte, nahm das Kind an, das sei sein Atem in der morgendlichen Kühle. Warum? Weil er bei solchem Wetter oft seinen eigenen Atem gesehen hatte. Wenn es regnete, zweifelte er nicht daran, daß Gott einen großen Schluck Wasser genommen hatte und jetzt in Form eines Platzregens aus seinem gewaltigen Mund ausspie. Warum? Er hatte wiederholt beobachtet, mit welcher Geschicklichkeit die Chinesen [in San Francisco] so die Wäsche besprützten, um sie zu bleichen.«

Solche Identifizierungen der Wolken mit Rauch, des Nebels oder des Regens mit dem Atem oder dem Speichel mögen seltsam anmuten. Wir werden jedoch mehrere Beispiele dafür kennenlernen.

Schon die Prüfung dieser Fragen oder dieser Erinnerungen legt die Vermutung nahe, daß wir für die Meteorologie und das Wasser dieselben Erklärungen wie für die Gestirne finden werden. Die Fragen der jüngsten Kinder und die Erinnerungen des Taubstummen sind eindeutig artifizialistisch. Wenn man fragt »wer hat gemacht« oder »wozu braucht man«, so wird die Antwort durch die Frage bereits präjudiziert. Je älter die Kinder sind, um so mehr deuten umgekehrt die Fragen darauf hin, daß sie eine physikalische Erklärung suchen. Es ist deshalb zu erwarten, daß wir den gleichen Entwicklungsprozeß wie bei den Erklärungen für die Gestirne finden werden: einen Übergang von einem integralen Artifizialismus zu immer positiveren Erklärungen.

Wir lassen in diesem Kapitel eine Anzahl Fragen aus, die wir in unserer Untersuchung über die kindliche Dynamik (siehe PK) behandeln, weil sie mehr mit der Ursache der Bewegung als dem Ursprung der Körper zu tun haben. Dazu gehören die Fragen über die Wellen, die Bewegung der Flüsse, die Bewegung der Wolken usw. Vor allem der umfassenden Frage nach der Herkunft des Windes und der Luft, die nicht von der Untersuchung der Bewegung zu trennen ist, möchten wir ein besonderes Kapitel widmen (PK, Kapitel I–II).

1. Das Himmelsgewölbe

Die Fragen »Himmelsgewölbe«, »Nacht« und »Wolken« bilden ein Ganzes, dessen Aufspaltung völlig unnatürlich ist. Dennoch müssen wir notgedrungen mit der Analyse eines dieser drei Begriffe beginnen, weil die Darstellung sonst unübersichtlich zu werden droht. In der kontinuierlichen Reihe der Erklärungen, die vom integralen Artifizialismus zur natürlichen Erklärung führt, kann man ebensowenig die drei Stadien unterscheiden, die wir beim

Ursprung der Gestirne beschrieben haben, ohne willkürliche Grenzen zu setzen. Dennoch halten wir es für nützlich, dieses Schema beizubehalten, denn solche Fixpunkte sind ebenso unerläßlich wie willkürlich. In der Psychologie sind die Gattungen und Arten so notwendig wie in der Zoologie und der Botanik, aber sie hängen ebensosehr von der freien Entscheidung des klassifizierenden Menschen wie von den zu klassifizierenden Tatsachen ab.

Die jüngsten Kinder (2–6 Jahre) lokalisieren den Himmel ungefähr über der Höhe der Dächer oder der Berge. »Geht das bis zum Himmel?«, fragt Del bei einer Rakete (SD, S. 231). Der Himmel bildet des weiteren ein Gewölbe, das den Horizont berührt.[2] Der dreijährige An sieht in der Ferne eine Kuh auf einer Wiese und fragt: »Sie ist dort drüben, bei der Sonne, nicht?« Unter diesen Umständen erweckt der Himmel beim Kind natürlich den Eindruck einer Decke oder eines festen Gewölbes. Deswegen wird von ihm auch angenommen, er sei von den Menschen oder von Gott fabriziert worden.

Hier einige Beispiele für dieses erste Stadium eines integralen Artifizialismus:

Gal (5 Jahre): Der Himmel besteht »*aus Stein*«. Er ist nicht flach, sondern »*rund*«. Der liebe Gott hat ihn gemacht.
Gaud (6;8): »*Der liebe Gott hat ihn gemacht. – Woraus? – Aus Erde.*« Er ist blau, weil der liebe Gott ihn »*blau gemacht*« hat.
Ack (8;7): Der liebe Gott hat ihn gemacht. »*Er hat Erde genommen.*«
Bar (9;5 retardiert): »*Das sind große Steine. Große Steinblöcke.*« »Warum fällt der Himmel nicht herunter? – *Weil er alle Häuser zusammenschlagen würde, wenn er herunterfallen würde, man würde getötet. – Und wie macht er es, daß er nicht herunterfällt? – Das hält gut – Warum? – Weil die Steinblöcke an etwas angemacht sind.*«

Es kommt aber auch vor, daß der Himmel als eine Kruste aus hart gewordenen Wolken aufgefaßt wird, womit der Weg zu den Erklärungen des zweiten Stadiums freigelegt wird:

Fran (9 Jahre, retardiert): Der Himmel ist »*eine Art Wolke*«. »Wie hat der Himmel angefangen? – *Sie (= Männer) haben den Himmel gemacht.* – Wie denn? – *Sie haben viele Wolken gefunden, und dann haben Männer sie genommen und sie stark zusammengedrückt, dann haben sie gesagt: ›wir werden sehen, ob das hält‹.* – Ist der Himmel hart? – *Ja.*« Die Wolken ihrerseits sind aus dem Rauch der Häuser entstanden. Die »materielle Ursache« wie die »effiziente Ursache« des Himmels sind somit beide künstlich.
Bul (7;6) ist der Meinung, der Himmel sei hart, Er besteht »*aus Luft*« oder »*aus Bläue*«. Männer haben ihn gemacht.

[2] Siehe J. Sully: Etudes sur l'enfance. Paris 1898. S. 141. (Deutsch: Untersuchungen über die Kindheit. Leipzig 1897).

Die jüngsten Kinder (3 bis 4 Jahre) sagen üblicherweise, der Himmel sei »aus Bläue«; das Blau wird in der Folge also Stein, Erde, Gas, Luft oder Wolken. Doch im ersten Stadium wird der Himmel fast immer als fest aufgefaßt.

Im zweiten Stadium bemüht sich das Kind, eine physische Erklärung für den Ursprung des Himmels zu finden. Die »effiziente Ursache« für die Bildung des Himmels ist folglich nicht mehr artifizialistisch. Doch die Materie, aus der der Himmel besteht, bleibt von der menschlichen Tätigkeit abhängig. Der Himmel ist aus Wolken, und die Wolken sind aus den Kaminen der Häuser, Schiffe usw. herausgekommen:

Gava (8;6): »Woraus ist der Himmel? – *Er ist eine Art Wolke, die sich bildet. – Wie? – Es ist der Dampf der Schiffe, der zum Himmel aufsteigt, und das gibt dann ein großes blaues Gartenbeet.*« »Ist der Himmel hart oder nicht hart? – *Es ist wie eine Art Erde.* – Woraus? – *Es ist wie Erde, die mehrere kleine Löcher hat; und dann ist es Wolken, sie gehen durch die kleinen Löcher hindurch, und wenn es dann regnet, fällt der Regen durch die kleinen Löcher.*« »Wie hat das angefangen? – ... *Als die Erde da war, hat es vielleicht Häuser gegeben, und dann hat es Rauch gehabt, das hat den Himmel gebildet.* – Ist der Himmel lebendig? – *Ja, denn wenn er tot wäre, dann würde er herunterfallen* (vgl. die Definition des Lebens durch die Tätigkeit). – Weiß der Himmel, daß er die Sonne trägt, oder weiß er es nicht? – *Ja, denn er sieht auch die Helligkeit.* – Wie sieht er sie? – *Er weiß, wann die Sonne aufgeht und wann die Sonne untergeht.* – Woher weiß der das? – *Seit er (= der Himmel) geboren wurde, hat er es gewußt, wann die Sonne gekommen ist, und jetzt kann er es dann auch wissen, wann die Sonne aufgeht und wann die Sonne untergeht.*« Der Himmel ist somit eine große lebendige Wolke, aber diese Wolke ist aus dem Rauch der Häuser und der Schiffe entstanden.

Giamb (8;6): »Woraus ist der Himmel? – *Aus Luft.*« »Wie kommt es, daß der Himmel blau ist? – *Wenn die Bäume schwanken, machen sie, daß die Luft ganz nach oben steigt* (diese Meinung über den Ursprung des Windes ist oft anzutreffen, vgl. PK, Kapitel II, Abschnitt 1). – Warum ist er aber blau? – *Manchmal ist der Rauch blau, und das fällt in die Bäume, und das macht den Himmel blau.*«

Grang (7;6): »Woraus ist der Himmel? – *Wolken.* – Und wenn er blau ist, sind das auch Wolken? – *Ja.*« Doch der Himmel ist fest: Der liebe Gott wohnt darauf. Diese Wolken haben sich ohne Hilfe durch irgendwelche Personen zusammengefunden, aber sie sind aus den Häusern herausgekommen. Sie sind lebendig.

Im dritten Stadium gelingt es dem Kind, sich vom Artifizialismus ganz zu lösen. Der Himmel besteht aus Luft oder Wolken. Er hat sich von selbst gebildet. Die Wolken, aus denen er besteht, haben einen natürlichen Ursprung. Die Vorstellung eines festen Gewölbes ist in diesem Stadium am Verschwinden.

Rey (8 Jahre) ist dabei, vom zweiten ins dritte Stadium überzugehen. Der Himmel ist noch ein festes Gewölbe: »*Er ist hart.*« Aber er hat sich ausschließlich aus Materialien natürlicher Herkunft gebildet: »*Es hat viele kleine, dicht zusammengedrängte Wolken. –* Woraus sind sie? *– Sie sind breit.*« »Woraus ist der Himmel? *– Er ist blau. –* Woraus? *– Aus Wolken. –* Und die Wolken? *– Sie sind blau.*« »*Manchmal hat es blaue.*« In bezug auf den Ursprung dieser Wolken dreht sich Rey im Kreise: Der Himmel macht die Wolken, und die Wolken machen den Himmel. »Woraus sind die Wolken? *– Aus Himmel. –* Und der Himmel? *– Aus Wolken. – . . .*« usw.

Tacc (9 Jahre): »Was ist der Himmel? *– Das sind Wolken. –* Welche Farbe haben diese Wolken? *– Blau, schwarz, grau oder weiß. –* Könnte man den Himmel berühren? *– Nein, er ist zu hoch oben.*« »Wenn man hinaufsteigen könnte, könnte man ihn dann berühren? *– Nein. –* Warum nicht? *– Weil er aus Luft ist, es sind Wolken. –* Woraus bestehen die Wolken? *– Aus Staub. –* Woher kommt dieser Staub? *– Von der Erde. Es ist der Staub, der aufsteigt.*« »Wie hält er? *– Der Wind hält ihn fest.*«

Luc (12;3): »Was ist der Himmel? *– Das ist eine Wolke. –* Von welcher Farbe? *– Weiß. –* Ist der blaue Himmel eine Wolke? *– Das ist keine! –* Was ist er denn? *– Das ist Luft. –* Wie hat der Himmel angefangen? *– Mit Luft. –* Woher kam diese Luft? *– Von der Erde unten. –* Was hat es über dem Himmel? *– Das ist leer.*«

Stoeck (11 Jahre): »Woraus ist der Himmel? *– Wolken, Wasser, Luft. –* Und woraus ist die Bläue? *– Aus Wasser. –* Warum ist es blau? *– Es ist das Wasser, das es macht. –* Woher kommt dieses Wasser? *– Vom Nebel.*«

Diese Vorstellungen sind zweifellos von den Erwachsenen beeinflußt. Wenn die Kinder nicht Fragen gestellt hätten, wüßten sie mit 10 oder 11 Jahren nicht, daß der Himmel aus Luft besteht und nicht fest ist. Doch auch hier ist es wieder interessant, wie die Kinder das Gehörte assimilieren. In dieser Hinsicht läßt sich eine klare altersmäßige Entwicklung beobachten: Abbau des Artifizialismus zugunsten eines schrittweisen Suchens von Erklärungen durch Identifikation von Elementen (Luft, Rauch, Wolken, Wasser), Erklärungen, die eine gewisse Analogie zu denjenigen der Vorsokratiker aufweisen.

Der beste Beweiß dafür, daß unsere Ergebnisse zum Teil unabhängig vom Milieu sind, ist die Tatsache, daß man sie auch in anderen Gegenden als Genf findet. M. Rodrigo hat dieselben Fragen in Madrid und Santander rund hundert kleinen Spaniern zwischen 5 und 11 Jahren vorgelegt. Neben einigen unbestimmten und gelernten Antworten findet man dieselben Erklärungen wie in Genf. Im Durchschnitt ist eine leichte Verzögerung im Vergleich zur Schweiz festzustellen, aber die Reihenfolge der Antworten bleibt gleich. Als Durchschnittsalter für die drei verschiedenen Erklärungstypen findet man: 7 Jahre für die Erklärung, wonach der Himmel aus Stein, aus Erde, aus Backsteinen usw. sei, 8 ½ Jahre für die Vorstellung, wonach der Himmel eine Wolke sei, und 10 Jahre für die Erklärungen, die sich auf die Luft berufen.

2. Die Ursache und die Natur der Nacht

Wir kommen jetzt zu einer Gruppe von Vorstellungen und Erklärungen, die von der Erziehung, die das Kind erhalten hat, viel unabhängiger als die bisherigen Themen sind. Es dürfte deshalb recht aufschlußreich sein, ob die Entwicklungsprozesse, die wir bei den vorausgehenden Untersuchungen herausgearbeitet haben, auch für die Erklärung der Nacht Gültigkeit haben. Das ist, wie wir sehen werden, der Fall. Man kann in der Entwicklung dieser Erklärung vier Stadien unterscheiden. Im ersten Stadium gibt das Kind eine rein artifizialistische Erklärung für die Nacht, ohne sich über das »Wie« dieser Entstehung näher auszulassen. Im zweiten und dritten Stadium ist die Erklärung halb-artifizialistisch, halb-physisch: Die Nacht ist eine große schwarze Wolke, die durch menschliche Kräfte bewegt wird und die die ganze Atmosphäre ausfüllt (zweites Stadium) oder einfach den Tag verstopft (drittes Stadium). Im vierten Stadium schließlich erklärt sich die Nacht durch das Verschwinden der Sonne.

Im ersten Stadium begnügt sich das Kind im Grunde genommen damit, die Nacht durch ihren Nutzen zu erklären, womit der Ausgangspunkt für jeden Artifizialismus wieder einmal aufgezeigt wird. Wenn man das Kind drängt, seine finalistische durch eine kausale Erklärung zu ergänzen, so nennt es die Menschen oder den lieben Gott, aber ohne etwas Genaues über das »Wie« zu sagen:

Mor (5 Jahre): »Warum ist es Nacht? – *Weil es dunkel ist.* – Warum ist es dunkel? – *Weil es Abend ist. Die kleinen Kinder müssen ins Bett.* – Woher kommt die Nacht? – *Vom Himmel.* – Wie macht der Himmel die Nacht? – *Der liebe Gott.* – Wie wird es dunkel? – *Das weiß ich nicht.*«

Léo (7;6): »Woher kommt die Nacht? – *Vom Himmel.* – Wie entsteht die Nacht am Himmel? – *Weil es eine Uhr hat, und dann am Morgen ist sie ganz gerade, und am Abend fällt sie.* – Warum? – *Sie fällt, weil die Nacht kommt.* – Und was bewirkt das? – *Weil es Nacht ist.* – Wie entsteht die Nacht, wenn der Zeiger fällt?* – (Die Nacht kommt) *weil es den Zeiger hat, der fällt.* – Wußtest du das schon? – *... denn bei uns hat es eine Art Lampe, dann einen Zeiger; wenn er fällt, wird es Nacht.*« Wenn wir das Kind richtig verstanden haben, ist diese »Art Lampe« ein Zähler, den man am Abend öffnet, um den elektrischen Strom einzuschalten. »Wie hat diese Uhr angefangen? – *Der liebe Gott hat sie gemacht.* – Wer ist der liebe Gott? – *Das ist eine Person.* – Was tut er? – *Er arbeitet.* – Warum? – *Für die Kinder.*« Man sieht, für Léo ist die Bewegung eines Zählerzeigers gleichzeitig Zeichen und Ursache der Nacht. Er beschäftigt sich nicht mit dem »Wie« dieses Phänomens.

Gill (7 Jahre): Die Nacht, »*das ist ... man schläft in der Nacht, dann ist es ganz dunkel.* – Warum ist es dunkel? – *Damit man ins Bett geht.* – Warum wird es dunkel? – *Es ist der Himmel, der schwarz wird, es wird ganz dunkel.*«

Delesd (7;8): »Wie kommt es, daß es in der Nacht ganz dunkel ist? – *Das ist weil man schläft.* – Wenn du am Nachmittag schläfst, wird es dann dunkel? –

Nein. – Wie wird es also am Abend dunkel? – ...« Delesd beharrt trotz dieses Einwandes darauf, daß es Nacht wird, weil man schläft.

Diese Antworten sind sehr aufschlußreich. Ihr gemeinsamer Hintergrund ist die Aussage, daß es Nacht wird, weil man schläft. In bestimmten Fällen (Gill zum Beispiel) scheint diese Verbindung rein teleologisch zu sein: Die Nacht kommt, damit man ins Bett gehen kann. In den anderen Fällen, und sie sind wahrscheinlich die ursprünglicheren, ist der Schlaf gleichzeitig finale und effiziente Ursache der Nacht. Also eine Vorkausalität. Das Kind kümmert sich nicht um das »Wie«: es sucht einfach die Absicht, die die Nacht verursacht, und diese Absicht ist offensichtlich die, daß die Kinder schlafen. Unter dem Einfluß der Befragung vervollständigt das Kind diese vorkausale Verbindung mit einem artifizialistischen Mythos. Das gilt für Léo, aber seine Fabel ist, wie man sieht, nur ein Kommentar zur vorkausalen Verbindung »die Nacht wird durch den Schlaf hervorgebracht.«

Im zweiten Stadium bleibt die vorkausale Verbindung zwischen der Nacht und dem Schlaf der Hauptfaktor in der Erklärung des Kindes, aber das »Wie« für die Bildung der Nacht wird gefunden. Die Nacht ist eine große schwarze Wolke, die unter der Wirkung der Menschen oder Gottes die Atmosphäre füllt. Doch das Problem wird dadurch nur auf eine andere Ebene verschoben. Wie gelingt es dem Schlafbedürfnis oder dem Willen der Menschen, die große schwarze Wolke heranzubringen? Das Kind kümmert sich nicht darum:

Van (6 Jahre): »Was ist die Nacht? – *Zum Schlafen.* – Warum ist es in der Nacht so dunkel? – *Weil man besser schläft, und daß es im Zimmer dunkel ist.* – Woher kommt dieses Dunkel? – *Weil der Himmel grau wird.* – Wie kommt es, daß der Himmel grau wird? – *Die Wolken werden dunkel.* – Wie werden sie dunkel? – *Der liebe Gott macht, daß dunkle Wolken kommen.*«

Duc (6 Jahre): »Warum ist es in der Nacht dunkel? – *Weil es Zeit ist, ins Bett zu gehen.* – Und wie kommt es, daß es dunkel wird? – *Die Wolken machen es.* – Wußtest du das schon? – *Ich habe es jetzt herausgefunden.* – Wie machen sie es? – *Weil es dunkle Wolken gibt.* – Hast du schon einmal in der Nacht den Mond und die Sterne gesehen? Hatte es in diesen Nächten Wolken am Himmel? – *Ja.* – Hat es in der Nacht immer Wolken? – *Nein.* – Und wenn es keine Wolken hat, kommt dann die Nacht ganz von allein? – ... – Wie wird es dunkel, wenn es keine Wolken hat? – *Die Wolken machen es.*« Einige Wochen später: »Wie entsteht die Nacht? – *Weil ganz dunkle Wolken kommen.* – Hat es immer Wolken, wenn es Nacht ist? – *Ja.*« »Und wenn es hell ist, warum ist es dann hell? – *Damit man etwas sieht.*«

Bourg (9 Jahre): »Woher kommt die Nacht? – *Die Luft wird dunkel.* – Warum wird die Luft in der Nacht dunkel? – ... – Und am Tag? – *Die*

Luft ist dann weiß.« »Wird es Nacht, weil dunkle Luft kommt, oder wird die helle Luft dunkel? – *Die helle Luft geht weg.* – Woher kommt die dunkle Luft? – *Von den Wolken.*«

Mart (8;10): Die Nacht ist dunkel, »*weil man in der Nacht schläft, man sieht nichts mehr.*« »Warum ist es dunkel? – *Weil der Himmel dunkel wird.* – Wie geschieht das? – *Oh! das weiß ich nicht.* – Was meinst du? – *Weil das Wetter schlecht ist.* – Was macht, daß es dunkel wird? – *Das schlechte Wetter.* – Ist das Wetter in der Nacht immer schlecht? – *Nicht immer.* – Und wenn schönes Wetter ist, wie wird es dann dunkel? – *Weil die Wolken einander einholen* (= miteinander verschmelzen).«

Fran (9 Jahre): »Was ist die Nacht? – *Das ist, wenn es ganz dunkel ist.* – Woher kommt diese Dunkelheit? – *Vom Himmel.* – Wie hat die Nacht angefangen? – *Weil es Wolken hat, die ganz dunkel sind.* – Woher kommen diese Wolken? – *Vom Himmel.* – Kommen sie während des Tages oder in der Nacht? – *In der Nacht.* – Warum kommen sie während des Tages nicht? – *Weil es am Tag hell ist. Die Nacht ist dunkel. Wenn sie am Tag kommen, dann wird es Nacht!* – Warum kommen sie aber erst am Abend? Wie geschieht das? – *Weil es am Abend trüber ist.* – Wissen die Wolken, daß sie sich bewegen, oder wissen sie es nicht? – *Ja, wenn die Wolken kommen, so gehen sie ganz nahe zusammen, damit man keinen einzigen Ziegel* (= ein einziges Stück) *Weiß sieht.* – Machen sie das extra? – *Ja.* – Warum? – *Weil wir schlafen müssen.*«

Zwa (9 Jahre): »Was ist die Nacht? Woher kommt sie? – *Das ist, wie wenn es bald regnen würde, es wird dunkel.* – Was ist das, diese Dunkelheit? – *Das ist die Nacht.* – Woher kommt sie? – *Sie kommt von den Wolken.* – Weshalb kommt sie jeden Abend? – *Weil die Leute müde sind.*« »Was macht, daß die Nacht kommt? – *Der Himmel. Er wird schwarz.* – Warum? – *Das ist, damit die Leute ins Bett gehen.*«

Pat (10 Jahre): Die Nacht, »*das ist Schwärze.* – Woher kommt diese? – *Vom lieben Gott.* – Wie macht das der liebe Gott? – *Ich weiß es nicht.* – Woher kommt die Dunkelheit? – *Von den Wolken.* – Wie? – *Sie werden schwarz.*«

Für die Kinder des zweiten Stadiums ist die Nacht folglich eine große schwarze/dunkle Wolke oder dunkle Luft. Diese Wolke verhindert nicht den Tag, sie ist kein Schirm. Sie selbst ist die Nacht, indem sie entweder »dunkle Luft« aus sich entläßt (Bourg), oder indem sie schwarze Reflexe erzeugt.

Diese Antworten sind vom Artifizialismus her gesehen höchst interessant. Die bewegende Ursache der Wolken ist der Wille der Menschen oder Gottes, und sie wird mit dem erstrebten Zweck vermengt. Die Bewegung der Wolke wird somit ganz durch die Verpflichtung erklärt, uns den Schlaf zu ermöglichen. Andererseits wird der Artifizialismus mit einem intregralen Animismus kombiniert: Die Tatsache, daß der Wolke befohlen wird, impliziert, daß die Wolke bewußt gehorcht. Diese von Gott oder den Menschen gesandte Wolke hat im übrigen den gleichen Ursprung wie alle Wolken ganz allgemein: Sie ist Rauch, der aus den Häusern kommt.

Der Artifizialismus des zweiten Stadiums ist somit weniger vollständig als derjenige des ersten: Der Mensch ist nicht mehr direkt die Ursache für die Bildung der Nacht. Er ist nur die Wirkursache der Wolkenbewegung.

Im dritten Stadium stößt man noch auf viele Spuren dieses partiellen Artifizialismus. Ein großer Fortschritt ist aber insofern zu verzeichnen, als die Nacht nicht mehr als eine Substanz, sondern ganz einfach als fehlende Helligkeit aufgefaßt wird. Das Kind beruft sich noch immer auf die Wolken, umd die Nacht zu erklären, aber die Wolken stellen nicht mehr materiell die Nacht dar: Sie »verstopfen« einfach den Tag. Die Nacht wird also von jetzt ab für einen Schatten gehalten, im erwachsenen Sinne des Wortes.

Dieser Übergang von der Auffassung der Nacht als Substanz zur Auffassung der Nacht als Schatten vollzieht sich selbstverständlich nicht schlagartig, sondern unmerklich. Es gibt zahlreiche Zwischenstadien, in denen das Kind zwischen den beiden Auffassungen hin und her schwankt, ohne sich für die eine entscheiden zu können. Hier sei ein solcher Fall wiedergegeben: Das Kind sagt einerseits, die Wolken würden den Tag verstopfen (drittes Stadium), es glaubt aber andererseits noch, die Wolke müsse schwarz sein, damit es Nacht werde, so daß folglich die Nacht noch mit einer schwarzen Substanz in Verbindung gebracht wird (zweites Stadium:

Roul. (7 Jahre): »Was ist die Nacht? – *Schwarze Wolken.* – Woher kommen diese Wolken? – *Vom Himmel.* – Wie? – *Sie gehen vor den weißen Wolken vorbei.*« »Weshalb kommen diese Wolken am Abend? – *Um die weißen Wolken zu verdecken. Sie kommen an ihre Stelle* (Antwort des zweiten Stadiums). – Wie geschieht das? – *Sie kommen ganz von allein. Sie bewegen sich vorwärts.* – Wie? – *Der liebe Gott stößt sie.*« »Kann man machen, daß es in diesem Zimmer Nacht ist? – *Ja.* – Wie? – *Man schließt die Fensterläden.* – Was geschieht dann? – *Man sieht nicht mehr, daß es Tag ist.* – Warum ist es dann also dunkel im Zimmer? – *Weil man die Fensterläden schließt.* – Ist es dann also Nacht? – *Ja.* – Ist eine dunkle Wolke im Zimmer, wenn man die Fensterläden schließt? – *Nein.* – Was ist das also, wenn es Nacht im Zimmer ist? – *Man sieht den Tag nicht mehr.* – Und die Nacht draußen, was ist das? – *Weil der Himmel durch die großen schwarzen Wolken verstopft ist, die kommen.* – Müssen sie schwarz sein, um das Tageslicht zu verstopfen? – *Ja.* – Kann man das Tageslicht auch mit weißen Wolken verstopfen? – *Nein, denn diese können nicht verstopfen.*«

Roul bringt also zwei nebeneinanderstehende Erklärungen vor. Einerseits wird die Nacht durch schwarze Wolken gebildet, die »an die Stelle« der weißen kommen, und andererseits ist sie ein Schatten, der durch die Wolke hervorgerufen wird, die als Schirm wirkt. Jetzt lassen wir Fälle folgen, die eindeutig zum dritten Stadium gehören, die also die Nacht auf Anhieb, und ohne daß man es suggerieren muß, als einen Schatten definieren, der durch Wolken hervorgerufen wird, die den Tag verstopfen:

Mai (8;7): »Was ist die Nacht? – *Das ist, wenn es nicht mehr hell ist.* – Und warum ist es nicht mehr hell? – *Wenn sich die Wolken vor dem Tag aufstellen.* – Wer hat dir das gesagt? – *Niemand.* – Und der Tag? – *Wenn es keine Wolken mehr hat.* – Wer macht, daß es Tag ist? – *Der Himmel* ...«
Bab (8;11): »Warum ist es in der Nacht dunkel? – *Weil der Himmel verdeckt ist, und dann* (auch) *die Wolken.*« Die Wolken verdecken somit den Himmel: »*Die Wolken bedecken den ganzen Himmel, und man sieht nichts mehr.* – Woher kommen diese Wolken? – *Vom Himmel.* – Welche Farbe haben sie? – *Grau.* Würden auch weiße Wolken genügen, damit es Nacht wird? – *Ja.* – Warum? – *Weil alle gehen würden.*«

Die Wolken spielen somit nicht mehr die gleiche Rolle wie im zweiten Stadium, sie lösen nicht mehr durch ihre bloße Gegenwart die Dunkelheit aus, indem sie entweder die Atmosphäre füllen oder schwarze Reflexe auslösen. Die Wolken wirken von jetzt ab, unabhängig von ihrer Farbe, als Schirm. Auch eine weiße Wolke kann laut Roul die Nacht hervorrufen: sie muß nur »den Himmel bedecken« und so das Licht abschirmen, das von diesem Himmel her kommt. Im vierten Stadium finden die Kinder schließlich heraus, daß die Nacht einfach auf das Verschwinden der Sonne zurückzuführen sei. Selbstverständlich wissen sie deshalb noch nicht, daß sich die Erde um die Sonne dreht. Es ist auch völlig verfehlt, ihnen diese Tatsache zu früh beizubringen, weil sie sie trotzdem nicht begreifen. Wir haben 9 bis 10 Jahre alte Kinder angetroffen, denen man die Vorstellung eingeprägt hatte, Amerika befinde sich auf der anderen Seite der Erdkugel. Sie schlossen daraus, Amerika befinde sich gewissermaßen in einem tieferen Stockwerk als Europa, und die Sonne müsse, um nach Amerika zu gelangen, das Meer in einem Tunnel durch die Schicht durchqueren, die für Europa der Fußboden und für Amerika die Decke sei. Aber auch ohne zu wissen, daß die Erde eine Kugel sei, können die Kinder einsehen, daß der Tag durch die Sonne und die Nacht durch deren Verschwinden hervorgerufen werden.

In den früheren, sogar noch im dritten, Stadium ist die Sonne nicht notwendig, damit Tag ist. Der Tag wird durch weiße Wolken, weiße Luft oder den Himmel gemacht.

So sagt Deu (7 Jahre), die Nacht sei »*eine schwarze Wolke, die den weißen Himmel verdeckt.*« Obwohl diese Antwort zum dritten Stadium gehört, glaubt Deu, der Himmel gebe hell: »*Die Sonne ist nicht wie das Licht. Das Licht erhellt alles, aber die Sonne gibt nur dort hell, wo sie ist.*«

Im vierten Stadium hingegen findet das Kind schließlich heraus, daß die Sonne das Tageslicht erzeugt. Das ist üblicherweise auf den Einfluß der Erwachsenen zurückzuführen, aber wir glauben, daß einige Kinder diese Entdeckung von selbst machen. Hier Beispiele für dieses vierte Stadium:

Caud (9;6): »Woher kommt die Nacht? – *Wenn die Sonne untergeht, beginnt die Nacht.* – Wer hat dir das gesagt? – *Ich habe es gesehen.* – Warum wird es Nacht, wenn die Sonne untergeht? – *Weil es nicht mehr Tag ist.*« »Warum wird der Himmel in der Nacht schwarz? – *Weil man während der Nacht das Tageslicht nicht sieht. Man sieht nicht, wo der Himmel ist.*«
  Bonv (8;6): »Warum ist die Nacht dunkel? – *Wenn es Zeit ist, ins Bett zu gehen.* – Warum ist es aber in der Nacht dunkel, was meinst du? – *Weil die Sonne versteckt ist.* – Was macht, daß es Tag ist? – *Weil die Sonne scheint.*«

Die Reihenfolge dieser vier Stadien zeigt, daß der Artifizialismus schrittweise zugunsten von Erklärungen abgebaut wird, die immer besser mit der physikalischen Wirklichkeit in Einklang stehen. Die Reihenfolge insbesondere der beiden ersten Stadien deckt aber auch eine der Wurzeln des kindlichen Artifizialismus auf: Das Kind interessiert sich zuerst für das »Warum« der Phänomene und kümmert sich erst später um ihr »Wie«. Das Kind geht, mit anderen Worten, vom impliziten Postulat aus, alles in der Ordnung der Dinge habe einen Sinn, alles sei einem Plan entsprechend konzipiert, und dieser Plan selbst sei auf das Wohl der Menschen abgestimmt. Die Nacht ist »zum Schlafen« da, das ist der Ausgangspunkt (erstes Stadium). Erst anschließend möchte das Kind den Verursacher des Phänomens und sein »Wie« kennenlernen (zweites Stadium). Der Verursacher ist natürlich der Mensch selbst, für den es die Nacht gibt. Das »Wie«, das ist der Rauch aus den Kaminen, der die Wolken und schwarze Luft erzeugt und so die Atmosphäre füllt. Welche schicksalshaften Umstände sind dafür verantwortlich, daß die Nacht regelmäßig wiederkehrt? Das Kind stellt sich diese Frage nicht einmal. Es ist derart davon überzeugt, die moralische Notwendigkeit und nicht der Zufall oder eine mechanische Kraft würden den Lauf der Dinge regulieren, daß es, ohne weiterzusuchen, annimmt, der Wille der Menschen würde zusammen mit der Gutwilligkeit des Rauches und der Wolken selbst durchaus genügen, um die Konstanz im Ablauf der Nächte sicherzustellen. Das ist somit der Artifizialismus des Kindes, falls er nicht durch die religiöse Erziehung mit Vorstellungen kompliziert wird, die dem spontanen kindlichen Denken fremd sind.

3. Der Ursprung der Wolken

Für das Kind bestehen der Himmel und die Nacht im wesentlichen aus Wolken. Deshalb müssen wir uns jetzt der Frage zuwenden, woher die Wolken kommen. Dieses Thema eignet sich ausgezeichnet für eine Untersuchung des Artifizialismus, weil sich hier die kindliche Spontaneität unbehindert entfalten kann.

Die Dokumente über den Ursprung der Wolken haben wir in Paris, Nizza, in Savoyen, im Wallis und in Genf gesammelt. Die Damen M. Margairaz, M. Roux und M. Rodrigo haben unsere Fragen in Carouge, im Waadtland und in Spanien gestellt. Die Antworten, die wir in diesen verschiedenen Milieus erhalten haben, entwickeln sich konvergent, und die Parallelität ist oft derart beeindruckend, daß die daraus abgeleiteten Folgerungen Vertrauen verdienen.

In der Entwicklung der Erklärungen für den Ursprung der Wolken lassen sich drei Stadien unterscheiden. Im ersten Stadium (5 bis 6 Jahre durchschnittlich in Genf) wird die Wolke, die im allgemeinen als »fest« (aus Stein, aus Erde usw.) betrachtet wird, als vollständig vom Menschen oder von Gott fabriziert aufgefaßt. Im zweiten Stadium (6 bis 9 Jahre durchschnittlich in Genf und Paris) erklärt das Kind die Wolken durch den Rauch aus den Dächern; es betont, daß es keine Wolken mehr gäbe, wenn keine Häuser mehr vorhanden wären. Der Artifizialismus ist somit indirekter als im ersten Stadium, aber immer noch sehr systematisch. Im dritten Stadium schließlich (durchschnittlich ab 9 bis 10 Jahren) haben die Wolken einen völlig natürlichen Ursprung; sie sind kondensierte Luft oder Feuchtigkeit, Dampf, Wärme usw.

Zuerst Beispiele für das erste Stadium:

Aub (7 Jahre): »Woher kommen die Wolken? – *Vom Berg. Sie kommen herunter, und dann sind sie da.*« »Was meinst du, woraus bestehen sie? – *Aus Erde.* – Wo sind sie? – *Am Himmel.* – Wie steigen sie zum Himmel hinauf? – *Der liebe Gott läßt sie aufsteigen, denn sie gehen nicht von allein hinauf.*« Die Wolken sind nichtsdestoweniger lebendig: »*Wenn sie gehen, müssen sie es wissen.*«

Gril (7 Jahre) sagt zum Regen: »*Der liebe Gott läßt den Regen fallen.* – Wie macht er das? – *Er nimmt große Kugeln, wirft sie, und dann regnet es.* – Woraus bestehen diese Kugeln? – *Aus Stein.*« »Weiß man, wann der liebe Gott diese Kugeln wirft? – *Ja, man hört den Donner.*« Etwas später: »Woher kommen die Wolken? – *Vom Himmel.* – Woraus sind sie? – *Aus Stein.*« Die Wolken sind lebendig und wissen, daß sie sich bewegen.

Tac (6;5) glaubt seinerseits, die Wolken seien von Gott fabriziert worden. »Woraus sind sie? – *Sie sind aus Stein. Dann zerbricht es. Es hält fest am Himmel.*«

Für Rat (8 Jahre) werden die Wolken auf dem Berg von Menschen aus Erde gemacht, »*weil sie nicht von alleine entstehen können.*«

Der Nutzen dieser Wolken wird verschieden interpretiert:

Laut Gril (7 Jahre) dienen die Wolken, wie wir eben gesehen haben, dazu, den Donner auszulösen und so den Regen herbeizuführen. Sie kommen auch, »*um hell zu geben*«. Für andere Kinder sind die Wolken dazu da, »*um die Nacht zu machen*«, um »*Regen anzuzeigen*« usw.

Die Antworten dieses ersten Stadiums sind somit mit den ursprünglichsten Erklärungen für den Ursprung der Gestirne (Kapitel VIII, Abschnitt 1 bis 2) vergleichbar. In beiden Fällen impliziert der integrale Artifizialismus den Animismus, er schließt diesen nicht aus. Die Gestirne sind vom Menschen entzündetes Feuer, aber dennoch lebendig. Die Wolken sind von den Menschen aufgehäufte Erde oder Steine, aber sie sind trotzdem lebendig und bewußt.

In beiden Fällen findet man überdies Kinder, die eine ursprüngliche Partizipation zwischen den Himmelskörpern und dem Menschen annehmen, als ob die Wolken und die Himmelskörper direkt aus dem Menschen hervorgegangen wären:

Roy (6 Jahre) hat uns wie erinnerlich (Kapitel VIII, Abschnitt 1) gesagt, die Gestirne hätten begonnen, «*weil wir angefangen haben, lebendig zu sein*«, und sie würden wachsen, »*weil wir größer werden.*«. Er fügte hinzu, die Wolken würden das Wachstum der Sonne und des Mondes bewirken. Diese zweite Aussage scheint zur ersten in Widerspruch zu stehen. Das ist jedoch, wie wir sehen werden, nicht so. Einen Monat nach dem Gespräch über die Gestirne befragen wir Roy zu den Wolken: »Woher kommen die Wolken? – *Vom Himmel.* – Wie geschieht das? – *Der Himmel macht sie.* – Wie? – *Weil es nützlich ist, sie zu machen.* – Wie macht er sie? – *Weil es entzwei geht.* – Was geht entzwei? – *Der Himmel.* – Woraus besteht eine Wolke? – *Aus Luft.* – Und der Himmel? – *Auch aus Luft.* – Wie hat es das erstemal angefangen, als der Himmel da war? – *Er ist immer dagewesen.* – Aber das erstemal? – *Weil es Wind ist.* – Woher kam dieser Wind? – *Vom Himmel.* – Wie ist das geschehen? – *Jemand hat geblasen.* – Wer? – *Menschen.* – Welche Menschen? – *Menschen, die diesen Beruf hatten.*«

Diese Aussagen hören sich fabuliert an. Roy schien uns jedoch kein Fabulierer zu sein, und genau dieselben Mythen findet man überdies in den Kindheitserinnerungen des Taubstummen d'Estrella, die James publiziert hat und aus denen wir bereits etliche Auszüge zitiert haben:

Man erinnert sich (Kapitel VIII, Einleitung), als Erklärung für den Ursprung der Gestirne stellte sich d'Estrella einen »großen und starken Mann« vor, der versteckt hinter den Hügeln um San Francisco lebte. Dieser Mann, der von d'Estrella in seinen Erinnerungen »Gott« genannt wird, erklärt auch die Wolken: »Wenn der Wind blies, nahm es (das Kind) an, das sei ein Hinweis auf seine (des Gottes) Laune. Ein kalter Wind zeigte seinen Zorn an, eine frische

Brise seine gute Laune. Warum? Das Kind hatte bisweilen den Hauch gespürt, der aus dem Mund zorniger, sich streitender oder scheltender Menschen kam. Wenn es Wolken hatte, nahm es an, sie kämen aus der großen Pfeife Gottes. Warum? Weil es oft mit kindlicher Bewunderung festgestellt hatte, wie der Pfeifen- oder Zigarrenrauch spiralig in die Luft stieg. Die fantastischen Formen der in der Luft treibenden Wolken flößten ihm oft Hochachtung ein. Welche mächtigen Lungen Gott hatte. Wenn es neblig war, nahm das Kind an, das sei der Atem Gottes in der Morgenkühle. Warum? Weil es bei solchem Wetter oft seinen eigenen Atem gesehen hatte.«

Im zweiten Stadium haben die Wolken einen halb-künstlichen, halb-natürlichen Ursprung: künstlich, insofern die Wolke aus dem Rauch der Kamine entstanden ist, natürlich, insofern die Form und das Aufsteigen der Wolken vom Menschen unabhängig sind. Selbstverständlich werden die Wolken in diesem zweiten Stadium noch immer als lebendig und bewußt betrachtet. Hier einige Beispiele:

Hans (5 Jahre): »Woher kommen die Wolken? – *Vom Himmel.* – Wie sind sie entstanden? – *Es ist Rauch.* – Woher kommt dieser Rauch der Wolken? – *Vom Feuer.* – Von welchem Feuer? – *Vom Feuer des Herdes.* – Von welchem Herd? – *Wenn man kocht.* – Wenn es keine Häuser mehr gäbe, würde es dann immer noch Wolken geben? – *Ja.* – Sehr gut. Woher würden sie kommen? – *Nein, es gäbe keine mehr.*«

Bois (5;6): »Woher kommen die Wolken? – *Aus dem Himmel.* – Woraus sind sie gemacht? – *Wie der Himmel.* – Woraus also? – *Aus Wolken.* – Woraus sind die Wolken? – *Aus blau, aus weiß.* – Wie haben diese Wolken angefangen? – *Durch den Kamin.* – Wie? – (Der Kamin) *das ist, damit der Rauch hinausgeht.* – Und dann? – *Er geht in den Himmel, das macht Wolken.*«

Moc (8 Jahre): »Woher kommen die Wolken? – *Aus dem Rauch.* – Und woher kommt der Rauch? – *Aus dem Kamin.* – Wenn es keine Häuser mehr hätte, gäbe es dann noch Wolken? – *Nein.*«

Port (9 Jahre): »Woher kommen die Wolken? – *Aus dem Rauch.* – Aus welchem Rauch? – *Der Rauch der Kamine, der Herde, dann aus dem Staub.* – Und wie bildet dieser Rauch die Wolken? – *Er verschmiert sich am Himmel. Er trinkt die Luft, dann wird sie farbig, dann geht sie an den Himmel.* – Kommt dieser Rauch der Wolken nur aus den Kaminen? – *Ja, und dann wenn jemand ein Feuer in den Wäldern macht. Als ich in Savoyen war, hat mein Onkel ein Feuer im Wald gemacht, das machte Rauch, der ging in den Himmel, er war ganz blau.* – Hast du gesehen, daß er blau war? – *Ja, er ist blau, aber wenn er am Himmel ankommt, ist er schwarz.*« »Spüren die Wolken die Wärme und die Kälte? – *Ja, denn die Wolken machen, daß die Kälte und dann die Wärme kommt.*«

Mai (9;6): »Was sind die Wolken? – *Es ist Rauch.* – Woher kommt der Rauch der Wolken? – *Aus den Kaminen, aus dem Gaswerk.*«

Bourg (9;6) erklärt, wie wir im Abschnitt 2 gesehen haben, die Nacht durch die schwarze Luft, die aus den Wolken herauskommt. »Woher kommt die schwarze Luft? – *Aus den Wolken.* – Woher kommen die Wolken? Woraus sind sie gemacht? – *Aus Rauch.* – Woher kommt der Rauch? – Aus den Kaminen.«

Marg (10 Jahre): Die Wolken entstehen »mit *Rauch.* – Mit welchem Rauch? –

Weißer, grauer. – Woher kommt dieser Rauch? *– Aus den Kaminen.«* Andererseits sind die Wolken »*lebendig. –* Warum? *– Sonst würden sie nicht gehen. Wenn sie nicht lebendig wären, könnten sie sich nicht bewegen.«* Sie wissen im übrigen, was sie tun.

Zul (10 Jahre): »Was sind die Wolken? *– Das ist Rauch, der sich in der Luft verliert, dann wird es Wolken. Wenn es regnet, werden sie ganz schwarz, wenn es nicht mehr regnet, dann werden sie ganz weiß, dann manchmal rot. –* Woraus sind sie? *– Aus Rauch.«* Sie sind lebendig, *»weil sie gehen«.*

Unter dem pädagogischen Gesichtspunkt ist es interessant, daß dieser gemilderte Artifizialismus des zweiten Stadiums außerordentlich dauerhaft und widerstandsfähig ist. Auch die besten Unterrichtslektionen über die Wolken können vom Schüler verzerrt und an das Schema assimiliert werden, das wir eben kennengelernt haben. Wir haben zahlreiche Schüler befragt, die durchaus wissen, daß die Wolken »aus Dampf« sind und daß Dampf durch das Erhitzen und Kochen von Wasser entsteht (eine Zeichnung im Lesebuch, das an den Genfer Schulen verwendet wird, verbildlicht dieses Kochen im Zusammenhang mit einer Lektion über den Dampf), aber sie schließen daraus, daß alle Wolken aus den Kochtöpfen hervorgegangen seien. Mit anderen Worten, diese Kinder haben ihre spontane Erklärung beibehalten und nur den Begriff »Rauch« durch »Dampf« ersetzt. Hier einige Beispiele für diesen Artifizialismus, dessen »Rohmaterial« aus verkehrt verstandenen Aussagen von Erwachsenen stammt:

Bul (11;8): »Wie entstehen die Wolken? *– Es ist der Dampf aus dem Meer. –* Warum? *– Sie kommen aus dem Dampf des Meeres, aus dem Wasser, das verdampft. –* Warum verdampft es? *– Es ist warmes Wasser. –* Warum ist es warm? *– Weil man es erhitzt hat. –* Wer ›man‹? *– Das Feuer. –* Wie geschieht das? *– Das Feuer der Schiffe. –* Heizen sie das Wasser des Meeres? *– Ja.«* Im übrigen gilt ebenfalls für die Wolken: »*Das ist auch Wasser, das man daheim erwärmt hat, wenn das Fenster offen ist.«* Man ersieht daraus, was ein fast 12 Jahre altes Kind von den Lektionen über die Verdampfung des Meerwassers begriffen hat!

Ducr (8;6): Die Wolken, »*das ist Dampf. Das ist, wenn man Wasser in den Kochtöpfen kocht, das gibt Dampf, er steigt zum Himmel auf.«* Andererseits sind die Wolken lebendig, *»weil sie in der Luft fliegen, wie wenn sie Vögel wären, aber sie gehen sehr schnell.«*

Jetzt lassen wir einige Fälle folgen, die zwischen dem zweiten und dem dritten Stadium stehen. Das Kind vermischt seinen Artifizialismus mit einem eindeutigen Anteil an natürlicher Erklärung. Die Wolken haben deshalb einen doppelten Ursprung: Der Rauch oder der Dampf, aus dem sie bestehen, kommt gleichzeitig aus den Häusern und aus den Seen oder dem Meer:

Cen (8;6): »Weißt du, woher die Wolken kommen? – *Es ist Dampf.* – Was ist der Dampf? – *Das ist wie Rauch.* – Woher kommt der Dampf? – *Aus dem Wasser, wenn es kocht oder kochen wird.*« »Woher kommt der Dampf der Wolken? – *Wenn man die Suppe kocht.* – Gibt das Wolken, wenn man die Suppe kocht? – *Der Dampf geht hinaus, und er nimmt Wasser mit.*« Cen scheint somit zum zweiten Stadium zu gehören, aber er fügt hinzu: »Gäbe es ohne Häuser noch Wolken? – *Ja.* – Woher würden sie kommen? – *Aus den anderen Ländern.* – Und wenn es in den anderen Ländern keine Häuser mehr hätte, würde es dann noch Wolken geben? – *Ja.* – Wie? – *Sie würden Feuer machen, es gäbe Rauch und dann Dampf.*« Und wenn ›sie‹ kein Feuer machten, gäbe es noch die Wolken, die »*von den Bergen*« kommen, aber Cen weiß nicht, wie sie sich bilden würden. Cen ist folglich ein Kind, das eindeutig das Gefühl hat, daß die Wolken zum Teil vom Menschen unabhängig seien, aber es weiß nicht, wie es die Tatsache erklären soll, und behilft sich, sobald man es zu einer Erklärung drängt, mit Artifizialismen.

Caril (11;7): Die Wolken, »*das ist Dampf.* – Woher kommt dieser Dampf? – *Es ist die Sonne, die ihn macht ..., (er kommt) aus dem Meer; er kommt, wenn man Wasser erhitzt.* – Woher kommen die Wolken? – *Aus den Kochtöpfen.*«

Diese Fälle sind offensichtlich vom Schulunterricht beeinflußt. Der folgende Fall hingegen scheint spontan zu sein: Die Wolken haben einen primär artifizialistischen Ursprung, aber sie bilden sich durch einen natürlichen Vorgang.

Vel (8½) sagt zuerst: „*Die Wolken sind aus Luft.*« Doch ihr primärer Ursprung ist künstlich: »Wie entstehen sie? – *Aus dem Rauch.* – Woher kommt dieser Rauch? – *Aus den Herden.* – Ist Luft und Rauch das gleiche? – *Nein, der Rauch macht Luft und die Luft* (erzeugt) *die Wolken.*«

Im anschließenden dritten Stadium sprechen die Kinder den Wolken einen vollständig natürlichen Ursprung zu. Leider sind die meisten Antworten, die man hier erhält, direkt vom Schulunterricht beeinflußt (umgekehrt wie bei den Gestirnen): »Die Sonne verdampft das Wasser«, »Die Sonne macht, daß es Dampf wird, indem sie es erwärmt« usw. Neben solchen gelernten Formulierungen findet man aber auch einige mehr oder weniger spontane Erklärungen, die eine Bedeutung haben und die wir hier ausschließlich zitieren. Diese Erklärungen gehen vom gleichen Prinzip aus, das wir schon beim natürlichen Ursprung der Gestirne kennengelernt haben (Kapitel VIII, Abschnitt 3): der Identifikation der Substanzen. Die Wolken sind kondensierte Luft, Rauch, Blitze, Wärme, Feuchtigkeit usw., wobei jedoch von der Luft, dem Rauch, dem Feuer, dem Dampf und dem Wasser angenommen wird, sie könnten sich ineinander verwandeln, was auch die vorsokratischen »Physiker« angenommen hatten. Hier zunächst Identifikationen von Wolken mit dem Rauch der Blitze:

Ben (7;6): Die Wolken »*sind Rauch*«, *der vom Blitz kommt.* »*Der Donner gibt Wasser.*« Der Blitz raucht somit, der Rauch verwandelt sich in eine Wolke, die zu Wasser schmilzt.

Fau (7 Jahre): Die Wolken »*sind Feuer*«. Der Donner kommt aus der Wolke heraus, und die Wolke ist der Rauch des Donners.

Lef (8;6): »Woher kommen die Wolken? – *Sie kommen vom Donner: es ist Wasser.*« Das Wasser kommt vom Donner, denn der Donner raucht, und der Rauch wird Wasser.

Gerv (11;0) glaubt, die Wolken würden sich aus dem Rauch bilden, der aus den Vulkanen entweicht. Umgekehrt besteht die Erde aus aufgehäuften Wolken (siehe Kapitel XI, Abschnitt 3).

In den folgenden Fällen werden die Wolken auf Luft oder komprimierte Luft zurückgeführt:

Chev (8;2): »Was sind die Wolken? – *Luft.* – Woher kommen sie? – *Hinter dem Berg. Sie bilden sich hinter dem Berg.* – Erkläre mir wie. – *Durch viel Luft. Die Luft ballt sich zusammen, und dann steigt sie auf.*« Wie haben sich die Wolken gebildet, die jetzt gerade über uns sind? – *Durch die Luft dort oben. Es hat oben mehr Luft als unten.* – Du hast mir aber gesagt, sie würden sich hinter dem Berg bilden. – *Das ist, weil man nicht sieht, wie sie sich bilden.* – Wie entstehen sie? – *Durch die Luft.* – Und die Wolken über uns sind hinter dem Berg gebildet worden? – *Ja, denn sie sind vorher aufgestiegen. Sie sind in der Nacht aufgestiegen, während diejenigen, die beim Berg sind, am Tag aufgestiegen sind.* – Bilden sie sich nur hinter den Bergen? – *Nein, es gibt auch welche, die sich vor uns bilden. Mein Bruder hat es mir gesagt. Die ganze Luft kommt, dann bildet es Nebel.*« »Du sagst, sie bilden sich manchmal vor uns. – *Ah! Es ist durch die Luft von unten, die sich zusammenballt.* – Wie macht sie das? – *Es hat viel Luft, die kommt. Sie legen sich auf einen großen Haufen.*«

Lidy (9 Jahre): »Woraus bestehen die Wolken? – *Aus Luft.*« »Was wird aus dieser Luft am Himmel? – *Es wird eine dicke Wolke, dann wird es sehr schwer, dann fällt es.*«

Zwa (9 Jahre): »*Es hat ein wenig Rauch aus dem Wasser, der zum Himmel aufsteigt, und das bildet Wolken.* – Woher kommt der Rauch aus dem Wasser? – *Das Wasser hat ihn gemacht.* – Wo? – *Drin. Er entsteht auf dem Boden des Wassers und steigt nach oben.* – Wie? – *Weil der See immer tiefer sinkt. Es hat ein wenig Sand, der wie der Rauch aufsteigt, und das steigt zum Himmel hinauf.*« »Wer macht den Rauch, das Wasser oder der Sand? – *Der Sand.*« »Warum kommt der Rauch des Wassers aus dem Sand heraus? – *Manchmal hat es kleine Steine, die zerbrechen, und daraus kommt der Rauch.* – Warum? – *Weil das Wasser stark ist, dann zerbricht es.*« Zwa meint mit dem »Rauch des Wassers« zweifellos die Luftblasen, die sich am Ufer des Genfersees im feuchten Sand bilden.

Auf die Identifikation der Wolken mit der Wärme und der Feuchtigkeit kommen wir im Zusammenhang mit den Erklärungen für die Bildung des Regens (Abschnitt 5) zu sprechen.

Das Besondere an diesen Antworten des dritten Stadiums ist ohne weiteres ersichtlich. Die Wolken werden durch einen ganz natürlichen Vorgang erklärt, und dieser Vorgang ist grundsätzlich eine Verwandlung von qualitativ heterogener Substanz. Einige Kinder kommen darüber hinaus zum interessanten Begriff einer Verdichtung der Substanzen. Chev und Lidy sprechen von Luft, »die sich zusammenballt«, die »sehr schwer wird« usw. Sind diese Formulierungen spontan? Würden nur die zitierten Fälle vorliegen, wären Zweifel berechtigt, und man könnte sie als das Ergebnis schlecht begriffener Lektionen über den Dampf und den Regen ansehen. Diese Erklärungen gehören aber zum gleichen Typ wie diejenigen der 9 bis 10 Jahre alten Kinder für den Ursprung der Gestirne (die Gestirne sind kondensierte Luft oder Wolken), für den Ursprung der Steine (die Kiesel sind zusammengepreßte Erde) und vor allem für die Unterschiede im spezifischen Gewicht zwischen den Körpern (ein schwerer Gegenstand ist »gefüllter« oder »zusammengepreßter« als ein leichter Gegenstand von gleichem Volumen; siehe PK). Unter diesen Umständen ist es gar nicht so unwahrscheinlich, daß die Erklärungen, die wir kennengelernt haben, spontan sind.

Die Ergebnisse, die wir an anderen Orten als in Genf gesammelt haben, zeigen einen genau gleichen Entwicklungsablauf, jedoch mit Unterschieden im Durchschnittsalter. In Paris beträgt dieses bei insgesamt 50 in allen Einzelheiten untersuchten Kindern etwas unter 7 Jahre für das erste, 8 Jahre für das zweite und 9½ Jahre für das dritte Stadium. In Spanien lauten die entsprechenden Zahlen 7½, 9 und 10½ Jahre. Auf dem Lande verschwinden die artifizialistischen Erklärungen natürlich früher, aber die Erklärungstypen bleiben gleich. Kinder aus ländlichen Gebieten haben gesagt, die Wolken gingen aus den Kaminen auf den Häusern hervor, gleichgültig ob wir sie in Beaulieu-sur-Mer oder im Wallis, im Waadtland oder in Savoyen danach gefragt haben. Man ersieht daraus, wie sehr das Kind durch seine geistige Ausrichtung zum Artifizialismus gedrängt wird, auch wenn es um anscheinend vom Menschen derart unabhängige Körper wie die Wolken geht. Die Einzelheiten dieses Artifizialismus sind gewiß nicht sehr interessant. Die verbreitetste Vorstellung der Kinder insbesondere, wonach die Wolken durch den Rauch aus den Hausdächern gebildet würden, ist für ein Denken, das von vornherein zum Artifizialismus neigt, die natürlichste Sache der Welt. Doch um diese Einzelheiten geht es uns nicht. Interessant sind die allgemeinen Tendenzen, die sie voraussetzt. Wenn man sich in Erinnerung ruft, daß der Himmel wie die Gestirne für das Kind vor allem aus Wolken besteht, daß auch die Nacht auf eine geregelte, intentionelle oder zumindest teleologische Aktivität der Wolken zurückzuführen ist, so läßt sich die Tragweite der analysierten Antworten ermessen. Im kindlichen Universum bleibt nichts dem Zufall überlassen. Sogar der

Rauch, der eher zum Typ der nutzlosen und von irgendwelchen Zufällen abhängigen Körper zu gehören scheint, wird vom Kind als die Materie des Himmels und als die Grundursache für die atmosphärischen Schwankungen und die Nacht aufgefaßt. Im Hinblick auf den Animismus folgt daraus selbstverständlich, daß der Rauch und die Wolken in den beiden ersten unserer Stadien als bewußt und lebendig angesehen werden. Im dritten Stadium hingegen ist der Animismus am Verschwinden. Mehrere der Kinder, die die Wolken als aus Luft oder aufgrund ihrer Schulkenntnisse aus Wasserdampf zusammengesetzt betrachten, sehen sie jedoch noch als bewußt an. Wir kommen im Zusammenhang mit der Bewegung der Wolken (PK) auf diese Frage zurück.

4. Der Donner und die Blitze

Bevor wir die Erklärungen der Kinder für die Bildung des Regens untersuchen, wollen wir uns ihren Vorstellungen über die Gewitter zuwenden. Dieses Problem beschäftigt alle Kinder. Man kann zahllose Fragen zum Donner und zu den Blitzen zusammentragen. Die Fragen der jüngsten Altersklassen, bis etwa 6 Jahre, sind bis in ihre Form offenkundig artifizialistisch. Del fragt beispielsweise mit 6½ Jahren (SD, S. 200 f.), nachdem man ihm gesagt hat, der Blitz entstehe ganz von alleine am Himmel: »*Warum (entwickelt sich der Blitz von selbst)? Stimmt das? Aber gibt es im Himmel nicht alles, was man braucht, um Feuer zu machen?*«

Die Antworten, die wir erhalten haben, lassen sich in drei Stadien klassieren. Im ersten wird vom Donner und von den Blitzen angenommen, sie würden so, wie sie sind, im Himmel oder auf den Bergen fabriziert. Im zweiten gehen sie durch einen natürlichen Vorgang aus den Wolken oder den Gestirnen hervor, denen ihrerseits ein künstlicher Ursprung zugesprochen wird. Im dritten haben die Gewitter einen völlig natürlichen Ursprung.

Zuerst Beispiele für das erste Stadium, das kaum über 6 Jahre hinausgeht:

Stei (5 Jahre): »Was ist der Donner? – *Mit Hämmern, man klopft.* – Glaubst du das, oder sagst du das einfach so? – *Ich glaube es.* – Wer klopft? – *Der liebe Gott.* – Warum? – *Um es regnen zu lassen.*« »Was ist ein Blitz? Wie entsteht er? – *Ich weiß nicht.* – Ganz von allein? – *Ja. Vor dem Donner.* – Woraus ist er? – *Aus Feuer.* – Woher kommen die Blitze? – *Vom Feuer, denn man zündet mit Zündhölzern an. Er zündet an, dann gibt es einen Blitz.* – Wer zündet an? – *Der liebe Gott.* – Warum? – *Er zündet an, damit es kracht.* – Warum? – *Weil er es so will.* – Warum will er es? – *Ich erinnere mich nicht mehr.*«

Don (5;5): »Was sind Blitze? – *Es ist der Donner, der ihn macht.* – Wie? – *Der Donner kracht, dann die Blitze, der Donner läßt sie los.* – Woraus besteht der Blitz? – *Aus Feuer.* – Woher kommt dieses Feuer? – *Vom Donner.* – Ist der Donner aus Feuer? – *Im Donner hat es Feuer.* – Woher kommt der Donner? – *Vom Berg.* – Wie entsteht er auf dem Berg? – *Es sind die Maurer, die sich darum kümmern.* – Wie? – *Sie nehmen Eisen und machen daraus den Donner.*«

Die Fabeln dieses ersten Stadiums sind einander alle ähnlich. Das zweite Stadium ist bei Kindern im Alter von durchschnittlich 7 bis 9 Jahren anzutreffen. Der Donner ist auf eine Explosion in den Wolken zurückzuführen, der Blitz ist Feuer, das aus den Wolken oder Gestirnen herauskommt. Die Wolken und die Gestirne sind für diese Kinder jedoch noch aus dem Rauch der Häuser oder aus der von den Menschen fabrizierten Luft hervorgegangen:

Roy (6;5): »Was ist der Donner? – *Das ist ein Blitz. Dann ist es Feuer, dann grollt es.* – Woher kommt dieses Feuer? – *Von der Sonne.* – Warum grollt es? – *Der Mond macht, daß es grollt.*« Für Roy ist, wie erinnerlich, die Sonne aus einem vom lieben Gott weggeworfenen Streichholz entstanden oder wird die Sonne zumindest dank den Wolken, die aus dem Atem der Menschen entstanden sind, größer.

Duc (6;10): »Was ist der Donner? – *Das sind die Blitze, die aufeinanderprallen.*« »Woher kommt der Blitz? – *Vom Himmel.* – Was ist er? – *Wie aus Feuer.*« »*Es sind Sterne.*« Die Sterne sind jedoch fabriziert.

Bois (5;6) stellt zuerst eine Reziprozitätsbeziehung zwischen dem Donner und den Sternen her: »Was ist der Donner? – *Mit Feuer.* – Wie entsteht er? – *Mit den Sternen, mit Feuer.* – Wie entstehen die Sterne? – *Weil das* (der Donner) *die Sterne macht, die Feuer fangen.*« Doch beides entsteht aus den Blitzen, die aus den Wolken hervorgegangen sind: »Woher kommen die Blitze? – *Von den Wolken.* – Hat es Feuer in den Wolken? – *Ja.* – Wie denn? – *Rauch.*« Mit anderen Worten, diese Wolken haben sich aus dem Rauch der Dächer gebildet (Bois ist in dieser Hinsicht eindeutig), sie können sich wieder in Feuer verwandeln, das die Blitze und durch die Blitze den Donner und die Sterne hervorbringt.

Die verbreitetste Erklärung dieses zweiten Stadiums betrachtet den Donner als das Ergebnis zusammenprallender Wolken und den Blitz als einen dadurch ausgelösten Brand, denn die Wolken bestehen aus Rauch, und der Rauch enthält Feuer!

Cess (8;6): »Was ist der Donner? – *Feuer.* – Woher kommt dieses Feuer? – *Von den Wolken, weil sie aufeinanderstoßen.* – Warum macht das Lärm? – *Weil sie stark aufeinanderstoßen.* – Was sind die Blitze? – *Feuer.* – Woher kommt es? – *Von den Wolken, weil sie aufeinandergestoßen sind.*« »Wie geht das vor sich? – *Weil es Feuer ist, wie der Mond und die Sonne.*«

Moc (8 Jahre): »Woher kommt der Donner? – *Von den Wolken.* – Wie denn? – *Wenn sie dröhnen, platzen sie.* – Was sind die Blitze? – *Feuer.* – Warum geht Feuer weg? – *Weil das* (der Donner) *die Wolken platzt* (zum Platzen bringt).«

Bo (9;6): »Was ist der Donner? – *Das sind die Wolken, die aufeinanderstoßen. – Warum? – Um den Donner zu machen.* – Woher kommt der Lärm? – *Weil sie aufeinanderstoßen.* – Ist eine Wolke hart? – *Ja.* – Wie der Tisch? – *Nein.*« (Bo hat etwas früher gesagt, die Wolken seien Rauch aus den Herden.) »Was ist der Blitz? – *Das ist der Donner, der weggeht.*« Er ist »*Feuer aus den Wolken.* – Hat es jetzt Feuer in den Wolken? – *Manchmal.* – Was sind die Wolken? – *Feuer.*«

Das dritte Stadium ist durch ganz natürliche Erklärungen gekennzeichnet. Diese Erklärungen sind in den meisten Fällen gelernt und berufen sich auf die »Elektrizität« in den Wolken. Wie üblich findet man aber auch immer wieder eigenständige Antworten, die von einer zumindest relativen Spontaneität zeugen. Wir wollen nur solche zitieren. Sie führen das Gewitter im wesentlichen auf das Zusammenprallen zweier Wolken zurück, die ihrerseits aus Luft oder Dampf usw. bestehen. Das Feuer der Blitze entsteht durch die Explosion oder die Reibung, die durch dieses Zusammenprallen zustande kommt, oder durch Funken von den Sternen:

Chal (9 Jahre) identifiziert, wie wir gesehen haben (Kapitel VIII, Abschnitt 3), die Sonne mit einer Wolke und beides mit der Luft. Einen Monat nach diesem ersten Gespräch können wir Chal noch einmal befragen: »Was ist der Donner? – *Lärm. Das sind zwei Wolken, die zusammenstoßen.* – Warum macht das Lärm? – *Wenn sie zusammenstoßen, dann knallt es.* – Sind die Wolken hart? – *Nein.* – Wie kommt also der Lärm zustande? – *– . . .* – Was ist der Blitz? – *Feuer.* – Woher kommt es? – *Es kommt von den Wolken; das macht Feuer.* – Warum hat es in den Wolken Feuer? – *Weil die Sonne Feuer ist. Das ist eine* (Feuer-) *Kugel.* – Kommt der Blitz von der Sonne? – *Nein.* – Kommt das Feuer des Blitzes von der Sonne? – *Ja.*« »Macht die Sonne den Blitz? – *Nein, die Wolken.* – Warum kommt das Feuer der Blitze von der Sonne? – *Weil die Sonne eine Feuerkugel war, und sie ist geplatzt.*« Die Sonne, besser gesagt die Sonnen sind Wolken, die Feuer gefangen haben und, indem sie platzen, die anderen Wolken entzünden. Die Wolken sind aus Luft, und ihre Explosion erzeugt den Donner.

Wir haben an anderer Stelle (Kapitel VIII, Abschnitt 3) gesehen, daß Ant, And und Gerv die Bildung der Gestirne durch aufgehäufte Wolken erklären. Chal gibt die reziproke Erklärung, indem er den Blitz als aus der Sonne hervorgegangen interpretiert.

Hend (9;8): »Was ist der Donner? – *Das sind zwei Wolken, die zusammenstoßen, das macht Blitze. Zuerst berührt es sich, dann schlägt es aufeinander, und das macht den Donner und den Blitz.* – Warum macht das den Blitz? – *Weil zwei Wolken entgegen (gegeneinander) gleiten, und das gibt Funken.* – Warum? – *Wenn man zwei Holzstücke gegeneinander reibt, gibt es auch Funken.* – Warum gleitet es? – *Das wärmt, und dann springt der Funken heraus.*« Hend hält fest, die Wolke sei nicht hart: sie ist aus Dampf. Damit sich die Wolke aber drehen kann, »*muß der Dampf gut zusammengepreßt sein.*«

Ross (10;7): »Was ist der Donner? – *Wolken, die platzen.* – Wie? – *Weil sie zusammenstoßen.* – Und was geschieht dann? – *Ein Blitz.* – Was ist das? – *Ein*

Aufblitzen, das durch die Wolken gemacht wird. – Warum dieses Aufblitzen? – Weil sie zusammenstoßen.«

Auch diese Erklärungen weisen wieder Analogien zu denen der Vorsokratiker auf: Die in den Wolken eingeschlossene Luft bringt diese Wolken zum Platzen, und das Zerreißen erzeugt ein Aufblitzen.

Diese knappe Untersuchung über die Erklärung für die Bildung der Gewitter bestätigt die Ergebnisse, die wir bei den Wolken erhalten haben: Die Erklärungen entwickeln sich von einem integralen Artifizialismus zu einem Versuch einer natürlichen Rekonstruktion, deren Prinzip die Identifikation heterogener Substanzen ist. Die Erklärung für den Regen soll diesen Überblick vervollständigen.

5. Die Bildung des Regens

Die Vorstellungen über den Regen gehören zu den interessantesten Problemen, die der kindliche Artifizialismus aufwirft. Da die Wolken in den ersten Stadien als aus Stein oder Rauch bestehend betrachtet werden, gibt es keinerlei Grund dafür, weshalb der Regen aus den Wolken und nicht aus dem Himmel selbst stammen sollte. Die Erfahrung schafft jedoch eine Verbindung zwischen den Wolken und dem Regen; wenn Regen fällt, sind immer Wolken am Himmel. Das weiß das Kind. Wie wird es also diese Verbindung begreifen? Ist die Wolke das Zeichen oder die Ursache des Regens, oder findet man eine, auch bei Naturvölkern festgestellte, Vermengung des Zeichens mit der Ursache? Faktisch stößt man auf alle drei Lösungen, die ohne genaue Beziehung zum Alter mehr oder weniger miteinander vermischt sind.

Um den Sachverhalt möglichst klar herausarbeiten zu können, wollen wir zuerst die Erklärungen für den Ursprung des Regens darlegen. Die Beziehung zwischen dem Regen und den Wolken wollen wir anschließend für sich behandeln.

Zahlreiche spontane Kinderfragen geben Aufschluß über die geistige Haltung der 2- bis 7jährigen. Del fragte noch im Alter von 6½ Jahren (SD, S. 226): *»Aber wie entsteht der Regen im Himmel? Gibt es da Rohre oder fließen dort Bergbäche?«* (Die »Bäche« selbst sind für Del fabriziert).

D'Estrella erzählt anschließend an die im Abschnitt 3 zitierten Kindheitserinnerungen: »Wenn es regnete, zweifelte er (der Erzähler selbst) nicht daran, daß der Gott (›der große und starke Mann‹) einen großen Schluck Wasser genommen hatte und nun in Form eines Platzregens aus seinem gewaltigen Mund ausspie. Warum? Er hatte wiederholt beobachtet, mit welcher Geschicklichkeit die Chinesen so die Wäsche bespritzen, um sie zu bleichen.«

Die Antworten unserer Kinder lassen sich in drei Stadien klassieren, je nachdem, ob der Regen durch einen integralen Artifizialismus, einen gemilderten Artifizialismus oder einen natürlichen Vorgang erklärt wird. Wir lassen Beispiele für das erste Stadium folgen, zuerst einen Fall, der an die Kindheitserinnerungen des Taubstummen d'Estrella gemahnt:

Roy (6;5) stellte sich, wie wir gesehen haben (Abschnitt 3), vor, die Wolken würden durch einen aus dem menschlichen Atem entstandenen Wind gebildet: *»Jemand hat geblasen.«* Für Roy kommt der Regen aus den Wolken heraus; er kommt *»vom Himmel. – Und das Wasser des Himmels? – Aus den Wolken.«* »Woher kam das Wasser, als es zum erstenmal regnete? – *Dann, wenn Menschen viel gespuckt haben.«* Diese Antwort ist nicht unmittelbar nach der Erklärung für die Bildung der Wolken gegeben worden. Es liegt somit keine beharrliche Wiederholung vor.

Üblicherweise wird freilich das Wasser des Regens auf eine Fabrikation im eigentlichen Sinne des Wortes zurückgeführt, wobei man sich oft fragen darf, ob das Schweigen oder Kichern der jüngeren Kinder, wenn sie von den »Hahnen« oder Schläuchen sprechen, nicht in bestimmten Fällen bis zu einem gewissen Grade eine ziemlich eindeutige symbolische Bedeutung habe (mehr soll damit nicht unterschoben werden). Wir befassen uns im Abschnitt 7 noch einmal mit dieser Frage, nämlich im Zusammenhang mit dem Ursprung der Bäche:

Griar (5;6): »Was ist der Regen? – *Das ist Wasser.* – Woher kommt es? – *Vom Himmel.* – Hat es Wasser im Himmel? – *Der liebe Gott läßt es hinunterfallen.* – Wie? – *Er gießt Wasserkübel aus.* – Wer hat dir das gesagt? – *Niemand.* – Wo nimmt der liebe Gott das Wasser her? – *An seinem Hahnen.* – Woher kommt das Wasser dieses Hahnens? – *... (Er lacht).«*

Gott wird natürlich als ein Mensch aufgefaßt. Don (5;6) sagt, der Regen komme vom Himmel und der liebe Gott schicke ihn; er fügt hinzu: »Hat es Brunnen im Himmel? – *Manchmal hat es Bäche. Dort ist der liebe Gott.* – Was tut er? – *Er ist in seinem Haus. Er arbeitet.* – Warum? – *Für seinen Meister.* – Wer ist der liebe Gott? – *Er ist ein Mann.«*

Pan (5 Jahre): »Und woher kommt der Regen? – *Vom Himmel.* – Wie? – *Das weiß ich nicht. Vielleicht hat es einen Schlauch, wie Papa, der sein Auto geputzt hat.* – Ist das möglich? – *Ja, es ist möglich, denn es ist der gleiche Dreck.* – Wo? – *Neben dem Trottoir, das gibt Wasserpfützen.* – Wie kommt der Regen? – *Er hat einen Hahnen, dann schraubt man einen Schlauch daran, dann schickt er den Regen, um die Blumen zu begießen.* – Wer? – *Der liebe Gott.«*

Hans (5;6): »*Der liebe Gott hat ihn gemacht.* – Wie kommt es dazu? – *Er nimmt Wasser, dann wirft er es hinaus.* – Woher nimmt er das Wasser? – *Aus dem Waschbecken.«*

Gril (7 Jahre) sagt, der Regen sei Wasser, das vom Himmel komme. »Woher kommt dieses Wasser? – *Von unten.* – Wo unten? – *In den Brunnen.«* »Wie geht es in den Himmel? – *Mit Schläuchen.* – Wo sind diese Schläuche? – *Auf der Straße.* – Wo ist ihr Anfang? – *Bei den Brunnen oder beim Kanal.* – Bis wohin gehen sie? – *Bis in den Himmel«* usw. Die Menschen sind dafür verantwortlich, daß es regnet.

Ram (9 Jahre) glaubt ebenfalls, daß die Menschen, nicht Gott, den Regen erzeugen. Der Regen steigt »durch Hahnen« in den Himmel. »Wie? – *Das Wasser fließt in den Hahnen.* – Und dann? – *Das gibt kleine Tropfen, und das steigt zum Himmel hinauf.* – Wie steigt es hinauf? – *Wie ein Springbrunnen.*« »Warum sieht man sie nicht? – *Weil sie ganz winzig sind.*«

Weitere Beispiele für solche Fabeln erübrigen sich. Die Thematik ist überdies bekannt. Man kann sich wie immer fragen, wie weit die Kinder an das glauben, was sie sagen, und wo sie zu fabulieren beginnen. Wichtig ist jedoch die Feststellung, daß sie diesen Artifizialismus durch nichts anderes ersetzen können. Ob sie in den Einzelheiten fabulieren oder nicht, sie greifen jedenfalls auf die menschliche Tätigkeit und nicht die Dinge selbst zurück, um die Vorgänge zu erklären.

Das erklärt auch, weshalb das Kind im nächsten Stadium den Dingen eine menschliche Aktivität zuschreibt. In diesem zweiten Stadium findet man nämlich keinen direkten Artifizialismus mehr, der Regen kommt nicht mehr aus den Hähnen des Himmels. Der Artifizialismus ist aber indirekt geworden, insofern ein Gegenstand, der aus menschlicher Tätigkeit entstanden ist, wie der Rauch aus den Häusern usw., den Regen erzeugt. Doch dann wird, und das ist ein Zeichen für die Kontinuität zwischen dem ersten und dem zweiten Stadium, dieses Ding, das den Regen erzeugt, selbst mit einem immanenten Artifizialismus ausgestattet: eine Zusammenarbeit zwischen den Dingen und uns. Diese Zusammenarbeit äußert sich in der kindlichen Sprachwendung »machen, daß etwas geschieht«. Der Mensch und Gott »machen, daß es Regen gibt«, das heißt sie »machen« etwas, nämlich daß der Rauch, der Himmel oder die Wolken ebenfalls etwas »machen«. Die beiden Bedeutungen des Wortes »machen« gehen vollständig ineinander über.

Einige Beispiele für dieses zweite Stadium:

Blas (8;10): »Woher kommt der Regen? – *Er kommt von den Wolken.* – Wie? – *Der Rauch steigt auf, und dann bildet es Wolken.* – Welcher Rauch? – *Der Rauch aus den Häusern.*« »Wie gibt dieser Rauch Regen? – *Weil die Wärme macht, daß die Wolken miteinander verschmelzen. Er* (der Rauch) *zerfällt, und dann wird es zu Wasser.*« »*Weil der Rauch schmilzt, verformt er sich, und dann wird es Wasser.*« Die Wolken tun dies absichtlich und bewußt; sie wissen, daß sie sich bewegen, *»denn es bewegt sich. Wir spüren auch, wenn wir vorwärtsgehen!«*

Port (9 Jahre): Die Wolken entstehen ebenfalls aus dem Rauch der Häuser, *»dann wird es schwarz, dann wird es zu Wasser.«* »*Er schmilzt eine kurze Zeit* *lang, und nachher wird es zu Wasser.«* Die Wolken bewegen sich auf unseren Befehl: *»Wenn die Leute auf der Straße gehen, dann bewegt das auch die Wolken vorwärts.«*

Marg (10 Jahre): »Woher kommt der Regen? – *Vom Himmel.* – Wie? – *Es sind die Wolken, mit dem Rauch.* – Woher kommt dieser Rauch? – *Aus den Kaminen.* – Wie gibt dieser Rauch Regen? – *Weil es schmilzt.«* »Der Rauch wird geschmolzen? – *Ja.* – Was bringt ihn denn zum Schmelzen? – *Die Wärme.«* Die Wolken sind lebendig und bewußt.

Moc (8 Jahre): »Woher kommt der Regen? – *Vom Himmel.* – Was ist er? – *Wasser.* – Wie entsteht er? – *Die Wolken.* – Wie? – *Weil sie platzen. Die Wolken platzen, und das wird Regen.* – Was meinst du damit, sie platzen? – *Das heißt, daß sie aufspringen.* – Woher kommen die Wolken? – *Aus dem Rauch.* – Woher? – *Aus den Kaminen.«*

Für diese Kinder eilen somit die Wolken absichtlich überall dorthin, wo Regen benötigt wird, und sie verwandeln sich dabei in Wasser. Der Vorgang der Wasserbildung ist in einem gewissen Sinne natürlich, aber die Wolken gehen noch immer von den Häusern aus und gehorchen uns inbesondere, direkt (Port) oder indirekt. Was geschieht nun, wenn diese Kinder in der Schule lernen, der Regen entstehe aus verdampftem Meerwasser? Sie verschmelzen ganz einfach ihre spontane Vorstellung, die artifizialistisch ist, mit dem Wissen, das ihnen beigebracht wird, und kommen so zum Schluß, der Rauch aus den Häusern »hole« das Wasser über dem Meer. Hier Beispiele für ein solches Gemisch von kindlicher Vorstellung und Schulwissen:

Dem (8;0): *»In der Nacht, in gewissen Nächten, nicht allen, gehen die Wolken hinunter und ziehen das Wasser an.«* Die Wolken bestehen aber aus Rauch: »Ist es Dampf? – *Es ist Rauch, nicht Dampf* (er lacht)!« »Wie zieht der Rauch das Wasser an? – *Wie der Magnet.«* »Was würde geschehen, wenn ein Schiff dort wäre? – *Das würde einen so starken Schlag geben, daß es untergehen würde.«*

Bong (9;6) sagt ebenfalls, der Rauch stamme aus den Kaminen und die Wolken würden den Regen hervorbringen: »Du hast mir gesagt, die Wolken seien Rauch. Hat es Wasser im Rauch? – … – Woher kommt der Regen? – *Aus dem Feuer.«* »Wenn man in diesem Zimmer ein Feuer anzündete, würde es dann regnen? – *Nein. Das ist, weil die Wolken auf das Meer hinuntergehen und Wasser aufnehmen.* – Wie? – *Sie gehen auf das Wasser, und das Wasser geht in die Wolken hinein.«* »Wissen die Wolken, daß sie Wasser holen? – *Ja.«*

Cen (8;6): Die Wolken sind *»aus Dampf«*, das ist *»Luft, die Wasser hat.«* »Woher kommt der Dampf der Wolken? – *Wenn man die Suppe kocht.* – Gibt das Wolken? – *Er geht hinaus, der Dampf, und er nimmt Wasser mit.«* »Hat es Luft in den Wolken? – *Sie sind Luft, und es hat Wasser darüber.«*

Man ersieht daraus, wie auch die besten Lektionen durch eine artifizialistische Geisteshaltung verzerrt werden können! Man ersieht daraus insbesondere auch, welche bewundernswerte Organisation das Kind der Natur zuspricht, denn der Rauch aus den Häusern übernimmt es, Wasser über den Meeren zu holen, und die Luft aus den Kochtöpfen »nimmt Wasser mit«.

Dieses zweite Stadium dauert durchschnittlich von 7 oder 8 bis 9½ oder 10 Jahren. Es bildet einen vollkommenen Übergang zwischen dem ersten und dem dritten Stadium, insofern es einen Teil des Artifizialismus des ersten Stadiums beibehält, aber schon die natürlichen Vorgänge herausarbeitet, die das Kind des dritten Stadiums in den Vordergrund schiebt. Im dritten Stadium findet man neben zahlreichen gelernten Erklärungen (der Regen ist kondensierter Wasserdampf) viele eigenständige Antworten, auf die wir uns beschränken wollen. Verschiedene Typen entsprechen den Antworten, die wir zum Ursprung der Wolken erhalten haben (drittes Stadium). Falls die Wolke als der Rauch der Blitze aufgefaßt wird (Ben, Fau, Lef usw.), entsteht das Wasser einfach dadurch, daß die Wolke »schmilzt«. Diese Erklärung ist derjenigen des zweiten Stadiums analog, nur daß dem Rauch jetzt ein ganz natürlicher Ursprung zugeschrieben wird. Wir brauchen deshalb nicht darauf einzugehen. Falls die Wolke als Luft aufgefaßt wird, entsteht der Regen durch eine Verwandlung der Luft im Wasser:

Tron (8;6): »Woraus sind die Wolken? – *Aus Regen.* – Woher kommt dieser Regen? – *Es ist Luft, die sich in Wasser verwandelt.*« Etwas später: »Und woraus bestehen die Wolken? – *Aus Luft.*«

Ant (8 Jahre): »Woher kommt der Regen? – *Aus den Wolken.* – Wie? – *Weil die Wolken Wasser haben.* – Warum? – *Der Wind verwandelt sich in Wasser.*« Ant glaubt, der Wind seinerseits sei aus den Wolken entstanden, die zusammengepreßte Luft sind.

Chev (8;2) betrachtet, wie wir gesehen haben (Abschnitt 3), die Wolken als Luft, »*die sich zusammenballt*«. »Wie machen sie, daß es regnet? – *Weil die Wolken naß sind. Sie sind mit Wasser gefüllt.* – Woher kommt das Wasser? – *Weil es Nebel hat. Wenn es viel davon hat, bildet es Wasser. Man spürt wie kleine Wassertropfen, wenn es hier* (Nebel) *hat.*« Der Nebel seinerseits besteht aus Luft: »*Die ganze Luft kommt, dann gibt es Nebel.*« Also auch hier letzten Endes Luft, die sich in Wasser verwandelt.

Andere Kinder schließlich sehen die Wolken spontan, so scheint es, als »Wärme«, »Feuchtigkeit«, »Schweiß« an, und dann erklärt sich der Regen von selbst:

Schi (7;4) sagt, die Wolken kämen vom Nebel. »Woraus besteht der Nebel? – *Aus Wasser.* – Wie das Wasser, das aus dem Hahnen fließt? – *Nein, es ist ein Wasser, wie wenn man schwitzt. Es ist nicht ganz Wasser, wenn man schwitzt. Es ist wie Wasser.* – Woher kommt dieses Wasser? – *Es kommt, glaube ich, davon, daß man warm hat. Dann muß es die Wärme sein, die die Wolken herbeibringt.* .... – Wie geschieht das? Woher kommt die Wärme dafür? – *Es kommt von der Sonne.* – Woher kommt das Wasser, das von der Sonne erwärmt wird? – *Von der Sonne selbst.* – Woraus besteht die Sonne? – *Aus Feuer, glaube ich.«* »*Wenn es zu warm ist, dann ist es, wie wenn man zu warm an den Händen hat, die Sonne schwitzt, dann gibt es die Wolken, die sie verdecken.«*

Bar (9;5): Der Regen kommt »*von den Wolken.* – Was sind die Wolken? – *Das ist wie Wasser.* – Ist es Wasser? – *Wärme.«* »Wie gibt die Wärme Wasser? – *Sie bringt zum Schwitzen.* – Was? – *Die Wolken. Manchmal auch uns. Die Sonne bringt die Wolken zum Schwitzen, um den Regen zu machen.* – Wie entstehen die Wolken? – *Kleine Tropfen sammeln sich an, und das gibt die Wolken.* – Woher kommen diese Tropfen? – *Vom Himmel.* – Woher kommt dieses Wasser, vom Himmel? – *Es sind wie Höhlen, dann fließt das Wasser, es fällt herunter.«*

Bouch (11;10): Der Regen ist »*Feuchtigkeit«.* »Als es das erstemal regnete, woher kam die Feuchtigkeit? – *Vom Schwitzen.* – Was hat geschwitzt? – *Die Sonne. Wenn sie zu stark scheint, bringt es zum Schwitzen.«* Aber auch die Sonne selbst schwitzt.

Die Entwicklung dieser Erklärungen erinnert an den Prozeß, den wir beim Gewitter oder der Bildung der Wolken kennengelernt haben: Die Luft und der Rauch verwandeln sich in Wasser wie in Feuer. Die Sonne selbst schwitzt (Schi) usw.

Jetzt müssen wir noch die Beziehung untersuchen, welche nach Meinung des Kindes zwischen dem Regen und den Wolken besteht. Wie die Untersuchung unserer Stadien gezeigt hat, sind die Wolken und der Regen am Anfang voneinander unabhängig. Am Ende besteht zwischen ihnen eine Ursache-Wirkung-Beziehung, indem der Regen aus der Wolke kommt. Zwischen dem Ausgangs- und dem Endpunkt der Entwicklung befindet sich eine kritische Zone, die wir jetzt analysieren müssen, denn das Kind schwankt auf eine sehr interessante Weise zwischen den beiden Vorstellungen hin und her, die Wolken seien »Zeichen« oder »Ursache« des Regens.

Zuerst wollen wir einige Beispiele anführen, wo die Wolken als »Zeichen« von Regen aufgefaßt werden:

Gril (7 Jahre): »Sieht man es, wenn Regen kommt? – *Manchmal donnert es.«* Wie wir aber gesehen haben (Abschnitt 3), ist dieses Zeichen gleichzeitig Ursache, denn der Donner wird von Gril als ein Stein aufgefaßt, den Gott schleudert, um den Regen auszulösen: »*Er nimmt große Kugeln, wirft sie, und dann regnet es.«* Doch diese Ursache ist irrational, denn der Regen ist nicht in den Kugeln enthalten, sondern er wird durch sie ausgelöst.

Rey (7 Jahre) glaubt, der Regen würde mittels eines Schlauches von Gott geschickt und die Wolken bestünden »*aus schwarzer Kreide«.* Zwischen Regen und Wolken gibt es somit keine Beziehung. Dennoch sind die Wolken ein Zeichen von Regen: »Sieht man es, wenn Regen kommt? – *Nein, man sieht nur die Wolken.«* »Warum hat es Wolken, wenn Regen kommt? – *Weil der liebe Gott nervös ist.«* Wiederum sind die Wolken zum Teil Ursache des Regens: »Was sind die Wolken? – *Das ist Regen, der kommt.«* Diese Formulierung bedeutet keineswegs, daß Rey die Wolke mit Wasser identifiziert, er sagt bis zuletzt, die Wolken bestünden »aus schwarzer Kreide«. In diesem Ausdruck steckt nur die Vorstellung, durch das Kommen der Wolken werde der Regen ausgelöst.

Ram (9 Jahre) ist der Meinung, der Regen steige durch Hahnen zum Himmel hinauf. Die Wolken sind andererseits Rauch aus den Dächern. Zwischen den beiden Phänomenen bestehen also keine Beziehungen. Dennoch hält Ram fest, der Regen würde nur in den Himmel hinaufsteigen, wenn Wolken vorhanden seien: »Wann steigt er hinauf? – *Wenn die Wolken sich bedecken.*« »Sind es also die Wolken, die ihn herbeiholen? – *Ja.* – Wie? – *Weil sie schwarz sind.*« Ram bleibt aber dabei, die Wolken seien aus Rauch und enthielten kein Wasser. Das Zeichen wird somit wiederum als Ursache empfunden, ohne daß das Kind das »Wie« dieses Mechanismus genauer beschreibt.

Zwa (9;1) erklärt, wie wir gesehen haben (Abschnitt 3), die Bildung der Wolken durch die Luftblasen, die aus dem Wasser aufsteigen. Der Regen kommt für ihn andererseits direkt vom Himmel. Es gibt somit keine direkten Beziehungen zwischen den Wolken und dem Regen. »Wozu sind die Wolken da? – *Um anzukündigen, daß der Regen kommt.* – Machen sie den Regen, oder kommt er vom Himmel? – *Er kommt vom Himmel.* – Machen die Wolken Regen? – *Nein.* – Warum braucht es Wolken, um den Regen anzukündigen? – *Weil es nicht regnen würde, wenn es keine hätte.*« In diesem letzten Satz wird eine kausale Verbindung bejaht. Und dennoch bleibt Zwa bis ans Ende des Gesprächs dabei, der Regen komme nicht aus den Wolken.

Hier nun der reinste Fall einer Unterscheidung zwischen dem »Zeichen« und der »Ursache«, den wir haben finden können. Doch dieses Kind faßt, wie man sieht, die Wolke immer noch teilweise als »Ursache« wie als »Zeichen« auf:

Bouch (11;10) hält den Regen für »Schweiß« der Sonne. Die Wolken haben einen natürlichen Ursprung, über den er sich jedoch nicht näher ausläßt. »Was sind die Wolken? Woraus bestehen sie? – *Es kündigt den Regen an. Es ist dann kein schönes Wetter.* – Warum? – *Wenn man die Wolken von weitem sieht, sieht man, daß das Wetter schlecht wird.*« »Und wenn es keine Wolken hätte, könnte es dann dennoch regnen? – *Ja. ... (nein), man weiß, daß es schlechtes Wetter ankündigt, wenn es Wolken hat, und sofort ist schlechtes Wetter.* – Warum? – *Nachher, wenn es Wolken hat, fällt sofort der Regen.* – Sind es die Wolken, die den Regen bringen? – *Es bringt das schlechte Wetter, und es bringt den Regen.*« »Machen also die Wolken, daß es regnet? – *Nein, sie machen nicht, daß es regnet.*« »Warum regnet es, wenn die Wolken kommen? – *Wenn die Wolken kommen, wird es Nacht, wird es dunkel.* – Warum fällt dann Regen herunter? – *Nein, manchmal wenn die Wolken kommen, regnet es.* – Warum kündigen die Wolken den Regen an? – *Weil es immer regnet, wenn die Wolken kommen.* – Warum? – *Die Wolken kündigen das schlechte Wetter an.* – Warum? – ...*«

Man ersieht aus den Widersprüchen, in die sich Bouch verwickelt, wie sehr dieses Kind zwischen den beiden Vorstellungen schwankt, die Wolken seien Zeichen und sie seien Ursache des Regens. Und dennoch kommt der Regen für Bouch nicht aus den Wolken!

Diese Fakten sind sehr aufschlußreich. Zwischen dem Stadium, in dem das Kind keine Beziehung zwischen dem Regen und den Wolken sieht, und dem Stadium, in dem der Regen aus den Wolken kommt, befinden sich somit zahlreiche Kinder in einer Übergangsphase, in der die Wolke den Regen »ankündigt«. Sobald nun die Wolke als Zeichen aufgefaßt wird, wird sie sogleich auch als Ursache betrachtet. Welche Art von Kausalität ist das? Es ist keine rationale Kausalität, insofern die Wolken den Regen nicht enthalten und ihn auch nicht durch einen mechanischen Vorgang auslösen. Die Wolke ist eher insofern Ursache, als sie ein notwendiger Aspekt des Ereignisses ist. Wie I. Meyerson im Zusammenhang mit bestimmten Erklärungen der Naturvölker gesagt hat[3]: »Die Ursache wird ein Aspekt, eine Seite des Ereignisses.« Diese Formulierung läßt sich gut auf die Beziehungen anwenden, die unsere Kinder zwischen den Wolken und dem Regen herstellen.

Dieses Zeichen, das als notwendiger Teil des Ereignisses aufgefaßt wird, ist für uns im übrigen sehr wichtig, denn es stellt eine der möglichen Übergangsformen zwischen der artifizialistischen Kausalität (und insbesondere den »Partizipationen«, die die Wurzel des Artifizialismus sind) und der Kausalität durch Identifikation von Substanzen dar. Am Ausgangspunkt der Erklärungen für die Wolken und den Regen findet man nämlich bestimmte Partizipationsgefühle: Die Wolken gehen, wenn wir gehen, sie gehorchen uns, sie kommen, damit es Nacht wird, damit wir ins Bett gehen usw.; der Regen begießt unsere Pflanzen und säubert unsere Häuser (vgl. Pau) usw. Am anderen Ende dieser Erklärungsreihe steht eine rationale Kausalität: Die Luft ballt sich zu Wolken zusammen, und die Wolken schmelzen zu Wasser usw. Wie läßt sich der Übergang zwischen diesen beiden Erklärungstypen erklären? Einerseits bewirken die Gefühle einer Partizipation zwischen den Wolken, dem Regen und uns verschiedene Gruppierungen, die die artifizialistischen Mythen noch verstärken, wenn das Kind welche erfindet: Die Wolke ist etwa dazu da, um anzuzeigen, daß Gott Regen schickt usw. Derart bildet sich ein Schema aus, in dem der Regen, die Wolke und wir ein untrennbares Ganzes bilden, und dieses Schema löst die artifizialistischen Fabeln aus, die die Kinder als Antwort auf unsere Fragen erfinden. Wenn später die artifizialistische Überzeugung allmählich verschwindet und das menschliche Element dadurch von den Dingen getrennt wird, bleibt noch das Gefühl einer Verbindung zwischen den Dingen selbst: Der Regen und die Wolken sind füreinander notwendig usw. Die neue Partizipation, eine gewissermaßen halb-rationale Partizipation, löst die Identifikationen von Substanzen aus, die wir im zweiten

---

[3] I. Meyerson, in: Année psychologique publiée. Jg. 23 (1922–1923). S. 220.

und dritten Stadium festgestellt haben. Einmal mehr steht somit eine dynamische Partizipation am Ursprung einer substantiellen Partizipation.

6. Die Erklärung für den Schnee, das Eis und die Kälte

Über den Ursprung des Schnees und des Eises können wir uns kurz fassen. Man muß aber diese Erklärungen erwähnen, weil sie wegen der Beziehung, die das Kind zwischen dem Gefrieren und der Kälte herstellt, von einer gewissen Bedeutung sind.

Man kann die Erklärungen für den Ursprung von Schnee und Eis in drei Stadien einteilen. Im ersten Stadium (bis etwa 7 Jahre) stellt man Artifizialismus fest:

Bois (5;6); »Wie entsteht der Schnee? – *Männer machen ihn.* – Wie? – *Sie machen ihn ganz hoch.* – Was meinst du damit? – *Sie bauen ihn.* – Und wie fällt er herunter? – *Sie machen kleine Löcher.* –Wo? – *Am Himmel.*« Zum Eis: »*Das ist Schnee, der gefroren ist*«, das heißt »hart« geworden ist.

Stei (5;6): Der Schnee kommt »*vom Himmel.* – Wie? – *Mit kleinen blauen Pfropfen.* – Wer macht das? – *Der liebe Gott.* – Warum ist der Schnee kalt? – *Weil es* (der Schnee) *Eis hat.* – Woher kommt das Eis? – *Es kommt vom Schnee, der zurückgeblieben ist, als es ganz kalt war.*«

Mit ungefähr 7 Jahren setzt die natürliche Erklärung ein. Man findet aber zwei Typen von Antworten, die zweifellos je für ein Stadium charakteristisch sind. Im zweiten Stadium (von ungefähr 7 bis 9 Jahren) ist die Herkunft des Schnees vom Wasser unabhängig:

Gut (8;9) glaubt zum Beispiel, der Regen komme vom Dampf. Aber der Schnee kommt »*von den Flocken.* – Woher kommen diese? – *Vom Himmel.* – Von woher im Himmel? – *Aus der Luft.*«

Für Bul (11 Jahre) ist der Schnee ebenfalls Luft usw.

Tau (6 Jahre): Der Schnee kommt »*vom Himmel, dann ist der Himmel zu Flocken zerfallen.*« Der Schnee wird zu Wasser und Eis, indem er sich zusammenzieht, aber das Wasser wird durch Schmelzen weder Eis noch Schnee.

Für Rat (8 Jahre) ist der Schnee ein Gemisch von Wasser und Sand.

Im dritten Stadium schließlich (von durchschnittlich 9 Jahren an) sind Schnee und Eis gefrorenes Wasser:

Gen (7 Jahre): »Und woher kommt der Schnee? – *Aus dem Wasser. Es ist schmutziges Wasser.* – Wie ist das Wasser zu Schnee geworden? – *Das kommt von der Kälte.*«

Chal (9 Jahre): »Was ist der Schnee? – *Es ist Regen.* –Wie? – *Es kommt herunter, es gefriert oben.*« »Was ist das Eis? – *Das ist Wasser, das gefroren ist.*«

Sogar im dritten Stadium wird das Eis noch nicht immer als gefrorenes Wasser betrachtet, sondern als zusammengepreßter Schnee, gleichgültig ob der Schnee selbst als gefrorenes Wasser oder als eine vom Wasser unabhängige Substanz angesehen wird. Eine recht interessante Tatsache. Sie zeigt uns zunächst, daß die Identifikation der Körper auch in dem Fall nicht schneller vorgenommen wird, wenn sie durch die Erfahrung (wie beim Eis und Wasser) aufgedrängt zu werden scheint; sie benötigt gleichviel Zeit wie eine rein denkerische Meinung (daß sich beispielsweise Luft in Wolken, Regen, Gestirne, Feuer usw. verwandelt). Es handelt sich zudem um einen weiteren Erklärungsversuch durch Kondensation. Analoge Fälle haben wir bereits kennengelernt, etwa daß die Wolken und die Gestirne zusammengepreßte Luft usw. seien. Im Falle des Eises hat freilich jedes Kind die Erfahrung gesammelt, daß ein längere Zeit gepreßter Schneeball hart und durchsichtig wird. Das Beispiel ist dennoch interessant, weil jede Eisbildung durch eine Kondensation von Schnee erklärt wird:

Gut (8;9), der, wie wir eben gesehen haben, den Schnee auf Luft zurückführt, sagt: »Was ist das Eis? – *Das ist Schnee, der zu Stücken wird.* – Warum? – *Dann wird er hart.* – Warum? – *Weil er Eis wird.* – Wie geschieht das? – *Es ist der Schnee. Er formt sich zu Stücken.*«

Bul (11;8) sagt, das Eis bestehe wie Schnee »*aus Luft*«. Das Eis wird »*aus Schnee geformt*«. Was muß man tun, damit man Eis bekommt? – *Man muß warten, daß es schneit.* – Hast du einmal einen zugefrorenen Brunnen gesehen? – *Ja.* – Kann Wasser gefrieren? – *Wasser mit Schnee.* – Kann man mit Wasser allein Eis machen? – *Nein.* – Warum nicht? – *Weil man keinen Schnee hineintut.*« Das Eis ist »*gepreßter*« Schnee...

Hend (9;8) sagt zuerst, das Eis sei gefrorener Schnee. »Muß man immer Schnee haben, damit es Eis gibt? – *Ja, denn das wird hart, dann wird es gefroren.* – Wenn ich ein Glas mit Wasser (im Winter) hinausstelle, gibt es dann Eis oder nicht? – *Nicht sofort, auch! Unten hat es Wasser, und darüber eine Eisschicht.* – Ist Schnee im Glas, bevor es Eis gibt? – *... Der Schnee macht das Eis.*«

Die Identifikation von Wasser, Schnee und Eis vollzieht sich somit nur allmählich:

Bul (11;8) sagt, »*wenn das Eis schmilzt, ist es nichts anderes als Wasser*«, aber er weigert sich noch, Schnee und Eis als Wasser anzusehen: »Ist es Wasser? – *Es hat auch Wasser darin.* – Und was noch? – *Es ist nicht alles Wasser.*«

Wie vollzieht sich diese Identifikation der Körper? Geht auch hier wieder, wie im Falle der Wolken und des Regens, der substantiellen Identifikation eine dynamische Partizipation voraus, bevor das Kind begreift, daß die Kälte das Wasser zum Gefrieren bringt? Das läßt sich feststellen, wenn man die Beziehungen zwischen der Kälte und dem Gefrieren untersucht. Wir wollen die bis jetzt untersuchten Kinder aus diesem Blickwinkel noch einmal überprüfen.

Das Kind beschäftigt sich schon sehr früh mit der Frage, ob die Kälte das Wasser zum Gefrieren bringt oder ob der Schnee und das Eis die Kälte erzeugen. Die Erklärungen der Kinder zeigen zwei Hauptphasen. In der ersten Phase besteht eine zugleich dynamische und substantielle Partizipation zwischen dem Schnee und der Kälte: Das eine zieht das andere nach sich oder das eine bringt das andere hervor; die Kälte ist andererseits eine Substanz, die an die Luft assimiliert wird. In der zweiten Phase erzeugt die Kälte das Gefrieren, und die Kälte wird nicht mehr als eine Substanz angesehen, sondern mit der fehlenden Wärme und der verdeckten Sonne in Beziehung gebracht.

Die erste Phase ist voller Vermengungen von Zeichen und Ursache und voller artifizialistischer Partizipationen, was zeigt, wie die substantielle Identifikation aus der dynamischen Partizipation hervorgegangen ist.

Roc (6 Jahre): »Warum ist es im Winter kalt? – *Weil es Schnee hat.* – Was macht denn, daß es kalt ist? – *Der Schnee.* – Wenn es keinen Schnee hätte, wäre es dann auch kalt? – *Nein.* – Macht der Schnee die Kälte, oder macht die Kälte den Schnee? – *Die Kälte macht den Schnee.* – Und woher kommt die Kälte? – *Vom Schnee.*«

Lu (5;6): »Warum ist es im Winter kalt? – *Weil Schnee fällt.* – Wenn es keinen Schnee hätte, wäre es dann kalt? – *Nein.* – Warum fällt im Winter Schnee? – *Weil es kalt ist.* – Warum ist es im Winter kalt? – *Weil der liebe Gott die Kälte macht.*« »Womit? – *Mit seiner Hand.* – Wie? – *Er stößt die Kälte vorwärts.* – Woher kommt die Kälte? – *Von der Straße.* – Was ist die Kälte? – *Das ist die Bise.*«

Gen (7 Jahre): »Woher kommt die Kälte im Winter? – *Vom Schnee.* – Und woher kommt der Schnee? – *Vom Wasser. Er ist schmutziges Wasser.* – Wie ist das Wasser zu Schnee geworden? – *Es ist die Kälte.* – Was bewirkt die Kälte? – *Der Wind.*«

Pat (9 Jahre): »Was ist die Kälte? – *Die Kälte ist dann, wenn Schnee herunterfallen will.* – Woher kommt die Kälte? – *Von der Bise.* – Warum ist es im Winter kalt und nicht im Sommer? – *Weil der Schnee kalt ist.*«

Hend (9;8): »Woher kommt die Kälte? – *Von der Bise.* – Warum ist es im Winter kalt? – *Weil es Wind hat.* – Und an den Tagen, da es keinen Wind hat? – *Weil die Wolken geschmolzen sind, und das macht Schnee, das macht kalt.*«

Für diese Kinder erzeugt somit die Kälte den Schnee und der Schnee die Kälte. Worin besteht jedoch diese Erzeugung? Ursprünglich ist es eine halb-moralische, halb-physische Auslösung: Der Schnee zieht die Kälte an, und die Kälte zieht den Schnee an, und beide unterstützen sich dabei gegenseitig. Für Pat gilt deshalb: »Die Kälte ist dann, wenn Schnee herunterfallen will.«

Umgekehrt ist für Pur der Schnee dazu da, »um anzuzeigen, daß Winter ist«:

Pur (8;8): »Warum schneit es im Winter? – *Um anzuzeigen, daß Winter ist.* – Warum hat es im Sommer keinen Schnee? – *Weil es im Sommer Früchte hat. Wenn Schnee fällt, verdirbt das die Früchte.* – Warum schneit es am Ende des Winters nicht mehr? – *Um anzukündigen, daß das Ende des Winters da ist.*«

Diese Antwort steht nicht allein. Die meisten jüngeren Kinder geben sie auf die Frage nach dem »Warum« des Schnees, eine Frage, die sie sich übrigens auch stellen. Unter diesen Umständen werden die vorangehenden Antworten klar: Der Schnee ist Zeichen der Kälte, die Kälte ist Zeichen des Schnees, und beide ziehen sich gegenseitig an. Das ist zumindest so lange der Fall, als das Kind den Schnee als von Gott oder den Menschen fabriziert betrachtet. Aus dieser Dynamik geht anschließend der Substantialismus hervor. Die Kälte wird mit einem Körper, mit Luft, identifiziert, und von diesem Körper wird angenommen, daß er einerseits Schnee aus sich entläßt und andererseits in den Schnee als Element eingeht. Diese letztere Haltung ist für das zweite der Stadien charakteristisch, wie wir eben unterschieden haben.

Die Identifikation der Kälte mit der Luft ist bei den jüngeren Kindern tatsächlich ganz allgemein verbreitet. Wir werden bei der Untersuchung der kindlichen Vorstellungen über die Luft (siehe PK) zahlreiche Beispiele kennenlernen. Fragt man das Kind, was die Luft sei, so antwortet es sehr oft: »Sie ist Kälte« (als ob die Kälte eine Substanz wäre); fragt man, woher der Wind komme, so erhält man sehr oft die Antwort: »Er kommt von der Kälte.« Andererseits haben wir zahlreiche Kinder beobachten können, die den Schnee und das Eis als Verbindungen der Luft betrachten (man vergleiche weiter oben die Fälle von Gut und Bul: Bul ist eben dieser Meinung, die Kälte rühre gleichzeitig vom Schnee und vom Wind her: »*Der Schnee macht das Eis. Der Wind auch.* – Woher kommt die Kälte? – *Von der Kälte.* – Was soll das heißen? – *Von der Luft.*«).

Kurzum, die Antworten dieser ersten Phase zeigen mit zureichender Deutlichkeit, wie die – zuerst dynamische – Partizipation von Schnee und Kälte allmählich eine substantielle Identifikation hervorbringt, wobei der Schnee und die Kälte am Ende als zwei auseinander hervorgegangene Körper betrachtet werden.

In der zweiten Phase entdeckt das Kind hingegen, daß das Gefrieren auf die Kälte, und nicht umgekehrt, zurückzuführen sei. Die Winterkälte wird immer noch als Folge der Bise interpretiert, und erst später beruft sich das Kind immer mehr auf das Fehlen der Sonne usw.:

Cein (10 Jahre): »Woher kommt das Eis? – *Es ist der Wind, der Wasser zum Gefrieren bringt.*« »Warum ist es im Winter kalt? – *Weil der Wind kommt...*« »*Weil der Wind auf Reisen geht.*«

Vaud (13 Jahre): »Woher kommt im Winter die Kälte? – *Weil die Bise weht.* – Die Bise weht manchmal aber auch im Sommer. – *Die Luft ist kalt.* – Warum ist die Luft im Winter so kalt? – *Weil die Sonne nicht scheint.*«

Schau (10;8): »Weshalb fällt der Regen als Schnee herunter? – *Weil es kalt ist.*« »Woher kommt die Kälte? – *Weil die Sonne nicht schien.* – Scheint im Winter die Sonne nicht? – *Nein.* – Wo ist sie denn? – *Hinter den Wolken.*«

Abschließend kann man sagen, daß diese Untersuchung des Schnees, des Eises und der Kälte bestätigt, was wir im Zusammenhang mit den Wolken und dem Regen festgestellt haben: Die Erklärung durch Identifikation der Substanzen ist beim Kind nicht ursprünglich, sondern abgeleitet. In den ersten Lebensjahren sieht sich das Kind mehreren Körpern gegenüber, die seiner Meinung nach aus zumindest drei verschiedenen Substanzen bestehen: Schnee (und Eis), Wasser, Kälte (und Luft). Jeder dieser drei Körper scheint für sich fabriziert zu werden: Der Regen wird von Gott geschickt, der Schnee ist aus »blauen Pfropfen« gemacht, die Kälte ist von Gott oder den Menschen geschickte Luft usw. Doch dann entdeckt das Kind dynamische Partizipationen zwischen diesen Körpern: Der Schnee kündet den Winter an, die Kälte kündet den Schnee an, der Schnee und die Kälte ziehen sich an usw. Sobald das Kind auf den Artifizialismus verzichtet, nimmt es hinter diesen dynamischen Partizipationen substantielle Partizipationen an und versucht es, die Körper gegenseitig zu erklären: Der Schnee geht aus der Kälte und der Luft hervor, die Kälte aus dem Schnee usw. Fortschritte bei der Beobachtung zeigen ihm schließlich die wirkliche Ordnung, daß die Kälte Ursache für das Gefrieren ist und daß nicht der Schnee die Kälte bewirkt. Artifizialismus und dynamische Partizipationen, dann substantielle Identifikation, schließlich geordnete Kausalreihen, das scheinen die drei Momente der Erklärung durch Identifikation zu sein.

7. Die Flüsse, die Seen und das Meer. Der primäre Ursprung der Gewässer

Wenn das Kind wirklich eine Tendenz zum Artifizialismus hat, so muß sich diese Tendenz bei der Erklärung der Flüsse und der Seen voll entfalten können. Die Untersuchung der Kinderfragen scheint das zu zeigen. Mehrere der am Anfang dieses Kapitels zitierten Fragen setzen den Artifizialismus eindeutig voraus. Wenn ein Kind zum Beispiel fragt: »Warum geht der (Genfer) See nicht bis nach Bern?«, so setzt es dafür einen moralischen

Grund voraus und folglich auch, der See sei gewollt und »gebaut« worden.

Die Antworten, die man von den Kindern auf die Fragen erhält, lassen sich in drei Stadien gliedern. Im ersten Stadium ist alles fabriziert: das Flußbett, das Seebett, sogar das Wasser. Im zweiten Stadium ist noch das Flußbett vom Menschen gebaut worden, aber das Wasser hat einen natürlichen Ursprung. Im dritten Stadium ist alles natürlich.

Zuerst einige Beispiele für das erste Stadium. Man findet darunter einige Kinder, und das sind wahrscheinlich die ursprünglichsten Fälle, die über die Herkunft des Wassers Genaueres sagen; einige sehen einen physiologischen Ursprung, andere betrachten das Wasser als fabriziert ohne bewußte (oder eingestandene) physiologische Vorstellung. Wieder andere sagen gar nichts Genaueres darüber. Einer der ursprünglichsten Fälle ist wahrscheinlich der folgende:

Roy (6 Jahre): »Wie hat der See angefangen? – *Das ist, weil es schon ein Loch hatte, dann hat man Wälle hingetan.* – Wie hat dieses Loch angefangen? – *Es war schon da. Männer hatten es gemacht.*« »Was ist ein Fluß? – *Das ist ein Loch, dann hat es Wasser darin.* – Wie hat dieses Loch angefangen? – *Menschen haben es gemacht.* – Woher kommt das Wasser? – *Das ist wenn es warm ist, das gibt Wasser.*« »Was meinst du damit? – *Es ist die Wärme.* – Wie denn? – *Weil wir schwitzen, dann ist man naß.*« »Wo kommt das Wasser der Flüsse heraus? – *Aus einem kleinen Tunnel.* – Woher kommt das Wasser im Tunnel? – *Aus einem Kanal.* – Und das Wasser des Kanals? – *Es sind Menschen, die Wasser in einem Brunnen genommen haben und es in Schläuche getan haben.*« »Wie hat das Wasser auf der Erde angefangen? Hat es immer Wasser gegeben? – *Nein.* – Woher kam das Wasser ganz am Anfang? – *Da waren Männer, die haben viel gespuckt.*« Anschließend gibt Roy die Antworten über den Regen, die wir im Abschnitt 5 kennengelernt haben.

Interessant an diesem Fall ist der physiologische Ursprung, den das Kind dem Wasser zuspricht: Männer, die gespuckt haben. Wenn man an die Interessen der Knaben in diesem Alter denkt, ist das wahrscheinlich nur eine schickliche Umschreibung für viel prosaischere Vorgänge. Man mag es für einen schlechten Witz halten, Kindern zu unterstellen, sie würden im Zusammenhang mit dem Ursprung der Flüsse an das Urinieren denken. Wir können jedoch mit Sicherheit sagen, daß solche Bilder sogar während der Gespräche in den Gedankengängen der Kinder aufgetaucht sind:

Ju (7 Jahre) nimmt wie Roy an, die Flußbetten seien von Menschen ausgegraben worden und das Wasser komme aus Brunnen und Schläuchen. »Und wie hat das Wasser in den Schläuchen angefangen? – ... (Ju wird ganz rot.) – Sag, was du meinst, es macht gar nichts, wenn es falsch ist. – ... *Aus den Aborten.* – Und das Wasser der Aborte? – ... (Ju, noch röter geworden, hat Tränen in den Augen; wir wechseln das Gesprächsthema.)«

Her (7 Jahre): »Wie hat das Wasser in den Flüssen angefangen? – *Es ist das Wasser, wenn es regnet ... Manchmal ist es das Wasser der Aborte.*« »Das geht in die Kanalisation ... und das Wasser aus der Kanalisation geht in die Arve.« Zum Flußbett: »*Man hat gegraben, man hat ein großes Loch gemacht.*«

Wie so oft legen auch hier die Erinnerungen von Taubstummen ein entscheidendes Zeugnis ab:

D'Estrella schreibt in einem autobiografischen Brief an James, der seine Kindheitserinnerungen ergänzen soll[4]: »Ich möchte folgendes über den Ursprung der Ozeane hinzufügen. Eines Tages ging ich mit Kameraden zum Meer. Sie badeten. Ich begab mich zum erstenmal in Meerwasser und wußte nichts vom Salzgeschmack des Wassers oder von der Wucht der Wellen. Ich wurde umgeworfen, mit offenen Augen und offenem Mund. Fast wäre ich ertrunken. Ich konnte nicht schwimmen. Ich sank unter und begann instinktiv durch den Sand zu kriechen. Ich spuckte das Wasser aus und fragte mich, weshalb es so salzig sei. Ich dachte, es sei der Urin dieses mächtigen Gottes« (des ›großen und starken Mannes‹ hinter den Hügeln).

Die meisten Kinder kommen zu der Zeit, da man ihnen die Fragen stellt, offensichtlich nicht auf solche Hypothesen. Sie betrachten deshalb das Wasser zwar als fabriziert, sie können aber nichts über das »Wie« dieser Fabrikation sagen:

Rev (6 Jahre): »War der See schon da, als dein Papa noch klein war? – *Noch nicht.*« Der See ist ein Loch, das »*ein Mann*« gemacht hat. »Woher kommt das Wasser im See? – *Vom Brunnen.* – Und das Wasser im Brunnen? – *Aus einem Hahnen, und dann ist das Wasser, weiß nicht, das Wasser ist ganz rund, und dann geht das Wasser aus dem Loch hinaus, und dann gehen darauf die Schiffe.*« »Was hat das Wasser im Hahnen gemacht? – *Ein Mann.* – Wie? – *Er hat das Wasser in den Hahnen hineingelegt, dann geht das Wasser hinunter.*«

Grim (5;6): Der See ist ein großes Loch. »Wie ist das Loch entstanden? – *Sie haben geschaufelt.* – Wer? – *Männer.* – Warum? – *Um Wasser hineinzutun.*« »Oder ist es von alleine gekommen? – *Nein.* – Wo haben sie es genommen? – *In den Brunnen.*« »Woher kommt das Wasser der Flüsse? – *Von der Erde.* – Und das Wasser in der Erde? – *Aus den Brunnen.* – Und das Wasser in den Brunnen? – *Aus dem See.* – Und das Wasser im See? – *Man nimmt Kübel, dann tut man sie in den See mit Wasser darin.*«

Rat (8 Jahre): »Woher kommen die Bäche? – *In den See. Manchmal aus der Arve.* – Woher kommt die Arve? – *Ich weiß es nicht. Es waren Männer, die Wasser in ein großes Loch geworfen haben.* – Und das Loch? – *Männer haben es ausgegraben.* – Und woher kommt das Wasser? – *Aus den Brunnen.* – Und woher kommt das Wasser in den Brunnen? – *Ich weiß nicht. Ich glaube,*

---

[4] W. James: Thought before language. In: Philosophical Review. Band 1 (1892). S. 613–624.

jemand hat es gemacht. – Wie? – ... – Womit? – Ich weiß es nicht...« »Mit etwas. Mit Erde, glaube ich, hat man es gemacht.«

Wir könnten noch zahllose Beispiele hinzufügen, die sich alle gleichen. Dieses erste Stadium erstreckt sich bis in ein Alter von durchschnittlich 7 bis 8 Jahren. Zum zweiten Stadium zählen wir die Kinder, die immer noch annehmen, die Flußbetten seien vom Menschen ausgegraben worden, die aber den Regen oder eine durch den Regen gespeiste Quelle als Ursprung des Wassers ansehen. Dieses zweite Stadium dauert durchschnittlich bis 9 oder 10 Jahre. Hier einige Beispiele:

Bab (8;11): »Was ist ein See? – *Das ist ein großes rundes Ding, ein Loch, wo es Wasser drin hat.* – War der See schon da, als dein Papa noch klein war? – *Ja.* – Und als dein Großvater noch klein war? – *Ja.* – Und als die ersten Menschen in Genf waren? – *Nein.* – Wer ist älter, der See oder Genf? – *Der See.* – Wie hat er angefangen? – *Das Wasser fällt herunter.* – Woher? – *Vom Himmel.* – Und das große runde Ding? – *Das hat man ausgegraben.* – Wer? – *Männer.* – Welche? – *Arbeiter.*« Dasselbe gilt für die Flüsse. »Was war zuerst da, die Brücken oder die Flüsse? – *Die Brücken.* – Hat man zuerst die Brücken gebaut? – *Ja.* – Warum? – *Damit man hinüberkann.* – Warum? – *Weil es kein Wasser hatte, es hatte das Loch.*«

Gen (7 Jahre): »Wie hat die Arve angefangen? – *Mit Regen.* – Und wie ist das Loch gemacht worden? – *Mit Maschinen.*«

Bar (9;6): »Wie hat der See angefangen? – *Vom Regen.* – Und das Loch? – *Männer haben es gegraben.* – Wie? – *Mit Hacken.* – Ist das lange her? – *Lange.* – Wer war zuerst da, Genf oder der See? – *Genf.*« Und zur Arve: »*Männer haben sie ausgegraben.* – Warum? – *Um den Fluß zu machen.* – Und woher kommt das Wasser? – *Vom Regen.* – Wie? Wohin fällt es? – *Auf den Boden. Es bohrt sich in die Erde ein.* – Und dann? – *Es fließt in den Fluß.*«

Bul (11;8): »Wie hat der See angefangen? – *Sie haben ihn ausgegraben.* – Wer? – *Männer.* – Wann? – *Vor langer Zeit.* – Wer denn? – *Menschen von früher.* – Warum? – *Damit man mit dem Schiff in die Kantone gehen kann* (nach Lausanne! Jetzt begreift man die Frage, die Del mit 6½ Jahren gestellt hat. ›Warum geht der See nicht bis nach Bern?‹). – Warum? – *Damit man im Schiff auf Spaziergänge gehen kann, für die Fischer.* – Warum? – *Für die Fische.* – Woher kommen die Fische? – *Gott und die Menschen haben den See gemacht, und Gott hat die Fische hineingetan.* – Hat Gott oder haben die Menschen den See gemacht? – *Nein, es ist Gott, der den See gemacht hat.* – Wo hat er das Wasser genommen? – *Es gibt Quellen und Flüsse, und sie haben sie in den See geleitet.* – Wer ist älter, Genf oder der See? – *Genf..., nein... der See.*«

Man ersieht aus diesen wenigen Fällen, wie spontan der Artifizialismus bei den Kindern zu sein scheint; denn wenn sie lernen oder herausfinden, daß das Wasser der Flüsse aus den Bergen und vom Regen kommt, betrachten sie dennoch das Flußbett immer noch als künstlich hergestellt. Mehr noch, man stößt zwischen diesem zweiten und dem dritten Stadium auf eine Reihe von Übergangstypen, die wiederum zeigen, wie tief verankert der Artifizialismus ist, wenn vielleicht auch nicht im Zustand formulierter Überzeugung, so doch zumindest als geistige Ausrichtung. Bei den folgenden Beispielen liegt den natürlichen Erklärungen (die für das dritte Stadium charakteristisch sind) eine eindeutige artifizialistische Geisteshaltung zugrunde (die von den Auffassungen des zweiten Stadiums herrührt):

Chal (9 Jahre): »Wie ist der See entstanden? – *Es ist Wasser, das ihn gegraben hat.* – Woher kommt das Wasser? – *Vom Berge.* – Woher kommt das Wasser der Arve? – *Aus den Bächen.* – Und das Wasser der Bäche? – *Vom Berge.* – Und wie ist das Bett der Arve entstanden? – *Weil es Wasser hat, ist es ausgegraben worden.* – Was ist älter, Genf oder der See? – *Genf.* – Genf oder die Arve? – *Genf.«* »Warum sind der See und die Arve bei Genf? – *Es sind Bäche heruntergekommen.* – Warum hier und nicht anderswo? – *Es sind viele Bäche gebaut worden.* – Warum ist der See neben der Stadt? – *Weil er sie teilt* (Genf liegt tatsächlich auf beiden Seiten des Sees). – Warum ist die Stadt neben dem See? – *Weil er (der See) sich daneben eingegraben hat.* – Warum? – *Die Bäche sind gegen die Stadt hinuntergekommen.* – Hätten sie sich weiter entfernt eingraben können? – *Ja. Vielleicht haben die Männer so angefangen, und das Wasser des Flusses ist hinein geflossen.«* Man ersieht daraus, wie der Artifizialismus untergründig noch sehr wirksam ist, denn Chal beharrt gegen jede Wahrscheinlichkeit darauf, die Stadt sei vor dem See dagewesen.

Par (9 Jahre): »Woher kommt der See? – *Aber doch vom Wasser.«* »Woher kommt das Wasser? – *Von den Bächen aus den Bergen.* – Und woher kommt es dorthin? – *Vom Himmel, wenn es regnet.* – Woher kommt das Flußbett? – *Weil man es mit Hacken ausgegraben hat. Auch als das Wasser vom Berg herunterfloß, hat es das Bett ausgehöhlt.* – War es das Wasser oder waren es die Hacken? – *Das Wasser.* – Ist Genf immer dagewesen? Oder nicht? – *Aber sicher!* – Ist Genf vor dem See dagewesen, oder war zuerst der See da? – *Die Stadt, denn es muß eine Stadt vor dem See sein, sonst geht das Wasser überall hin.* – Kennst du die Arve? – *Ja, ich kenne alles.* – War zuerst die Stadt oder zuerst die Arve da? – *Die Stadt. Man hat die Stadt gemacht, dann die Brücken, dann hat es angefangen zu regnen, und dann ist Wasser da, und es ist in die Arve und die Rhone gefallen.«*

Bei diesem lezteren Fall ist die Hartnäckigkeit, mit der sich die artifizialistische Tendenz selbst innerhalb natürlicher Erklärungen hält, recht bemerkenswert. Diese Beispiele sind viel interessanter als die ursprünglichen Fälle des ersten Stadiums, denn die geistige Grundausrichtung des Kindes wird in ihnen indirekt und deshalb mit größerer Echtheit sichtbar.

Hier noch zwei Fälle des dritten Stadiums, in dem die Erklärung für die Flüsse und die Seen vollständig natürlich wird. In den ursprünglichsten Fällen dieses Stadiums (zum Beispiel Bar) läßt sich freilich feststellen, daß die Erklärung nicht auf Anhieb mechanistisch ist, sondern zuerst noch durch einen »immanenten Artifizialismus« hindurch geht: Das Wasser ist mit einer gewissen finalistischen Dynamik ausgestattet, dank der es zum größeren Wohl des Menschen wirken kann.

Bar (9;5): »Woher kommt der See? – *Es sind die Flüsse.* – Wie ist sein Becken ausgehöhlt worden? – *Das Wasser hat es ausgehöhlt. Als es sehr stark war, als es große Wellen gab, hat das die Steine zurückgeschoben.* – Was ist älter, Genf oder der See? – *Ge... gleichzeitig!*« »Wie ist es gekommen, daß Genf am Ufer des Sees liegt? – *Deshalb, wenn man den See nicht gehabt hätte, hätte man kein Wasser gehabt!*« Der See wird somit gleichzeitig durch mechanische und finalistische Gründe erklärt, wobei die Mechanik im Dienste des Zweckes steht.

Bur (12;7): »Woher kommt der See? – *Von den Bergen.* – Wie? – *Das ist, wenn es Schnee auf den Bergen hat. Er schmilzt.* – Wie ist das Becken des Sees ausgehöhlt worden? – *Es ist das Wasser.* – Und die Flüsse? – *Weil die Steine rollen, und das höhlt aus.* – Was ist zuerst dagewesen, Genf oder der See? – *Der See.* – Die Rhone, die Arve oder Genf? – *Die Flüsse.*«

Im Hinblick auf den Animismus der Kinder dieser verschiedenen Stadien stellen wir wiederum fest, daß sich der Artifizialismus und der Animismus nicht widersprechen, weit davon entfernt, sondern sich gegenseitig implizieren. Neun Zehntel der Kinder des ersten Stadiums halten nämlich das Wasser der Seen und der Flüsse für bewußt und lebendig, obwohl sie es als fabriziert ansehen, ohne jedoch im allgemeinen über das »Wie« dieser Fabrikation etwas Genaueres zu sagen. In den späteren Stadien wird das Wasser immer noch von vielen Kindern für bewußt und lebendig gehalten: acht Zehntel der Kinder des zweiten und ein Drittel derjenigen des dritten Stadiums. Der Animismus nimmt parallel zum Artifizialismus ab.

Es wäre noch auf die Antworten der Kinder einzugehen, die nicht in Genf befragt worden sind, aber die Ähnlichkeit ist derart ausgeprägt, daß man nicht viele Worte darüber verlieren muß. Wir konnten einigen Kindern in Beaulieu-sur-Mer und im Wallis Fragen über den Ursprung des Mittelmeeres und der kleinen Bergseen in den Alpen stellen. M. Rodrigo hat dieselbe Untersuchung in Spanien durchgeführt. Die Antworten sind qualitativ gleich. Das Meer ist »*ein großes Loch, und man hat Wasser hineingetan.* – Woher kommt dieses Wasser? – *Aus Schläuchen und Hahnen*« (7–8 Jahre) usw. In Paris stellt sich das Problem anders, weil den Kindern die direkte Erfahrung mit der Wirklichkeit der Natur fehlt. Der Artifizialismus dieser Kinder geht weiter. Die Stadien bleiben qualitativ gleich, ihre Dauer aber variiert.

Kapitel X
Der Ursprung der Bäume, der Berge und der Erde

Wir müssen noch untersuchen, wie das Kind den Ursprung von Rohstoffen wie Holz, Stein, Stoff usw. erklärt. Diese Fragen werden nicht um der Systematik willen gestellt. Jedes dieser Probleme interessiert das Kind oder zumindest bestimmte Kinder. Jede der Fragen, die wir stellen, ist wirklich durch Kinder gestellt worden. In der Sammlung, die Bohn[1] zusammengestellt hat, findet man beispielsweise die folgenden Fragen, die alle vom gleichen Kind (2;6) gestellt wurden: »*Papa, hatte es Leute vor uns?* – Ja. – *Wie sind sie hergekommen?* – Sie wurden geboren wie wir. – *War die Erde da, bevor es Leute darauf hatte?* – Ja. – *Wie ist sie hergekommen, wenn es keine Leute hatte, um sie zu machen?*« Mit 3½ Jahren: »*Wer hat die Erde gemacht? Hat es je eine Zeit gegeben, in der wir nicht auf der Erde waren?*« Mit 4;9: »*Woraus sind die Felsen gemacht?*«

Frau Klein hat in einer interessanten Untersuchung[2] bei 4 bis 5 Jahre alten Kindern folgende Fragen zusammengetragen: »*Wie wird Holz? Wie wird Stein?*« Man antwortet dem Kind, der Stein sei schon immer dagewesen, aber es erwidert: »*Aber woraus ist er hergekommen?*« Andere Fragen beziehen sich auf das Wachstum der Bäume, der Blumen, auf die Herkunft des Staubes, des Glases usw. Kurz, jedes Material kann spontane Neugierde auslösen, und die Form, in der die Frage gestellt wird, zeigt im allgemeinen bereits, daß das Kind eine artifizialistische Erklärung als Antwort erwartet.

1. Die Herkunft des Holzes und der Pflanzen

In der Entwicklung der Erklärungen finden wir wie üblich drei Stadien: einen integralen Artifizialismus, Artifizialismus vermischt mit natürlicher Erklärung und schließlich eine rein natürliche Erklärung. Im ersten Stadium nimmt das Kind an, das Holz werde aus den Stücken fabriziert, die beim Zertrümmern von Möbeln entstehen. Oder es kommt von den Bäumen, aber die Bäume werden ganz vom Menschen gemacht, indem man entweder »Stecken« in die Erde tut oder von Händlern fabrizierte Körner aussät. Im zweiten Stadium findet das Kind heraus, daß das Holz von den

---

[1] Bohn, in: Pedagogical Seminary (1916).
[2] M. Klein: Eine Kinderentwicklung. In: Imago. Jg. 7 (1921) S. 251.

Bäumen stammt und die Bäume aus den Körnern (oder Wurzeln usw.). Die Körner selbst stammen überdies von den Bäumen oder anderen Pflanzen (beispielsweise vom Weizen usw.). Aber die Menschen müssen sie pflücken und bearbeiten, bevor sie sie aussäen, sonst würden die Bäume nicht wachsen. Die Natur ist also sich selbst noch nicht genung. Im dritten Stadium schließlich ist die Erklärung richtig.

Wir beginnen mit Beispielen des ersten Stadiums, das durchschnittlich bis in ein Alter von 7 bis 8 Jahren dauert. Man findet zwei Typen von Antworten, solche von Kindern, die noch nicht erfahren haben, daß das Holz von den Bäumen stammt, und solche von Kindern, die dies wissen. Hier Beispiele des ersten Typs:

Dar (4 Jahre): »Was macht man, damit man Holz bekommt? – *Weiß nicht.* – Was meinst du? – *Man hat es gekauft.* – Von wem? – *Von einer Frau.* – Und was hat diese Frau getan, um Holz zu bekommen? – *Sie hat Holz gemacht.* – Wie? – *Sie hat kleine Stücke zusammengeklebt, um große zu machen.* – Und die kleinen Stücke? – *Man hat sie mit Nägeln gemacht.* – Wie? – *Man klebt sie. Man pflanzt sie* (die Nägel). *Man pflanzt die Dinge in das Holz.* – Wie macht man es aber, damit man kleine Stücke hat? – *Ich weiß nicht. Wenn man arbeitet, fallen große Holzstücke herunter.*«

Por (4;6): Das Holz kommt »*vom Händler.* – Und was macht der Händler, damit er Holz bekommt? – *Er nimmt Stücke.* – Und wenn er keine mehr hat? – *Er kauft es bei einem anderen Mann*« usw., ohne Ende.

Lug (7 Jahre): »Was macht man, damit man Holz bekommt? – *Man gibt es in eine Maschine.* – Muß man nichts in die Maschine hineintun, um Holz zu bekommen, oder muß man etwas hineintun? – *Man muß etwas hineintun.* – Was? – *Man muß Hobelspäne hineintun.*«

Rud (7 Jahre): Das Holz kommt vom Händler, der es von einem anderen Händler holt und so fort. Die primäre Herkunft des Holzes: »*Bei einem Mann, der Schränke zerschlägt.*«

Wir wollen zu besser informierten Kindern übergehen, für die das Holz von Bäumen und die Bäume aus Körnern stammen. Der Artifizialismus bleibt bei diesem Typ integral, denn die Körner ihrerseits sind fabriziert:

Ter (6;6): »Was macht man, damit man Holz hat? – *Sie machen es mit Dingen.* – Womit? – *Mit Holz.* – Und woher kommt dieses Holz? – *Aus den Wäldern.* – Wie? – *Der liebe Gott hat den Männern geholfen, Holz zu machen, und dann haben sie es in die Erde gepflanzt.* – Wo haben sie dieses Holz genommen, das sie gepflanzt haben? – *Sie haben Holz gemacht, und dann haben sie es in die Erde gepflanzt.*« Gibt es manchmal neue Bäume? – *Ja.* – Wie wird das gemacht? – *Man sät Dinge aus.* – Was? – *Man kauft sie in den Läden.*« »Wie macht man es, damit man Körner bekommt? – *Man muß runde Dinge haben.* – Wo nimmt man sie her? – *Vom Boden.* – Wo? – *In den Feldern. Man nimmt das Gras weg, und dann nimmt man die Körner.* – Wie sind sie dorthin gekommen? – *Man hat welche verloren, als man sie aussäen wollte.* – Woher kamen sie? – *Vom Händler.* – Und der Händler? Wie hat er es gemacht, daß er welche hat? – *Man hat sie ihm aus der Fabrik geschickt.* – Findet man denn diese Körner nicht? – *Nein, man macht sie.*«

Blan (6 Jahre): »Wie macht man es, damit man Holz bekommt? – *Man schneidet die Stämme der Bäume ab.* – Was macht man, damit man Bäume bekommt? – *Man sät Körner.* – Und die Körner? – *Man kauft sie.* – Wo? – *In den Läden.*« »Und der Mann im Laden? Suche ein wenig in deinem Kopf. – *Er macht sie.* – Woraus? – *Aus anderen Körnern.*« »Gab es schon Bäume, als die ersten Menschen herkamen? – *Nein.* – Wie hat das angefangen? – *Mit Körnern.* – Woher kamen diese Körner? – *Aus dem Laden.*«

Der Ursprung der Bäume bleibt also durchaus artifizialistisch. Es handelt sich sicher nie um eine Schöpfung *ex nihilo*, ein Begriff, der dem Kind ebenso fremd ist wie den Kosmogonien der Naturvölker. Versucht man das Kind zu einer Aussage zu drängen, so kommt es immer zu einem Zirkel: Das Holz besteht aus Spänen, oder Körner sind aus Körnern zusammengesetzt.

Im zweiten Stadium wird die Bildung der Körner zu einem natürlichen Vorgang, aber der Artifizialismus ist noch lebendig, insofern der Mensch für die Fortpflanzung der Bäume notwendig bleibt. Hier einige Beispiele:

Duc (6;10): Das Holz kommt von den Bäumen. »Und die Bäume? – *Man bringt das Korn zum Wachsen.* – Und das Korn? – *Man kauft sie.* – Bei wem? – *Bei einem Händler.* – Und der Händler, wie macht er es, um zu Körnern zu kommen? – *Er macht welche.* – Wie? – *Mit einer Maschine.* – Wie macht man Körner mit einer Maschine? – *Man tut sie in die Maschinen hinein.* – Was tut man in sie hinein? – *Das, was auf den Bäumen wächst.* – Was? – *Äpfel.* – Was macht man, um Körner für eine Tanne zu bekommen? – *Man nimmt Zapfen.* – Und dann? – *Man tut sie in die Maschine.*« »Kann man Körner machen, ohne etwas von den Bäumen zu nehmen? – *Nein.* – Wenn man keine Maschine hat, kann man dann Bäume zum Sprießen bringen? – *Nein.*«

Ah (7;6): Das Holz kommt von den Bäumen, die Bäume aus den Körnern. Man holt die Körner »*in der Fabrik.* – In welcher Fabrik? – *In der Körnerfabrik.*« »Was macht man in der Fabrik? – *Man macht sie.* – Womit? – *Mit Weizen.* – Glaubst du, man mache die Blumen aus Weizenkörnern? – *Ja.*« »Wenn es keine Männer gäbe, gäbe es dann Blumen? – *Nein.*«

Kinder, die sich auf dem Lande besser auskennen, lassen natürlich nicht im gleichen Maße »Fabriken« mitwirken, aber auch bei ihnen bleibt die Vorstellung erhalten, der Mensch sei für das Wachstum von Pflanzen notwendig.

Bouv (8 Jahre): Die Tannen kommen aus Körnern. Die Körner ihrerseits nimmt man »*in den Zapfen.* – Würden die Tannen in den Wäldern ganz von allein austreiben, wenn es keine Männer gäbe? – *Nein, weil niemand da ist* (= wäre). – Wenn niemand da wäre, würde es dann keine Körner geben? – *Es würde keine Bäume geben.*» »Warum? – *Weil es keine Körner hat.* – Warum? – *Weil man sie nicht nehmen könnte.*«

Auch bei den sehr gut informierten Kindern, sogar bei jenen aus den Genfer Vorstädten, wo alle Kinder mit den ländlichen Verhältnissen vertraut sind, ist die artifizialistische Tendenz in diesem zweiten Stadium noch fest verwurzelt. Man kann den Kindern noch eine recht aufschlußreiche Frage vorlegen, nämlich »Weshalb sind die Baumblätter grün?« Im ersten Stadium antwortet das Kind wie folgt:

Du (4 Jahre): »*Weil man sie angemalt hat.*«
Frez (4 Jahre): Die Bäume auf den Bergen »*sind von den Männern gemacht worden.* – Wie? – *Mit Holz. Sie haben Holz gefunden. Sie haben Blumen gefunden, dann haben sie sie auf die Bäume getan.* – Warum sind die Blätter der Bäume grün? – *Um die Bäume schön zu machen.*«
Blan (6 Jahre): »*Sie haben lackiert.*«

Die Kinder des zweiten Stadiums antworten:

Ol (6;11): »*Weil es ganz frische Blätter sind, die eben hervorgekommen sind.*«
Eyn (6 Jahre): »Warum sind die Blätter grün? – *Weil man das Korn gesetzt hat.* – Warum sind sie grün und nicht anders? – *Weil Frühling ist.*«
Gio (7;2): »*Der Frühling hat sie grün werden lassen.*«
Iwa (9;6): »*Es ist der Baum, der sie grün macht.* – Wie hat der Baum das tun können? – *Seine Wurzeln haben sie grün gemacht, als sie (die Blätter) aus den Wurzeln herauskamen.* – Und woher kommen diese Wurzeln? – *Aus dem Korn.*« »Welche Farbe haben die Körner? – *Die Körner haben die Farbe der Blüten.* – Hast du blaue Körner gesehen? – *Nein.* – Hast du blaue Blüten gesehen? – *Ja.* – Wie werden also Blüten blau? – *Es hat ein wenig Blau in den Körnern.* – Kann man dieses Blau sehen? – *Nein.*«

Man bemerkt die präformistische Tendenz in dieser letzten Antwort.

Das erste Stadium dauert im Durchschnitt bis etwa 6 oder 7 Jahre, das zweite bis etwa 9 Jahre. Die Antworten des dritten Stadiums sind in bezug auf die Herkunft der Körner richtig. Diese Kinder ziehen keine Schlüsse über das Grün der Blätter oder geben dieselben Antworten wie im zweiten Stadium.

2. Die Herkunft des Eisens, des Glases, des Stoffes und des Papiers

Wir können uns bei diesen Erklärungen kurz fassen, denn sie enthalten nichts Interessantes.

Bei den jüngeren Kindern findet man scheinbar ein vorartifizialistisches Stadium, das aber in Wirklichkeit nur dadurch charakterisiert ist, daß noch kein Bedürfnis nach einer Erklärung vorhanden ist:

Oa (4 Jahre) sagt vom Eisen: »*Man findet es*«. Es ist »*ganz von allein*« entstanden. Dieselben Antworten für das Papier und den Stoff.

Frez (4 Jahre) gibt dieselben Antworten. Zum Eisen: »*Man findet es. – Fabriziert man es oder findet man es? – Man findet es.*« »Wo? – *Wir haben bei unserer Tante davon gefunden.*«

Sala (4 Jahre): »*Man fängt es mit den Händen im Wasser.*« Diese Antwort wird für das Eisen, das Papier usw. gegeben.

Dieses jeder Erklärung vorausgehende Stadium bereitet den Artifizialismus offensichtlich vor: Die Dinge werden von einem im Hinblick auf eben den Menschen organisierten Kosmos fix und fertig geliefert. Unter diesen Voraussetzungen sind die ersten Erklärungen, die das Kind gibt, durch und durch artifizialistisch. Zuerst ein in dieser Hinsicht eindeutiger Übergang:

Mass (6 Jahre): Das Eisen: »*Man nimmt es in der Erde. – Woher kommt aber das Eisen in der Erde? – Man hat es hineingetan* (in die Erde).«

Bei den ersten Erklärungen, die für die Herkunft dieser Materialien gegeben werden, lassen sich zwei Typen unterscheiden: entweder werden die einen Rohstoffe mit Hilfe der anderen fabriziert, oder das Material wird aus Stücken seiner eigenen Substanz fabriziert. Zuerst einige Beispiele für den ersten Typ:

Blas (5 Jahre): Das Eisen ist »*mit Draht gemacht*«, das heißt mit »*ganz kleinem Eisendraht*«, der »*aus anderem Draht*« (gewöhnlichem Draht) gemacht ist. Stoff wird »*aus Gras*« fabriziert. Glas macht man »*mit Eis*«.

Bos (6 Jahre): Das Eisen ist »*mit Erde*« gemacht. Das gleiche gilt für das Glas.

Co (6 Jahre): Das Eisen wird »*mit Glas*« fabriziert.

Ol (6 Jahre) gibt dieselbe Antwort und fügt hinzu, daß man »*das Glas erhitzt, um Eisen zu machen.*«

Fer (7;9): Man macht das Eisen »*mit Blech*« und das Blech »*mit Lötmetall*« und das Lötmetall »*mit dem Pech der Bäume*«.

Vau (6 Jahre): Um Eisen zu bekommen, bringt man Holz in die Maschinen, und um Papier zu bekommen, gibt man Glas hinein.

Ru (7 Jahre): Stoff macht man »*mit Spinngewebe*« und das Papier mit »*Hahnenpfoten*«. Diese letztere Erklärung rührt daher, daß man in Genf die Lumpen »*pattes*« (Pfoten) nennt.

Kurz, die Maschinen sind Zauberkästen, in die man irgend etwas hineingibt, um irgend etwas zu erhalten, aufgrund von völlig äußerlichen Ähnlichkeiten, die das Kind erfaßt hat. Frau Klein berichtet in einem Artikel, den wir weiter unten zitieren wollen, ihr vierjähriges Kind habe sie eines Tages gebeten, den Spinat für das

Mittagessen lange genug zu kochen, damit daraus Kartoffeln würden. Auf diesen Glauben an die Allmacht der Technik der Erwachsenen werden wir bei der Untersuchung der kindlichen Vorstellungen über die Maschinen wieder stoßen. Der zweite Typ von Antworten hat folgende Form:

Dar (4 Jahre): Das Eisen kommt aus den Läden: »*Kleine Stücke, sie kleben zusammen*« (= man klebt Stücke zusammen, um daraus ein Ganzes zu machen).
    Ben (5;6): Man macht Glas »*aus zerbrochenem Glas*«.
    Ol (6 Jahre): »*Die Glasstücke, die man findet, sammelt man.*«

Diese Antworten werden von gleichaltrigen Kindern gegeben, und die beiden Antworttypen gehen ineinander über.
    Diese Tatsachen sind nur insofern von Bedeutung, als sie uns die kindliche Neigung vor Augen führen, an eine Allmacht der Erwachsenen zu glauben. In dieser gleichen Periode erscheint dem Kind alles in der Natur als künstlich oder fabriziert. Sobald das Kind anschließend schrittweise entdeckt, daß die Maschinen weder allmächtig noch geheimnisvoll sind, erscheinen ihm die natürlichen Dinge als immer schwieriger durch den Artifizialismus erklärbar, so daß dieser immer stärker zugunsten physikalischer Erklärungen im eigentlichen Sinne des Wortes zurückgebildet wird.

3. Die Herkunft der Steine und des Erdbodens

Das Problem des Erdbodens ist viel interessanter als das der Rohstoffe. Die kindlichen Vorstellungen sind nicht so stark von den Erwachsenen und vom Verbalismus beeinflußt.
    Die Frage nach der Herkunft der Steine haben wir durch eine noch konkretere Frage ergänzt. Wir zeigen den Kindern einen runden und polierten Kiesel, so wie alle ihn schon am Ufer des Sees oder der Arve gesehen haben, und fragen: »Warum ist er rund?« Falls das Kind nicht die Antwort gibt, er sei durch das Wasser abgenützt worden, fügen wir hinzu: »Wir haben ihn am Ufer der Arve gefunden. Warum, meinst du, ist er rund?«
    Wir haben bei den Erklärungen drei Stadien gefunden: einen integralen Artifizialismus bis 7 oder 8 Jahre, eine natürliche Erklärung von 9 bis 10 Jahren an und dazwischen Übergangsfälle.
    Im ersten Stadium wird vom Erboden und von den Steinen angenommen, sie seien je gegenseitig oder beide mit Hilfe »kleiner Steinstücke« fabriziert worden. Hier einige Beispiele:

Dar (4 Jahre): Die Steine kommen *»von einem Haus. In einem verbrannten Haus* (das eingestürzt ist) *nimmt man die Steine.«* – »Auf dem Salève hat es Steine; woher kommen sie? – *Es ist in die Erde gepflanzt.* – Woher kommt es? – *Das ist schwierig zu sagen! Man macht sie aus Marmor.«*

Sala (4 Jahre): Die Steine »*hat man gemacht*«. Zum Erdboden: »*Er ist darin.* – In was? – *In den Steinen.«*

Blas (5 Jahre): Die Steine »*macht man*« mit »*kleinen Stücken*« Stein, den Erdboden »*fabriziert man*«.

Zal (5 Jahre): »*Von den Männern, die die Häuser in Ordnung bringen. Sie machen den Erdboden.«*

Cour (5 Jahre): »*Woher kommen die Steine auf dem Salève? – Männer müssen sie pflanzen.«* »Wie haben die Steine angefangen? – *Man nimmt Zement, dann klebt man, dann klopft man mit einem Hammer, das macht, daß es klebt.* – Die Steine werden gepflanzt, was meinst du damit? – *Man pflanzt kleine Stücke, dann gibt man Zement dazu, dann klebt man.*

Blau (6 Jahre): Steine gibt es sogar auf den Äckern, »*weil sie Körner in die Erde gesät haben.* – Körner wovon? – *Körner von Steinen.* – Woher kommen die? – *Von Männern.* – Wie sehen sie aus? – *Es ist rund.* – Und wozu sind sie gut? – *Weil man sie pflanzt.* – Was tun sie, wenn man sie pflanzt? – *Das gibt Steine.«*

Hatt (7 Jahre): Die Männer »*haben Kies, Sand, Kieselsteine genommen und Steine daraus gemacht.«* Die Steine auf den Äckern: »*Männer streuen sie aus.«* Der Erdboden ist von den Menschen gemacht worden.

Cuv (6 Jahre): Alle Steine sind von Maurern mit Erde gemacht worden, und der Erdboden besteht aus zertrümmerten Steinen.

Man findet somit im ersten Stadium nebeneinander drei verschiedene Lösungen, zwischen denen fast jedes Kind hin und her schwankt. Die erste besagt, der Erdboden bestehe aus Steinen und die Steine bestünden aus Erdboden, wobei eine Zwischensubstanz, nämlich Sand, möglich ist. Nach der zweiten sind die Steine aus kleinen Steinstücken gemacht, die einfach mangels Gebrauch weggeworfene Trümmerstücke sind. Eine analoge Lösung haben wir beim Holz kennengelernt: Das Holz wird aus Spänen usw. fabriziert. Das sind zwei Kompositionsverfahren, deren Abschluß wir noch sehen werden, sobald sich die kindliche Erklärung vom Artifizialismus löst. Dieser Abschluß ist der Atomismus, verbunden mit der Vorstellung einer Verdichtung oder einer Verdünnung einer einheitlichen Substanz, die das Rohmaterial für den Erdboden darstellt. Drittens findet man bei einigen (nicht allen, aber vielen) Kindern die Vorstellung, die Steinstücke würden in der Art der Pflanzen »treiben«: die »Steinkörner«, »das gibt Steine«, »man pflanzt sie«, »das wächst« usw. Soll man in diesen Formulierungen bloße bildliche Stilisierungen sehen? Wir werden noch sehen, daß dem Stein ein eigentliches Leben zugeschrieben wird. Wir werden aber auch sehen, und die zitierten Beispiele sind in dieser Hinsicht eindeutig, daß dieses Leben die Vorstellung einer Fabrikation nicht ausschließt: Man macht die Steine, man pflanzt sie, und sie wachsen.

Der beste Beweis für diese Interpretation wird durch die Untersuchung der Antworten erbracht, die die Kinder auf die Frage zum Kieselstein gegeben haben, der vom Wasser der Arve abgeschliffen wird. Dieser Kiesel ist ein konkreter Gegenstand, den das Kind gut kennt, weil es schon am Ufer des Sees oder der Arve gespielt hat, über den zudem nicht nur geredet, sondern der präsentiert wird. Deshalb haben die älteren unserer Kinder, auch wenn sie eben gesagt hatten, die Steine seien vom Menschen fabriziert worden, sofort gesagt, der Kieselstein sei vom Wasser gerundet worden, womit sie also beim Kontakt mit dem realen Gegenstand den Glauben an ihre artifizialistischen Fabeln aufgaben. Die jüngeren Kinder hingegen bleiben bei ihrer gewohnten Geisteshaltung. Hier Antworten, die wir von diesem ersten Stadium erhalten haben:

Frez (4 Jahre): »Du siehst diesen Stein. Warum ist er rund? – *Das ist, um ihn in die Erde hineinzutun.* – Weißt du, wo ich ihn gefunden habe? Am Ufer der Arve. Warum ist er rund? – *Das ist um ihn in die Erde hineinzutun.*«

Por (4:6): »*Das ist, weil sie rund gemacht worden sind.*«

Blas (5 Jahre): »Du siehst diesen Stein, warum ist er rund? – *Weil er aus Mehl ist.* – Weißt du, wo ich ihn gefunden habe? Am Ufer der Arve. Warum ist er rund? – *Weil er aus Mehl ist.*« Die Steine im allgemeinen werden »*von Männern ... mit ganz weißem Mehl* (Zement)« gemacht. Der Kiesel aus der Arve ist somit wie die anderen Steine fabriziert worden.

Tul (5 Jahre): »Warum ist er rund? – *Weil er rund sein will. Er ist ganz rund gemacht worden.*«

Eyn (6 Jahre): »Warum ist er rund? – *Weil er nicht wie die anderen ist.* – Warum nicht? – *Weil man ihn nicht wie die anderen fabriziert hat.* – Du hast mir gesagt, daß man sie findet, und jetzt sagst du mir, man fabriziere sie. Was glaubst du wirklich, findet man sie oder fabriziert man sie? – *Sie wachsen in der Erde.* – Diesen Stein habe ich am Ufer der Arve gefunden. Warum ist er rund? – *Ich weiß nicht warum, weil man ihn am Ufer der Arve gefunden hat.*« Man ersieht aus diesen Aussagen, wie wenig widersprüchlich die Begriffe »fabriziert« und »wachsen« in diesem Stadium sind.

Wol (7 Jahre): Er ist rund, weil »*man ihn so fabriziert hat.*«

Cuv (6;6): »*Weil man ihn rund gemacht hat.* – Womit? – *Mit nasser Erde.*«

Blau (6;6): »Du siehst diesen runden Stein. Wo findet man solche Steine? – *Am Ufer der Arve.* – Warum ist er rund? – *Weil es von diesen runden Steinen mehrere gibt.* – Wie ist er so geworden? – *Durch die Männer.* – Warum ist er rund? – *Weil man sie rund gemacht hat.*«

Diese Fakten bestätigen offensichtlich, was wir eben insbesondere über die Beziehung zwischen dem Artifizialismus und dem Animismus gesagt haben.

Bevor wir zu den rein natürlichen Erklärungen übergehen (drittes Stadium), müssen wir ein Zwischenstadium genauer beschreiben und studieren, in dem das Kind dem Artifizialismus noch einen gewissen Raum zugesteht, aber schon natürliche Bildungsvorgänge mitwirken läßt, die nicht bloß aus einem »Leben« oder »Wachsen« des Steins bestehen.

Zuerst wollen wir ein Kind zitieren, das gerade vom ersten in das zweite Stadium übergeht und deshalb besonders wichtig ist:

Rob (7 Jahre): »Woher kommen die Steine? – *Man findet sie in Kisten. Man findet einen großen Stein. Man zerbricht ihn, man macht einen kleinen Stein damit, dann macht man einen großen Stein damit* (also eine Zerlegung und Wiederzusammensetzung, wie wir sie bereits kennengelernt haben). – Siehst du diesen Stein (den runden Kiesel). Glaubst du, man könnte damit einen größeren Stein machen? – *Oh ja! Man könnte einen großen Stein nehmen, dann zerbricht man ihn, das würde einen größeren Stein geben. Oh ja! Mit dem* (dem Kiesel) *könnte man sicher einen großen Stein machen. Er ist schwer genug!*« »Schau diesen Stein an; warum ist er rund? – *Weil man sie findet, man zerbricht sie, dann macht man größere, runde daraus.* – Weißt du nicht, wo ich ihn gefunden habe? Am Ufer der Arve. Warum ist er rund? – *Man zerbricht sie, dann fabriziert man sie rund.*«

Dieser Fall ist recht interessant. Das Gewicht des Steines wird nämlich als Beweis dafür angeführt, daß man aus einem kleinen einen großen Stein herstellen kann. Also nicht mehr eine reine und einfache Fabrikation, sondern eine Fabrikation, die voraussetzt, daß der Stein zusammengepreßt oder ausgeweitet werden kann: Der Stein des Kiesels ist komprimierte Substanz, weil er schwer ist, und er kann, nachdem man ihn in kleine Stücke zerlegt hat, einen weniger dichten und größeren Stein bilden. Zur Zerlegung in Stücke und zur Wiederzusammensetzung, die wir von den Antworten des ersten Stadiums her kennen, kommt hier somit eine wesentliche neue Vorstellung, die Verdichtung und Verdünnung. Diese Idee, die im Falle von Rob noch mit Artifizialismus (der Stein muß gepreßt werden) verquickt ist, enthält im Ansatz die Vorstellung von Materiepartikeln. Wir werden sogleich einige Kinder des dritten Stadiums kennenlernen, die mehr oder weniger explizit zu diesem Begriff gelangen. Rob steht somit zwischen dem Artifizialismus und dem »kindlichen Atomismus«, wie man ihn etwas vermessen nennen könnte.

In den Antworten des zweiten Stadiums wird der Artifizialismus schrittweise auf die Natur selbst übertragen:

Blase (6;6): »Warum ist dieser Stein rund? – *Um Feuer zu machen.* – Wie? – *Man klopft darauf.* – Womit? – *Mit einem Hammer.* – Ich habe ihn am Ufer der Arve gefunden. Warum ist er rund? – *Weil ihn die Arve mit Wasser rund gemacht hat.* – Wie bringt das Wasser das fertig? – *Weil es Erde nimmt, dann klebt es.*«

Ol (6;11): Die Menschen haben den Erdboden, den Sand und die Steine fabriziert. Der Kieselstein ist rund, »*weil er im Wasser war.* – Was bewirkt das? – *Das treibt auf.«* »Wenn man zuviel trinkt«, fügt Ol hinzu, *»dann treibt das auf.«*

Den (7 Jahre): Die Steine sind »*trockener Zement*«, dann ändert er seine Meinung: »*Sie sind ganz von allein entstanden. Die Erde hat sie gemacht. Ich habe nie gesehen, daß einer gemacht wurde.«*

Horn (5;6, sehr frühreif alles in allem): Um Steine zu bekommen, »*nimmt man Ton, und man macht daraus Stein.«* »Bist du schon einmal auf dem Lande gewesen? – Ja.* – Hast du die Steine auf dem Boden gesehen? Woher kommen sie? – *Aus der Fabrik.* – Hier ist ein Stein, den ich am Ufer der Arve gefunden habe. Warum ist er rund? – *Weil es ihn so geformt hat.* – Was? – *Das Wasser.* – Wie? – *Indem es Wellen machte.* – Und dann? – *Sie haben den Stein vorwärtsgeschoben. Er ist rund geworden.«* Nach dieser ausgezeichneten Erklärung sagt Horn zu einem anderen, weiß-schwarzen, Kiesel: »Warum ist dieser Stein unten weiß und oben schwarz? – *Weil er aus Sand und Erde ist.* – Warum das? – *Damit er fest ist.* – Wer hat das gemacht? – *Die Fabrik.* – Glaubst du das? Ich habe ihn aber am Ufer der Arve gefunden. – *Es ist das Wasser.* – Was hat es gemacht? – *Es hat ihn so gedreht. Es bringt Erde darauf.«*

Man ersieht daraus, wie das Kind auf die ersten natürlichen Erklärungen kommt. Das Wasser und der Erdboden sind einfach ein Ersatz für die menschliche Kunstfertigkeit, sie wirken intentionell oder artifiziell. Selbstverständlich kann man, strenggenommen, jede dieser kindlichen Formulierungen, die wir eben kennengelernt haben, so interpretieren, als hätte sie einen mechanischen und nicht einen artifizialistischen Sinn. Doch diese Interpretation hält alles in allem einer kritischen Prüfung nicht stand, sondern es handelt sich tatsächlich um einen immanent gewordenen und der Natur selbst zugesprochenen Artifizialismus. Alle Vorgänge, auf die das Kind hinweist (Auftreiben, Ausdehnung, Konzentrierung, Verkleben usw.), werden unmittelbar vorher oder nachher von denselben Kindern der menschlichen Technik zugesprochen. Alle diese Auffassungen sind zudem von einem systematischen Finalismus durchdrungen. Bei der Untersuchung der kindlichen Erklärungen für die natürlichen Bewegungen (PK) werden wir ebenfalls noch sehen, daß die Wellen, das Fließen des Wassers usw. für das Kind noch lange durch eine besondere Dynamik und keineswegs durch einen mechanischen Vorgang hervorgebracht werden.

Jetzt lassen wir einen Übergang zwischen dem halb-menschlichen, halb-immanenten Artifizialismus dieses zweiten Stadiums und der physikalischen Erklärung des dritten Stadiums folgen:

Gerv (11;0) erzählt uns, er habe sich gefragt, woher der Erdboden käme. »*Ich glaubte, es seien Menschen gewesen, die ihn gemacht hatten. Dann sagte ich mir, das hätte zu lange gedauert und zuviel gekostet. Und dann, wie hätte man den Erdboden finden können?* – Wie hat es also angefangen? – *Das ist so gekommen. Etwas ist aus den Wolken gefallen. Sie (die Wolken) sind heruntergefallen. Sie haben die Erde geformt. Die Erde besteht aus aufgehäuften Wol-*

ken. – Und die Bäume? – *Als der Erdboden gebildet war, sind sie von unter der Erde hervorgekommen. Es sind kleine Wurzeln gekommen. Das hat ganz langsam einen Baum gegeben.*« Zu den Wolken hat Gerv etwas früher gesagt, sie seien »*aus den Vulkanen herausgekommen*«.

Jetzt folgen Fälle des dritten Stadiums, in dem das Kind die Erde durch das Pulverisieren der Steine und die Steine durch das Zusammenpressen der Erde erklärt, aber auf einem ausschließlich natürlichen Weg:

Bouv (9;6): »Wie haben die Steine angefangen? – *Aus Erde.* – Wie ist sie zu Stein geworden? – *Es ist hart geworden.* – Warum? – *Es ist lange liegengeblieben, und dann ist es hart geworden.* – Wie? – *Durch die Sonne. Es ist warm, dann macht das hart.* – Warum? – *Es trocknet aus.*« »Wenn man einen Stein zerbricht, was wird dann daraus? – *Bruchstücke.* – Und wenn man die Bruchstücke zerbricht? – *Das gibt Erde.*« »Wenn du noch stärker zerschlägst, was gibt es dann? – *Ganz kleine Steine.* – Und wenn du diese zerschlägst? – *Das gibt Erde*« usw. Bouv sagt, am Ende komme man auf das, was er »Brötchen« aus Erde nennt.

Stoe (11 Jahre): »Wie kann man Steine bekommen? – *Die Erde macht die Steine.*« »Wie? – *Weil es in der Erde austrocknet.* – Und dann? – *Das gibt Steine.* – Wenn man in diese beiden gleich großen Schachteln Steine und Erde gibt, in die eine Steine, in die andere Erde, welche ist dann schwerer? – Die mit den Steinen.* – Wie werden aus der leichten Erde schwere Steine? – *Die Erde zieht sich zusammen, bis es dick* (= kondensiert) *wird.* – Weshalb zieht sie sich zusammen? – *Weil es warm ist.* – Woraus besteht der Stein? – *Aus Erde.*«

Fal (9 Jahre): »Wie ist der Stein entstanden? – *Es ist Sand, der hart geworden ist.*« »Und wie hat der Sand angefangen? – *Aus Erde.*« »Wenn man einen Stein zerschlägt, was gibt das? – *Sand.* – Und wenn man den Sand zerschlägt, was gibt das? – *Noch feineren.* – Und wenn man ihn noch einmal zerschlägt, was gibt es dann? – *... Ganz fein wie Mehl.*«

Weng (9;7): »Wie haben die Steine angefangen? – *Mit kleinen Metallen.* – Was ist das? – *Man findet es in der Erde. Es ist eine Art Steine.* – Und wie sind die kleinen Metalle entstanden? – *Mit noch kleineren Metallen.* – Woraus bestehen sie? – *Aus Erde.* – Und wie ist die Erde entstanden? – *Mit Steinen.* – Wie? – *Sie werden zerschlagen.*« »Woraus besteht die Erde? – *Das ist wie kleine Metalle.*« »Was ist das? – *Das sind kleine Dingsstücke, die sich zusammengetan haben.* – Und wenn man sie zerschlägt? – *Man kann nicht weitermachen, denn sonst hat man überhaupt nichts mehr.*«

Wir wollen nicht der Versuchung nachgeben, den Kindern einen expliziten Atomismus zuzusprechen, sondern auseinanderzuhalten versuchen, was spontan an diesen Antworten und was durch die Befragung selbst ausgelöst worden ist. Spontan ist die Vorstellung, daß Stein und Erdboden aus ein und demselben Material bestehen, das aber mehr oder weniger verfestigt oder verdünnt ist. Zur gleichen Schlußfolgerung kommen wir ganz eindeutig bei den kindlichen Vorstellungen über das Gewicht (siehe PK). 7- bis

10jährige Kinder glauben immer noch, bei gleichem Volumen sei ein Körper schwerer als der andere, weil er mehr »gefüllt« oder »zusammengezogen« sei.

Von da bis zu einem etwas groben Atomismus ist es aber nur ein Schritt, und die Befragung bringt das Kind dazu, diesen Schritt zu tun, sobald man es nach dem »Wie« der Steinbildung fragt (vgl. Weng) oder von ihm wissen will, was geschehen würde, wenn man die Steinstücke zerschlüge (siehe Bouv). Hier ein noch eindeutigerer Fall, den wir um eine Kindheitserinnerung ergänzen:

Mart (11;6) vergleicht einen polierten, sehr fein gekörnten (die Körnung ist von bloßem Auge nicht einmal zu sehen) Kiesel mit einem Korken. »Das ist merkwürdig. Der Korken ist groß und leicht, der Kiesel klein und schwer. Warum? – *Der Kiesel, das ist das, was es drin hat... (was schwer ist). Das ist ein Haufen kleiner Dinge, Sand. Das ist stark zusammengepreßt, und es sind ganz kleine Steine und feine Fäden, während der Korken eine Art kleiner Löcher hat.*« Wir vergleichen anschließend einen Stein und Plastilin von gleichem Volumen, und Mart sagt, der Kiesel sei schwerer, weil größer. Wir wenden ein: »Aber es ist doch gleich groß. – *Ja, aber wenn man die kleinen Einzelheiten betrachtet! Es hat nicht die gleichen Einzelheiten.* – Welche Unterschiede bestehen denn in den Einzelheiten? – *Der Stein ist trotzdem ein wenig mehr, wenn man gut hinsieht.* – Mehr wovon? – *Mehr Sand, mehr feines Zeug.*« Das Gewicht wird somit von Mart der Menge von Teilchen zugeschrieben, aus denen ein Körper besteht!

Ein junger Mann hat uns erzählt, er erinnere sich neben vielen anderen Dingen auch noch daran, daß er mit etwa 10 bis 11 Jahren versucht habe, sich die Zusammensetzung der Materie, beispielsweise der Erde, der Steine, der Baumblätter, des Holzes usw., vorzustellen. Er kam zu dem Schluß, kleine, mehr oder weniger stark zusammengeschobene oder auseinanderliegende kleine Stücke könnten alle möglichen Veränderungen in der Konsistenz und im Aussehen auslösen. Er erinnert sich insbesondere daran, daß sich seiner Meinung nach der Unterschied zwischen einem trockenen und dicken und einem geschmeidigen und dünnen Blatt so erklären ließ.

Wir wollen abschließend festhalten, daß die kindliche Vorstellung von Zusammenziehen und Verdünnen eine Übergangsform zwischen den Erklärungen durch bloße Verwandlung heterogener Substanzen (Luft, die sich in Wasser, in Wolken usw. verwandelt) und dem Atomismus im eigentlichen Sinne des Wortes darstellt. Falls man einen historischen Vergleich anstellen wollte, müßte man auf das System von Empedokles zurückgreifen, das dem Sinn der zitierten Antworten recht nahe steht.

Wir wollen aber, es sei noch einmal gesagt, bevor wir diese Antworten als tatsächlich spontan betrachten, zuerst die sehr suggestiven Erklärungen analysieren, die die Kinder für die Dichteunterschiede zwischen den Körpern geben.

4. Der Ursprung der Berge

Die Erklärungen für die Bildung der Berge ermöglichen es uns, die tieferen Beziehungen zwischen dem Animismus und dem Artifizialismus im Falle anscheinend so unbelebter Materie wie Felsen oder Erde genauer zu umschreiben. Wir haben bei den Antworten zwei Stadien gefunden. Das zweite ist durch die natürliche Erklärung charakterisiert. Im ersten Stadium hingegen sind die Berge von den Menschen errichtet worden. Was aber merkwürdig ist, die Hälfte der Kinder dieses Stadiums betrachtet die Berge gleichzeitig als lebendig, insofern diese »gewachsen« sind. Hier einige Beispiele für die Mischung von Animismus und Artifizialismus:

Eyn (6 Jahre). »Wie sind die Berge entstanden? – *Mit einem Stein. – Wie? – Es ist ein Berg gekommen.*« Es ist der liebe Gott: »*Er hat einen Stein hineingetan. – Wo hinein? – In die Erde hinein.* – Und dann? – *Es ist ein großer Stein geworden.* – Hatte es vorher einen kleineren Stein? – *Einen nicht so großen.*«

Rob (7 Jahre): »Wie sind die Berge entstanden? – *Man nimmt von der Erde draußen, dann tut man sie auf die Berge, dann macht man Berge daraus.* – Wer denn? – *Es hat viele Männer, um die Berge zu machen, es hätte mindestens vier.*« »*Sie geben ihnen die Erde, dann entstehen sie ganz allein. Oder wenn sie einen anderen Berg machen wollen, brechen sie einen Berg ab, dann machen sie daraus einen schöneren.*«

Hen (7 Jahre) sagt, man habe die Steine in die Erde »*hineingetan*«, dann sind sie »*gewachsen*«. Über das »Wie« läßt er sich nicht aus.

Cour (5 Jahre) sagt, die Männer, »*müssen*« die Steine des Salève »*pflanzen, dann beginnt es groß zu werden, dann dick.*« »*Das Gras macht, daß sie in die Höhe gehen.*«

Ol (6;11): Die Berge sind gleichzeitig auf den lieben Gott (»*Es ist der liebe Gott*«) und auf ein Wachsen zurückzuführen: »*Und dann ist es immer größer geworden.*« »Nimmt der Salève immer noch zu? – *Nein, denn der liebe Gott hat nicht gewollt, daß er mehr (= noch) wächst.* – Hat man sie gemacht, oder sind sie ganz allein entstanden? – *Der liebe Gott hat sie geschaffen, dann sind sie allein entstanden!*«

Die Fabrikation und das Wachstum sind somit für diese Kinder kaum widersprüchlich. Das Kind spricht selbstverständlich dem Berg nicht ein Bewußtsein im eigentlichen Sinne des Wortes zu. Sobald man jedoch die Berge errichtet, arbeiten sie in einem gewissen Maße mit ihrem Schöpfer zusammen, sie wachsen, die Erde bildet Steine usw. Der Mensch arbeitet nicht mit totem, sondern mit lebendigem Material. Ohne den Menschen würde nichts geschehen, dank ihm werden aber gewisse Tätigkeiten in Gang gesetzt.

Anderen Kindern des ersten Stadiums scheinen solche Vorstellungen fremd zu sein, aber man kann sich fragen, ob das immer gilt oder ob sie nicht zeitweilig gleiche Ideen haben. Es geht wahrscheinlich nur um Nuancen: Einmal liegt der Akzent auf der Fabrikation, ein anderes Mal wird die Aktivität des fabrizierten Gegenstandes betont.

Cour (6 Jahre): »Wie hat der Salève angefangen? – *Mit großen Steinen.* – Woher kommen sie? – *Man hat sie genommen.*« »Es ist ein Mann, viele Männer. Es sind zwölf Männer. – Wie haben sie es gemacht? – *Mit Steinen. Sie haben sie genommen. Sie haben sie auf den Berg gelegt. Sie haben einen Stein hingelegt, dann haben sie es so spitzig gemacht.*« »Was war am Anfang da, Genf oder der Salève? – *Die Häuser sind zuerst gekommen; und dann nachher die Steine.*«

Gill (7 Jahre): »Wie sind die Berge entstanden? – *Das ist ganz aus Stein.* – Wie hat es angefangen? – *Es war, um etwas rund herum zu machen* (Genf ist tatsächlich ganz von Bergen eingerahmt). *Große Haufen von Stein rings herum.* – Wie hat man das gemacht? – *... Männer haben sie dorthin getragen.*«

Rou (7 Jahre): Der Salève ist »*von Männern*« gemacht worden. »Warum? – *Er konnte nicht von allein entstehen.* – Wozu ist er da? – *Für den Mond.* – Warum? – *Um unterzugehen* (damit der Mond untergeht).«

Hier ein Fall, wo der Berg nicht fabriziert ist, aber dennoch allein im Hinblick auf den Menschen da ist:

Duc (6;10): Die Berge »*sind ganz allein entstanden.* – Warum hat es Berge? – *Damit man Schlittschuhlaufen kann.*«

Wir haben an anderer Stelle (SD, S. 201) auf die bemerkenswerte Frage hingewiesen, die Del im Alter von 6 ½ Jahren gestellt hat: »*Gibt es ein kleines Matterhorn und ein großes Matterhorn?* – Nein. – *Warum gibt es einen Petit Salève und einen Grand Salève?*« Diese sogar in ihrer Form artifizialistische Frage zeigt, wie spontan die kindliche Neigung ist, die Berge als »für uns« und folglich von uns »gemacht« anzusehen. Auf diese Frage von Del haben übrigens 7jährige Kinder geantwortet (SD, S. 247): »Warum gibt es einen Grand Salève und einen Petit Salève? – *Weil es einen für die kleinen Kinder und einen für die Großen gibt. Deshalb, um auf den kleinen zu klettern und auch auf den großen.*« usw.

Von durchschnittlich 9 bis 10 Jahren an findet man schließlich ein zweites Stadium, in dem die Kinder natürliche Erklärungen suchen:

Den (8 Jahre): »*Die Erde ist aufgegangen. Es ist wie ein großer Stein.* – Haben Männer ihn gemacht? – *Nein!*«
Bouj (9;6): »*Es ist aus Erde gemacht.* – Hat jemand die Berge gemacht? – *Nein. Es ist mit der Erde hoch.*«

Die Vorstellungen über die Berge bestätigen somit, was wir bei der Erde und den Steinen gefunden haben.

Kapitel XI
Die Bedeutung und die Ursprünge des kindlichen Artifizialismus

Jetzt müssen wir noch untersuchen, ob am Ausgangspunkt der verschiedenen Phänomene, die wir beobachtet haben, irgendeine einheitliche Tendenz zu finden sei. Wir sind uns der Schwierigkeiten des Problems durchaus bewußt: Die zusammengetragenen Antworten können fabuliert sein, sie können auf zufällige (religiöse oder andere) Belehrungen zurückzuführen sein, die die Eltern den Kindern gegeben haben oder haben geben lassen. Selbst wenn diese Antworten von einer spontanen geistigen Haltung zeugen, können sie zueinander heterogen sein. Gibt es also einen spezifisch kindlichen Artifizialismus? Folgt dieser Artifizialismus bestimmten Entwicklungsgesetzen? Lassen sich ihm ein oder mehrere Ursprünge zuschreiben? Solche Fragen wollen wir jetzt prüfen.

1. Die Bedeutung des kindlichen Artifizialismus

Nach unserer Meinung ist es nicht möglich, alle Antworten, die wir gruppenweise dargestellt haben, als Fabulieren abzutun. Wenn wir unsere drei üblichen Kriterien anwenden, finden wir folgendes. Die Kinder von gleichem Durchschnittsalter geben zunächst dieselben Antworten. Die Erklärung der Nacht durch große schwarze Wolken oder die Erklärung der Wolken durch den Rauch aus den Dächern usw., das sind solche Reaktionen, deren Verbreitung immer wieder beeindruckt. Die artifizialistischen Antworten sind andererseits nicht auf eine einzige Altersstufe oder ein einziges Stadium beschränkt, sondern sie erstrecken sich über zumindest zwei Stadien. Man stellt somit eine schrittweise Entwicklung der Überzeugungen fest, was ihren zum Teil systematischen Charakter zeigt und die Hypothese des reinen Fabulierens ausschließt. Zudem – und das ist das dritte Kriterium – ist das Auftreten der richtigen Antwort signifikant. Die Kinder des letzten Stadiums gelangen nicht auf Anhieb zur richtigen Antwort oder natürlichen Erklärung, sondern sie tasten sich suchend vorwärts, und man bemerkt bei ihrem tastenden Suchen zahlreiche Spuren von Überzeugungen früherer Stadien. Bei Kindern, die annehmen, der Genfer See sei allein durch das Wasser ausgehoben worden, findet man etwa bisweilen noch die Vorstellung, Genf sei vor dem See dagewesen; um erklären zu können, wie der See neben die Stadt zu liegen kommen konnte, nehmen sie einen immanenten Artifizialismus zu Hilfe, so wie man im 18. Jahrhundert Gott durch die »Natur« ersetzt hat.

Aufgrund aller drei Kriterien zusammen dürfen wir folglich annehmen, daß die artifizialistischen Antworten unserer Kinder im großen und ganzen nicht auf ein Fabulieren zurückzuführen seien.

Diese Folgerung bedeutet selbstverständlich in keiner Weise, wir würden alle erhaltenen Antworten auf dieselbe Ebene stellen. Einerseits muß man sorgfältig unterscheiden zwischen dem Element, das bei allen Kindern eines bestimmten Stadiums vorkommt – beispielsweise die Vorstellung, die Sonne sei von den Menschen oder von Gott gemacht worden –, und dem Zierat, den das eine oder andere Kind unter dem Druck der Befragung zu dieser Überzeugung hinzufügt – daß zum Beispiel ein Mann ein Streichholz angezündet habe. Wir haben alle Antworten zitiert, weil man dank der Untersuchung dieser um die eigentliche Überzeugung rankenden Schnörkel mehrere Tendenzen unterscheiden kann, die man sonst übersehen würde. Im Kontext des allgemeinen Problems, das uns hier interessiert, können wir freilich diese individuellen Verzierungen als fabuliert ansehen. Wir befassen uns nur mit den gemeinsamen Themen. Andererseits hat selbstverständlich das allgemeine Element nicht auf jeder Altersstufe denselben Wert. Die natürlichen Erklärungsversuche der älteren Kinder (9 bis 10 Jahre) etwa können fast buchstäblich genommen werden: das Kind, das die Sonne an eine kondensierte Wolke assimiliert, glaubt, was es sagt, ohne sein Denken durch die benutzten Wörter allzusehr zu verfälschen. Die Erklärungen der jüngeren Kinder hingegen sind ein Gemisch von spontanen Tendenzen und durch die Befragung ausgelöstem Fabulieren. Ein fünfjähriges Kind beispielsweise, das die Sonne als »von Männern gemacht« betrachtet, meint im Grunde genommen nur, die Sonne sei »gemacht für«, also für uns gemacht. Dieses Kind glaubt folglich, die Sonne sei von uns abhängig, aber ohne daß die Frage nach ihrer Herkunft vor unserer Befragung klar gestellt worden wäre. Hinter der Antwort muß deshalb die mögliche spontane Tendenz gesucht werden.

Dieser latente Artifizialismus, der unserer Meinung nach im großen und ganzen nichts mit Fabulieren zu tun hat, könnte nun aber vielleicht als das Ergebnis der den Kindern durch die Eltern auferlegten Erziehung oder der Alltagserfahrungen in den Städten interpretiert werden. Einerseits lehrt man den Kindern, ein Gott habe Himmel und Erde erschaffen, lenke alles und sehe vom Himmel, in dem er wohnt, auf uns herab. Es wäre folglich, könnte man sagen, weiter nicht verwunderlich, wenn das Kind auf diesem Weg einfach weiterginge und sich die Modalitäten dieser Schöpfung in den Einzelheiten ausmale, indem es zum Beispiel annehme, dieser Gott habe sich der Mithilfe eines Trupps unternehmungslustiger Arbeiter versichert. Die Industrie in den Städten ist andererseits für die Kinder ungewöhnlich beeindruckend (obwohl Genf in einer landschaftlich reizvollen Umgebung liegt und alle Schüler Wiesen, Äcker und sogar Berge kennen). Die Seen und Flüsse sind durch Ufermauern gesichert, Bagger halten die Flußbetten frei, die Kanalisation ist vom Ufer her sichtbar usw. Von da aus zu folgern, die Natur sei auf menschliche Tätigkeit zurückzuführen, wäre naheliegend.

Gegen diese letztere Interpretation kann man jedoch einwenden, das Kind sei in keiner Weise gezwungen, von den Phänomenen nur gerade das festzuhalten, was eine artifizialistische Erklärung begünstige. Von den Wolken könnte das Kind die Anzeichen aufnehmen, die für eine natürliche Erklärung sprechen (den Reichtum ihrer Formen, die Höhe, wie sie rings um die Berge gebildet werden, was sich von der Stadt aus beobachten läßt usw.), anstatt nur die Ähnlichkeit zwischen den Wolken und dem aus den Dächern aufsteigenden Rauch zu beachten. Von den Flüssen und Seen könnte es die Weite, die regelmäßige Anordnung der Steine, die Unberührtheit der Wasserläufe auf dem Lande und nicht nur die Spuren menschlicher Arbeiten festhalten usw. Kurz, nichts zwingt das Kind, bestimmte Einzelheiten unter Ausschluß der anderen auszuwählen. Diese Auswahl scheint das Werk eines Interesses für das Künstliche zu sein, dessen Spontaneität sich schwerlich bestreiten läßt.

Auch die Hypothese, wonach dieses artifizialistische Interesse ganz auf die religiöse Erziehung zurückzuführen sei, hält einer kritischen Überprüfung nicht stand. Ein eindeutiger Artifizialismus findet sich bei Taubstummen und bei Kindern, die noch zu jung sind, als daß sie die religiöse Unterweisung, die sie vielleicht erhalten haben, begreifen oder verallgemeinern könnten. Wir haben die Vorstellungen des taubstummen d'Estrella über die Herkunft der Gestirne (Kapitel VIII, Einleitung) und zur Meteorologie (Kapitel IX) kennengelernt. Ein ebenfalls von James zitierter (a.a.O.) anderer Taubstummer, Ballard, hat sich vorgestellt, der Donner rühre von einem gewaltigen Riesen her usw. Wir haben andererseits gesehen, daß 2 bis 3 Jahre alte Kinder fragen: »Wer hat die Erde gemacht?«, »Wer tut die Sterne in der Nacht an den Himmel?« usw. Solche Fragen werden offensichtlich lange vor dem Religionsunterricht gestellt. Doch selbst wenn man annimmt – was alles andere als bewiesen ist –, daß alle Kinder zwischen 4 und 12 Jahren, die wir befragt haben, von der Theologie der Genesis direkt beeinflußt seien, gibt es immer noch drei Gründe, die für eine zumindest partielle Spontaneität der festgestellten artifizialistischen Tendenz sprechen.

Als erstes ist die Tatsache aufgefallen, daß die meisten Kinder Gott gewissermaßen nur widerwillig, als sie nichts anderes mehr vorzubringen wußten, ins Spiel gebracht haben. Die von außen erhaltene religiöse Unterweisung erscheint im Denken 4- bis 7jähriger Kinder oft als ein Fremdkörper, und die Vorstellungen, die durch diese Unterweisung ausgelöst werden, sind weder so geschmeidig noch so üppig wuchernd wie die Überzeugungen, die sich nicht auf eine göttliche Tätigkeit berufen.

Selbst wenn man annimmt, der kindliche Artifizialismus sei eine Ausweitung des durch Erziehung aufgedrängten theologischen Artifizialismus, muß zweitens immer noch erklärt werden, weshalb das Kind ihn auf alle Vorstellungen ausdehnt, auch auf solche, deren religiöser Gehalt eher vage bleibt, wie wir gesehen haben, und insbesondere weshalb diese Ausdehnung bestimmten Gesetzmäßigkeiten gehorcht und nicht von Kind zu Kind anders ist. Weshalb halten beispielsweise alle jüngeren Kinder Genf für älter als den See? Woher kommt diese allgemein verbreitete Tendenz, die Nacht als schwarzen Rauch anzusehen, die Sonne als ein aus dem Rauch der Dächer entstandenes Feuer usw.? Falls hier ein von außen erhaltener Erklärungstyp bloß ausgeweitet würde, so müßten doch diese Vorstellungen von Kind zu Kind beträchtlich variieren, würde man meinen. Das ist jedoch nicht der Fall.

Als drittes, und das ist der wichtigste Einwand, den man der hier diskutierten Konzeption entgegensetzen muß, ist die eigentliche Religion des Kindes, zumindest in den ersten Lebensjahren, eben nicht die viel zu hochentwickelte Religion, die man ihm zu vermitteln versucht. Wie wir gleich sehen werden, bestätigt unser Material vollauf die These von Bovet, wonach das Kind die Vollkommenheiten und Attribute, die es später, falls ihm die religiöse Erziehung Gelegenheit dazu gibt, auf Gott überträgt, spontan seinen Eltern zuschreibt. Beim Problem, das uns hier beschäftigt, wird somit der Mensch als allwissend und allmächtig betrachtet, er fabriziert alle Dinge. Wir haben selbst gesehen, daß auch die Gestirne und der Himmel der Aktion des Menschen und nicht Gottes zugeschrieben werden, und zwar wenigstens in der Hälfte aller Fälle. Mehr noch, wenn das Kind von Gott spricht (oder von den »lieben Göttern«, wie mehrere Knaben es formuliert haben), so stellt es sich darunter einen Menschen vor: Gott ist »ein Mann, der für seinen Meister arbeitet« (Don), »ein Mann, der arbeitet, um Geld zu verdienen«, ein Arbeiter, »der umgräbt« usw. Kurz, Gott ist entweder ein Mensch wie alle anderen, oder das jüngere Kind spricht von ihm nur fabulierend, so wie es vom Christkind oder den Feen redet. Uns scheint, die Verbreitung und die Hartnäckigkeit des kindlichen Artifizialismus lasse sich alles in allem nicht allein durch den Druck der Erziehung erklären. Es handelt sich im Gegenteil um eine eigenständige Tendenz, die für die kindliche Denkart charakteristisch ist und die tief, wie wir zu zeigen versuchen wollen, im affektiven und intellektuellen Leben des Kindes wurzelt.

Das Grundproblem muß aber noch gelöst werden. Sind die auf den vorausgehenden Seiten katalogisierten Überzeugungen wirklich »spontane Überzeugungen«, sind sie also vom Kind vor unserer Befragung formuliert worden, oder muß man ihnen den Rang von »ausgelösten Überzeugungen« zusprechen, die somit durch unsere Fragen provoziert und zum Teil systematisiert worden sind?

Hier müssen wir uns für die einfachste Hypothese entscheiden. Die meisten Kinder hatten sich die Fragen, die wir ihnen vorgelegt haben, nie selbst gestellt. Die in der Antwort des Kindes enthaltene Überzeugung ist folglich ausgelöst worden. Bei dieser Überzeugung wirken deshalb zwei Elemente mit: einerseits die Gesamtheit der geistigen Gewohnheiten und Haltungen des befragten Kindes, andererseits aber auch eine gewisse Systematisierung, die auf die Erfordernisse der gestellten Frage und auf den Wunsch des Kindes nach einer möglichst einfachen Antwort zurückzuführen ist. Die erhaltenen Antworten gehen somit nicht ohne weiteres direkt aus dem spontanen Artifizialismus des Kindes hervor. Um diesen spontanen Artifizialismus herauszuschälen, muß man die Antworten gewissermaßen »entrinden« und den »Kern« der Erklärungen herausarbeiten, der vor der Befragung sicher nicht in dieser Form im Denken des Kindes vorhanden gewesen war. Diese Rekonstruktion wollen wir hier versuchen, so heikel das Unterfangen im einzelnen auch sein mag.

Zuvor sei daran erinnert, daß das Denken des Kindes egozentrisch ist und als solches zwischen dem autistischen oder symbolischen Denken des Phantasierens oder der Träume und dem logischen Denken steht. Die Überzeugungen, die die Kinder haben können, sind infolgedessen im allgemeinen unmittelbar oder werden zumindest nicht mitgeteilt. Selbst wenn sich die Kinder angesichts der Natur und ihrer Phänomene eine Reihe geistiger Gewohnheiten aneignen, formulieren sie dennoch keine Theorie, das heißt keine verbale Erklärung im eigentlichen Sinne des Wortes (diese Tatsache macht die verhältnismäßige Gleichförmigkeit, die wir bei unseren Ergebnissen festgestellt haben, noch auffälliger). Das Denken des Kindes als solches ist eher bildhaft und insbesondere motorisch als begrifflich. Es besteht mehr aus einer Reihe von Haltungen oder an geistigen Erfahrungen mehr oder weniger organisierten motorischen Schemata. Doch nichts ist schon direkt formuliert. Wenn man mit dem Kind kleine physikalische Experimente durchführt (man taucht zum Beispiel Körper ins Wasser ein, um das Aufsteigen des Wassers zu beobachten), so stellt man oft fest, daß die Voraussage der Gesetzmäßigkeiten richtig ist, obwohl die verbale Erklärung, mit der das Kind seine Voraussage zu stützen vorgibt, nicht nur falsch ist, sondern sogar zu den impliziten Grundsätzen, die der Voraussage zugrunde liegen, in Widerspruch steht (siehe PK, Teil III). Ein systematischer Antworttyp, wie man ihn in den untersuchten artifizialistischen Stadien beobachten kann, setzt beim Kind eine Gesamtheit von geistigen Haltungen voraus, auch wenn sich diese Haltungen von den verbalen Erklärungen, die das Kind während des Gesprächs selbst formuliert, stark unterscheiden können.

Worin können im Falle des Artifizialismus diese impliziten geistigen Haltungen bestehen? Mit zwei Wörtern formuliert: Das Kind betrachtet jeden Gegenstand, auch die natürlichen Körper, als *gemacht für...*, um es im üblichen Kürzel des kindlichen Sprechstils zu sagen. Wenn nun aber ein Körper wie die Sonne, der See oder der Berg als »gemacht für« betrachtet wird, nämlich um Wärme zu spenden, um Schiff fahren oder um hinaufzusteigen zu können, so wird er als *für den Menschen* gemacht und folglich mit dem Menschen sehr eng verbunden aufgefaßt. Wenn man deshalb das Kind fragt, oder wenn es selbst sich fragt, wie die Sonne, der See oder der Berg angefangen haben, so denkt es an den Menschen; seine geistige Haltung, die sich in Formulierungen wie »die Sonne usw. ist *für* den Menschen *gemacht*« äußert, löst Formulierungen wie »die Sonne usw. ist *vom* Menschen *gemacht*« aus. Der Übergang vom »gemacht für« zum »gemacht vom« läßt sich leicht erklären, wenn man sich vor Augen hält, daß das Kind, dessen Existenz ganz von seinen Eltern organisiert wird, alles, was »für« es »gemacht« ist, als »von« seinem Vater oder seiner Mutter »gemacht« betrachtet. Hinter der artifizialistischen Formulierung, die durch die Befragung ausgelöst wird, würde somit die anthropozentrische Partizipation den wirklichen Kern des spontanen Artifizialismus darstellen; man müßte zudem annehmen, daß dieser Kern beim Kind aus einfachen Gefühlen oder Geisteshaltungen besteht. Das wollen wir zu zeigen versuchen.

Als wir die spontanen Tendenzen genauer untersuchten, die die zum Animismus zusammengetragenen Antworten erklären, haben wir gefunden, daß der wirkliche kindliche Animismus, also der Animismus vor unseren Befragungen, nicht so sehr ein expliziter und systematischer Animismus (ausgenommen die Überzeugungen, wonach die Gestirne und die Wolken uns folgen), sondern ein einfacher »Intentionalismus« sei. Das Kind verhält sich so, als ob die Natur mit Absichten ausgestattet wäre, als ob es den Zufall oder die mechanische Notwendigkeit nicht gäbe, als ob alles Seiende durch eine innere und gewollte Aktivität in Richtung eines bestimmten Ziels streben würde. Wenn man ein Kind fragt, ob irgendein Körper, etwa eine Wolke oder ein Bach, »wisse«, daß er sich bewege, oder »spüre«, was er tue, antwortete es deshalb mit Ja, weil der Übergang von der Intentionalität zum Bewußtsein unmerklich ist. Diese Antwort bringt jedoch nicht das wirkliche Denken des Kindes zum Ausdruck, weil es sich die Frage nie gestellt hatte und sich ohne uns auch nie gestellt hätte, es sei denn vielleicht zu dem Zeitpunkt, da es gerade dabei gewesen wäre, seinen impliziten Glauben an die Intentionalität der Dinge zu verlieren.

Die artifizialistischen Antworten auf unsere Fragen nach der Herkunft der Dinge legen eine sehr ähnliche Analyse nahe. Mehr noch, die geistigen Haltungen, die für die Spontaneität des kindlichen Animismus zeugen, sind fast identisch mit denen, die für die Spontaneität des kindlichen Artifizialismus zeugen. So wird gleichzeitig verständlich, weshalb der Artifizialismus beim Kind derart hartnäckig fortbesteht und weshalb der Artifizialismus und der Animismus, zumindest am Anfang, zueinander komplementär sind.

Der kindliche Intentionalismus beruht auf dem impliziten Postulat, daß alles in der Natur einen Seinsgrund in der Art eines *Officium* habe, einer Pflicht oder Aufgabe, die jeder Körper nach Maßgabe seiner besonderen Eigenschaften zu erfüllen habe. Das setzt in einem gewissen Sinne den Animismus voraus, denn ohne Wahrnehmung würde es den Seienden nicht gelingen, ihre Rolle in der sozialen Organisation der Welt auszufüllen. Doch das setzt auch Befehle und insbesondere Anführer voraus, denen zu dienen eben gerade der Seinsgrund der untergeordneten Körper ist. Selbstverständlich wird der Mensch als Führer und als Seinsgrund der Dinge empfunden. Die Idee, diesen Grundsatz anzuzweifeln, liegt den Kindern derart fern, daß sie nie erwähnt wird – zumal die Grundsätze nicht genannt werden, bevor sich das Problem dem Denken überhaupt stellt, bevor sie also direkt oder indirekt in Zweifel gezogen werden. Der Animismus und der Artifizialismus stellen somit zwei zueinander komplementäre geistige Haltungen dar. Aus diesem Blickwinkel wollen wir auf die drei Gruppen von Phänomenen zurückkommen, die uns für die Spontaneität der animistischen Haltung des Kindes zu zeugen schienen, nämlich den Finalismus, die Vorkausalität und die Vermengung von physischem und moralischem Gesetz.

Der kindliche Finalismus, als erstes, spricht ebensosehr wenn nicht mehr für einen Artifizialismus wie für einen Animismus. Wenn das Kind sagt, die Sonne folge uns nach, »um uns warm zu geben«, so spricht es zwar der Sonne Absichten zu. Wenn man aber die Definitionen »nach dem Gebrauch« (Binet und Simon) ganz allgemein untersucht, so erkennt man, wie eng sie mit dem Artifizialismus verbunden sind. Wenn man 6 bis 8 Jahre alte Kinder fragt, das hat Binet bekanntlich nachgewiesen, »Was ist eine Gabel?« oder »Was ist eine Mutter?« usw., so antworten sie: »Das ist um zu essen« oder »Das ist um für uns zu sorgen« usw. Wie verbreitet solche Definitionen nach dem Gebrauch sind, haben alle jene feststellen können, die den Wert des Tests von Binet und Simon überprüft haben. Diese Definitionen, die mit der Formel »das ist für« oder »das ist um« beginnen, beziehen sich auf die ganze Natur wie auf die Gegenstände oder die Personen in der Umgebung des Kindes (UD, Kapitel IV, Abschnitt 2). Das gilt sogar dann, wenn man sich davor hütet, vom Kind nacheinander eine Reihe von Definitionen zu verlangen (was zur Beharrung führt), sondern im Laufe eines Gesprächs auf den Kopf zu fragt »Was ist ein Berg?« oder »Was ist ein See?«. Ein Berg, »damit man hinaufsteigen kann«, »zum Schlittschuhlaufen« usw. Ein See, »damit man darauf Schiff fahren kann«, »das ist für die Fische«, anders gesagt für die Fischer. Die Sonne, »damit sie uns warm gibt«. Die Nacht, »zum Schlafen«, der Mond, »damit er hell gibt«, ein Land, »damit man darin herumreisen kann«, die Wolken, »damit es regnet«, »um den lieben Gott zu tragen«, der Regen, »damit er die Blumen begießt« usw. Daß eine solche nicht nur finalistische, sondern utilitaristische und anthropozentrische Geisteshaltung notwendig mit Artifizialismus verbunden ist, anders gesagt, daß die Definition »das ist für« die Erklärung »das ist *gemacht* für« nach sich zieht, das scheint evident zu sein.

Als zweites haben wir gesehen, daß die Vorkausalität, die in den kindlichen Fragen, insbesondere in den »Warum« im Alter von 3 bis 7 Jahren zum Ausdruck kommt, eine der kraftvollsten Bindungen zwischen dem Animismus und dem übrigen kindlichen Denken ist. Die Vorkausalität setzt eine Nichtunterscheidung zwischen dem Psychischen und dem Physischen voraus, so daß die wirkliche Ursache eines Phänomens nie im »Wie« seiner physischen Verwirklichung, sondern in der Absicht an seinem Ausgangspunkt zu suchen ist. Doch diese Absichten sind ebensosehr artifizialistischer wie animistischer Natur. Besser gesagt, das Kind sieht zuerst überall Intentionen, erst sekundär beschäftigt es sich damit, diese nach Intentionen der Dinge selbst (Animismus) und Intentionen der Hersteller der Dinge (Artifizialismus) zu klassieren. Wenn Del (SD, Kapitel V) fragt »Wer macht, daß sie sich bewegt?«, wobei er von einer Kugel auf einer abschüssigen Terrasse spricht, so denkt er an die Absicht der Kugel, denn er fügt hinzu »Weiß sie, daß Sie dort sind?«. Hier weist die Vorkausalität in Richtung Animismus. Wenn Del aber fragt, weshalb es zwei Salève gebe, einen großen Salève und einen kleinen Salève, aber nicht zwei Matterhorne, oder wenn er fragt, weshalb der Genfer See bis nach Lausanne, aber nicht bis nach Bern gehe, oder wenn ein von Stanley Hall[1] zitiertes 5jähriges Kind fragt: »Warum hat es einen Mond?« und »Warum leuchtet er nicht so hell wie die Sonne?«,

---

[1] S. Hall: Curiosity and Interest. In: Pedagogical Seminary. Vol. 10 (1903).

usw. usw., so denkt das Kind an die Absicht der Hersteller dieser Berge, Seen oder Gestirne oder zumindest an die Entscheidung der Menschen, womit offensichtlich stillschweigend unterstellt wird, die Menschen seien für etwas bei der Erschaffung der Dinge da.

Schließlich haben wir beim Animismus immer wieder ein Phänomen hervorgehoben, auf das man bei der Untersuchung der Erklärungen der Kinder für die Ursache der Bewegung (siehe PK) fortwährend stößt, nämlich die Nichtunterscheidung zwischen der Vorstellung einer physischen Gesetzmäßigkeit und der Vorstellung eines moralischen Gesetzes. Die Sonne und der Mond kehren regelmäßig wieder, weil sie uns warm und hell geben »müssen« usw. Diese Nichtunterscheidung zeugt für eine ebenso artifizialistische wie animistische geistige Ausrichtung. Das moralische Gesetz setzt für das Kind ebensosehr Anführer, das heißt Menschen, die befehlen, wie Körper, die gehorchen, voraus. Die Sonne braucht sicher ein Mindestmaß an Wahrnehmungsvermögen, um zu gehorchen, aber es braucht auch jemanden, dem sie gehorcht. Mit diesem Jemand mag sich das Kind in seinen Gedanken nie explizit auseinandergesetzt haben, es handelt sich dennoch um den Menschen, denn der Mensch ist der Seinsgrund von allem. Auch wenn es somit den Artifizialismus im spontanen Denken des Kindes alles in allem nicht in der systematischen und expliziten Form gibt, den er umständehalber bei unseren Befragungen annimmt, es gibt ihn dennoch als eigenständige und eng mit dem Finalismus und der kindlichen Vorkausalität verbundene geistige Haltung. Und schon nur deshalb verdient dieser Artifizialismus unsere Aufmerksamkeit.

2. Die Beziehungen zwischen dem Artifizialismus und dem Problem der Geburt der Kinder

Die Kinder scheinen, zumindest in den ersten Stadien, keinerlei Schwierigkeiten dabei zu sehen, wenn sie die Dinge und Lebewesen gleichzeitig als lebendig und als fabriziert betrachten. Die Gestirne sind lebendig, sie wachsen, sie sind geboren worden, und dennoch haben Menschen sie konstruiert. Ebenso wachsen die Berge, die Steine, sogar die Körner, und sie wurden dennoch fabriziert. Welches ist der Grund für diese Verschmelzung von Animismus und Artifizialismus? Damit man diese Frage beantworten kann, muß man zuerst die Vorstellungen der Kinder über die Herkunft der Säuglinge kennenlernen. Zuviele wichtige moralische und pädagogische Gründe stehen selbstverständlich einer direkten Untersuchung entgegen. Weil eine Befragung nicht möglich ist, begnügen wir uns mit der Zusammenfassung von publizierten kindlichen Aussagen, mit Aussagen, die wir selbst gesammelt haben, und mit Kindheitserinnerungen zu diesem Thema. Das wird uns in die Lage versetzen, die kindlichen Vorstellungen über die Geburt der Säuglinge einigermaßen zu umreißen, und über diese Vorstellungen werden wir die wirklichen Beziehungen zwischen dem Animismus und dem Artifizialismus begreifen.

Man kann zwei Typen von Kinderfragen zum Thema Geburt unterscheiden, aber man kann nicht mit Sicherheit sagen, ob diese beiden Typen für zwei verschiedene Stadien charakteristisch sind. Die Fragen des ersten Typus berühren das »Wie« der Geburt nicht. Es handelt sich nicht um kausale Fragen im eigentlichen Sinne des Wortes. Vom Säugling wird angenommen, er habe vor der Geburt bereits existiert; das Kind fragt nur, *wo* der Säugling vor seiner Geburt gewesen sei und wie die Eltern es angestellt hätten, daß er in die Familie hineingekommen sei. Eine reine Verbindung zwischen Eltern und Kind und keine Ursache – Wirkung – Beziehung: Vom Kind wird angenommen, es gehöre seinen Eltern; von seiner Aufnahme in die Familie, sie sei von den Eltern gewollt und bestimmt worden, aber ohne daß man sich fragt, wie der Säugling zu seinem Leben habe kommen können. Die Fragen des zweiten Typs hingegen zeigen, daß sich das Kind nach dem »Wie« der Entstehung der Säuglinge fragt und daß es spontan die Eltern als die Ursache dieser Entstehung betrachtet.

Zuerst seien Beispiele des ersten Typs wiedergegeben. Stanley Hall[2] und seine Schüler haben folgende Fragen zusammengetragen:

»*Mama, wo hast du mich gefunden?*« (Mädchen, 3 ½ Jahre). »*Wo war ich, als du ein kleines Mädchen warst?*« (Mädchen, 5 Jahre). »*Wo war ich, als du zur Schule gingst?*« (Knabe, 7 Jahre). »*Wo war ich, bevor ich zur Welt kam?*« (Knabe, 7 Jahre). »*Wo findet der Doktor die Kinder?*« (Knabe, 7 Jahre).

Die beiden ersten Fragen sind typisch, vom Kind wird eindeutig angenommen, sein Leben habe vor jeder elterlichen Aktivität begonnen. Die beiden letzten Fragen sind nicht so eindeutig, denn wenn das Kind »wo« fragt, so ist es durchaus möglich, daß es bereits an den Körper seiner Eltern denkt.

Rasmussen[3] hat von seiner Tochter S. im Alter von 3;8 folgende Fragen aufgeschrieben: »*Mama, woher bin ich gekommen?*«, etwas später: »*Woher hat man alle diese Kinder?*« Die kleine R. fragt mit 4;10 (das heißt 9 Monate nach Fragen des zweiten Typs, die wir gleich kennenlernen werden): »*Wo ist das Baby, das eine Frau im nächsten Sommer haben wird?*« Rasmussens Frau

[2] S. Hall: Curiosity and Interest. In: Pedagogical Seminary. Vol. 10 (1903). S. 338
[3] V. Rasmussen: Psychologie de l'enfant. L'enfant entre quatre et sept ans. Paris 1924. (Deutsch: Psychologie des Kindes zwischen vier und sieben Jahren. Leipzig 1923.)

antwortete darauf: »Es ist im Bauch dieser Frau.« Doch die Kleine erwiderte: »*Hat sie es also gegessen?*«, was darauf hinzudeuten scheint, daß das Baby nach Meinung des Kindes außerhalb seiner Eltern leben mußte.

Zu diesem Fragentyp muß man auch die bei Kindern oft festgestellte Überzeugung stellen, wonach die Toten klein und in Gestalt von Säuglingen wiedergeboren würden.

»*Werden die Leute wieder Babies, wenn sie ganz alt sind?*« (Sully, a.a.O., S. 148–151). Del mit 6½ Jahren: »*Wenn ich tot bin, werde ich dann auch so klein* (nämlich wie eine tote Raupe, die er verhornt und ausgetrocknet gefunden hatte) (SD, S. 204).

Zal mit 5 Jahren, als man ihm sagte, sein Onkel sei gestorben: »*Wird er von neuem wachsen?*«

S. mit 5;4: »*Wenn man tot ist, wächst man dann wieder?*«[4], und etwas später: »*Man wird nie klein*« und »*Wenn man stirbt, wird man ... nichts*«[5]. Diese beiden Negationen zeigen ausreichend, wie stark die Affirmationen gewesen sein müssen, die ihnen implizit vorausgegangen sind.

Und das Kind von Frau Klein: »*Dann werde ich auch sterben, du* (Mama) *auch ..., und dann werden wir zurückkommen.*«[6]

Solche Fragen des ersten Typs lösen die absurden Märchen aus, die manche Eltern ihren Kindern erzählen, wonach die Säuglinge von Engeln, Störchen usw. gebracht würden:

»*Woher ist das Baby gekommen? Hat der liebe Gott das Baby vom Himmel fallen lassen?*« (Knabe, 5 Jahre alt). »*Wie hat der liebe Gott das Baby geschickt? Hat er einen Engel mit ihm geschickt? Wenn du nicht zu Hause gewesen wärst, hätte er es wieder mitgenommen?*«

Ein 7 Jahre altes Mädchen: »*Wer ist die Frau Natur? Wußtest du, daß sie dir ein Baby bringen würde?*« usw.[7]

Doch entweder glauben die Kinder diese Geschichten nicht, was häufiger vorkommt, als man meint, oder sie glauben teilweise daran, und dann versuchen sie herauszufinden, wie die Eltern den Säugling haben kommen lassen können, wobei sie von der impliziten Vorstellung ausgehen, dieses Kommen sei von den Eltern ausgegangen. Das führt uns zu den Fragen des zweiten Typs, die wir weiter unten untersuchen wollen.

Wie soll man die Fragen des ersten Typs vom Artifizialismus her interpretieren? Auf den ersten Blick sieht es so aus, als sei er völlig ausgeschlossen. Das Kind fragt nicht, wie die Kinder »entstehen«, es fragt, »woher« sie kommen. Die Kleinkinder leben bereits zum

---

[4] E. Cramaussel: Le premier éveil intellectuel de l'enfant. Paris 1908. S. 165.
[5] Ebenda, S. 167.
[6] M. Klein: Eine Kinderentwicklung. In: Imago. Jg. 7 (1921). S. 268.
[7] S. Hall: Curiosity and Interest. In: Pedagogical Seminary. Vol. 10 (1903).

voraus. Es könnte sich somit um ein Stadium noch vor jedem Erklärungsbedürfnis und um so mehr vor jedem Artifizialismus handeln. Diese Art, die Dinge zu übersetzen, ist jedoch offensichtlich zu einfach. Hinter dem, was das Kind fragt, muß man das suchen, was es gar nicht sagt, weil es ihm evident zu sein scheint: Es sind die Eltern, die die Kinder »bestellen«, die also deren Erscheinen befehlen, wie dieses Erscheinen im einzelnen auch vor sich gehen mag. Das ist noch keine Fabrikation, aber zumindest eine Verbindung, die das Kind unmittelbar fühlt, ohne sie genauer umschreiben zu müssen. Es handelt sich somit um eine Art Vorartifizialismus, der mit dem ursprünglichen Artifizialismus vergleichbar ist, den wir oft bei jüngeren Kindern gefunden haben: Die Sonne usw. ist seit allem Anfang an mit den Menschen verbunden gewesen, ohne daß sie von den Menschen im eigentlichen Sinne des Wortes fabriziert worden wäre.

Mit den Fragen des zweiten Typs wird hingegen das Bedürfnis sichtbar, die Natur der Verbindung zwischen Eltern und Kindern, das »Wie« der Geburt zu verstehen. Interessant für uns ist, daß die Geburt vom Kind auf Anhieb zugleich als eine Fabrikation aufgefaßt wird, und zwar als eine Fabrikation aus einer Materie, die entweder von den Eltern unabhängig ist oder aus dem Körper der Eltern selbst hervorgegangen ist. Hier einige Beispiele von einer an eine Fabrikation assimilierten Geburt:

Eine von Rasmussens Töchtern, R., fragt mit 4;1 Jahren: *»Wie fabriziert man die Frauen?«* Frau Rasmussen antwortet mit der Gegenfrage, weshalb R. diese Frage stelle. *»Weil es Fleisch an den Frauen hat.«* – An welchen Frauen? – *An dir und den anderen Frauen.«* Und das Kind fügt hinzu: *»Ich glaube, es ist ein Fleischfabrikant, meinst du nicht auch?«* Im Alter von 4;10 Jahren taucht die Frage in veränderter Form auf: *»Wie fabriziert man die Leute?«*[8]

Fräulein Audemars hat uns die folgenden spontanen Aussagen mitgeteilt. Renée (7 Jahre) hat eben eine kleine Schwester erhalten. Sie modelliert Figürchen aus Plastillin und fragt nach einer Pause: *»Fräulein ... Was hat man für meine kleine Schwester zuerst fabriziert? Den Kopf?«* Man antwortet dem Kind: *»Was meinst du, wie ein Baby entsteht, Renée, hat deine Mutter es dir gesagt? – Nein, aber ich weiß es. Sie* (Mama) *hatte noch Fleisch von damals, als ich geboren wurde. Um meine kleine Schwester zu machen, hat sie sie mit ihren Händen modelliert und lange versteckt gehalten.«*

Sully[9] hat die Aussage zitiert: *»Mama, woher kommt Tommy?* (das Kind selbst).« Und Tommy antwortet gleich selbst: *»Mama hat Tommy in einem Laden gekauft.«*

---

[8] Rasmussen: Psychologie de l'enfant. L'enfant entre quatre et sept ans. Paris 1924. S. 48–51. (Deutsch: Psychologie des Kindes zwischen vier und sieben Jahren. Leipzig 1923)

[9] J. Sully: Etudes sur l'enfance. Paris 1898. S. 153. (Deutsch: Untersuchungen über die Kindheit. Leipzig 1897.)

Zal (5 Jahre), dessen Worte nach dem Tode seines Onkels wir eben zitiert haben, fügte hinzu: »*Wachsen wir, oder baut man uns?*« »Wachsen« bedeutet hier offensichtlich nicht wachsen, wie eine Pflanze aus dem Samen wächst, sondern von selbst entstehen: Das Kind fragt, ob die Kinder von alleine kommen (ob sie wie der tote Onkel »von neuem wachsen«) oder ob sie von den Eltern gemacht werden. Im letzteren Fall wird die Geburt als eine Fabrikation betrachtet.

Cramaussels Tochter[10] S. fragt mit 5;1 Jahren, nachdem man ihr gesagt hat, der liebe Gott mache die kleinen Kinder: »*Nimmt er dazu Ziegenblut?*«

Ein kleines Mädchen fragt, woher die Kinder kämen, und fügt hinzu: »*Ich weiß es. Ich gehe zum Metzger, ich nehme viel Fleisch, und ich knete es.*«

Beim Lesen dieser Aussagen begreift man, wie es kommt, daß das Kind den Animismus und den Artifizialismus als komplementär und nicht als widersprüchlich betrachtet. Lebendiges zu fabrizieren, bereitet nicht die geringste Schwierigkeit, denn sogar die kleinen Kinder sind fabriziert worden! Wie wir gleich sehen werden, sind die Fragen nach der Geburt oft der Ausgangspunkt für Fragen nach der Herkunft der Dinge. Der kindliche Artifizialismus setzt somit von allem Anfang an die beiden Ideen Leben und Fabrikation als zueinander komplementär voraus.

Andererseits kommt das Kind sehr früh zur Überzeugung, daß die Materie, aus der die Eltern ihre Kinder fabrizieren, von ihrem eigenen Körper stammt:

In der Literatur werden kindliche Überzeugungen zitiert, wonach die kleinen Kinder aus dem Blut, dem Mund, der Brust, dem Nabel der Eltern entstammen[11].

Ein viereinhalbjähriges Mädchen hat behauptet, wenn es hinfalle, würde es sich in zwei kleine Mädchen teilen und so fort[12].

Clan, dessen Erinnerungen wir schon im Kapitel IV (Abschnitt 2) zitiert haben, glaubte während Jahren, die Söhne entstünden einfach aus dem Phallus ihres Vaters, denn, so sagte er, er hatte einmal gehört, wie sein Vater sagte, die »Söhne sind die Verlängerung der Väter«.

In den von uns zusammengetragenen Kindheitserinnerungen findet sich oft die Vorstellung, die auch den Psychoanalytikern bestens bekannt ist, die kleinen Kinder seien aus der Afteröffnung gekommen und stammten aus den Fäkalien, sie kämen aus dem Urin, oder auch die Geburt sei auf eine bestimmte Nahrung zurückzuführen, die die Mütter zu diesem Zweck zu sich nähmen. Fräulein Audemars verdanken wir die folgende Beobachtung: Dol (7;6) fragt: »*Was essen die Mamas, um Kinder machen zu können?*«

Ray (7 Jahre) antwortete darauf: »*Sie müssen viel Fleisch und viel Milch essen.*«

---

[10] E. Cramaussel: Le premier éveil intellectuel de l'enfant. Paris 1908. S. 130.
[11] S. Spielrein, in: Zentralblatt für Psychoanalyse. Jg. 3 (1912). S. 66ff.
[12] S. Spielrein, in: Internationale Zeitschrift für Psychoanalyse. Jg. 6 (1920). S. 156.

Interessant für uns ist, daß das Kind sogar in den Fällen, wo es weiß – weil man es ihm erklärt hat –, daß das Kind aus dem Körper seiner Mutter kommt, sich weiterhin nach dem »Wie« der Bildung jedes einzelnen Organs fragt, als ob jedes für sich fabriziert worden wäre. Das Kind von Frau Klein beispielsweise fragte: »*Aber woher kommt der kleine Kopf?*«, »*Woher kommen die kleinen Glieder?*«, »*Woher kommt der kleine Bauch?*« usw. Ein anderes Kind, dem man ebenfalls erklärt hat, daß die kleinen Kinder aus dem Bauch ihrer Mutter stammen, fragt: »*Wie kann man aber die Hände in den Bauch hineintun, um sie zu machen?*«

Damit man versteht, wie dieses spontane Suchen des Kindes beim Problem der Geburt einen Einfluß auf die Entwicklung des Artifizialismus haben kann, müssen wir jetzt in groben Umrissen eine Chronologie der Fragen nach der Herkunft der Dinge erstellen. Die spontane Neugierde der Kinder erstreckt sich nämlich auf die Herkunft aller Dinge, was eine grundlegende Tatsache ist, denn sie allein rechtfertigt bereits die Untersuchungen, die wir in den drei vorausgehenden Kapiteln angestellt haben. Eine auch nur oberflächliche Prüfung der Kinderfragen von 3- bis 7jährigen zeigt, daß Kinder fragen, wie die Gestirne, der Himmel, die Wolken, der Wind, die Berge, die Flüsse und das Meer, die Rohstoffe, der Erdboden, das Weltall und sogar Gott angefangen haben. Die letzten metaphysischen Fragen, etwa die nach dem Uranfang aller Dinge, werden mit 6 bis 7 Jahren aufgeworfen: Gott hat den ersten Menschen erschaffen, sagt man zu Rasmussens Tochter R. im Alter von 7 Jahren: »*Nein*«, antwortet sie, »*aber wo ist er hergekommen?*« usw. Es ist deshalb wichtig, ob die Fragen nach dem Ursprung im allgemeinen früher als die Fragen nach der Geburt auftreten und so deren Struktur bestimmen, oder ob die Reihenfolge umgekehrt ist.

Die Tatsachen scheinen hier eine unzweideutige Sprache zu reden. Das kindliche Interesse scheint die folgende Reihenfolge einzuhalten: Fragen über die eigene Herkunft, Fragen über die Herkunft der ganzen Art und zuletzt Fragen nach dem Ursprung der Dinge im allgemeinen. Die folgenden vier Gruppen von Tatsachen bestätigen diese Reihenfolge:

Ballard, einer der beiden von W. James zitierten Taubstummen (siehe Kapitel VIII und IX) hat sich als 5jähriger gefragt, wie die kleinen Kinder zur Welt kommen. Als er diese Dinge in den großen Linien begriffen hatte, galt sein Suchen dem Auftreten des ersten Menschen. Von da her weitete sich sein Interesse fortwährend aus: auf die Entstehung des ersten Tiers, der ersten Pflanze und schließlich (mit 8 bis 9 Jahren) auf den Ursprung der Sonne, des Mondes, der Erde usw.

Bohn[13] hat bei seinem eigenen Sohn folgende Reihenfolge bei den Fragen festgestellt. Mit 2;3: »*Woher kommen die Eier?*«, dann, nachdem eine Antwort gegeben worden war: »*Was legen die Mamas?*« Mit 2;6: »*Papa, gab es Leute vor uns?*« – Ja. – *Wie sind sie hergekommen?* – Sie sind geboren worden wie wir. – *War die Erde da, bevor es Menschen darauf hatte?* – Ja. – *Wie ist sie hergekommen, wenn es keine Menschen hatte, um sie zu machen?*« Mit 3;7: »*Wer hat die Erde gemacht? Hat es eine Zeit gegeben, da wir nicht auf der Erde waren?*« Mit 4;5: »*Gab es vor der ersten Mama eine andere Mama?*« Mit 4;9: »*Wie ist der erste Mensch ohne eine Mama hergekommen?*« Und mit ebenfalls 4;9 schließlich noch: »*Wie ist das Wasser gemacht worden?*« und »*Woraus sind die Felsen gemacht?*«

Rasmussens Töchter scheinen eine gleiche Reihenfolge eingehalten zu haben. R. hatte gefragt, wie man die Frauen fabriziere; einen Monat später: »*Wer hat die Vögel gemacht?*«, eine artifizialistische Frage, die um so interessanter ist, als man bis in dieses Alter mit dem Mädchen nicht über Religion gesprochen hatte. S. fragte mit 3;8, wie die kleinen Kinder zur Welt kämen, mit 4 ½, wie der erste Mensch entstanden sei, und ein wenig später, woher das erste Pferd gekommen sei. Diese Frage beantwortete das Mädchen sich selbst: »*Ich glaube, man hat es gekauft*«, also offensichtlich fabriziert.

Das eindeutigste Beispiel stammt jedoch von Frau Klein. Ihr Kind begann sich mit 4 ¾ Jahren für die Geburt zu interessieren. Die erste Frage wurde in dieser Form gestellt: »*Wo war ich, als ich noch nicht auf der Erde war?*« Dann kam die Frage: »*Wie wird ein Mensch?*«, die mehrmals wiederholt wurde. Anschließend: »*Mama, wie bist du auf die Erde gekommen?*« Der Kleine erhielt daraufhin eine Erklärung zum Problem der Geburt, aber nach einigen Tagen folgten neue Fragen: »*Wie kommt es, daß man groß wird?*«, »*Woher kommt der kleine Kopf, der kleine Bauch?*« usw. Eine ganze Reihe neuer Fragen lautete: »*Wie wachsen die Bäume?*«, »*Wie wachsen die Blumen?*«, »*Wie entstehen die Quellen?*«, »*Wie die Flüsse?*«, »*Wie der Staub?*«, »*Wie kommen die Schiffe auf die Donau?*« Woher kommen die verschiedenen Rohmaterialien und insbesondere: »*Woher kommt die Erde?*«

Wir dürfen deshalb annehmen, die Neugierde in bezug auf die Geburt stehe aller Wahrscheinlichkeit nach am Ausgangspunkt der Fragen nach der Herkunft, die im Alter von 4 bis 7 Jahren so oft gestellt werden. Sie stehen deshalb auch am Ursprung des kindlichen Artifizialismus. Man findet zwar durchaus Kinder, bei denen die Fragen nach dem Ursprung der Dinge vor den Fragen zur Herkunft der kleinen Kinder kommen, aber man kann sich bei ihnen fragen, ob nicht dennoch das Interesse für die Geburt, in eine andere Form gebracht und projiziert, solche Fragen nach der Herkunft der Dinge auslöst.

Jedenfalls läßt sich beobachten, und diese Tatsachen müssen noch erwähnt werden, damit man die Beziehungen zwischen dem Problem der Geburt und dem Artifizialismus richtig begreift, daß sich die Fabeln über den Ursprung der Menschen in Richtung

---

[13] Bohn, in: Pedagogical Seminary (1916).

eines immer immanenteren Artifizialismus, also eines der Natur selbst zugeschriebenen Artifizialismus, entwickeln.

Kurz nachdem sich das Kind mit der Geburt befaßt hat, fragt es nämlich fast unfehlbar, welches der Ursprung des Menschen auf der Erde sein könnte. Die 4 bis 5 Jahre alten Kinder geben für dieses Problem eine einfache artifizialistische Lösung, auch wenn sie dadurch den Menschen durch den Menschen erklären und das Problem bloß verschieben. Das ist die Lösung, für die sich Marsal entscheidet, ein Debiler, den wir im nächsten Paragraphen zitieren werden. Ein Ahnenpaar hat alles erschaffen, und so läßt sich alles erklären. Man findet aber bei 7 bis 9 Jahre alten Kindern sehr interessante Lösungen, die den Menschen von Tieren oder Pflanzen abstammen und diese wiederum aus der Natur selbst hervorgehen lassen. Die Natur wird zum Fabrikationsprinzip, in Einklang mit dem, was wir über den immanenten Artifizialismus der 9 bis 10 Jahre alten Kinder gesagt haben. Hier zwei eindeutige Beispiele:

Ballard, der eben zitierte Taubstumme, hat sich schließlich gesagt, der erste Mensch habe aus einem alten Baumstamm entstehen müssen. Später kam ihm diese Hypothese absurd vor. Aber er vermochte sie durch nichts Besseres zu ersetzen.

Vo (9 Jahre), den wir fragen, wie die Schweiz begonnen habe, begreift die Frage nicht oder verwechselt die Ursprünge der Schweiz mit denen der gesamten Menschheit. Er erzählt uns folgendes: »*Es sind Leute gekommen. – Woher? – Ich weiß nicht. Es hatte Blasen im Wasser, einen kleinen Wurm darauf, dann ist er groß geworden, er ist aus dem Wasser herausgegangen, dann hat er Nahrung aufgenommen, er hat Arme wachsen lassen, er hatte Zähne, Füße, einen Kopf, er ist ein Kind geworden. – Woher kam die Blase? – Aus dem Wasser. Der Wurm kam aus dem Wasser heraus. Die Blase ist geplatzt. Der Wurm ist hinausgegangen* (aus der Blase). *– Was hatte es auf dem Grunde des Wassers? – Sie* (die Blase) *ist aus der Erde herausgekommen. –* Und was ist aus dem Kind geworden? *– Es ist groß geworden, es hat Kleine gemacht. Als es starb, haben die Kleinen Kleine gemacht. Dann hatte es welche, die Franzosen, Deutsche, Savoyarden ... geworden sind.*«

Dieser Mythos ist hochinteressant, auch wenn er fabuliert ist. Die Ähnlichkeit mit Freudschen Traumsymbolen, die mit der Geburt zusammenhängen, ist evident. Es ist bekannt, wie oft das Wasser vom oneirischen Denken mit der Vorstellung der Geburt verbunden wird. Ebenso werden Eier (Froschlaich usw.) und Blasen als Symbole für Eier mit demselben Motiv verknüpft. Das Bild des Wurmes erscheint schließlich ebenfalls oft in den Traumsymbolen und wird mit der Vorstellung »Säugling« assoziiert usw. Auch wenn man die Hypothesen auf ein Minimum beschränkt, kann man, falls man den symbolischen Charakter des Unbewußten anerkennt, in Vos Fabel nur eine symbolische Transposition einer Geburt im eigentlichen Sinne des Wortes sehen. Mit anderen Worten, das Wasser würde unbewußt an den Urin assimiliert, in dem nach verbreiteter kindlicher Meinung die Babies zur Welt kommen (wir haben auch gesehen, wie verbreitet die Tendenz ist, den See oder das Meer auf einen menschlichen Ursprung zurückzuführen), die Blase an ein Ei, der Wurm an ein Neugeborenes, das aus dem mütterlichen Körper herauskommt. Das würde Vo die Überzeugung ermöglichen, daß die Natur den Menschen fabriziert hat. Auch wenn man das Symbol als Prinzip ablehnt, transponiert Vo offensichtlich nur das in die Natur, was er einige Jahre früher allein dem Menschen zugeschrieben hätte. In beiden Fällen wird die Natur Träger der fabrikatorischen Aktivität des Menschen.

Die kindlichen Vorstellungen über die Geburt der kleinen Kinder oder über den Ursprung des Menschen weisen somit alles in allem dieselben Gesetzmäßigkeiten wie die Vorstellungen über die Natur im allgemeinen auf: Artifizialismus am Ausgangspunkt, natürliche Erklärungen mit Überresten eines immanenten Artifizialismus in den höheren Stadien. Es sieht so aus, als würden zuerst die Fragen nach der Geburt und später die Fragen nach den Ursprüngen gestellt, nicht umgekehrt. Offenbar erklären uns deshalb die kindlichen Vorstellungen über die Geburt, weshalb der Artifizialismus und der Animismus am Anfang eng miteinander verbunden sind. Das Neugeborene wird gleichzeitig als fabriziert und als lebendig aufgefaßt, und das Kind hat deshalb die Tendenz, alles als lebendig und fabriziert zugleich anzusehen.

3. Die Stadien des spontanen Artifizialismus und ihre Beziehungen zur Entwicklung des Animismus

Wir sind jetzt so weit, daß wir die Beziehungen zwischen dem Animismus und dem Artifizialismus in den großen Linien herausarbeiten können. Wir wollen dazu in der Entwicklung des Artifizialismus vier Perioden unterscheiden und zu jeder davon die entsprechende Entwicklung des Animismus aufzuzeigen versuchen.

In der ersten Periode stellt sich das Kind die Frage nach dem Ursprung – mit anderen Worten nach der Fabrikation – der Dinge noch nicht. Fragen nach der Herkunft werden allein in der Form »woher kommt..?« gestellt und haben einen räumlichen und nicht im eigentlichen Sinne des Wortes kausalen Sinn. Falls die Fragen des ersten Typs zur Geburt (nämlich *wo* das Neugeborene vor seiner Geburt sei) ein Stadium darstellen, müßte dieses Stadium in dieser Periode eingeordnet werden. Es ist, kann man sagen, die Periode des *diffusen Artifizialismus*. Das heißt mit anderen Worten, die Natur wird als von den Menschen gelenkt oder als zumindest um die Menschen kreisend aufgefaßt. Doch das Kind versucht gar nicht, etwas Genaueres über das »Wie« dieser Aktion auszusagen, es kann auf die Fragen nach dem Ursprung keine Antwort geben. Diese Periode kommt deshalb vor den ersten Stadien, die wir bei der Analyse der Äußerungen des Artifizialismus unterschieden haben. In dieser Periode gehen Magie, Animismus und Artifizialismus ganz ineinander über. Die Welt ist eine Gesellschaft von Lebewesen, die durch den Menschen gelenkt werden. Das Ich und die Außenwelt werden kaum auseinandergehalten. Jede Aktion ist gleichzeitig physisch und psychisch. Die einzige Realität ist folglich ein Komplex von intentionellen Aktionen. Diese Aktionen setzen aktive Wesen voraus; insofern sind sie animistisch. Doch sie sind auch mehr oder weniger direkt vom Menschen gelenkt und beeinflußt, und in diesem Sinne sind sie, zumindest diffus, artifizialistisch. Dieser Artifizialismus kann zudem ebensosehr magisch wie direkt sein, insofern der Wille des Menschen auf Entfernung wie auch anders wirksam ist.

Als Beispiel für dieses Stadium kann man die ersten Antworten von Roy (Kapitel VIII, Abschnitt 1) nehmen, wenn auch nur teilweise, denn er äußert sich bereits zur Herkunft der Sonne (womit er einen Übergang zur nächsten Periode bildet). Die Sonne, sagt Roy, hat zu existieren begonnen und ist gewachsen, »weil wir größer werden«. Für Roy ist somit in den Dingen ein spontanes Leben (Animismus), es gibt aber daneben auch die Aktion des Menschen auf die Dinge (Artifizialismus). Dieser Artifizialismus ist jedoch nicht spontanerweise von einem Ursprungsmythos begleitet, und er enthält zudem ein magisches Element. Die meisten Kinder gehen in bezug auf die meisten natürlichen Körper nicht über diese Periode hinaus. Sobald sie aber über die Herkunft eines dieser Körper etwas Genaueres auszusagen versuchen, gehören sie in eben dem Maße zur zweiten Periode.

Als Beispiele für diese erste Periode kann man auch die allerursprünglichsten Fälle dieser Überzeugung nehmen, wonach die Sonne, der Mond und die Wolken uns nachfolgen. Einerseits folgen uns die Gestirne willentlich (Animismus). Andererseits ist es ihre einzige Funktion, uns zu folgen und dafür besorgt zu sein, daß wir hell und warm haben; sie sind »für« uns »gemacht« (Artifizialismus). Und wir sind es schließlich, die sie in Bewegung versetzen (Magie).

In dieser ersten Periode projiziert das Kind, kurz gesagt, die Situation, die nach seinem Gefühl zwischen ihm und seinen Eltern besteht, in alle Dinge hinein. Das Kind fühlt sich einerseits frei und bewußt. Und es fühlt sich andererseits von seinen Eltern abhängig und faßt sie als Ursache für all das auf, was es besitzt. Zwischen ihnen und sich selbst spürt es schließlich eine Vielfalt von Partizipationen, auch wenn es weit von ihnen weg ist.

Die zweite Periode, die wir die Periode des *mythologischen Artifizialismus* nennen wollen, setzt zu dem Zeitpunkt ein, da das Kind sich Fragen nach dem Ursprung stellt und auf die Fragen antwortet, die wir ihm zum Ursprung der Dinge stellen. Jetzt nimmt der bis dahin diffuse Artifizialismus die Form einiger Mythen an. Beispiele dafür haben wir kennengelernt. Die Sonne etwa wird nicht mehr einfach als von den Menschen abhängig aufgefaßt, sondern als vom Menschen mit Hilfe eines Steines und eines Streichholzes fabriziert. Zwischen solchen Fabeln (die üblicherweise »ausgelöst«, bisweilen aber auch »spontan« sind, wie eine Untersuchung der Kinderfragen beweist) und dem diffusen Artifizialismus der ersten Periode bestehen im Grunde – alles andere gleich bleibend – dieselben Beziehungen, wie sie Lévy-Bruhl zwischen den beiden ersten Stadien bei den Partizipationen der Naturvölker aufgezeigt hat: In einem ersten Stadium dieser besonderen geistigen Haltung werden die Partizipationen einfach gefühlt und gelebt, in einem zweiten Stadium werden sie schrittweise formuliert und zu Ursprungsmythen ausgestaltet.

In diese Periode des mythologischen Artifizialismus ist das erste Stadium einzuordnen, das wir in den vorausgehenden Kapiteln unterschieden haben, also das Stadium des integralen Artifizialismus: Die Sonne, der Himmel, die Nacht, die Berge, die Flüsse usw. sind von den Menschen direkt fabriziert worden. In dieser Periode sind der Animismus und der Artifizialismus noch vollständig zueinander komplementär, und die Dinge sind gleichzeitig fabriziert und lebendig. Ihre Fabrikation ist mit der Entstehung der Neugeborenen vergleichbar, von denen angenommen wird, daß sie bis zu einem gewissen Grade manuell geformt werden, auch wenn das Kind weiß, daß die Materie, aus denen diese Neugeborenen bestehen, von den Eltern selbst stammt.

Die Ähnlichkeit zwischen der Fabrikation und der Geburt ist in dieser Periode um so eindeutiger, als von bestimmten natürlichen Gegenständen angenommen wird, sie seien aus dem Menschen hervorgegangen. Solche Vorstellungen kommen zweifellos häufiger vor, als die Kinder bei unseren Befragungen zugegeben haben. Wie dem auch sei, wir haben Identifizierungen zwischen dem Wind und dem menschlichen Atem, zwischen dem Nebel und der ausgeatmeten Luft, zwischen den Flüssen oder den Meeren und der Spucke oder dem Urin usw. festgestellt. Wenn man an dem möglichen symbolischen Inhalt der autistischen Vorstellungen denkt, beispielsweise an die wahrscheinlichen Beziehungen zwischen dem Wasser und dem Urin und der Geburt, zwischen der Erde und der Geburt (die Kinder tendieren spontan dazu, Tod und

Geburt eng miteinander zu verquicken: die Toten »wachsen von neuem«) oder auch zwischen dem Himmel, den Wolken und der Geburt, so kann man daraus mit aller Deutlichkeit ersehen, wie weit in den latenten Tendenzen des Kindes die Assimilation der Außenwelt an eine Gesamtheit von an das menschliche Leben gebundenen lebendigen Körpern gehen kann. Wie es sich mit diesen Hypothesen auch verhalten mag, es gibt zahlreiche durch direkte Beobachtung verifizierbare Fakten, die zeigen, daß in dieser Periode des mythologischen Artifizialismus die Dinge dem Kind als zugleich fabriziert und lebendig erscheinen. Der Artifizialismus und der Animismus implizieren einander, ohne sich im geringsten zu stören.

Die anschließende Periode wollen wir die Periode des *technischen Artifizialismus* nennen. Sie entspricht im großen ganzen dem zweiten der Stadien, die wir in den vorausgehenden Kapiteln unterschieden haben (zumindest bei den Beispielen mit drei Stadien), also dem Stadium des gemilderten Artifizialismus (natürliche mit artifizialistischen Erklärungen vermischt). Diese dritte Periode dauert mit anderen Worten von durchschnittlich 7 oder 8 bis 9 oder 10 Jahre. Wie wir später sehen werden (PK), erwacht auf dieser Stufe das kindliche Interesse für die Einzelheiten an den Maschinen und die Verfahren der menschlichen Technik. Mit 8 Jahren im Durchschnitt sind die Knaben in Genf wie in Paris beispielsweise imstande, aus dem Gedächtnis eine richtige Erklärung für den Mechanismus eines Fahrrads zu geben. Das Kind wird, grob gesagt, fähig, eine einfache mechanische Vorrichtung (Dampfmaschine usw.) zu begreifen. Die Vorstellungen über die Berufe und die Herstellung der Rohstoffe werden genauer. Solche Fakten wirken selbstverständlich auf den Artifizialismus zurück. Bis jetzt erschien dem Kind die ganze Natur als vom Menschen fabriziert, ohne daß es sich über das »Wie« dieser Fabrikation Gedanken machte. Bis dahin dachte das Kind zudem gar nicht daran, die Möglichkeiten der menschlichen Technik in Frage zu stellen. Eine Maschine war für es eine Zauberbüchse, in der aus nichts alles entstehen konnte. Von jetzt ab hingegen wird das »Wie« der Fabrikation für das Kind ein Problem. Wenn man sich aber genauer mit dem »Wie« einer Fabrikation befaßt, so werden auch die damit verbundenen Schwierigkeiten deutlicher sichtbar, so verzichtet man auf den Glauben an die menschliche Allmacht; so bedeutet das, kurz gesagt, ein Kennenlernen der Wirklichkeit und ihrer Gesetzmäßigkeiten. Diese neuen Interessen wirken sich folgendermaßen auf den Artifizialismus aus. Das Kind spricht noch immer dem Menschen die allgemeine Gestaltung der Dinge zu, aber es begrenzt sein Wirken auf die technisch realisierbaren Operationen. Alles andere wird von den Dingen, nachdem sie vom

Menschen einmal in Gang gesetzt wurden, durch natürliche Vorgänge vollendet. Der Artifizialismus bildet sich somit zurück. Er stützt sich auf die Gesetzmäßigkeiten der Natur selbst. Diesen begrenzten Artifizialismus nennen wir technischen Artifizialismus. Das Kind sagt zum Beispiel nicht mehr, der ganze Wasserkreislauf sei das Werk des Menschen; es sagt nur noch, das Bett der Flüsse und der Seen sei vom Menschen fabriziert worden, aber das Wasser falle durch einen natürlichen Vorgang aus den Wolken. Die Gestirne sind nicht mehr das ausschließliche Werk des Menschen; sie gehen in den Augen des Kindes aus der Entflammung und Zusammenballung von Wolken hervor, die ihrerseits aus dem Rauch der menschlichen Häuser entstanden sind usw. Die Erklärung ist somit nicht mehr mythologisch. Sie wird unter einem doppelten Gesichtspunkt genau: Sie erwartet von der menschlichen Technik nur gerade das, was diese zur Not leisten könnte, und überläßt es den natürlichen Vorgängen, das zu vollenden, was der Mensch vorbereitet hat.

Bei den Beziehungen zwischen dem technischen Artifizialismus und dem Animismus tritt im Vergleich zu den früheren Perioden eine Umkehrung ein: Der Artifizialismus und der Animismus geraten in Widerspruch zueinander. Der Artifizialismus schwächt sich ab, weil der Widerstand der Dinge teilweise anerkannt wird. Die rein moralischen Gesetze, die bis jetzt in den Augen des Kindes die Natur leiteten, werden schrittweise durch einen physikalischen Determinismus ersetzt. Die Kinder dieser Periode, so stellt man fest, sprechen nicht mehr allem, nicht einmal mehr allen bewegten Gegenständen, Leben zu, sondern unterscheiden zwischen erhaltener und eigener Bewegung: Das Leben und das Bewußtsein bleiben den mit einer Eigenbewegung ausgestatteten Körpern vorbehalten (den Gestirnen, dem Wind usw.). Die fabrizierten Gegenstände werden nicht mehr als lebendig, die lebendigen Körper nicht mehr als fabriziert angesehen. Jetzt erklären die Kinder explizit, ein bestimmter Gegenstand spüre oder fühle nichts, »weil man ihn fabriziert hat«.

Mit 9 bis 10 Jahren schließt die vierte Periode an, die des *immanenten Artifizialismus*. Sie entspricht dem dritten der Stadien, die wir in den vorausgehenden Kapiteln unterschieden haben (falls sich die für ein bestimmtes Phänomen gegebenen Antworten in drei Stadien klassieren ließen), also dem Stadium, wo die Vorstellung, die Natur sei vom Menschen fabriziert worden, vollständig verschwindet. Wie wir aber bei den Einzelheiten der kindlichen Erklärungen immer wieder betont haben, verschwindet der Artifizialismus nur in seiner menschlichen oder theologischen Form, er wird ganz einfach auf die Natur selbst übertragen. Mit anderen Worten, die Natur wird Erbin des Menschen und fabriziert in der

Art des Handwerkers oder des Künstlers. Die Fakten stellen sich wie erinnerlich folgendermaßen dar. Der Finalismus überlebt zunächst den Artifizialismus der letzten Stadien recht hartnäckig. Auch wenn die Sonne als vollständig unabhängig von der menschlichen Fabrikation angesehen wird, ist sie dennoch immer dazu »gemacht, um« uns warm zu geben, um uns hell zu geben usw. Die Wolken werden zwar auf eine natürliche Verdampfung zurückgeführt, aber sie sind immer noch dazu »gemacht, um« uns Regen zu bringen usw. Die ganze Natur bleibt von Zweckmäßigkeit durchdrungen. Daraus ergibt sich die Vorstellung einer mit einer Art Geburt vergleichbaren Erzeugung: Die Sterne kommen aus der Sonne heraus und kehren manchmal in sie zurück, die Blitze ballen sich zu Gestirnen zusammen oder kommen aus den Gestirnen heraus usw. Hierher gehört schließlich die Vorstellung einer substantiellen Kraft, das heißt einer spontanen Aktivität, die jedem Ding als ihm zugehörig zugesprochen wird. Das Verb »machen«, welches das Kind bei jeder Gelegenheit anwendet, ist in dieser Hinsicht signifikant. Die Natur selbst wird somit Trägerin dieses Artifizialismus der letzten Stadien. Es handelt sich, alle Proportionen gewahrt, um den Artifizialismus, den Brunschvicg in der aristotelischen Physik nachgewiesen hat.

Die Finalität, die substantielle Kraft und viele andere Vorstellungen, die sich in dieser Periode entfalten, datieren natürlich von früher, und das Kind spricht den Dingen vom Anfang seiner Entwicklung an eine menschliche Aktivität zu. Der kindliche Animismus besteht genau darin, und in einem gewissen Sinne kann man schon in den ersten Perioden den Animismus als einen immanenten Artifizialismus bezeichnen. Die Periode, die wir jetzt zu charakterisieren versuchen und die mit 9 bis 10 Jahren beginnt, steht jedoch im Zeichen einer Verschmelzung zweier grundverschiedener Strömungen, von denen die eine aus dem Animismus der vorausgehenden Perioden, die andere aus dem Artifizialismus derselben Perioden hervorgegangen ist. Gewisse Eigenschaften, die das Kind von jetzt ab den Körpern zuschreibt, stammen vom Animismus her. So das Bewußtsein und das Leben, das noch ein Drittel der Kinder dieses Stadiums den Gestirnen zuspricht. Andere Eigenschaften stammen vom Artifizialismus her: etwa die Vorstellung, daß die Körper einander gegenseitig hervorbringen, die aus der Idee einer Fabrikation im eigentlichen Sinne des Wortes hervorzugehen scheint (wobei in der zweiten Periode jede Fabrikation von lebender Materie ausgeht). Die meisten Eigenschaften jedoch rühren vom Animismus und vom Artifizialismus her: etwa die Vorstellungen einer substantiellen Kraft, eines integralen Finalismus usw.

Was wir von der dritten und vierten Periode gesagt haben, betrifft selbstverständlich nur die kindliche Physik. Bei Kindern mit einer religiösen Erziehung vollzieht sich die Trennung zwischen der Physik und der Theologie schrittweise in den gleichen Perioden, wobei der humane oder transzendente Artifizialismus der beiden ersten Perioden fortschreitend auf Gott selbst übertragen wird. In diesem Fall wird die Erschaffung der Welt weiterhin durch einen integralen Artifizialismus erklärt, während die Phänomene im einzelnen durch natürliche Vorgänge und einen immer stärker immanenten Artifizialismus interpretiert werden.

4. Die Ursprünge des Artifizialismus

Nur ein verschrobener Geist würde versuchen, den kindlichen Artifizialismus auf einen einzigen Ursprung zurückzuführen. Ein derart wucherndes Phänomen kann nur durch mehrere Faktoren bedingt sein. Wir wollen hier wie beim Animismus und bei der Magie zweierlei Ursachen auseinanderhalten: die individuellen Ursachen, die mit dem Bewußtsein des Kindes von seiner eigenen Aktivität verbunden sind, und die sozialen Ursachen, die mit den Beziehungen verbunden sind, die das Kind zwischen sich und seiner Umgebung, insbesondere zwischen sich und den Eltern, fühlt. Während im Falle der Magie und des Animismus die individuellen Gründe wichtiger zu sein scheinen, überwiegen offenbar die sozialen Ursachen im Falle des Artifizialismus.

Es gibt zwei soziale Ursachen: die Bindung in Form einer materiellen Abhängigkeit, die das Kind zwischen sich und seinen Eltern fühlt, und die spontane Vergöttlichung der Eltern durch das Kind.

Zum ersten Punkt können wir uns kurz fassen. Vom Beginn seines bewußten Lebens an ist das Kind von der Aktivität seiner Eltern unmittelbar abhängig: die Nahrung, das Wohlbefinden, die Wohnung, die Bekleidung, alles wird für das Kind von außen organisiert nach Maßgabe seiner Bedürfnisse. Die natürlichste Vorstellung für das Kind, die Vorstellung also, von der es sich nicht lösen kann, ohne seinen Gewohnheiten Gewalt anzutun, ist somit die, daß die ganze Natur auf es hin konvergiere und folglich von seinen Eltern oder den Menschen im allgemeinen organisiert worden sei. Der »diffuse Artifizialismus« kann somit als das unmittelbare Ergebnis des Gefühls einer materiellen Abhängigkeit betrachtet werden, welches das Kind seinen Eltern gegenüber empfindet. Vom mythologischen Artifizialismus kann man, wie wir gesehen haben, annehmen, er sei durch das Problem der Geburt ausgelöst worden. Doch das Problem der Geburt ist wiederum das Problem der Rolle der Eltern. Das Kind fühlt sich seinen Eltern zugehörig, es weiß, daß die Eltern über sein Kommen entschieden haben. Warum? Wie? Dieses besonders gerichtete Interesse bestimmt zu einem guten Teil die artifizialistischen Lösungen des Kindes. Der zweite Punkt, die Vergöttlichung der Eltern, muß uns etwas länger beschäftigen. Bovet[14] hat in einigen bemerkenswerten Untersuchungen aus der Psychologie des Kindes eine ganze Theorie über den Ursprung der Religion entwickelt, die in diesem Zusammenhang von großer Bedeutung ist.

Die Psychoanalytiker haben gezeigt, daß die verschiedenen Formen der Liebe, die Liebe des Kindes, die Liebe der Eltern, die geschlechtliche Liebe usw., nicht heterogen sind, sondern einen gemeinsamen Ursprung haben. Flournoy hat, insbesondere in seiner »Heutigen Mystik«[15], aus dieser Perspektive zu beweisen versucht, daß das religiöse Gefühl nichts anderes als sublimierte geschlechtliche Liebe sei. Bovet stellt diese Debatte auf eine breitere Basis und studiert nicht nur die Mystiker, sondern die Religion in ihrer ganzen Breite. Dabei ist er dazu gekommen, die ganze Fragestellung umzukehren. Wenn die geschlechtliche Liebe, die mystische Liebe und die Liebe des Kindes zu seiner Mutter wirklich miteinander verwandt sind, muß man dann mit Freud die kindliche Liebe als geschlechtlich und inzestuös auffassen, oder soll man die verschiedenen Formen der Liebe als Differenzierungen ein und derselben ursprünglichen Kinderliebe betrachten? Das ist nicht nur eine Frage der Wortwahl. In der religiösen Psychologie ist die Nuance eindeutig. Die sublimierte geschlechtliche Liebe enthält nicht das gesamte religiöse Gefühl. Die Übertragung und die Sublimierung der ursprünglichen kindlichen Liebe geben uns aber den Schlüssel zum Problem. Das Wesen des religiösen Gefühls ist nämlich eine Mischung *sui generis* von Liebe und Angst, die man den Respekt nennen kann. Dieser Respekt ist aber unerklärbar, wenn er nicht seinen Ursprung in den Beziehungen zwischen dem Kind und seinen Eltern hat. Er ist das kindliche Gefühl schlechthin.

Nun zu den Tatsachen. Das Kleinkind kommt spontan dazu, seinen Eltern alle jene Attribute zuzusprechen, die die Theologen der Gottheit zusprechen: Heiligkeit, Allmacht, Allwissenheit, Ewigkeit und sogar Allgegenwart. Wir wollen alle diese Punkte untersuchen, denn sie führen uns zum Kern des Artifizialismus.

Es ist eine geläufige Beobachtung, daß eine Allgütigkeit von den Kindern spontan den Eltern zugeschrieben wird. Das wird, laut Bovet, durch die Tiefe der Krise bewiesen, die die erste Entdeckung eines Fehlers und insbesondere einer Ungerechtigkeit im Verhalten der Eltern auslöst. Als wir Kindheitserinnerungen zu-

---

[14] P. Bovet: Le sentiment religieux. In: Revue de théologie et de philosophie (1919). S. 157–175; Le sentiment filial et la religion. Ebenda, 1920. S. 141–153; insbesondere auch: Le sentiment religieux et la psychologie de l'enfant. Neuchâtel und Paris 1925.
[15] Th. Flournoy: Une mystique moderne. In: Archives de Psychologie. Vol. 15 (1915).

sammentrugen, sind wir auf den Fall eines Kindes gestoßen, das, als es zu Unrecht beschuldigt und bestraft wurde, sich selbst vorredete, es habe den Fehler, den man ihm vorwarf, begangen.

Die Allmacht ist unter dem Gesichtspunkt, der uns hier interessiert, noch wesentlicher. Man hat oft Kinder zitiert, die ihren Eltern außerordentliche Fähigkeiten zuschreiben. Ein kleines Mädchen fordert seine Tante auf, sie solle regnen lassen.[16] Bovet erwähnt eine Kindheitserinnerung Hebbels. Das Kind, das seinen Eltern jede Fähigkeit zusprach, war verblüfft, als diese eines Tages verzweifelt vor einigen durch ein Unwetter verwüsteten Obstbäumen standen: Der Macht seines Vaters war somit eine Grenze gesetzt! Man kann zahllose solche spontane Züge zitieren. Unser Material bestätigt in dieser Hinsicht Bovets These mit aller Eindeutigkeit. Nicht nur die Allmacht, die die jüngsten der von uns untersuchten Kinder den Menschen im allgemeinen zusprechen, muß vom unbegrenzten Vermögen herrühren, das diese Kinder ihren Eltern zuschreiben, wir haben oft noch eindeutigere Fakten finden können. Wir haben unsere Kinder immer wieder gefragt, ob ihr Papa die Sonne, den Salève, den See, die Erde und den Himmel hätte machen können. Die jüngeren Kinder zögern nicht, mit Ja zu antworten. Hier ein signifikanter Mythos, in dem die Allmacht der Eltern zwar auf eine symbolische Ebene transponiert wird, wo aber diese Allmacht nichtsdestoweniger deutlich zum Ausdruck kommt:

Marsal (20 Jahre), ein Debiler, hat uns schon, nicht ohne Fabulieren, erzählt, die Sonne sei von den Ahnen wie ein Ball in die Luft geschleudert worden. Wir fragen ihn weiter, wer diese Vorfahren seien: *»Meiner Meinung nach brauchte es jemanden, um uns zu fabrizieren.«* »Und der liebe Gott? – *Ehrlich, ich glaube nicht an den lieben Gott. Ehrlich, es hat etwas gebraucht, damit das Menschenreich beginnen konnte.* – Wie ist das geschehen? – *Er* (Gott) *hat es nicht fertiggebracht, einen Menschen zu machen. Es hat eine Annäherung der Geschlechter gebraucht. Es hatte einen alten Mann, keinen ganz alten Mann, aber einen alten Mann. Er hatte eine Frau bei sich. Die Frau war ungefähr gleich alt.«* Marsal macht dazu ein ganz ernstes Gesicht. Wir bitten ihn, diese Frau zu beschreiben. Er antwortet: *»Sie hat das Gesicht meiner Mutter, meine Mutter, das ist mir das Liebste auf der Welt.«* Der Mann trägt natürlich die Züge seines Vaters: kein Bart, das gleiche Gesicht, die gleichen Augen. Er ist einfach ein wenig jünger. Und das sind für Marsal diese Vorfahren, die die Erde errichtet und die Sonne aus den Vulkanen herausgeholt haben.

Eine solche Fabel steht offensichtlich als Symbol für das, was die jüngeren Kinder nur fühlen: Die Welt ist von ihren Eltern gemacht worden.

Die Allwissenheit, die das Kind seinen Eltern zuspricht, zeigt

[16] S. Spielrein, in: Archives de Psychologie. Vol. 18 (1921–1923). S. 307.

sich klar in der Krise, die das Kind durchmacht, wenn es die Unwissenheit oder Irrtümer seiner Eltern entdeckt. Die kindliche Überzeugung ist hier wie üblich implizit, nicht formuliert oder sogar unformulierbar, und erst an dem Tag, an dem sie zusammenbricht, bemerkt man, daß es sie überhaupt gab. Ganz eindeutig ist diese von Bovet zitierte Erinnerung von E. Gosse, als dessen Vater erstmals etwas sagte, das nicht genau war. Man muß diese hochinteressante Stelle im Buch nachlesen.[17] Wir begnügen uns hier mit folgenden zwei Sätzen: »Ich hatte die verblüffende, bis dahin ungeahnte Entdeckung gemacht, daß mein Vater nicht wie Gott war, daß er nicht alles wußte. Der Schock wurde nicht durch den Argwohn ausgelöst, er sage nicht die Wahrheit, sondern durch den furchtbaren Beweis, daß er nicht allwissend war, wie ich geglaubt hatte.«

Aus unseren eigenen Beobachtungen stammt der folgende Fall. Del stellt mit 6 ½ Jahren seine Fragen, als ob es auf alles eine Antwort geben würde und als ob die Erwachsenen alles wüßten. *„Warum täuschen Sie sich nie?«* fragte er eines Tages seine Lehrerin. Mit 7;2 Jahren stellt Del weniger Fragen zu zufälligen Phänomenen, als ob er darauf verzichtet hätte, für alles eine Begründung zu finden. Daraufhin stellen wir ihm seine eigenen Fragen vom Vorjahr. Del hält sie für absurd oder unlösbar. *»Papa würde nicht alles wissen, ich also auch nicht«*, antwortet er einmal. In der Zwischenzeit hatte Del die Krise des Skeptizismus dem erwachsenen Denken gegenüber durchgemacht, wie sie Bovet beschrieben hat, die für das kindliche Denken von größter Bedeutung ist. Als Del noch an die Allwissenheit der Erwachsenen glaubte, betrachtete er die Welt als eine harmonisch geregelte Gesamtheit, in der jeder Zufall ausgeschlossen war. Zur Zeit des Skeptizismus hingegen, von der wir hier reden, verzichtet er auf die Vorstellung, alles könne begründet werden: er ist deshalb bereit, den Zufall und eine natürliche Erklärung zu akzeptieren.

Die Eltern werden von den jüngeren Kindern auch als von der Zeit unabhängig angesehen: Viele Kinder haben uns immer wieder bestätigt, als ihr Papa zur Welt gekommen sei, sei der See noch nicht ausgegraben und der Salève noch nicht erbaut gewesen. Marsals Mythos hat uns eben gezeigt, wie sehr das Kind dazu neigt, seine Eltern noch vor den Ursprung der Dinge zu stellen. Die Allgegenwart schließlich wird nicht nur aus Symmetriegründen erwähnt. Jedermann kennt das Gefühl, verfolgt und beobachtet zu werden, wie es Kinder empfinden, die etwas angestellt haben. Auch das fröhliche Kind hält sich für ständig erraten, begriffen, umhegt. Die Allwissenheit der Erwachsenen weitert sich zur Allgegenwart.

---

[17] E. Gosse: Père et fils. Paris 1912. S. 51 f.

Die Eltern sind Götter; das scheint der Ausgangspunkt des kindlichen Gefühls zu sein. Bovet hält in diesem Zusammenhang mit Recht fest, wie unnötig und hinderlich die Gottesvorstellung für das Kind sei, wenn ihm diese in den frühesten Stadien durch religiöse Unterweisung aufgezwungen wird. Falls man die göttlichen Vollkommenheiten zu sehr betont, sieht das Kind in Gott einen Rivalen seiner Eltern. Bovet hat in dieser Hinsicht recht merkwürdige Tatsachen zitiert. Falls man die göttlichen Vollkommenheiten nicht hervorhebt, hat Gott für das seiner Spontaneität überlassene Kind nichts Heiliges an sich. Er ist ein Mensch wie alle anderen, der auf den Wolken oder über dem Himmel wohnt, der sich aber davon abgesehen in nichts von uns unterscheidet. »Ein Mann, der für seinen Meister arbeitet«, »ein Mann, der Geld verdient«, solche Definitionen geben Kinder aus dem Volk noch mit 7 bis 8 Jahren vom lieben Gott. Man hat die Aussage eines Kindes zitiert, das »gute Götter« zu sehen meinte, als es Tiefbauarbeitern bei ihrer Arbeit zusah. Zahlreiche Kinder haben uns im übrigen versichert, es gebe viele »liebe Götter«: Der Ausdruck Gott ist für sie ein gattungsmäßiger Begriff, gleich wie der Begriff Sonne oder Mond für jene Kinder, die meinen, es gebe viele Sonnen und Monde. Wenn immer Kinder bei unseren Untersuchungen auf Gott zurückgegriffen haben, so war es entweder ein Fabulieren (als ob Gott eine Fee oder ein Weihnachtsmann wäre), oder es wurde ihm eine in Wirklichkeit menschliche Aktivität zugesprochen. Manche Kinder haben zum Beispiel gezögert, wem sie den See zuschreiben sollten, Gott oder den Menschen: »Ich weiß nicht, ob er vom lieben Gott oder von Männern gemacht worden ist.«

Dann kommt die Krise. Diese Vergöttlichung der Eltern findet notwendig ein Ende. Bovet formuliert es so: »Man hat schon seit langem festgestellt, daß es um das sechste Lebensjahr herum eine rationalistische und philosophische Periode gibt; man hat sie im allgemeinen als ein *Erwachen* der intellektuellen Neugier dargestellt; nach unserer Meinung muß man darin eher eine Krise, eine zugleich intellektuelle und moralische Krise, sehen, die in vielerlei Hinsicht der der Adoleszenz ähnlich ist.«[18] Die Konsequenzen eines solchen Phänomens liegen auf der Hand. Die Gefühle, die das Kind bisher seinen Eltern entgegenbrachte, müssen auf etwas anderes übertragen werden, und sie werden gerade in dieser Zeit auf den Gott übertragen, den die Erziehung dem Kind präsentiert. Man hat gesagt, das Kind »vergöttliche« seine Eltern. Bovet entgegnet mit Recht, es wäre besser zu sagen, es »vereiterliche« Gott, sobald es seine Eltern nicht mehr für vollkommen hält. Die den Eltern aufgezwungenen Fähigkeiten werden aus dem Blickwinkel,

---

[18] P. Bovet, a.a.O., S. 170f.

der uns hier beschäftigt, schrittweise mehr oder älteren Menschen, den »ersten Menschen«, zugesprochen. In gewissen Fällen kann die Krise sogar so weit gehen, daß der Artifizialismus als Ganzes in Zweifel gestellt wird, aber ein immer mehr abgeschwächter Artifizialismus überdauert diese Krise im Alter von 6 bis 7 Jahren im allgemeinen noch einige Jahre.

Man ersieht daraus, in welchem Maße die kindlichen Gefühle eine Ursache des Artifizialismus sein können: Da die Eltern Götter sind, ist die Welt für das Kind selbstverständlich auf ihre Tätigkeit oder auf die Aktivität der Menschen im allgemeinen zurückzuführen. Das ist auch der Grund, weshalb wir in den Einzelheiten nicht zwischen einem menschlichen und einem göttlichen oder theologischen Artifizialismus unterschieden haben. Bis in ein Alter von 7 oder 8 Jahren zumindest sind diese beiden Artifizialismen eins. Gott ist entweder ein Mann und die Menschen sind Götter, oder Gott ist der Anführer der Männer, aber durch eine Übertragung der kindlichen Gefühle. Man ersieht daraus aber vor allem auch, wie eigenständig der kindliche Artifizialismus in seinen Ursprüngen wie in seinen Äußerungen ist. Es wäre völlig verfehlt, ihn einem von außen aufgedrängten und vom Kind falsch verstandenen Religionsunterricht zuzuschreiben.

Jetzt wollen wir uns den individuellen Faktoren zuwenden, die den Artifizialismus auslösen oder fördern können. Diese Fakten sind sehr viel prosaischer. Wie aber psychoanalytische Studien gezeigt haben, ist das Denken des Kindes durch narzißtische und sogar »autoerotische« Interessen geformt, wie Freud die Absichten bezeichnet, die auf alle organischen Funktionen ausgerichtet oder durch die Elternkomplexe bedingt sind. Es lassen sich zwei solche individuelle Faktoren unterscheiden; beide hängen mit den Gefühlen des Kindes zusammen, selbst Ursache zu sein – einerseits durch seinen Organismus, andererseits durch seine manuelle Tätigkeit im allgemeinen.

Der erste Punkt ist wichtiger, als man meinen könnte, aber er ist mit den verschiedensten Tabus und Verdrängungen verbunden, so daß wir bei unseren Befragungen nur spärliche Spuren gefunden haben. Die jüngeren Kinder sind bekanntermaßen sehr stark an ihren Verdauungsfunktionen und Ausscheidungen interessiert. Eindeutige Spuren solcher Funktionen haben wir bei den Überzeugungen zum Ursprung der Flüsse finden können. Daß die Atmung (die als Erzeugung eines Blasens aufgefaßt wird) und auch die bei der Verdauung entstehenden »Winde« eine Rolle in den kindlichen Weltvorstellungen spielen, läßt sich kaum bezweifeln. Die Untersuchung der kindlichen Vorstellungen über die Luft und den Wind (siehe PK, Kapitel I) wird das im einzelnen aufzeigen.

Der zweite Punkt ist außerordentlich wichtig. Das Denken des

Kindes ist sehr eng mit seiner Muskeltätigkeit verbunden. Stanley Hall[19] hat aufgezeigt, in welchem Maße die kindliche Neugierde auf manuelles Experimentieren und die Zerlegung von Gegenständen ausgerichtet ist. Die Beobachtungen der Damen Audemars und Lafendel im Maison des Petits des Instituts Jean-Jacques Rousseau haben gezeigt, wie wesentlich das manuelle Konstruieren für die geistige Entwicklung des Kindes ist. Diese hervorragenden Pädagoginnen haben von den Beziehungen zwischen dem Denken und der manuellen Tätigkeit her drei Stadien in der geistigen Entwicklung des Kindes unterschieden. In einem ersten Stadium (3 bis 4 Jahre) ist beim Kind »das Denken durch die Aktion verbaut«. Es ist das Stadium der rein manuellen Tätigkeit. In einem zweiten Stadium (5 bis 7 Jahre) »besteht eine Verbindung zwischen motorischer und geistiger Tätigkeit«, »löst die Aktion Denken aus«. Im dritten Stadium (von 7 bis 8 Jahren an) »wird die Arbeit geordnet, wird die Bewegung dem Denken untergeordnet, weil das Denken der Aktion vorausgeht«.[20] Diese Formulierungen erhalten ihren vollen Sinn, wenn man sich vor Augen hält, daß im Maison des Petits das Rechnen und jede andere Form des intellektuellen Lebens spontan durch den Umgang mit manuellen Spielen und durch die Anpassung an die Erfordernisse dieser Spiele eingeführt wird. Damit ist aber auch gesagt, daß das Denken, sobald es sich seiner selbst bewußt wird, mit Fabrikation verbunden ist. Mach, Rignano und Goblot haben das Denken als ein »geistiges Experiment« oder eine gedankliche Konstruktion definiert. Beim Kind muß man fast von einer »Fabrikation in Gedanken« sprechen.

Um der Vollständigkeit willen muß noch ein nebensächlicher Faktor des Artifizialismus erwähnt werden: die Sprache. Die Verben »machen«, »formen« usw., die wir auf die Natur anwenden, haben offensichtlich eine durch und durch artifizialistische Tönung. Die Sprache kann aber ebenso offensichtlich den kindlichen Artifizialismus nicht erklären: Wie üblich konvergieren hier bloß die regressiven Tendenzen der Sprache mit der geistigen Haltung des Kindes. Wie immer ist das Kind durchaus eigenständig; am häufigsten verwendet es nicht das Wort »machen«, sondern die Kombination »machen, daß etwas geschieht« (der Wind macht, daß die Wolken sich bewegen, die Sonne macht, daß die Blumen sprießen usw.). Der Ausdruck »machen, daß etwas geschieht« hat, wie wir gesehen haben, einen zugleich animistischen und artifizialistischen Sinn: Er impliziert einen äußeren Antrieb und ein inneres Prinzip für die Verwirklichung.

---

[19] S. Hall, in: Pedagogical Seminary. Vol. 10 (1903).
[20] M. Audemars und L. Lafendel: La Maison des Petits de l'Institut J.-J. Rousseau. Neuchâtel und Paris 1923.

5. Die Ursprünge der Identifikation und die Ursachen für das Verschwinden des Artifizialismus und des Animismus

Es können nicht Erfahrungen im eigentlichen Sinne des Wortes sein, die das Kind dazu bringen, auf seinen Animismus und Artifizialismus zu verzichten. Keine direkte Erfahrung beweist einem animistisch orientierten Geist, die Sonne und die Wolken seien weder lebendig noch bewußt. Auch die Belehrungen der Erwachsenen können das Kind nicht von seinen Irrtümern abbringen, denn das Kind spricht einerseits nicht so oft von seinem Animismus, daß der Erwachsene versuchen würde, es davon abzubringen, und andererseits baut das Kind auch die besten Lektionen zu irgendeinem Thema in seine animistische Geisteshaltung ein. Und der Artifizialismus beruht auf geistigen Haltungen, denen nichts in der unmittelbaren Anschauung der Dinge widerspricht, ausgenommen das Kind sei eben dazu bereit, auf jede Vorverbindung zu verzichten.

Nicht ein direkter Druck des Wirklichen auf das Denken des Kindes erklärt somit das Verschwinden des Animismus und des Artifizialismus, sondern eine Veränderung in der geistigen Haltung. Worauf könnte diese Veränderung zurückzuführen sein? Die Antwort fällt verschieden aus, je nachdem ob wir die sozialen oder die individuellen Faktoren des Animismus und des Artifizialismus betrachten.

Bei den sozialen Faktoren genügt die von Bovet beschriebene Krise, in der das Kind bemerkt, daß seine Eltern und die Menschen im allgemeinen nicht allmächtig sind und nicht die Welt lenken, um das allmähliche Verschwinden des transzendenten Artifizialismus zu erklären. Diese Krise wirkt sich offensichtlich auch auf den Animismus aus, denn das Kind beginnt einzusehen, daß sich die Dinge viel weniger um uns kümmern, als es zunächst schien.

Was die individuellen Faktoren betrifft, also jene Faktoren, die mit der fortwährenden Assimilation der Welt an das Ich zusammenhängen, dank der das Kind alle Dinge als personal, als uns ähnlich und als um uns sich drehend betrachtet, so scheint der schrittweise Abbau der kindlichen Egozentrizität zureichend zu erklären, wie das Kind allmählich den Dingen gegenüber eine objektive Haltung einnimmt und dadurch auf die Partizipationen verzichtet, von denen der Animismus und der Artifizialismus zehren. Der Abbau der Egozentrizität, der von 7 bis 8 Jahren deutlich erkennbar ist, geht, wie wir an anderer Stelle gesehen haben (SD, Kapitel I bis III), auf die fortschreitende Sozialisierung des kindlichen Denkens zurück.

Loslösung von der Ausschließlichkeitsbindung an die Eltern und Loslösung vom eigenen Standpunkt oder vom Ich, das scheinen die beiden wichtigsten Faktoren zu sein, um das schrittweise Verschwinden des Animismus und des Artifizialismus zu erklären. Wie läßt sich dann der fortschreitende Übergang von einer artifizialistischen Kausalität zu den höheren Formen der Kausalität erklären?

Diese höheren Formen, zu denen das Kind spontan gelangt, sind, wie wir gesehen haben, die Kausalität durch substantielle Identifikation, das Modell der Verdichtung und der Verdünnung und ein gewisser ursprünglicher Atomismus oder eine ursprüngliche Komposition von Elementen.

Daß eine Identität gesucht wird, ist in den Stadien nach 7 bis 8 Jahren eindeutig festzustellen. Die Sonne und der Mond werden mit Wolken oder Luft identifiziert. Aus der Luft können einerseits der Dampf und das Wasser, andererseits das Feuer hervorgehen. Der Blitz wird auf eine Verwandlung der aus Rauch bestehenden Wolken in Feuer zurückgeführt. Erdboden und Steine werden als zwei Aspekte ein und derselben Substanz aufgefaßt usw. Diese Verwandlungen implizieren umgekehrt Verdichtungen und Verdünnungen. Die Sonne ist eine »zusammengeballte« Wolke, die Wolke ist »zusammengeballte« Luft oder »zusammengeballter« Wind, Steine bestehen aus zusammengepreßter Erde, und der Erdboden besteht aus in Körner und Staub zerfallenen Steinen. Diese Verdichtungen und Verdünnungen setzen ihrerseits voraus, daß es Körner oder Elemente gibt, worauf die Kinder von 11 bis 12 Jahren an eindeutig hinweisen.

Es sieht somit so aus, als hätte E. Meyerson recht, wenn er die Identifikation als die erste positive Form von Kausalität betrachtet. Doch die Identifikation hat eine Geschichte. Sie erscheint nicht auf Anhieb, und die Identifikationen, die die Intelligenz in den verschiedenen Perioden ihrer Entwicklung vornimmt, haben nicht alle den gleichen Wert oder die gleiche Struktur. Was die Vorsokratiker identifizierten, wird heute auseinandergehalten, und was wir identifizieren, erschien den Vorsokratikern als heterogen. Wie entwickelt sich also beim Kind die Identifikation? Dazu kann man aufgrund unserer Beobachtungen folgendes sagen.

Das Kind stellt zuerst zwischen den Dingen *dynamische Partizipationen* her: Die Wolken und der Regen ziehen einander an, die Kälte, das Eis und der Schnee ziehen einander an, der Wind und die Wolken wirken aufeinander ein, die Wolken wirken auf die Sonne ein, stoßen sie vorwärts, jagen sie vor sich her oder ziehen sie an usw. In dem Stadium, in dem alles vom Menschen fabriziert und alles lebendig ist, bestehen diese Partizipationen einfach aus Reihen von Aktionen auf Entfernung, halb-psychischer, halb-physischer Natur, ohne Gemeinsamkeit in ihrem Wesen im eigentlichen Sinne des Wortes. Doch einige dieser dynamischen Partizipationen weitern sich bereits zu substantiellen Partizipationen, das heißt im Raum getrennte Körper werden vom Kind bisweilen als direkt auseinander hervorgehend angesehen (vgl. im Kapitel IV, Abschnitt 2, den Fall der Luft und des Schattens).

Sobald der Mensch in den Augen des Kindes kein Gott mehr ist und die Natur sich nicht mehr so sehr um uns und unsere Interessen dreht, versucht das Kind die Dinge allmählich durch sich selbst zu erklären. Die Partizipationen zwischen den Dingen und uns hatten bis dahin Mythen hervorgebracht, in denen der Mensch die Dinge fabriziert. Die Partizipationen zwischen den Dingen untereinander bringen von jetzt ab in dem Maße, wie sich die Dinge vom Menschen lösen, *Zeugungs*mythen hervor. Die Sonne ist aus den Wolken hervorgegangen, die Blitze und die Sterne aus der Sonne, der Wind hat sich zu einer Wolke zusammengeballt usw. Wir sagen Zeugung und noch nicht Identifikation im eigentlichen Sinne des Wortes, denn die Dinge werden noch als lebendig und bewußt aufgefaßt, und das Kind sagt am Anfang noch nichts Genaueres über das »Wie« solcher Verwandlungen. Diese Mythen sind ganz mit der Geschichte von Vo (Abschnitt 2) vergleichbar, wo der Mensch aus einem Wurm hervorgegangen ist, der seinerseits aus einer Blase vom Boden des Gewässers stammt.

Zwischen der Zeugung und der *Identifikation* im eigentlichen Sinne des Wortes besteht nur noch derselbe Unterschied wie zwischen der Dynamik und der Mechanik: Im gleichen Maße, wie den Dingen Leben und spontane Kraft abgesprochen werden, wird die Verwandlung der Wolken in Gestirne und des Windes zu Wolken mechanisch, worauf das Kind die Modelle der atomistischen *Verdichtung* und *Komposition* zu Hilfe nimmt. Damit man jedoch erklären könnte, wie in den Kindern das Bedürfnis nach einer mechanischen Erklärung erwacht, müßte man wissen, wie sie die natürlichen Bewegungen erklären. Man müßte die Physik des Kindes sorgfältig studieren und die Erklärungen, die sich das Kind nicht nur für den Ursprung der Dinge, sondern auch für die Einzelheiten der Phänomene zurechtlegt, zu analysieren versuchen; dasselbe gilt für das »Wie« der Verwandlungen und der Bewegungen. Das soll unser Buch über die »physikalische Kausalität beim Kinde« (PK) sichtbar machen.

Anhang

Anmerkung zu den Beziehungen zwischen dem Glauben an das Wirksame und der Magie im Zusammenhang mit den Abschnitten 2 und 3 des IV. Kapitels

Um jedes Mißverständnis auszuschließen, halten wir es für nützlich, in kurzen Worten darzulegen, weshalb wir uns gestattet haben, den Begriff »Magie«, der üblicherweise rein soziologisch verwendet wird, in der Psychologie des Kindes zu benutzen.

In den Diskussionen mit I. Meyerson zu diesem Thema (vgl. Kapitel IV) ist eine Meinungsverschiedenheit zwischen uns nicht beigelegt worden. Meyerson hat unter anderem festgehalten, der Begriff »Magie« impliziere Aktionen und Überzeugungen mit einem kollektiven Aspekt. Das ist zunächst ein Tatbestand: Bei allen beschriebenen Beispielen ist die Magie in die soziale Gruppe eingebettet. Das ist aber kein Zufall, keine Folge von Umständen. Wenn man sich die Dinge überlegt, so zeigt sich, daß der Inhalt und die Form des magischen Phänomens ziemlich eng mit sozialen Aktionen, mit der Kommunikation, verbunden sind; sein symbolischer und stilisierter Charakter, seine Grammatik und seine Syntax setzen eine Adaptation, in den meisten Fällen eine lange Adaptation, an die Gesamtheit der Riten und Verhaltensweisen der Gruppe voraus; diese Sprache hat eine Geschichte. Sogar die Natur der Wirksamkeit ließe sich aus dieser Sozialität erfühlen. Es ist für eine Überzeugung nicht gleichgültig, ob das Leben der ganzen Gruppe von ihr abhängt. Aus ihrer »Rückstrahlung« erlangt sie nicht nur einen Zuwachs an Kraft; sie ist eine Aktion, die gelingt. Eine Überzeugung, die Erfolg hat und die rettet, ist etwas anderes als eine Überzeugung, die scheitert und verwirrt.

Das Faktum der Wirksamkeit bringt somit das magische Faktum nicht erschöpfend zum Ausdruck, nicht einmal unter einem rein psychologischen Gesichtspunkt. Zudem ist es nicht sicher, ob die Natur und insbesondere der Grad des Glaubens an die Wirksamkeit bei den kollektiven Taten von Erwachsenen gleich wie bei den individuellen Taten von Kindern seien.

Bei den kindlichen Fakten müßte man vielleicht eine Unterscheidung vornehmen:

1. Bei einigen Fakten wird eher an eine äußere Kraft appelliert, als eine wirkliche Aktion auf die Welt ausgeführt. In solchen Fällen könnte man sich fragen, ob tatsächlich an eine Wirksamkeit geglaubt wird oder ob es sich um Schwankungen in der psychologischen Spannung und eine Anstrengung, um diese Spannung auf-

zuheben, handelt, wobei die Verfahren, die P. Janet so gründlich untersucht hat, angewandt werden.

2. In anderen Fällen hat eine persönliche »Erfahrung«, ein Erfolg und eine Anwendung auf ein zweites Ereignis stattgefunden, das analoge Züge aufweist. Man könnte sagen, das sei eine Form von kausaler Verkettung oder Motivierung, die der Wirksamkeit näher stehe als der erste Fall, die sich aber dennoch durch zwei Eigenschaften davon unterscheide. Einerseits handelt es sich um eine Verkettung, eine Abfolge; I. Meyerson glaubt nun, die wahre Wirksamkeit und insbesondere die magische Wirksamkeit setzten eine Art Gleichzeitigkeit zwischen dem Ereignis und der Geste oder dem Ritual voraus, die dieses Ereignis auslösen sollen; deshalb ist, worauf er an anderer Stelle aufmerksam macht, die »Ursache« in diesem Fall ein Aspekt, ein Teil des Ereignisses. Andererseits ist der Glaube, den das Kind solcherlei Aktionen entgegenbringt, schwach und unstetig, im Gegensatz zur Kraft und zur Kontinuität der magischen Wirksamkeit.

3. Schließlich gibt es Fakten, wo dem Glauben des Kindes eine »soziale« Überzeugung zugrunde liegt (praktisch: eine verbreitete Überzeugung oder eine Überzeugung, die das Kind für allgemein verbreitet hält). Als allgemeine Überzeugung ist sie für das Kind auch notwendig, hat sie für es einen »zwingenden« Charakter. Nur beim Zusammentreffen eines kindlichen Wunsches mit einer Überzeugung dieser Ordnung könnte man nach Meyerson von Fakten sprechen, die der magischen Wirksamkeit ähnlich wären. Und hier wiederum müßte man unterscheiden zwischen den Überzeugungen, die das Kind aus der Umwelt der Erwachsenen übernommen hätte, ohne viel daran selbst zu erarbeiten, und den Überzeugungen kindlichen Ursprungs im eigentlichen Sinne des Wortes.

Dieser letztere Fall wäre laut Meyerson der günstigste. Er würde eine Gesellschaft von Kindern voraussetzen, die eigene Überzeugungen, Rituale oder Spiel-Riten haben, Initiations- und Zusammengehörigkeitsriten, Fortschritts- und Schöpfungsriten, Ausschluß- und Bestrafungsriten, Sprache und Symbole – das alles Wünschen und Ängsten der Kinder entsprechend, die anders geartet sind als diejenigen der Erwachsenen. Die Pfadfinder mit ihren besonderen Spielen, ihren Liedern und ihrer eigenen Symbolik sind, seiner Meinung nach, der Beweis dafür, daß man in Gesellschaften mit einer stärkeren Solidarität als der unseren derart organisierte Kindergruppen finden könnte. Eine solche Untersuchung wäre fruchtbar. Nur durch sie könnten sowohl der eigenständige Aspekt der magischen Wirksamkeit als auch die anderen Aspekte des magischen Phänomens sichtbar gemacht werden. Sie müßte wie jede sozialpsychologische Untersuchung des Phänomens im

Zustand der abgeschlossenen Entwicklung, eine Untersuchung des Erwerbs solcher Überzeugungen durch das Kind-Individuum, eine Untersuchung der verschiedenen Spielarten unter der Wirkung der sozialen Faktoren und der individuellen Erfahrung, eine Untersuchung des Verlustes solcher Überzeugungen sein.

Alle diese Bemerkungen sollen nur zeigen, daß es einer langen Anpassungszeit bedarf, um eine Atmosphäre der Magie zu schaffen.

Wir unsererseits räumen voll und ganz ein, daß die Magie in jeder Erwachsenensozietät eine grundsätzlich soziale Realität ist und daß der Glaube an die Wirksamkeit der Magie deshalb derart intensiv und stetig ist, daß er sich mit den wenig intensiven und höchst unsteten Überzeugungen unserer Kinder nicht vergleichen läßt. Wir sind des weiteren wie I. Meyerson davon überzeugt, daß man im Funktionieren jeder sozialen Institution unmöglich die jeweiligen Anteile des Individuellen und des Sozialen auseinanderhalten kann: der Sozialprozeß und seine Auswirkungen auf die individuellen Bewußtheiten sind ein und dasselbe oder stellen, genauer gesagt, die beiden Seiten ein und derselben Realität dar. Wir haben den Begriff »Magie« nicht gewählt, um die individuelle kindliche Überzeugung mit den sozialen Überzeugungen der Naturvölker zu identifizieren, auch nicht um der soziologischen Forschung eine Sozialpsychologie in der Art von G. Trade gegenüberzustellen.

Wir sind ganz einfach von der folgenden Arbeitshypothese ausgegangen. Unter den zahlreichen äußerst komplexen Merkmalen der Magie, die die Soziologen beschreiben, ist, so schien uns, der Begriff der Wirksamkeit auf Entfernung der psychologisch am schwierigsten zu erklärende Aspekt, wenn man sich auf das soziale Leben und nicht auf die Überzeugung als solche beruft. Wir haben deshalb angenommen, selbstverständlich als reine Forschungshypothese, es bestehe eine Kontinuität zwischen dem rein individuellen Begriff der Wirksamkeit und dem durch die sozialen Überzeugungen magischer Ordnung implizierten Begriffe. Das bedeutet in keiner Weise, daß diese sozialen Überzeugungen, gerade weil sie sozial sind, nicht ein unendlich stärkeres Zwangs- und Kristallisierungsvermögen hätten. Es bedeutet einfach, daß die sozialen Überzeugungen durch eine individuelle psychologische Struktur ermöglicht werden.

Von diesem psychologischen Standpunkt her definieren wir deshalb das Genus »Magie« durch den Begriff der Wirksamkeit auf Entfernung, und wir unterscheiden in diesem Genus zwei Spezies: 1. die individuelle kindliche Magie, wo diese Überzeugung wenig intensiv und wahrscheinlich unstet ist; 2. die Magie im eigentlichen Sinne des Wortes oder kollektive Magie, die durch verschiedene Aspekte *sui generis*, darunter durch eine viel intensivere und systematischere Überzeugung, charakterisiert ist.

Eben um die Kontinuität in der Entwicklung dieses Begriffes der Wirksamkeit zu unterstreichen, haben wir im Abschnitt 2 des Kapitels IV nur streng individuelle kindliche Überzeugungen zitiert, die nicht auf den Einfluß der Erwachsenen und im großen und ganzen auch nicht auf die Kommunikation zwischen Kindern zurückzuführen waren.

Es wäre selbstverständlich wünschbar, daß unsere Untersuchung über den Begriff der Wirksamkeit auf Entfernung durch eine weitere Untersuchung über die Ausbildung der sozialen magischen Überzeugungen beim Kind ergänzt würde. Hier müßte laut I. Meyerson die psychologische Analyse der Magie im eigentlichen Sinne des Wortes beginnen. Unserer Meinung nach müßte jedoch diese Untersuchung in Verbindung mit einer Studie über die individuelle Wirksamkeit vorgenommen werden.

Arbeiten solcher Art über die Kinder der Naturvölker oder die Kindergesellschaften der zivilisierten Gebiete fehlen. Vom Material her, das wir für den Abschnitt 2 des Kapitels IV gesammelt haben, dürfen wir annehmen, diese soziale Magie bestehe beim Kind insbesondere in einer Konsolidierung des Glaubens an die Wirksamkeit, eine Konsolidierung, die selbstverständlich um so ausgeprägter ist, je mehr das Kind unter dem Einfluß von Überzeugungen oder sozialen Praktiken der Erwachsenen steht.

Ein Beispiel. Der junge Mann, der uns sein individuelles Verfahren beim Murmelspiel erzählt hat (s. 122), erinnert sich folgender kollektiver Tatsache. Er und seine Freunde hatten, obwohl Protestanten, die Gewohnheit, ein Kreuzzeichen über den Murmeln zu schlagen, die sie rollen ließen, damit sie ihr Ziel erreichten. So weit diese Erinnerung genau ist, war dieser Brauch aus einer bloßen Nachahmung entstanden. Er hatte sich allmählich zu einem Ritus entwickelt, dem sich jeder Spieler in der Meinung unterzog, er müsse wirksam sein. Unser Gewährsmann hat den Eindruck, diese Praktiken seien viel reicher und komplizierter gewesen, aber er hat nur diese eine Einzelheit in Erinnerung behalten.

Selbstverständlich läßt sich aus einem einzelnen Faktum wie diesem überhaupt nichts ableiten. Wir lassen deshalb die Frage offen. Unsere Bezeichnung »Magie« für die beschriebenen individuellen Überzeugungen will nur auf eine mögliche Kontinuität zwischen dem in diesen Überzeugungen implizierten Begriff der Wirksamkeit und den in den im eigentlichen Sinne sozialen magischen Riten implizierten Begriffen hinweisen. Von dieser terminologischen Frage und der ihr zugrunde liegenden Arbeitshypothese abgesehen stimmen wir mit den Bemerkungen von I. Meyerson völlig überein. Wie ihm liegt auch uns viel an einer Unterscheidung zwischen den Überzeugungen im eigentlichen Sinne des Wortes von der Wirksamkeit (ob sie individuell wie in den im Kapitel IV, Abschnitt 2, zitierten Fällen oder sozial seien) und den einfachen Schutzmitteln, die die psychologische Spannung beseitigen sollen, einerseits und den rein phänomenistischen Kausalitätsformen auf der Grundlage von Verkettungen oder Abfolgen andererseits.

Personenregister

Aebli, H. 9–13
Aristoteles 201, 227
Audemars, M. 72, 317f., 334

Baldwin, J.-M. 12, 44f., 122, 124
Ballard 215, 308, 319, 321
Bally, G. 87, 222
Bergson, H. 211
Binet, A. 23, 160, 181, 312f.
Bohn, R. 218, 292, 320
Bovet, P. 12, 141, 188f., 221, 239, 309, 329–332, 335
Brunschvicg, L. 12, 227, 327
Burnet, J. 175

Chuar 164
Compayré 62
Cramaussel 316, 318

Delacroix, H. 88, 124, 139, 150, 152, 154, 174
D'Estrella, Th. 188f., 194, 230, 240, 253f., 265, 275, 288, 308

Egger 124
Empedokles 56

Feigin 93
Ferenczi, S. 221
Flournoy, Th. 131, 329
Frazer 142
Freud, S. 10, 12, 134, 142, 153, 210, 218, 220f., 321, 333

Goblot 334
Gosse, E. 123, 127f., 331

Hall, S. 12, 55, 190, 253, 313, 315f., 334
Hebbel, F. 141

James, W. 125, 140, 188f., 194, 230, 240, 253, 265, 288, 308, 319
Janet, P. 122, 340
Jerusalem, W. 223

Klein, M. 141, 292, 316, 319f.

Lafendel, L. 72, 334
Leuba, J. H. 139
Lévy-Bruhl, L. 10, 12, 90, 125, 157, 324
Luquet 62f.

Mach, E. 44, 164, 334
Maine de Biran 211
Malan 58
Margairaz, M. 264
Meyerson, E. 336
Meyerson, I. 141, 147, 281, 339–343
Michelet, J. 217
Müller, M. 223

Nagy, I. 28
Naville 72

Oberholzer 141

Perret, S. 58, 117
Piaget, J. 9–13, 15, 136, 168
Platon 60
Pratt, J. B. 189

Rasmussen, V. 124, 190, 194, 315, 317, 319f.
Reverdin 141
Reymond, A. 56
Ribot, Th. 210f., 218
Rignano 334
Rodrigo, M. 99, 117, 257, 264, 291
Roux, M. 264

Saussure, F. de 12
Simon, Th. 23, 312f.
Sintenis, Ch. F. 189
Sokrates 175
Spielrein, S. 141, 318, 330
Stern, C. 39f., 48, 51f., 222
Sully, J. 62, 93, 102, 139, 189f., 193, 200, 228, 255, 316f.

Trade, G. 341
Tylor, E. B. 214

Wallon, H. 124
Wulf 221

Jean Piaget:
Gesammelte Werke – Studienausgabe
Unter Mitwirkung von Bärbel Inhelder und Alina Szeminska
Alle 10 Bände zusammen. Je Band ca. 400 Seiten, broschiert.
ISBN 3-608-91827-2

Band 1: Das Erwachen der Intelligenz beim Kinde

Band 2: Der Aufbau der Wirklichkeit beim Kinde

Band 3: Die Entwicklung des Zahlbegriffs beim Kinde

Band 4: Die Entwicklung der physikalischen Mengenbegriffe beim Kinde

Band 5: Nachahmung, Spiel und Traum

Band 6: Die Entwicklung des räumlichen Denkens beim Kinde

Band 7: Die natürliche Geometrie des Kindes

Band 8: Die Entwicklung des Erkennens I:
Das mathematische Denken

Band 9: Die Entwicklung des Erkennens II:
Das physikalische Denken

Band 10: Die Entwicklung des Erkennens III: Das biologische Denken. Das psychologische Denken. Das soziologische Denken.

Herbert Ginsburg / Sylvia Opper:
Piagets Theorie der geistigen Entwicklung
Aus dem Amerikanischen von Hainer Kober
7. Auflage 1993. 306 Seiten, broschiert
ISBN 3-608-93042-6

»Dieses Buch ist für Studienanfänger bestimmt, die sich mit Piagets Theorie beschäftigen wollen. Bei Piaget ist die Empirie niemals von der Theorie getrennt. Diese Kontinuität wird überaus verständlich dargestellt. Das Buch vermittelt eine prägnante Beschreibung und klare Analyse der Gedanken und des Werks von Piaget.«
Bärbel Inhelder

Klett-Cotta, Postfach 10 60 16, 70049 Stuttgart

Erich Fromm
Gesamtausgabe
in zehn Bänden

Herausgegeben
von Rainer Funk

Insgesamt 4924 Seiten
im Großformat
14,5 x 22,2 cm
dtv 59003

Das Werk
von Erich Fromm
im Taschenbuch für DM 198,– bei dtv

Erstmals liegt das Werk Erich Fromms in einer sorgfältig edierten und kommentierten Taschenbuchausgabe vor. Die wissenschaftlich zuverlässige Edition enthält die zwanzig Werke Fromms und über achtzig Aufsätze. Die durchdachte und einleuchtende thematische Zusammenstellung gibt dem Leser Gelegenheit, Fromms geistiges Umfeld, seine Auseinandersetzungen und alle Facetten seines Menschenbildes und seines Wirkens kennenzulernen. Das erschöpfende Sach- und Namensregister und die Anmerkungen des Herausgebers bieten wichtige Interpretations- und Verständnishilfen und einen wissenschaftlich einwandfreien Apparat.

»Vielleicht zählt er für künftige Interpreten dereinst zu den Wortführern jener dritten Kraft, die – wie die großen Humanisten am Ende der Glaubenskriege – durch ihre mutigen Ideen dazu beitragen können, daß wir insgesamt toleranter und hilfsbereiter, bedürfnisloser und friedfertiger werden.«

Ivo Frenzel

»Fromms Gesamtwerk mit der unentwegten Bemühung um die Entfaltung der produktiven Lebenskräfte des Menschen weist einen sicheren Weg in eine sinnvolle, humane Zukunft.«

Professor Alfons Auer

Erich Fromm
im dtv

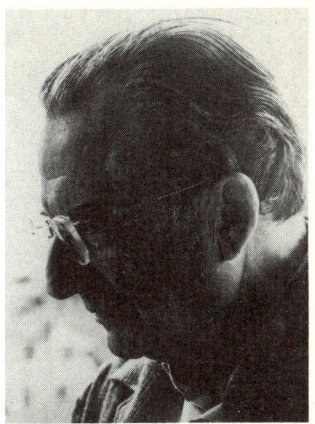

Haben oder Sein
Die seelischen Grundlagen einer
neuen Gesellschaft
dtv 30048

Erich-Fromm-Lesebuch
Herausgegeben und eingeleitet
von Rainer Funk
dtv 30060

Psychoanalyse und Ethik
Bausteine zu einer
humanistischen Charakterologie
dtv 35011

Psychoanalyse und Religion
dtv 15006

Über den Ungehorsam
Plädoyer für den notwendigen
Ungehorsam gegenüber falschen
Autoritäten. dtv 35012

Sigmund Freuds Psychoanalyse –
Größe und Grenzen.
Eine kritische Auseinandersetzung
Erich Fromms mit seinem Lehrer
Sigmund Freud. dtv 15017

Über die Liebe zum Leben
Rundfunksendungen von Erich
Fromm – grundlegende Gedanken
zu gesellschaftlichen und psychischen Problemen. dtv 15018

Die Revolution der Hoffnung
Ein Plädoyer für eine Renaissance
des Humanismus, in der die Technik
im Dienst der Menschheit steht.
dtv 15035

Die Seele des Menschen
Die Fähigkeit des Menschen zu
zerstören, Narzißmus und inze-
stuöse Fixierung. dtv 35005

Das Christusdogma
und andere Essays
Die wichtigsten religionskritischen
Schriften Erich Fromms.
dtv 35007

Die Furcht vor der Freiheit
Über die Bedeutung der Freiheit für
den modernen Menschen.
dtv 35024

Es geht um den Menschen
Tatsachen und Fiktionen in der
Politik. dtv 35057

Arbeiter und Angestellte am
Vorabend des Dritten Reiches
Eine sozialpsychologische
Untersuchung.
dtv 4409

C.G. Jung – Taschenbuchausgabe

Herausgegeben von Lorenz Jung

C.G. Jung
Taschenbuchausgabe
in elf Bänden
Herausgegeben von
Lorenz Jung auf der
Grundlage der Ausgabe
»Gesammelte Werke«
dtv 59016

Auch einzeln
erhältlich:

Die Beziehungen
zwischen dem Ich
und dem Unbewußten
dtv 15061

Antwort auf Hiob
dtv 15062

Typologie
dtv 15063

Traum und
Traumdeutung
dtv 15064

Synchronizität,
Akausalität
und Okkultismus
dtv 15065

Archetypen
dtv 15066

Wirklichkeit
der Seele
dtv 15067

Psychologie
und Religion
dtv 15068

Psychologie
der Übertragung
dtv 15069

Seelenprobleme
der Gegenwart
dtv 15070

Wandlungen und
Symbole der Libido
dtv 15071

Außerdem im dtv:

Wörterbuch
Jungscher Psychologie
Von Andrew Samuels,
Bani Shorter
und Fred Plaut
dtv 15088

Helmut Barz/Verena
Kast/Franz Nager:
Heilung und Wandlung
C.G. Jung
und die Medizin
dtv 15089

Der zweibändige dtv-Atlas zur Psychologie bringt eine geordnete Übersicht über die Vielfalt der Erscheinungen dieses Gebiets und die Methoden ihrer Untersuchung. Das bewährte dtv-Atlas-System, die Einheiten aus ausführlichen Textseiten und dazugehörigen Farbtafeln, erweist sich auch bei der Psychologie als hilfreich und für die Abbildung menschlicher Verhaltensweisen als besonders geeignet.

Aus dem Inhalt des ersten Bandes:

Terminologie (Glossar psychologischer Fachwörter), Theoriegeschichte, Methodik, Statistik, Neuro-, Wahrnehmungs-, Gedächtnis-, Lern-, Aktivations-, Kognitions-, Kommunikations- und Emotionspsychologie. Register.
dtv 3224

Aus dem Inhalt des zweiten Bandes:

Persönlichkeitspsychologie, Entwicklungs-, Sozial-, Massen-, Umwelt-, Tierpsychologie, Psychodiagnostik, Klinische, Angewandte und Kulturpsychologie. Begriffsverzeichnis. Bibliographie. Register für beide Bände.
dtv 3225

Aus dem Nachdenken und Spekulieren über die Natur des beseelten Menschen ist heute die wissenschaftliche Psychologie mit ihrer naturwissenschaftlich geprägten Methodik geworden. Die vielen Schulen und Zweige der Psychologie haben zu einer differenzierten psychologischen Fachsprache geführt, deren wichtigste Begriffe in diesem Wörterbuch erläutert werden.

Über 2200 Stichwörter, mit Literaturangaben. Englischdeutsches Verweisregister, ausführliche Bibliographie sowie eine Einführung in Geschichte, Gegenstandsbereiche und Studienaufbau der Psychologie.
dtv 3285

dialog
und praxis

Kinder
Eltern
Familie

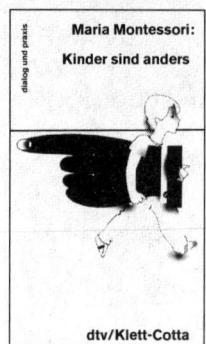 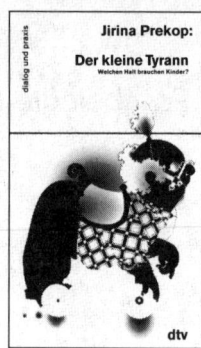

Verena Kast:
Wege aus Angst
und Symbiose
Märchen psycholo-
gisch gedeutet
dtv 35020

Mann und Frau
im Märchen
Psychologische
Deutung
dtv 35001

Familienkonflikte
im Märchen
Psychologische
Deutung
dtv 35034

Wege zur Autonomie
Märchen psycholo-
gisch gedeutet
dtv 35014

Kinder verstehen
Ein psychologisches
Lesebuch für Eltern
Hrsg. v.
Sophie von Lenthe
dtv 35017

Irène Kummer:
Wendezeiten im Leben
der Frau
Krisen als Chance zur
Wandlung
dtv 35051

Maria Montessori:
Kinder sind anders
dtv / Klett-Cotta
dtv 35006

Christiane Olivier:
Jokastes Kinder
Die Psyche der Frau
im Schatten der
Mutter
dtv 35013

Gerlinde Ortner:
Märchen,
die Kindern helfen
Geschichten gegen
Angst und Aggression
und was man beim
Vorlesen wissen sollte
dtv 35065

Jirina Prekop:
Der kleine Tyrann
Welchen Halt
brauchen Kinder?
dtv 35019

Anne Wilson Schaef:
Im Zeitalter der Sucht
Wege aus
der Abhängkeit
dtv 35022

Die Flucht vor der
Nähe
Warum Liebe,
die süchtig macht,
keine Liebe ist
dtv 35054